Les Empocheurs

Projet dirigé par Marie-Noëlle Gagnon, éditrice

Conception graphique : Sara Tétreault
Mise en pages : Pige communication
Révision : Michel Gay
Révision linguistique : Diane Martin et Isabelle Pauzé
En couverture : Illustration d'Anouk Noël réalisée à partir d'une
   photographie de © Ezio Gutzemberg/Photocase.com

Québec Amérique
329, rue de la Commune Ouest, 3e étage
Montréal (Québec) Canada H2Y 2E1
Téléphone : 514 499-3000, télécopieur : 514 499-3010

Nous reconnaissons l'aide financière du gouvernement du Canada par l'entremise du Fonds du livre du Canada pour nos activités d'édition.

Nous remercions le Conseil des arts du Canada de son soutien. L'an dernier, le Conseil a investi 157 millions de dollars pour mettre de l'art dans
la vie des Canadiennes et des Canadiens de tout le pays.

Nous tenons également à remercier la SODEC pour son appui financier.
Gouvernement du Québec – Programme de crédit d'impôt pour l'édition
de livres – Gestion SODEC.

**Catalogage avant publication de Bibliothèque et Archives nationales
du Québec et Bibliothèque et Archives Canada**

Beauchemin, Yves
Les empocheurs
(Littérature d'Amérique)
ISBN 978-2-7644-3088-0 (Version imprimée)
ISBN 978-2-7644-3117-7 (PDF)
ISBN 978-2-7644-3118-4 (ePub)
   I. Titre. II. Collection : Littérature d'Amérique
PS8553.E172E46 2016   C843'.54   C2016-940712-8
PS9553.E172E46 2016

Dépôt légal, Bibliothèque et Archives nationales du Québec, 2016
Dépôt légal, Bibliothèque et Archives du Canada, 2016

Imprimé au Québec

YVES BEAUCHEMIN

Les Empocheurs

ROMAN

QuébecAmérique

À mes fils Alexis et Renaud.

Bien qu'ils soient parfois inspirés de la réalité, les personnages et événements décrits dans ce roman sont fictifs.

Quand il s'écarta de la voie étroite et resserrée de l'honnêteté,
telle qu'il la concevait, ce fut en se proclamant à lui-même
qu'il était fermement résolu à reprendre la route monotone mais
sans risques de la vertu, dès que sa petite randonnée dans
les fondrières adjacentes aurait produit l'effet désiré.

Joseph Conrad, *Un paria des îles*

Un soir d'octobre, au début des années 2000, quelques minutes après le coucher du soleil, une lune orange s'éleva dans le ciel tourmenté d'où tombait une pluie glaciale ; sa couleur bizarre et comme mêlée de sang donnait à sa face une expression tellement sournoise que des passants levèrent la tête et restèrent bouche bée. Les heures s'écoulaient, incertaines, vaguement lugubres. Une pénombre piquée de lueurs tremblotantes s'était répandue partout et avait envahi la chambre d'un hôtel de Maniwaki, tirant de l'obscurité le visage d'un jeune homme endormi dont la bouche laissait échapper les soupirs d'un mauvais sommeil ; on aurait vite deviné que le dormeur n'avait pas aimé la journée qu'il venait de passer et craignait celle qui l'attendait.

En effet, vers 6 h, la première chose qu'il fit à son réveil fut de grimacer en promenant un regard maussade sur sa chambre meublée avec une sommaire banalité.

— Ah ! chienne de chienne, soupira-t-il en glissant les jambes hors du lit, c'est comme si on m'avait frappé toute la nuit avec une planche.

D'un pas traînant, il se rendit à la salle de bains, prit une douche, s'habilla et apparut bientôt dans le hall de l'hôtel, l'œil huileux, la bouche pleine de bâillements.

Une grosse fille à l'expression avenante, pas particulièrement jolie, pas particulièrement laide, se trouvait derrière le comptoir de la réception.

— Bonjour, monsieur Lupien, fit-elle avec une amabilité qui débordait les obligations de la courtoisie commerciale, vous avez passé une bonne nuit ?

La veille, dès le premier coup d'œil, ce nouveau client arrivé de Montréal lui avait plu avec sa taille élancée, son air décidé et sa belle chevelure rousse qui lui donnait des airs de chérubin délinquant.

— Non, pas vraiment, répondit-il après un nouveau bâillement.
Et il se frotta la nuque.

— Quelqu'un vous a dérangé? s'inquiéta-t-elle, désolée. Ou c'est
l'odeur de la peinture, peut-être? On vient de rafraîchir le corridor de
votre étage, mais, pourtant, le peintre avait pris bien soin d'aérer…

— Non, non, ce n'est pas ça, répondit Jérôme Lupien en agitant la
main comme pour indiquer qu'il s'agissait d'une affaire personnelle.

Il s'efforça de sourire, puis, voulant manifestement changer de
sujet, se tourna vers une fenêtre qui s'ouvrait à gauche du comptoir:

— La journée s'annonce belle, on dirait.

Et, enchaînant aussitôt:

— Est-ce que la salle à manger est ouverte?

— Dans un petit quart d'heure, monsieur Lupien. Mais vous pouvez vous installer tout de suite et lire les journaux, ils viennent tout
juste d'arriver. Ah! et puis j'oubliais – sacripette! où est-ce que j'avais
la tête? –, votre ami vous a laissé un message.

Glissant la main dans un casier, elle lui tendit une enveloppe.

— Monsieur Pimparé? s'étonna Jérôme Lupien.

— Oui. Il est parti il y a deux heures au moins. Vous ne saviez
pas? Il m'a pourtant bien dit qu'il vous avait averti.

— Et moi, je retourne à Montréal comment? lança le jeune homme
avec désespoir. J'étais monté avec lui dans sa fourgonnette!

Il déchira l'enveloppe d'un geste rageur, en sortit une feuille et
deux billets de 20 $ tombèrent à ses pieds.

— Qu'est-ce que c'est que ça? grommela-t-il en se penchant pour
les ramasser.

Il les chiffonna dans le creux de sa main et se mit à lire le mot,
griffonné d'une écriture grossière et hachée à l'arrière d'une feuille
de calendrier.

Salut, mon Jérôme,

*Je viens tous jusse de resevoir un coup de téléphone (2 h a.m.). Ma
sœur Rosalie (j'en est qune) est au plus mal à l'hopital. Faut que je
dessende tout de suite à Montréal pour la voir une derniere foi.
Excuse-moi pour le dérangement, je voulais pas te réveiller. Je te
laisse 40 $ pour ton autobus. Si y en a de trop, garde-le.*

À une prochaine, peutètre. Encore une foi, mes excuses,

Donat

Jérôme, les bras pendants, la bouche entrouverte, resta sans mots pendant plusieurs secondes. Son expression ébahie lui donnait l'air d'innocence et de candeur d'un petit garçon, et fit jaillir dans le cœur de la réceptionniste un amour brûlant qui chercha frénétiquement à s'exprimer.

— Mon Dieu, murmura-t-elle, tout émue, qu'est-ce qui vous arrive, monsieur Lupien? Est-ce que je peux vous aider?

Ces paroles eurent sur lui l'effet d'une légère décharge électrique.

— Merci, répondit-il froidement, il n'y a rien à faire. Rien. Vous me disiez que les journaux sont arrivés? ajouta-t-il, impatient de quitter cette grosse fille bien intentionnée qui lui tombait tout à coup sur le gros nerf.

Il s'attabla dans la salle à manger et se mit à feuilleter nerveusement *Le Journal de Montréal* pour se rendre compte, dix minutes plus tard, qu'on l'aurait fort embêté en lui demandant ce qu'il venait de lire. Un groupe de clients apparut et se dirigea vers le fond de la salle qui se remplit aussitôt du bourdonnement d'une joyeuse conversation.

— Puisque je vous dis, lança un homme à barbiche avec la voix grêle et cuivrée d'un ténor russe. C'est Rosaire qui me l'a annoncé au dépanneur tantôt. On l'a revu hier! Oui! Y a pas à se tromper! Un panache qui aurait de la misère à passer dans la porte! fit-il en désignant l'entrée de la salle à manger. Large comme ça! Je suis sûr que c'était lui! Y a pas deux orignaux de même sur toute la terre.

— Eh ben, répondit un de ses compagnons, songeur et quelque peu sceptique, le Monstre de Maniwaki serait revenu... Hum... J'étais sûr qu'il était mort de sa belle mort, celui-là... Ça faisait trois ans qu'on n'en avait pas entendu parler... T'es sûr de ce que tu dis, Raymond? Je gagerais pas trente sous sur lui, moi.

— Ça faisait bien trois ans que tu nous disais que ta famille était faite, répliqua le ténor, et ta femme vient quand même de retomber enceinte!

Un éclat de rire général accueillit cette judicieuse observation.

Une jeune serveuse aux traits amérindiens et dotée de magnifiques yeux noirs apparut alors dans la porte de la cuisine, une cafetière à la main, et se dirigea vers Jérôme.

— Deux œufs tournés, jambon, rôties et un jus d'orange, commanda-t-il à voix basse, le regard fixé sur le filet de café qui remplissait sa tasse de grosse faïence, saisi tout à coup d'un profond sentiment de honte.

La honte ne cessait de grandir en lui de s'être fait avoir la veille comme un gamin par ce grand vieux sec de Donat Pimparé aux manières si affables et pleines de bonhomie, mais au curieux regard double, comme si derrière l'expression bienveillante qu'on lisait dans ses yeux s'en cachait une autre, subtilement narquoise.

◆ ◆ ◆

Après avoir tâté d'études en sciences politiques, puis en psychologie, Jérôme Lupien avait enfin trouvé sa voie dans la littérature ; il s'était alors inscrit au département des littératures de langue française de l'Université de Montréal où il avait obtenu un baccalauréat qui lui permettait d'envisager une carrière dans l'enseignement, le journalisme, l'édition ou d'autres domaines connexes. Alors, pour se récompenser de l'effort remarquable qu'il avait fourni en cumulant des études universitaires et un emploi de garçon de café dans le Vieux-Montréal, il avait décidé de s'offrir une année sabbatique, dont il avait consacré les premières semaines à dormir, mener joyeuse vie et faire de la planche à voile, avec l'idée de couronner le tout par un long voyage sur le pouce en Amérique du Sud.

Puis, vers le milieu de l'été, son oncle Raoul, devenu quasi impotent, lui avait légué son équipement de chasseur. Durant son adolescence, Jérôme l'avait accompagné plusieurs fois à la chasse et s'était ainsi quelque peu familiarisé avec les armes – que son propre père avait en abomination ; il avait gardé de ces expéditions un souvenir émerveillé que le temps avait embelli. Alors, un après-midi, tandis qu'il manipulait, ému, les carabines et les fusils soigneusement astiqués et huilés que l'oncle lui avait remis les larmes aux yeux, une fringale de chasse s'empara de lui et ne lui laissa pas de répit ; la nuit, il rêvait d'expéditions dans des forêts ténébreuses où il arrivait face à face avec des troupeaux de chevreuils, d'orignaux ou de caribous qu'il décimait dans un fracas terrible, à demi aveuglé par des nuages de fumée piquante qui le faisaient tousser et rire en même temps.

Il consacra une fin de semaine à suivre des cours de maniement d'armes et d'initiation à la chasse afin d'obtenir son permis, qu'il reçut un mois plus tard. Malgré tout, il sentait le besoin d'avoir à ses côtés quelqu'un d'expérimenté pour sa première expédition d'adulte ; alors il dénicha au début d'octobre un guide de chasse sur Internet et l'affaire se conclut en deux temps trois mouvements. Donat Pimparé lui avait aussitôt suggéré de se rendre à Maniwaki.

— C'est pas à la porte, bien sûr, et ça va entraîner un peu de dépenses, mais depuis cinq ou six ans, je connais pas de meilleur coin pour le gros gibier. Y a pas une expédition que j'ai faite là-bas sans ramener une bête, mon gars. Si tu veux pas revenir déçu, crois-moi, c'est là qu'il faut aller.

L'homme de 58 ans habitait Sorel et possédait une longue expérience dans le métier. Comme Jérôme, deux mois plus tôt, avait démoli sa vieille Mazda dans un accident d'où, par bonheur, il était sorti indemne mais avec trois points d'inaptitude, le guide avait offert de le véhiculer dans sa fourgonnette. «Si l'orignal est trop gros, avait-il plaisanté, tu reviendras en autobus ! »

C'est bien ce qui l'attendait. Mais il repartait sans orignal.

◆ ◆ ◆

L'avant-veille, Pimparé était venu le cueillir vers midi à son appartement de l'avenue Decelles ; comme ils avaient convenu de ne partir à la chasse que le lendemain à l'aube, ils avaient roulé sans trop se presser, s'arrêtant de temps à autre pour un café que le guide faisait suivre d'une ou deux cigarettes une fois dehors, pestant contre la loi qui interdisait de fumer dans les lieux publics ; Jérôme, avec diplomatie, lui avait demandé de ne pas fumer pendant le trajet, ce qu'il acceptait de bon cœur, car «le client, c'est le *boss*, vois-tu». Il s'était montré un compagnon agréable et même divertissant, qui avait fait rire Jérôme à plusieurs reprises par le récit de sa vie aventureuse et colorée, où les épisodes loufoques côtoyaient les événements dramatiques et parfois même tragiques.

— J'ai fait 50 métiers, j'ai connu 10 000 misères, et je pourrais t'écrire un livre gros comme un tracteur sur les femmes et leur caractère, car j'en ai connu de toutes les sortes, de toutes les races, de tous les âges, de la jeune pute à la vieille Sœur Grise en passant par toutes les couleurs de peau que tu peux imaginer. Ah! les femmes! Elles m'ont fait connaître le ciel, le purgatoire et l'enfer, mais celui qui me dirait qu'on peut s'en passer, je lui donnerais tout de suite son certificat de menteur professionnel, avec un coup de pied au cul en prime. D'ailleurs, juste à voir ton air, je pense que t'en connais pas mal sur le sujet, toi aussi, non?

— Un petit peu, répondit Jérôme, flatté.

Puis, le guide lui avait parlé de sa famille, qui comptait quelques zigotos et zigototes assez bizarres, merci, mais également des gens très bien – son frère aîné, chanoine *et* architecte, oui, monsieur!, qui s'occupait à Rome de l'entretien des bâtiments du pape, rien de moins –, sans oublier une nièce qui jouait du violon dans l'Orchestre symphonique de Montréal, et sacré pétard en plus!

Mais il n'avait jamais fait la moindre allusion à une sœur mourante.

La nuit tombait quand ils étaient arrivés à Maniwaki, fatigués et affamés. C'était une ville au rude visage, comme toutes les villes du Nord, construite un peu de bric et de broc, de façon improvisée, où les enseignes aux vives couleurs des chaînes de magasins américaines semblaient dans leur milieu naturel. Malgré l'heure tardive, à tout moment des semi-remorques chargés de troncs d'arbres fraîchement ébranchés filaient en rugissant dans la rue. Pimparé avait loué deux chambres à l'Hôtel Maniwaki, une grande bâtisse recouverte de clins d'aluminium blancs ternis par le soleil qui se dressait dans la rue Principale. Un fumet de viande et d'oignons frits flottait dans le hall de l'hôtel et leur remplit la bouche de salive, mais la réceptionniste annonça que la cuisine venait de fermer. Ils durent se contenter d'une poutine et d'un mauvais café dans un casse-croûte non loin de l'hôtel, puis commandèrent des sandwichs et des jus de fruits pour leurs repas du lendemain dans la forêt, que Pimparé rangerait dans une glacière portative.

— Eh ben, mon Jérôme, lança-t-il en se levant de table avec un puissant rot (le voyage semblait l'avoir mis particulièrement à l'aise avec son client), demain, c'est deboutte à 4 h. Oublie pas de demander qu'on te réveille. Je t'attendrai dans le hall à 4 h 30.

Ils retournèrent à l'hôtel et montèrent à leur chambre. Par égard pour son compagnon, Pimparé, qui ronflait, disait-il, comme une tondeuse, avait recommandé que chacun ait sa propre chambre, ce que Jérôme, de toute façon, préférait.

À l'heure dite, ils se retrouvèrent le lendemain dans le hall. L'esprit encore tout embrumé, malgré le café perco qu'il avait pu se préparer au saut du lit, gracieuseté de l'hôtel, Jérôme s'efforça d'imiter l'entrain perpétuel qui semblait la marque professionnelle de son guide.

— Bien dormi, mon gars? demanda Pimparé avec un grand sourire à dents jaunes.

— Comme une bûche.

— Eh bien, moi, comme une corde de bois! Je suis d'attaque à matin, c'en est quasiment épeurant.

Il se tourna vers un gros garçon ensommeillé debout derrière le comptoir qui ne cessait d'écraser des bâillements derrière son poing:

— Ç'a pas l'air d'être ton cas, mon ami. Aurais-tu passé la nuit à jouer aux fesses?

— Pas mal difficile derrière un comptoir, se défendit l'autre, amusé.

Et il bâilla de nouveau.

— Ah oui? Pourtant, je l'ai souvent fait, moi.

Et, sortant de l'hôtel suivi de Jérôme, il s'avança sur le trottoir, leva les bras et respira à pleins poumons l'air frisquet de la nuit:

— Humm… ça sent la forêt jusqu'en ville… tu trouves pas?

Jérôme acquiesça de la tête. L'entrain de son compagnon dissipait sa torpeur et ranimait sa fringale de chasse qui s'était estompée durant la nuit.

— Eh bien, allons-y, mon ami, lança Pimparé en se dirigeant à grandes enjambées vers sa fourgonnette stationnée tout près. On a encore un bout de chemin à faire. La zec Pontiac, c'est à une bonne heure d'ici. Et puis, faut prendre le temps de se choisir un coin pour se mettre à l'affût.

Ils traversèrent la petite ville assoupie sous un ciel noir où se devinait confusément le lourd couvercle de nuages d'une journée d'automne menacée par la pluie.

Les événements allaient se dérouler avec la rapidité brutale d'un mélodrame.

Au bout d'une centaine de kilomètres, la fourgonnette quitta la route asphaltée pour s'engager sur un chemin de terre qui s'enfonçait en se tortillant dans une forêt de conifères, puis s'arrêta tout à coup. Le visage de Pimparé avait pris l'expression grave et recueillie d'un prêtre de l'Antiquité se préparant à l'immolation d'une victime.

— On continue à pied, annonça-t-il à voix basse, et en faisant le moins de bruit possible. Les orignaux aiment pas le *heavy metal*.

Jérôme eut un petit rire narquois, comme pour bien marquer qu'il n'en était pas à sa première expérience.

Ils descendirent de la fourgonnette, chacun avec son fusil (celui du guide ne devant servir que de rechange au cas où l'arme de Lupien s'enraierait), et s'avancèrent sur le chemin ; Pimparé portait un sac à dos qui contenait les munitions, les victuailles, des couvertures et divers autres objets. Le chemin dégénéra bientôt en un sentier de plus en plus raboteux qui s'amusait à escalader et à descendre des buttes, à se faufiler entre des rochers couverts de mousse et à compliquer la marche des chasseurs avec des arbres tombés au sol, de petites cuvettes marécageuses, des affleurements de granit glissants. Bientôt, ce ne fut plus qu'une vague piste que seul un œil exercé arrivait à deviner. Dans la lumière indécise du petit matin, la forêt noyait les deux chasseurs dans ses effluves profonds et capiteux, resserrant peu à peu sur eux sa masse sombre et touffue comme pour les avaler.

Pimparé s'arrêta tout à coup et promena son regard autour de lui, pensif.

— Il faut revenir un peu vers la fourgonnette, murmura-t-il. On pourra jamais ramener une bête de si loin.

Et il rebroussa chemin, suivi de son compagnon quelque peu soulagé. Au bout d'une dizaine de minutes, leur marche redevenue plus facile, il s'arrêta de nouveau ; une vague lueur à sa droite, issue d'une petite clairière, venait d'attirer son attention. Quittant le sentier, il se glissa silencieusement parmi les arbres, puis fit signe à Lupien de venir le rejoindre. Un léger affaissement du sol tapissé d'aiguilles sèches s'étendait derrière un bouleau et donnait une vue discrète sur la clairière.

— On va s'installer ici, chuchota-t-il de sa voix rocailleuse, qui en devenait cocasse. Le vent souffle vers nous… Les bêtes risqueront moins de nous flairer… Le reste, mon gars, c'est une question de chance et de patience.

Ils s'accroupirent, leur arme à portée de la main, et l'attente commença.

Au début, Jérôme, l'œil braqué sur la clairière, tressaillait au moindre craquement et jetait de temps à autre un regard de côté sur son guide, qui demeurait impassible. Peu à peu, son attention se relâcha, un léger engourdissement se répandit dans ses membres et sa pensée se perdit dans le vaste bruissement des arbres. Alors le temps se figea et une vieille rêverie d'enfant amena un sourire attendri à ses lèvres. Perdu dans le ciel, il pilotait un petit avion au corps translucide, léger comme un planeur, qui dansait dans le vent, faisait des tonneaux, des pirouettes, des piqués, puis s'enfonçait dans les nuages pour ressurgir en pleine lumière, tout environné d'oiseaux qui s'amusaient autour de lui en piaillant. Loin en bas, la terre devenue minuscule n'était plus qu'une chose insignifiante. Disparus, les parents, l'institutrice et ses moments d'humeur, les devoirs, les consignes, les défenses, les punitions, les aliments qu'il faut manger et ceux qu'on nous interdit, les couchers à heure fixe, les levers matinaux. Il était le roi de l'univers et qu'on ne vienne surtout pas l'écœurer : à la simple pression d'un bouton rouge, son planeur se transformerait en bombardier. Ses yeux se plissaient de plaisir et, en même temps, il souriait dédaigneusement devant la futilité de ces chimères d'enfant.

Soudain, un coup de coude dans les côtes le fit se retourner. Pimparé, livide, fixait quelque chose devant lui. Jérôme reporta son regard en avant et vit s'avancer lentement au fond de la clairière un orignal au panache gigantesque qui reniflait et tournait la tête à gauche et à droite, méfiant.

D'un geste sec, le guide pointa l'index vers l'arme de son jeune compagnon pour lui faire signe d'épauler.

Le coup partit, assourdissant. La bête eut un violent sursaut et disparut parmi les arbres.

— Je l'ai raté, se lamenta Jérôme.

— Peut-être pas, répondit Pimparé en bondissant sur ses pieds. Reste ici. Je vais aller voir… Reste! ordonna-t-il en voyant que le jeune homme voulait le suivre. Un orignal blessé, ça peut être dangereux, mon ami.

Il traversa lentement la clairière, fusil à la main, et se rendit jusqu'au fond, inspectant le sol, puis disparut à son tour dans la forêt. Lupien, le cœur battant, se tenait debout, appuyé sur son arme, le canon en l'air, suprême imprudence. «Je n'ai jamais vu un orignal avec un pareil panache», se dit-il, puis il se rappela que les seuls orignaux qu'il ait jamais vus étaient en photos, son oncle ne l'ayant amené qu'à la chasse au petit gibier.

Pimparé réapparut au fond de la clairière et s'avança à pas lents, les épaules basses. Jérôme attendit qu'il se rapproche, puis, la mine piteuse:

— Je l'ai raté, hein?

L'autre hocha la tête.

— C'était le Monstre, déclara-t-il en se plantant devant lui.

— Le *quoi*?

— Le Monstre de Maniwaki. Tu connais pas? Un orignal avec un panache comme personne a jamais vu: 62 pointes! Il était disparu depuis trois ans. Tout le monde pensait qu'il était mort. Eh ben, il a failli mourir… Ça sera pour la prochaine fois…

— T'aurais dû tirer! lança Jérôme, rouge de honte et de colère.

Pimparé secoua la tête:

— C'est pas moi, le chasseur, tit gars. J'ai pas de permis. Moi, je suis seulement le guide.

Il s'accroupit de nouveau sur le sol, le fusil sur les genoux, mais son regard voltigeait à gauche et à droite et à tout moment des grimaces lui tordaient le visage. Manifestement, le cœur n'y était plus. Lupien s'accroupit à son tour et s'efforça de concentrer son attention sur la clairière, maudissant à voix basse sa maladresse.

— On perd notre temps ici, déclara soudain Pimparé en se redressant. Quand le coup de feu a été tiré, le gibier est aux aguets des milles à la ronde. On pourrait rester jusqu'à demain sans même voir une perdrix. Faut s'installer ailleurs.

Ils retournèrent lentement à la fourgonnette. La bonne humeur du guide, dont on aurait cru qu'elle faisait partie de sa personne comme la couleur de ses cheveux ou sa façon de marcher, était disparue avec l'orignal. Il paraissait à présent soucieux et même inquiet, répondait aux questions de son compagnon par des monosyllabes, puis tout à coup, comme faisant effort sur lui-même, il se mettait à lui prodiguer des encouragements, l'assurant que ce n'était que partie remise, que le lendemain, au plus tard, il l'aurait, sa bête, car ils se trouvaient dans une des meilleures régions de chasse du Québec : en 15 ans, foi de Pimparé, il n'était jamais revenu bredouille de Maniwaki.

— Fie-toi sur moi, mon Jérôme, tu vas remplir ton congélateur à ras bord de beaux steaks d'orignal épais comme ça, et juteux... Ta blonde va être contente : la viande d'orignal, ça met de la mine dans le crayon ! ajouta-t-il avec un petit rire égrillard qui sonnait faux.

Quand ils arrivèrent à la fourgonnette, le ciel, qui n'avait cessé de s'alourdir depuis l'aube, creva avec des coups de tonnerre assourdissants. Les deux hommes se réfugièrent dans le véhicule, incapables de repartir, car les trombes d'eau rendaient la conduite impossible.

Jérôme tourna vers son guide un visage découragé :

— C'est le cas de le dire : notre partie de chasse vient de tomber à l'eau.

— Pas du tout ! répliqua Pimparé. Une pluie de cette force-là, ça dure jamais longtemps. Quand elle se sera un peu calmée, on va se trouver un autre *spot*, mon Jérôme. Et même, je te dirais que je suis pas fâché du tout qu'il se soit mis à mouiller.

Et il lui expliqua que la rumeur de la pluie masquait les autres bruits et mettait le gibier en confiance ; la chasse devenait alors plus facile.

Vers 10 h, l'orage cessa, remplacé par une pluie lente et monotone qui semblait devoir durer des siècles. La fourgonnette s'ébranla. Pimparé avait décidé de se rendre près du lac de l'Indienne, à une vingtaine de kilomètres. Deux ans plus tôt, il avait amené trois ou quatre groupes de chasseurs là-bas, chaque fois avec un grand succès.

Quarante minutes plus tard, ils atteignaient le lac. Pimparé retrouva facilement une sorte d'abri rudimentaire construit par des chasseurs dans un vieux cèdre à cinq ou six mètres du sol et auquel on accédait par une série de gros clous plantés dans le tronc et qui faisaient office d'échelle. Ils s'y installèrent, et le guet recommença, sous la pluie. Les heures passaient, grises, mornes, interchangeables. Au coucher du soleil, il pleuvait encore. Le toit de leur abri, conçu apparemment pour le beau temps, se contentait de filtrer sommairement la pluie qui tombait à grosses gouttes sur leurs épaules et leur dos. Jérôme, trempé jusqu'aux bobettes, mort de fatigue, affamé et maussade, ne songeait plus qu'à rentrer à l'hôtel, mais Pimparé, pourtant aussi mal en point que lui, insistait pour rester encore un peu.

Finalement, comme l'obscurité s'épaississait, ils levèrent le camp. Jérôme faillit s'étaler en butant contre une racine. Le retour se fit en silence. Morose, le chasseur en herbe pensait à tout cet argent dépensé pour du vent – et de l'eau. Il avait, bien sûr, une autre journée devant lui pour se racheter, mais, sans pouvoir se l'expliquer, il n'y croyait plus guère. Derrière le volant, Pimparé bâillait, essayait d'éviter les ventres de bœuf et la laveuse d'un chemin de terre que l'orage avait bien maltraité.

En arrivant à l'hôtel, Jérôme vit surgir entre des nuages en déroute une lune d'un orange bizarre qui semblait fixer la terre avec un sourire moqueur ; il voulut la montrer à son guide, mais celui-ci était déjà à l'intérieur.

Ils soupèrent rapidement, puis montèrent à leur chambre.

— Meilleure chance demain, fit Pimparé avec un grand sourire en donnant une tape sur l'épaule à son client.

Jérôme, soûl de fatigue, se mit au lit sans même prendre la peine de se laver. La pluie avait cessé.

◆ ◆ ◆

— Monsieur Lupien, se risqua la réceptionniste en rougissant, je sais que je ne me mêle pas de mes affaires, mais… vous n'avez vraiment pas l'air en forme… Est-ce que je peux faire quelque chose pour vous ?

Il venait de quitter la salle à manger et, planté au milieu du hall, les mains dans les poches, fixait la rue d'un air désemparé.

L'employée, à présent écarlate, dut répéter sa question, car il ne semblait pas l'avoir entendue.

— Merci, non merci, répondit-il en sursautant. Vous êtes bien gentille, mais…

Il s'arrêta et se mit à la fixer, touché soudain par la bonté qui remplissait le regard de la grosse fille.

— Mais quoi? demanda-t-elle en souriant.

— Rien… Une idée qui me passait par la tête, comme ça… C'est sans importance.

Puis, essayant de prendre un ton dégagé:

— Le terminus, mademoiselle, c'est loin d'ici?

— Non, pas du tout: il est sur la rue Principale, près de la Caisse populaire.

Une femme à cheveux gris, un peu essoufflée, tenant deux petits garçons par la main, apparut alors dans l'entrée et s'avança vers le comptoir de la réception – ou plutôt y fut entraînée par les enfants que cela semblait amuser au plus haut point.

— Mais voyons, voyons, protesta-t-elle en feignant la colère, arrêtez de me tirer comme ça! Je ne suis pas une charrue!

— Oui, t'es une charrue, grand-maman! répondit l'un d'eux, et il éclata de rire.

Une discussion mouvementée commença alors entre la grand-mère et la réceptionniste au sujet d'un homme qui devait se trouver sur les lieux mais qui, apparemment, ne s'y trouvait point.

Jérôme Lupien décida de remonter à sa chambre pour faire ses bagages. Il n'avait plus qu'un désir: sacrer le camp.

En ramassant ses articles de toilette dans la salle de bains, il sursauta devant le reflet que lui renvoyait le miroir.

— T'en as l'air, d'un beau niaiseux! s'apostropha-t-il à voix haute. Né pour te faire fourrer! Pauvre con!

Il jeta pêle-mêle en grommelant ses effets dans un sac de voyage, puis promena son regard dans la chambre afin de s'assurer qu'il n'oubliait rien.

Sa colère ne cessait d'augmenter. Alors, avisant une corbeille à papier près d'une table, il lui allongea un coup de pied qui l'envoya rebondir contre un calorifère dans un tintamarre effroyable.

L'instant d'après, il redescendait posément au rez-de-chaussée, honteux de son geste.

— J'ai préparé votre note, annonça la réceptionniste comme s'il s'agissait d'une bonne nouvelle. Vous devez payer aussi la chambre de monsieur Pimparé, n'est-ce pas?

— C'est ça, répondit-il en fixant le comptoir d'un air sombre.

Elle lui tendit son reçu, sourit sans aucune raison, puis:

— Il paraît que vous avez vu le Monstre hier, vous et votre guide?

— Ouais… Les nouvelles circulent vite, à ce que je vois.

— On ne parle que de ça ici depuis hier soir… Dommage. Vous n'avez pas été chanceux, pauvre vous! Ça aurait fait une bonne prise. Votre photo aurait paru dans les journaux. Une grosse légume aurait payé dans les six chiffres pour avoir son panache!

Plus elle parlait, plus elle voyait le visage de Jérôme se crisper, mais emportée par un accès de timidité qui l'avait rendue idiote, elle enfilait phrase après phrase dans l'espoir de se dépêtrer du bourbier où elle s'enfonçait toujours un peu plus.

— Excusez-moi, murmura-t-elle enfin tandis qu'il se dirigeait vers la sortie. Je parle trop.

Il y avait un tel accent de regret et de compassion dans sa voix que Lupien, touché, se retourna et lui sourit, son agacement disparu:

— Ne vous en faites pas, mademoiselle. Vous n'y êtes pour rien, vous.

Ce «vous» qu'il venait d'ajouter, et qui contenait une accusation contre quelqu'un d'autre, eut comme l'effet d'une révélation dans son esprit. Il déposa le sac de voyage à ses pieds, saisi par une idée subite:

— Où est-ce qu'on loue des autos, ici?

— Vous voulez retourner à Montréal en auto? s'étonna la réceptionniste. Ça va vous coûter un bras, monsieur! Vous devriez plutôt prendre l'autobus. Il y a un départ dans une demi-heure, ajouta-t-elle en consultant sa montre.

— Ce n'est pas pour retourner à Montréal… Je voudrais faire un petit tour dans le coin… J'en aurais pour une heure ou deux, tout au plus.

La réceptionniste, plongée dans le ravissement, le fixait, le souffle coupé. L'air mâle et décidé du jeune homme lui rappelait Roy Dupuis dans un de ses rôles de détective ou de redresseur de torts. Un raz-de-marée d'amour se mit à gronder en elle.

— Si ce n'est que pour une heure ou deux, dit-elle avec la voix incertaine d'une somnambule, je pourrais vous prêter mon auto. Elle est derrière l'hôtel.

Jamais elle ne s'était comportée ainsi avec un pur étranger (c'en était un, après tout). Son dos se couvrit de sueur.

— Vous me la prêteriez ? s'écria Jérôme avec un air de gratitude ébahie qui emporta ses dernières résistances.

Elle lui tendit une clé :

— Vous me promettez d'être bien prudent, hein ? C'est une auto neuve. Ma première. J'en ai pour cinq ans à faire des paiements.

Il la remercia chaudement et, malgré sa hâte de partir, causa un peu avec elle. On savait vivre, tout de même ! Elle s'appelait Clairette Milhomme, était née à Chicoutimi, avait commencé là-bas des études en gestion hôtelière mais, faute d'argent, avait dû les interrompre pour venir s'établir dix mois plus tôt à Maniwaki, où elle vivait seule – tint-elle à préciser – dans un minuscule deux pièces et demie en attendant de trouver mieux.

— Et vous ? poursuivit-elle avec un sourire engageant.

Il présenta un résumé de sa vie en cinq phrases, puis, de plus en plus fébrile, s'excusa de devoir couper court à leur conversation : une affaire urgente l'appelait. Si elle n'était pas trop occupée, il aurait beaucoup de plaisir à causer avec elle à son retour. Et, la remerciant encore une fois, il quitta l'hôtel, l'aisselle moite, des battements aux tempes.

Une heure et demie plus tard, il débouchait sur le chemin de terre qu'ils avaient suivi la veille dans la fourgonnette de Pimparé. Il approchait 10 h. L'œil écarquillé, les mâchoires serrées, il conduisait avec d'infinies précautions, rongé par la crainte de ne pas retrouver la clairière où avait surgi le fabuleux orignal et ainsi de ne pouvoir répondre aux questions qui le torturaient depuis son lever. La tâche s'annonçait difficile : durant la nuit, le couvercle de nuages lourds et grisâtres de la veille s'était dissipé, et une lumière drue et joyeuse tombait à présent d'un ciel bleu complètement vide. La forêt en était métamorphosée. Les points de repère dont il avait un vague souvenir semblaient avoir disparu.

Mais, presque aussitôt, une exclamation lui échappa. Il arrêta, descendit de l'auto et s'accroupit dans le chemin pour examiner le sol. L'orage avait lavé presque toutes les traces de pneus de la veille, ravinant même la route ici et là, mais le couvert d'un immense érable avait protégé quelque peu une section du chemin et, à cet endroit, plusieurs sillons s'allongeant dans la terre amollie indiquaient un aller-retour. Quelqu'un serait donc venu après l'orage, durant la nuit ou au petit matin, puis serait reparti? Était-ce Pimparé? Les traces de pneus paraissaient identiques, mais comparer de la boue à de la boue pour un novice comme lui n'était pas chose facile. Il se gratta une tempe, perplexe.

Il retourna à l'auto et repartit, mais dut bientôt s'arrêter. Le chemin, devenu sentier, n'était plus carrossable. Il ne voyait d'ailleurs plus de traces de pneus fraîches. Il quitta de nouveau l'auto et continua à pied, promenant son regard de tous côtés, l'œil écarquillé, le souffle un peu haletant, à la recherche d'un repère, d'un indice, d'une empreinte, si petite soit-elle, qui lui permettraient de retrouver l'endroit où ils s'étaient mis à l'affût. Il marcha ainsi une dizaine de minutes, de plus en plus découragé, et allait rebrousser chemin lorsqu'il s'arrêta net et poussa un sifflement joyeux. Un gros rocher couvert de mousse et faisant penser à un immense ballon à demi dégonflé se dressait à sa droite; il se rappelait l'avoir remarqué avant de s'être mis à l'affût avec son guide vis-à-vis de la clairière. Et, de fait, en se retournant, il aperçut à sa gauche, filtrant parmi les arbres, la lueur qui avait attiré l'attention de Pimparé la veille: c'était celle de la clairière.

Il s'y élança dans un grand bruit de branches cassées et de froissements de feuilles, insouciant des égratignures, passa près de tomber deux fois, déboucha à l'air libre et traversa la clairière en courant, la paume d'une main en sang, puis s'arrêta, hors d'haleine, et regarda autour de lui.

Tout de suite, il trouva ce qu'il cherchait.

En face, un peu à sa droite, s'ouvrait dans la végétation une sorte de passage grossier frayé manifestement par un animal de grande taille.

Il s'y dirigea à longues enjambées, puis tendit l'oreille.

Un moteur pétaradait au loin, sans doute une tronçonneuse. Son regard se porta ensuite à ses pieds et il aperçut, allongée sur un bouquet de fougères écrasées, une longue coulée de sang coagulé.

Alors il s'enfonça dans le passage qui, au bout de quelques mètres, faisait une courbe où l'on apercevait ici et là d'autres traces de sang. Respirant avec peine, il suivit la courbe jusqu'au bout, puis s'immobilisa en poussant un cri étouffé.

Devant lui gisait, affalé sur un tronc d'arbre moussu, le Monstre de Maniwaki. Sa gueule grande ouverte dans un rictus de souffrance atroce laissait voir d'énormes dents jaunâtres.

Le dessus de sa tête charcuté et recouvert d'une bouillie sanglante avait perdu son panache.

Lupien observa le cadavre encore un moment, puis revint vitement sur ses pas, secoué par un accès de nausée, remonta dans l'auto et se remit en route vers l'hôtel.

— Je l'avais donc abattu, ne cessait-il de marmonner. Et il le savait... le salaud!

«Dans les six chiffres», avait affirmé la préposée en évaluant le panache.

De quel montant parlait-on? 100 000 $? 150 000 $? Davantage? Ce panache lui appartenait et il n'aurait de cesse qu'on le lui rende.

◆ ◆ ◆

Jérôme Lupien était né à Montréal en 1982. Son père, Claude-Oscar, natif de Québec, s'était établi depuis longtemps dans la métropole; jeune, il avait rêvé d'être dentiste, mais le sort l'avait obligé à se contenter du métier de denturologiste, qu'il exerçait chez lui. «Tant qu'à être toujours sur les dents, j'aurais aimé que ça paie un peu plus», avait-il coutume de dire – plaisanterie qui connaissait toujours beaucoup de succès quand on l'entendait pour la première fois. C'était un homme quelque peu fantasque, d'un naturel joyeux et sociable, et qui malgré ses bougonnements gagnait fort bien sa vie.

Son épouse, Marie-Rose Brunelle, professeure de piano, était une petite femme effacée, d'un tempérament calme et patient, à l'esprit réaliste et pratique. En fait, à connaître leurs caractères, on aurait fort bien vu les deux époux échanger leur métier, Claude-Oscar faisant

plutôt *artiste* et sa femme étant davantage accordée au travail technique. Mais qui a dit que le cours de la vie suivait celui de la raison ?

Claude-Oscar, qui venait d'une famille nombreuse, ne souhaitait
pas revivre comme père ce qu'il avait vécu enfant et n'aurait pas fait
un drame si sa lignée s'était éteinte avec lui ; sa femme, au contraire,
aurait voulu plusieurs enfants, surtout des filles. Conséquemment, les
époux avaient eu deux garçons : Jérôme, l'aîné, et Marcel, si longuement espéré, qui venait de fêter ses onze ans.

Ces entourloupettes du hasard les avaient déçus, bien sûr, chacun
pour des raisons différentes, sans les empêcher toutefois de s'attacher
à leurs rejetons, car la mauvaise fortune leur avait laissé bon cœur et
ils en étaient même venus à croire qu'ils avaient toujours souhaité des
garçons et, justement, pas plus de deux.

Ce n'est cependant pas à ses parents que Jérôme raconta d'abord
sa mésaventure à son retour à Montréal, mais à son ami Charles
Plamondon, dit Charlie, qu'il connaissait depuis le secondaire et qui
était devenu son confident, dans la mesure où les hommes peuvent en
avoir réellement.

Charlie travaillait comme technicien à Micro-Boutique, un marchand d'ordinateurs de l'avenue du Parc. C'était un garçon doué d'un
phénoménal pouvoir de concentration quand il était penché au-dessus
de sa table de travail, mais d'un tout aussi phénoménal pouvoir de
dissipation quand il s'agissait de se lancer en l'air. De taille moyenne,
avec des traits assez lourds et une peau durement éprouvée par l'acné,
il ne pouvait compter que sur son charme et son bagout pour plaire à
l'autre sexe et il essayait de faire oublier les défaillances de la nature en
s'adonnant à la *coquetterie pilaire* : ses cheveux noirs, fournis et lui-
sants de pommade, relevés au milieu du crâne en une longue arête,
rappelaient vaguement un aileron de requin revu par la mode punk et
ne le laissaient passer inaperçu nulle part. À cela s'ajoutait une barbe,
courte et très fournie elle aussi, qui recouvrait le bas de son visage
d'une ombre dense aux contours précis et cachait les méfaits de l'acné.

Dans la soirée du 9 octobre, Jérôme l'invita à prendre un verre
dans un bar sur Côte-des-Neiges et lui raconta ses malheurs.

— Dans les six chiffres ? s'étonna Charlie. Un panache d'orignal ?
T'es sûr de ça ?

— Va voir sur Internet, si tu ne me crois pas… Tu ne l'as pas vue, toi, la bête… Elle faisait quasiment peur… On ne peut pas s'imaginer… Y a des mononcles bourrés de fric qui seraient prêts à donner la lune plus les taxes pour accrocher un panache à 62 pointes dans leur salon.

— Moi, j'ai pour mon dire qu'on connaît la valeur de ce genre de choses seulement une fois qu'elles sont vendues. Tout le reste, c'est du flâsage.

— J'ai trouvé sur Internet un article de la revue *Chasse et pêche* parue en janvier où on raconte qu'un Américain de Boston a casqué 140 000 douilles pour un panache de *60* pointes. Le mien en comptait deux de plus !

— On raconte bien des choses…

— Eh oui… Et on voit bien que t'es pas né de la dernière pluie, répliqua Jérôme avec un sourire corrosif.

Il prit une longue gorgée de bière, reposa le bock sur la table en soufflant avec force, puis s'adossa dans son fauteuil en fixant le mur au-dessus de la tête de son ami.

— Mon pauvre vieux, reprit Charlie, changeant complètement d'attitude, tu n'as pas été chanceux. T'as frappé un virtuose de la fourrette et il t'a roulé dans la farine jusqu'aux oreilles.

Il y eut un moment de silence.

— J'aurais voulu te voir à ma place, répondit enfin Jérôme.

— Hum… Je n'aurais probablement pas fait mieux que toi, confessa humblement Charlie qui sentait le besoin de détendre un peu l'atmosphère. Je connais rien à la chasse… et même si je m'y connaissais… De toute façon, impossible de tout prévoir, surtout quand on est honnêtes comme toi et moi. Mais, reprit-il en dressant un index pontifical, si tu avais eu ton auto, tu n'aurais pas été obligé de t'embarrasser d'un guide, et le fameux panache serait peut-être chez toi.

— Merci de me réconforter, Charlie… Qu'est-ce que je ferais si je n'avais pas un ami comme toi ?

Charlie se mit à rire et, voulant se faire pardonner :

— Qu'est-ce que tu ferais ? Tu serais en agréable compagnie au lieu d'écouter un zouave débiter des niaiseries.

Et, levant la main, il commanda deux bières.

◆ ◆ ◆

Sa conversation avec Charlie renforça Jérôme dans sa résolution de régler son compte au guide qui l'avait si perfidement roulé et le poussa également à se procurer au plus vite une nouvelle auto, quitte à se contenter d'une voiture d'occasion, ses finances n'étant pas des plus florissantes. Ces deux décisions allaient bientôt entraîner des conséquences qui bouleverseraient sa vie et changeraient profondément sa vision des choses.

Comme il avait très hâte d'assouvir sa vengeance et que le choix d'une auto risquait de prendre plusieurs jours sinon des semaines, il se rendit chez ses parents, rue Fleury, pour emprunter la Chevrolet de son père et dut donc raconter ses malheurs, ce qu'il aurait préféré retarder jusqu'au moment où son honneur aurait été lavé. Un fils n'aime guère passer pour un nigaud aux yeux de ses géniteurs et s'exposer du même coup à de pesantes leçons de prudence et de sagesse.

Son appel lui avait valu aussitôt une invitation à souper le jour même. Il se présenta à 18 h. C'était un vendredi soir. Dans la salle à manger, sous le lustre qui faisait étinceler les couverts dits *du dimanche*, une bouteille de Salice Salentino luisait doucement au milieu de la table recouverte de la nappe de lin brodée des grandes occasions. Depuis un an – et particulièrement depuis sa rupture avec Dorothée, qu'on avait fini par considérer comme un membre de la famille –, les visites du fils aîné s'étaient considérablement raréfiées, faisant presque figure d'événements.

— Vous attendez quelqu'un ? demanda Jérôme, pince-sans-rire, à la vue de cet apparat.

— Oui : toi, répondit son père sur le même ton tandis que Marie-Rose, qui avait déjà accueilli son fils à l'entrée, continuait de lui tapoter tendrement la nuque et les épaules.

Des protestations s'élevèrent dans la cuisine :

— Ah non ! pas encore des ris de veau ! s'écria Marcel dans un flacotement de chaussures de tennis délacées. Tu fais des ris de veau chaque fois qu'il vient, maman !

Et il apparut dans la porte de la salle à manger, rouge d'indignation.

— Cesse de crier, répondit placidement Marie-Rose, je t'ai préparé un spaghetti.

Jérôme lui donna une bourrade affectueuse :

— Et alors, le p'tit frère, toujours aussi chialeur ? Tiens, je t'ai apporté des *Red Ketchup* et des *Astérix* que j'ai achetés l'autre jour dans une vente de garage.

Et il lui tendit un sac bourré d'albums de bandes dessinées.

— Ah ! *cool* ! fit Marcel en s'emparant du sac, l'œil dilaté de plaisir. Merci *beaucoup*, Jérôme !

Il alla s'assoir[1] dans un coin et changea d'univers.

— À table ! À table ! ordonna Claude-Oscar, affriolé par les fumets qui arrivaient de la cuisine. Je me suis tapé 14 prothèses, moi, cet après-midi. J'ai hâte de faire marcher celle que le p'tit Jésus m'a donnée.

Marcel leva la tête :

— C'est pas une prothèse que t'as, papa, c'est des vraies dents.

Claude-Oscar lui décocha un clin d'œil moqueur :

— Ah, toi, mon gars, j'ai toujours admiré ton sens de l'observation !

Le repas se déroula dans la bonne humeur jusqu'au moment où Claude-Oscar lança négligemment :

— Alors, si j'ai bien compris, mon garçon, la chasse n'a pas été bonne, sinon tu nous aurais apporté des tas de steaks et de filets mignons.

Le visage de son fils prit une expression farouche :

— Tu n'as jamais si bien dit, p'pa.

Et il se mit à raconter son expédition de chasse avec l'illustre Pimparé. Il avait beau monter en épingle la finesse de ses intuitions qui lui avaient permis de découvrir – après coup, hélas ! – l'arnaque dont il avait été victime et d'éviter ainsi le déshonneur des grands benêts qui se font avoir le sourire aux lèvres et n'apprennent leur malheur que longtemps après par les ricanements de la foule impitoyable, la consternation avait figé le visage de ses parents et même de son petit frère, qui l'écoutait la bouche ouverte et à demi pleine.

— Cent cinquante mille piastres ! s'écria Marcel, la voix empâtée dans un mouvement de déglutition.

Et il faillit s'étouffer.

---

1. L'élimination de ce *e* inutile dans *asseoir* exprime mon appui symbolique à la réforme de l'orthographe entreprise pour libérer notre langue de ses étrangetés biscornues. Puissions-nous imiter un jour l'allemand, l'italien et l'espagnol !

— Mon Dieu! mon Dieu! soupira Marie-Rose. Quelle horreur! Comme on peut être ignoble! Pauvre enfant! Et dire *qu'en plus* tu l'as *payé*!

Claude-Oscar avait laissé tomber fourchette et couteau dans son assiette, les ris de veau devenus insipides.

— Il faut porter plainte à la police, Jérôme, déclara-t-il gravement.

— Moi, je m'adresserais plutôt à un avocat, suggéra Marie-Rose. La police va se traîner les pieds, elle en a tellement sur les bras…

Son fils posa sur elle un regard rempli d'une sombre détermination:

— Maman, j'ai décidé de régler ça *moi-même*.

Marcel battit des mains:

— Yééé! J'espère que tu vas lui péter la gueule, Jérôme! C'est un bandit!

— On se calme? gronda Claude-Oscar.

Tous les efforts de ses parents pour dissuader Jérôme de se faire justice lui-même le convainquirent que l'âge les avait rendus froussards, pour ne pas dire pissous.

On dut arrêter. Il allait se mettre en colère. Après s'être fait longuement prier, Claude-Oscar accepta même, de guerre lasse, de lui prêter son auto pour que Jérôme se rende à Sorel, mais il exigea qu'un ami l'accompagne pour sa rencontre avec Pimparé. À son retour chez lui, Jérôme téléphona à Charlie pour le lui demander; un empêchement le retenait. Il téléphona à deux autres copains; ni l'un ni l'autre ne pouvait se libérer à si court avis. Alors il se considéra comme libéré de sa promesse.

◆ ◆ ◆

Le lendemain matin, vers 6 h, il filait vers Sorel après avoir avalé trois cafés bien tassés, autant pour dissiper sa fatigue que pour stimuler son courage, car il n'avait rien du batailleur et, sans trop se l'avouer, redoutait quelque peu cette rencontre. Mais bientôt une joyeuse indignation se mit à bouillonner en lui; son cœur battait la chamade des redresseurs de torts. À la pensée qu'en tirant vengeance du mal qu'on lui avait fait subir il rendrait le monde un peu plus juste, un sourire acide étira ses lèvres. La route lui parut soudain bien longue. Il accéléra. Il voulait prendre la crapule au saut du lit. L'effet de surprise, la confusion qui alourdit l'esprit d'un dormeur brusquement réveillé et l'étrange solennité qui enveloppe les rencontres au lever du jour (on n'avait pas fait trois ans de lettres sans que cela influence l'imagination), tout cela, avait-il calculé, jouerait en sa faveur; il fallait mettre le plus de chances possible de son côté, car l'adversaire était coriace.

Donat Pimparé habitait dans le Vieux-Sorel une rue paisible ayant vue sur le carré Royal, un des endroits les plus charmants de la ville. Jérôme stationna devant une petite maison d'un étage à pignon, au revêtement de bardeaux de cèdre assez mal entretenu et dont le bas commençait à noircir. La porte donnait sur une galerie ouverte qui s'allongeait sur la façade.

L'idée lui vint tout à coup que sa visite pouvait mal tourner dès les premières secondes pour mille et une raisons.

— Tant pis, murmura-t-il en enjambant d'un saut les deux marches de la galerie.

Il sonna. Un carillon émit à l'intérieur une série de tintements faibles et tremblotants. Un moment passa. Jérôme toussota, puis jeta un coup d'œil sur ses souliers; un de ses lacets s'était détaché. Il sonna de nouveau, prit une grande inspiration, essuya sa main moite sur son pantalon, puis se retourna au passage d'un vieux camion qui s'éloigna lentement avec des pétarades et des frémissements de tôle.

« Merde! Il n'est pas là… ou il fait le mort, le salaud. »

Il recula d'un pas et se demandait s'il ne devrait pas, jouant de ruse, stationner son auto plus loin et revenir à pied pour se planquer quelque part en attendant que son bonhomme montre le nez. Soudain, des traînements de savates se firent entendre. La porte s'ouvrit et Donat Pimparé apparut, les traits affaissés, le regard huileux, les cheveux ébouriffés, dans un pyjama de flanelle trop grand à motifs de petits canards pataugeant dans une mare qui lui donnait une apparence grotesque.

— Eh ben! s'écria-t-il d'une voix rauque. De la grande visite! Qu'est-ce que tu fais ici à matin, mon Jérôme?

Il avait essayé de donner à sa voix une intonation de joyeuse surprise, mais son mécontentement n'en paraissait que davantage.

— J'espère que je ne te dérange pas trop, répondit le jeune homme, sarcastique.

— Euh… non… Enfin, pas trop… C'est que je dormais, vois-tu… Une vieille habitude que j'ai prise. Quelle heure est-il, au fait ?

— Il est 7 h 20.

Le camion brinquebalant repassa avec ses pétarades. Pimparé, debout dans la porte, l'œil plissé, était manifestement lancé dans une fiévreuse analyse de la situation, passant à toute vitesse d'une hypothèse à l'autre sur la cause précise de cette visite impromptue, puis il se rendit compte que son manque d'hospitalité risquait de le trahir.

— Mais entre donc, mon gars ! J'ai pas l'habitude de recevoir les gens sur le pas de la porte. Ma mère m'a mieux élevé que ça, bonyenne !

— Je préfère rester ici, répondit Jérôme froidement.

— Alors qu'est-ce que je peux faire pour toi à matin ? soupira le guide avec une lassitude mêlée d'impatience.

Lupien le regarda droit dans les yeux ; il ne ressentait aucune peur et en était ravi.

— Me remettre mon panache.

— Ton… quoi ? balbutia le guide en prenant un air ahuri.

— Tu m'as très bien compris. Le panache que tu m'as volé. C'est moi qui l'ai abattu, l'orignal, et le panache m'appartient. Où est-ce qu'il est ?

Il y eut un moment de silence. Le visage de Pimparé s'était empourpré ; ses lèvres se mirent à trembler :

— Tu dérailles, mon gars… Je sais pas ce que t'as avalé à matin, mais ça tourne pas rond dans ta tête. Y a pas de panache d'orignal ici… *et je suis pas un voleur !*

Il avait haussé la voix en prononçant ces derniers mots, et le ton à présent devenait menaçant. Un doute horrible traversa l'esprit de Lupien. Et si le bonhomme disait vrai ? Quelqu'un d'autre – un témoin invisible de leur partie de chasse ou un chasseur survenu après coup sur les lieux – aurait pu tout aussi bien s'emparer du précieux butin. Mais il réussit à garder contenance et poursuivit sur le même ton assuré :

— Je ne déraille pas, et tu le sais fort bien. Alors, si tu ne veux pas que je porte plainte à la police, rends-moi mon panache, et plus vite que ça !

Pimparé, la bouche entrouverte, le fixait, l'œil exorbité ; il semblait faire des efforts inouïs pour pomper un air que sa gorge étranglée refusait de laisser passer. Des veines gonflées avaient surgi tout à coup sur ses tempes. À le voir ainsi, on aurait cru qu'il était possible de mourir d'indignation.

— Eh ben! mon jeune... eh ben!... eh ben!... t'es pas barré! réussit-il enfin à bégayer d'une voix sifflante. Dans toute ma vie, j'ai jamais vu ça! Jamais! Faire 100 kilomètres... pour venir réveiller une personne honnête au petit matin et l'insulter... Est-ce que je mérite ça, *moi*, un homme de mon âge qui a toujours fait son gros possible pour être correct avec les autres?

Il tendit le bras au-dessus de la tête de Jérôme pour désigner quelque chose de l'autre côté de la rue:

— La preuve, mon jeune, que j'ai rien à me reprocher, elle est *là*, derrière toi, prends donc la peine de la regarder, espèce de p'tit fendant!

Jérôme se retourna pour voir ce dont il s'agissait, et un violent coup de pied au postérieur le projeta en bas de la galerie, passant près de le faire piquer du nez sur le trottoir.

— Que ça te serve de leçon! glapit Pimparé d'une voix de fausset méconnaissable. On insulte pas les honnêtes gens sans que ça nous chauffe au cul!

Et il claqua la porte. Jérôme, ahuri, fou de rage, bondit sur la galerie et se mit à marteler la porte à coups de poing en hurlant des injures. Au bout d'un moment, il dut s'arrêter: ses mains saignaient.

◆ ◆ ◆

Les choses ne pouvaient pas en rester là. Ce farceur dégueulasse devait répondre de ses actes. Il fallait consulter un avocat, quitte à s'endetter. La dèche, plutôt que l'humiliation! Un seul nom lui venait à l'esprit: celui de maître François Asselin qui tenait une chronique juridique dans *La Presse* depuis des années. Sa photo lui inspirait confiance: un sexagénaire aux traits aigus, au regard perçant, au sourire plein d'assurance: l'image même du redresseur de torts qui prend plaisir à son métier. Sans en dire un mot à personne, il lui téléphona à son retour à Montréal. Il l'eut tout de suite au bout du fil. Une rencontre fut arrangée pour le surlendemain à 14 h à son bureau du 4703, rue Saint-Denis.

À l'heure dite, maître Asselin, les mains jointes sous le menton, enveloppa son client d'un regard qui semblait vouloir en aspirer la moindre parcelle de réalité :

— Je vous écoute, monsieur Lupien.

Au premier abord, on aurait cru maître Asselin d'origine française : il articulait nettement chaque syllabe avec une énergie qui tenait du style militaire et s'exprimait par phrases courtes et précises ; Jérôme apprit pourtant par la suite qu'il avait grandi dans un quartier ouvrier du sud-ouest de Montréal.

Jérôme commença le récit de ses malheurs. De temps à autre, l'avocat l'interrompait par une brève question, puis, d'un léger mouvement de la tête, lui faisait signe de continuer.

— Vous dites 150 000 $? C'est beaucoup d'argent, ça... Qui voudrait payer un tel montant ?

Jérôme, un peu piqué, rougit légèrement :

— Un collectionneur, bien sûr.

— Un collectionneur avec beaucoup d'argent.

— Ça se trouve.

— Vous en connaissez ?

— Personnellement, non. Mais tout le monde sait qu'il y en a.

— C'est documenté, ça ?

— Oui. Dans un numéro récent de *Chasse et pêche*, on parle d'un Américain qui avait déboursé 140 000 $ pour un panache à 60 pointes. Le mien en a 62 !

— Il faut vérifier tout ça avec soin. C'est la base même de votre réclamation. Vous êtes étudiant ?

— Je viens d'obtenir un baccalauréat en littérature de l'Université de Montréal.

— Vous avez un emploi ?

— Pas encore.

— De combien d'argent disposez-vous, monsieur Lupien ?

Jérôme avait l'impression de subir l'interrogatoire d'un accusé et trouvait maître Asselin de moins en moins sympathique. Cela dut paraître dans son expression, car l'avocat ajouta aussitôt :

— Je vous pose toutes ces questions, monsieur Lupien, justement pour vous éviter de dépenser votre argent inutilement. Il y a deux écueils à éviter dans cette affaire, vous comprenez : le manque de fond de votre réclamation – par exemple, si ce fameux panache valait beaucoup moins que ce que vous prétendez – et, si vous me permettez un jeu de mots, votre manque de fonds à vous, qui vous empêcherait de supporter jusqu'au bout les frais d'une poursuite en justice. Ce serait alors du gaspillage, vous comprenez.

Le visage de Jérôme s'éclaira un peu :

— Je n'ai pas beaucoup d'argent, à vrai dire. Mais je suis prêt, monsieur, à *m'endetter* pour donner une leçon à cet écœurant ! Et puis, en ce qui concerne la valeur du panache, je suis sûr de mon affaire.

— Hum, je vois, je vois, murmura maître Asselin en hochant pensivement la tête. Mais je vais quand même demander qu'on fasse une petite recherche à ce sujet. De toute façon, il y a eu vol… Vous aviez votre permis de chasse ? ajouta-t-il négligemment.

— Je l'avais. Mais lui n'en avait pas.

L'avocat croisa ses doigts, les coudes toujours posés sur son bureau :

— Ah bon… Écoutez, monsieur Lupien, si ce panache vaut ce que vous dites, il faut agir avec diligence – en espérant qu'il ne soit pas trop tard. Votre guide ne vous l'a sûrement pas extorqué pour l'exposer dans son salon, n'est-ce pas ?

Jérôme poussa un petit ricanement.

— S'il ne s'en est pas déjà défait, poursuivit l'avocat, il cherche à s'en défaire. Deux avenues s'offrent à nous : le faire surveiller par un détective privé – c'est très cher, ça – ou le dénoncer auprès d'un agent de la conservation de la faune.

Il y eut un silence.

— Je vous conseille la deuxième avenue. Vous pouvez dénoncer vous-même ce monsieur Pimparé. Mais si la dénonciation vient de notre bureau, il y a de fortes chances qu'on s'y montre plus attentif – et qu'on agisse plus rapidement.

— Dénoncez-le.

— Bien. Je vous demanderais auparavant un dépôt de 1000 $.

Jérôme eut un léger sursaut.

— Je peux vous payer par chèque ?

— Chèque certifié ou comptant, s'il vous plaît.

◆ ◆ ◆

Une semaine environ après sa rencontre matinale avec Donat Pimparé, Jérôme Lupien se rappela une observation que lui avait faite son ami Charlie le soir où, dans un bar de la Côte-des-Neiges, il lui avait raconté ses malheurs. S'il avait encore eu son auto, avait observé Charlie, il n'aurait pas été obligé de s'embarrasser d'un guide qui l'avait crossé jusqu'au trognon et il serait peut-être revenu avec le fameux panache ou, à tout le moins, avec de belles pièces de viande qui les auraient nourris, lui et ses amis, durant tout l'hiver. Le temps était venu d'acheter une voiture d'occasion qui lui assurerait à la fois la liberté, l'indépendance et un statut honorable.

Après une courte recherche sur Internet, il tomba sur un site où quelques offres attirèrent son attention. L'une d'elles concernait une Toyota 1996 «4 portes, de couleur noir [*sic*]», n'ayant que 38 000 kilomètres dans le ventre et présentée comme «en excellente condision [*resic*]», contrairement, fallait-il espérer, à la langue qu'on utilisait pour la vanter; elle appartenait à un certain Sylvain Losier qui en demandait 1500 $. Consulté, Charlie, qui avait déjà travaillé comme aide-mécanicien au garage de son père, déclara qu'à première vue cela ressemblait à une véritable aubaine.

— Mais, comme tu sais, ajouta-t-il aussitôt, ce qu'on annonce et ce qu'on essaie de vendre, c'est parfois deux choses bien différentes. Tu as pris rendez-vous pour ce soir? Eh bien, si tu veux, je t'accompagne. Je n'ai rien d'autre à faire.

Il arrive parfois que la malchance, ce bourreau aveugle qui frappe ses victimes sans les connaître, donne soudain l'impression de s'être transformée en une sorcière sortie tout droit de *Macbeth* et qui, ayant repéré un malheureux parmi la multitude des humains, prend plaisir à l'accabler de ses cruelles attentions.

Le bonhomme demeurait rue Florian, près d'Ontario, dans le quartier Hochelaga-Maisonneuve, réputé pour la vigoureuse initiation aux duretés de la vie qu'il fournissait à ses résidants.

À 19 h, Jérôme sonnait à la porte d'un appartement à l'étage d'un immeuble à façade de brique dont l'escalier *à la française* luttait depuis des années contre la rouille et la pourriture avec un succès des plus mitigés. Une femme au début de la quarantaine, cigarette à la main, leur répondit parmi des criailleries d'enfants. Un reste de fraîcheur subsistait sur son visage, qui avait dû être fort beau.

— Vous venez pour le char? fit-elle d'une voix rauque en les enveloppant d'un regard scrutateur (l'aileron de requin de Charlie semblait l'impressionner fortement). Ça tombe mal : mon mari est parti faire une commission. Il sera pas de retour avant une heure.

— C'est qu'on avait pris rendez-vous avec lui, madame, répondit Jérôme avec humeur tandis que Charlie poussait un grognement.

— Ah ça, mais y a pas de problème, monsieur, j'ai la clé de l'auto… Tenez, fit-elle en la lui tendant, prenez-la, vous m'avez l'air du bon monde, vous deux. Voyez-vous la Tercel noire là-bas, au coin de la rue ? Eh bien, c'est elle. Examinez-la tant que vous voulez, mais oubliez pas de me rapporter ma clé, hein ? Je me fie sur vous, *messieurs*, ajouta-t-elle en minaudant. Roland ! hurla-t-elle tout à coup en se tournant vers l'intérieur, veux-tu bien laisser ta p'tite sœur tranquille ? Attends pas que j'aille te voir !

À première vue, la Tercel semblait dans une condition remarquable. Ils la firent démarrer, écoutèrent le moteur, jouèrent avec le bras de vitesse, puis soulevèrent le capot, vérifièrent l'usure des pneus, cherchèrent des traces de rouille, en trouvèrent à peine.

Debout sur son balcon, la femme les observait.

— Vous pouvez aller faire le tour du bloc, si ça vous tente, gênez-vous pas ! leur cria-t-elle.

— On dirait qu'elle sort tout droit de l'usine, Charlie ! s'exclama Jérôme au bout de deux coins de rue.

Il jubilait.

— Ça augure bien, mais si tu comptes l'acheter, il faut absolument qu'un mécanicien l'inspecte. Et ne va jamais faire l'erreur d'aller chez son garagiste *à lui*. Ils seraient peut-être de mèche. C'est *toi* qui dois choisir *ton* garagiste. Capiche ?

Jérôme se mit à rire :

— Pour qui tu me prends, Charlie ? Il y a longtemps que je ne fais plus caca dans mes culottes, tu sais.

— Oui, mais pipi ?

— Vous pouvez rejoindre mon mari n'importe où n'importe quand, annonça la femme, la bouche en cœur, quand Jérôme alla lui remettre la clé de l'auto. Il a un *cellulaire.*

Elle prononçait le mot comme s'il s'agissait d'une commodité outrageusement luxueuse.

Jérôme téléphona aussitôt à Losier, qui accepta tout de suite d'aller confier la Tercel au Garage Armand Valiquette dont le jeune homme avait été un client pendant trois ans. Ils prirent rendez-vous pour le lendemain après-midi.

La Tercel passa son examen haut la main. Sylvain Losier confia au jeune homme qu'il devait s'en départir pour des raisons financières. Il avait travaillé jusqu'à tout récemment comme manutentionnaire dans un centre de distribution de marchandises, mais une vague de licenciements l'avait envoyé sur le trottoir. L'auto appartenait en fait à sa femme, qui était coiffeuse.

— Avec cinq enfants, on n'avait pas le choix de la vendre, vous comprenez… Faut les nourrir, ces bouches-là, sans compter que l'hiver approche et que le chauffage de l'appartement… De toute façon, j'ai un vieux bazou qui va nous dépanner en attendant que les choses se remmieutent.

De taille moyenne, ni gras ni maigre, un peu voûté, la contenance modeste, avec une peau grise et tavelée, c'était le type même du bon diable usé par 40 ans d'une vie médiocre et sans issue. Seul signe d'une quelconque résistance contre l'aplatissement général que lui imposait son état de prolétaire sans le sou: une grosse moustache brune et luxuriante qui masquait sa lèvre supérieure et donnait parfois une sorte d'ironie à ses sourires.

Son examen terminé, le garagiste s'essuyait les doigts avec un vieux chiffon; il fit un signe de tête discret à Lupien: à ce prix-là, il fallait sauter sur l'occasion.

— Quand est-ce que votre femme pourrait passer au bureau d'immatriculation, monsieur Losier? demanda Jérôme.

L'homme se troubla et, le regard fixé au plancher, toussota à plusieurs reprises, comme s'il n'arrivait pas à formuler une demande suprêmement humiliante.

— C'est que... c'est que j'aurais une petite faveur à te demander, Jérôme.

Le tutoiement, loin d'agacer Lupien, lui amena un sourire; il y voyait comme un effort naïf pour établir entre eux pendant quelques instants un semblant d'égalité qui faciliterait sa demande.

— Ah oui? De quoi s'agit-il?

— Est-ce que... est-ce que je pourrais garder la Tercel deux ou trois jours encore, le temps de changer les amortisseurs de mon bazou? Ils sont bien maganés et Lucie, vois-tu, a besoin d'un char pour son travail... Je te la remettrais mercredi prochain au plus tard, promis, juré, craché.

Jérôme, perplexe, plissa les lèvres, ennuyé par l'idée de ce contretemps. Mais s'il refusait, ne risquait-il pas de rater une occasion en or?

— Bon, répondit-il enfin, si tu me garantis que j'aurai l'auto mercredi...

— Ça ferait bien mon affaire, répondit l'autre avec un air de profond soulagement.

Mais déjà il se remettait à toussoter, l'œil baissé, saisi par un dandinement qui lui donnait l'air pitoyable:

— Il y aurait aussi autre chose...

Il paraissait si mortellement embarrassé que Jérôme, dans un mouvement de compassion et oubliant leur différence d'âge, ne put s'empêcher de poser une main protectrice sur son épaule:

— Qu'est-ce qu'il y a? Qu'est-ce que tu veux me demander?

— Je sais pas trop comment te le dire, mais... En fait, c'est que...

Il respirait par petites saccades, comme s'il était sur le point d'éternuer. Le garagiste, par discrétion, s'était éloigné et donnait des ordres à un jeune mécanicien.

— C'est que, reprit Losier, le regard tourné cette fois vers le fond du garage comme si la vue du jeune homme lui causait un malaise insupportable, j'aurais besoin d'un... d'un acompte... parce que j'ai un p'tit problème pas mal pressant à régler et que...

— Combien tu veux?

L'homme trouva enfin le courage de regarder son interlocuteur en plein visage, avala péniblement sa salive, puis, d'une voix brisée:

— Est-ce que... 800... ça serait trop? demanda-t-il avec un pauvre sourire.

Les mains entrouvertes devant lui, il fixait le bout de ses doigts d'un air stupide.

Quelques minutes plus tard, la Tercel stationnait devant une caisse populaire. Jérôme en sortit au bout d'un moment avec une enveloppe rebondie. Pendant le trajet, Losier, suant et bégayant, avait essayé de faire porter sa demande d'acompte à 1200 $. Finalement, Jérôme avait accepté de lui en verser 1000.

— Un *gros gros* merci, Jérôme, fit Losier, le visage rayonnant de reconnaissance. Tiens, voici ton reçu, et puis je te remets tout de suite les enregistrements de l'auto, c'est-à-dire une photocopie, mais c'est la même chose, tu comprends, ça possède la même valeur que l'original... Ce qui compte, après tout, c'est les renseignements qui sont dessus.

— Je sais, je sais, fit Lupien avec un sourire un peu condescendant.

Losier poursuivait ses remerciements, de plus en plus ému, et promit de se présenter avec sa femme le mercredi suivant au bureau d'immatriculation pour effectuer le transfert de propriété du véhicule. Jérôme lui donna son numéro de téléphone.

— Pfiou! soupira-t-il quand le pauvre diable l'eut déposé devant son appartement de l'avenue Decelles après lui avoir manifesté encore une fois sa gratitude dans les termes les plus vibrants, quelle patience ça demande, parfois, le rôle de bon Samaritain!

Mais il sourit aussitôt à la pensée de l'aubaine extraordinaire qui venait récompenser son geste charitable.

◆ ◆ ◆

Malgré le sentiment de fierté que lui inspirait sa bonne action, Jérôme n'en parla à personne. Pourquoi? Il n'aurait su le dire. Quoi qu'il en soit, ses pensées prirent un autre cours, et pour une raison bien fortuite: le prénom de Lucie, que Losier avait prononcé à quelques reprises en parlant de sa femme, avait fait surgir dans son esprit celui de Lucy, une jeune Torontoise venue s'établir à Montréal pour apprendre le français – mais aussi, semblait-il, pour passer du bon temps avec les *Frenchies*. Il avait eu une brève aventure avec elle six mois plus tôt et, comme il était actuellement aussi célibataire que le rocher Percé, il décida de la relancer. Les choses allèrent à merveille et les nuits devinrent si torrides à son appartement que son voisin de palier se mit à donner des coups de poing dans le mur.

Le mercredi arriva, puis le jeudi. N'ayant pas de nouvelles de Sylvain Losier, Lupien lui téléphona..

— Ah! je suis content de te parler, Jérôme, lui dit celui-ci, j'allais justement t'appeler. J'ai une misère du maudit, figure-toi donc, à trouver les amortisseurs qu'il me faut dans les cours à *scrap*, mais je pense bien y arriver d'ici demain, *au plus tard*. Ça te dérange pas trop, j'espère ?

— Euh… ça va, ça va, répondit Lupien, un peu déçu mais résigné à poursuivre son rôle de bon Samaritain. Par contre, j'aimerais bien avoir mon auto pour samedi. J'ai prévu une sortie.

— T'inquiète pas, tu vas l'avoir, mon Jérôme. Compte sur moi.

Et, après l'avoir chaudement remercié, il raccrocha.

Le samedi arriva. À midi, Losier n'avait toujours pas donné signe de vie. Lupien l'appela et l'eut aussitôt au bout du fil; c'était l'avantage des cellulaires : on pouvait joindre l'abonné partout et en tout temps. Miracle de la technologie !

— Ah! Jérôme! Je suis bien malheureux. J'ai réussi – enfin ! – à trouver mes maudits amortisseurs de Ford. Même usagés, ça coûte les yeux de la tête, tabaslac ! On va me les livrer demain après-midi. Compte une couple d'heures pour l'installation, et t'auras ton auto lundi en début de journée. Excuse-moi, mon vieux, je suis mort de honte ! Je pensais jamais que ça prendrait autant de temps !

— Bon. Ma sortie tombe à l'eau… Je t'attends, répondit Jérôme, devenu laconique, et il raccrocha.

Il se sentait de moins en moins l'envie de parler à quiconque de son désagrément.

— J'ai l'impression qu'il a les deux pieds dans la même bottine, le pauvre, ronchonna-t-il à voix basse. Une semaine pour trouver les amortisseurs d'une vieille Ford ! C'est comme s'il cherchait l'urinoir de Napoléon !

Un appel de Lucy, dont l'accent délicieusement voilé provoqua l'apparition d'une protubérance significative dans l'entrejambe de son pantalon, lui fit aussitôt oublier ce nouveau contretemps.

Le surlendemain, lundi, il ne se réveilla qu'au milieu de l'après-midi avec une formidable gueule de bois et une Lucy amoureusement blottie contre lui – une Lucy qui semblait avoir échappé par miracle aux effets d'une soirée très arrosée dans une discothèque.

Le téléphone sonna. Après quelques essais maladroits, il réussit à s'emparer du combiné, tandis que son amie lui couvrait le dos et les fesses de petits baisers folâtres.

— Jérôme ? demanda une voix bien connue. C'est moi, Sylvain. Je suis content de t'attraper.

— Qu'est-ce qui se passe ?

Et en disant ces mots, il respira une bouffée de sa propre haleine qui le fit grimacer de dégoût.

— Je suis à Sainte-Agathe.

— À Sainte-Agathe ? Qu'est-ce que tu fous à Sainte-Agathe, Sylvain ?

— Ah ! c'est une histoire terrible, Jérôme ! larmoya Losier. Je peux pas t'en parler au téléphone ! Je te la raconterais, tu me croirais pas ! En plus, je viens de tomber en panne sèche en plein milieu de l'autoroute !

— Avec mon auto ?

— Eh oui, avec ton auto.

— *What's happening*[2], chéri ? s'inquiéta Lucy. Des problèmes ?

Il la rassura d'un geste et poursuivit :

— Mais qu'est-ce que tu fais à Sainte-Agathe avec *mon* auto, Sylvain ? Je pensais que c'était ta femme qui s'en servait pour son travail.

— C'est justement *ça*, l'affaire, Jérôme. On est dans la marde jusqu'au cou, elle et moi. Mais je suis venu régler le problème, Jérôme.

— Je ne comprends rien.

— Je t'expliquerai, je t'expliquerai. Demain. En venant te remettre l'auto. Je me sens tellement mal, si tu savais… J'en ai pas dormi de la nuit.

---

2.   Qu'est-ce qui se passe ?

— Moi aussi, je suis à la veille de ne plus dormir, Sylvain. Tu viens me porter l'auto demain ? Promis ?

— Juré.

— À quelle heure ?

— À 3 h. Où tu voudras.

— Chez moi, comme on avait convenu. Sylvain ?

— Oui, Jérôme ?

— Ma patience a des limites, mon ami. J'attends mon auto *depuis une semaine*. Ça suffit, tu ne trouves pas ?

Au bout du fil, son interlocuteur, apparemment sous le coup de l'émotion, s'étouffa net. Une toux furieuse, monstrueuse, interminable, s'empara de lui, comme s'il venait d'avaler une poignée de bran de scie. Peu à peu, elle se calma. Alors il se racla la gorge, cracha, soupira, puis d'une voix sifflante :

— Excuse-moi, Jérôme… Je sais plus quoi te dire… C'est terrible, ce que je vis.

— Je vois bien ça. Eh bien, bonne chance. Et à demain, 3 h. J'ai bien dit : *3 h*. Compris ?

— Compris, Jérôme.

Lupien raccrocha et laissa retomber sa tête sur l'oreiller.

— Non, non, Lucy, je t'en prie, pas tout de suite… Pourrais-tu aller me chercher des Tylenol, ma chérie ? Avec un grand verre d'eau ?

◆ ◆ ◆

Jérôme n'avait plus le cœur à la fête, ni à rien qui lui ressemblât, même de loin. La même angoisse, le même sentiment d'humiliation qu'à l'issue de sa partie de chasse ratée venaient de l'envahir. Le sentiment d'avoir été roulé dans la farine comme un idiot, de faire partie de l'immense troupeau des pauvres types dont la chevelure prospérait au-dessus d'un vide absolu. Étendu dans son lit, les jambes écartées, il clignait des yeux au rythme du marteau sadique qui lui percutait la tête.

Lucy, voyant son état et n'obtenant aucune réponse à ses questions inquiètes, par délicatesse s'était éclipsée, promettant de le rappeler en fin d'après-midi.

Vers le début de la soirée, il se sentit un peu mieux et se fit réchauffer une pizza aux épinards. La pensée de Sylvain Losier ne le quittait pas. Il devait parler de cette affaire à quelqu'un. À la simple idée de se confier à Charlie, son corps se couvrait de sueur. Il connaissait d'avance sa réaction. Les mots «con», «niaiseux», «nono», «gnochon» constitueraient le corps de son discours de même que l'introduction et la conclusion. Il ne se sentait aucun goût d'entendre ces qualificatifs. D'ailleurs, il remerciait le ciel que Charlie ne l'ait pas appelé depuis quelque temps. Il aurait été obligé de fabriquer une histoire pour sauver la face. Mais où trouver l'énergie qui lui permettrait de la fabriquer, cette histoire?

Alors il décida d'appeler ses parents. Avec les parents, on court moins de risques de se faire aplatir sous les critiques. Après tout, une bonne partie de leur honneur est engagée dans leur progéniture, produit de leurs gènes et de l'éducation qu'ils lui ont donnée, et puis il y a *l'amour*, qui rabote les torts, bouche les fissures, trouve des excuses, détecte la petite lueur au bout du tunnel.

Il téléphona donc à ses parents. Les deux répondirent en même temps.

La nouvelle mésaventure de son fils provoqua chez Claude-Oscar sa réaction habituelle d'artiste hyperémotif égaré dans la denturologie; son imagination corsetée depuis des années dans un métier prosaïque et sans horizon fit encore une fois sauter le carcan qui l'emprisonnait et c'est d'une voix fiévreuse de malade en délire qu'il s'écria:

— Pas possible! Tu nous racontes une blague, hein, fiston? Dis-moi que c'est pas vrai? C'est vraiment vrai? T'es tombé sur un réseau d'escrocs, mon garçon. Tu ne reverras plus jamais cette auto. Ils vont essayer de te dépouiller jusqu'au dernier sou. Ils sont peut-être à l'œuvre au moment où on se parle. As-tu fait annuler ta carte de crédit? Bloqué ton compte de banque? Tu vas te retrouver les deux fesses en plein vent, si ce n'est pas déjà fait!

— Papa! Papa! essayait de l'interrompre son fils. Arrête de capoter, bon sang!

— Claude-Oscar, fit Marie-Rose d'une voix placide, tu exagères – comme d'habitude.

— Vous verrez! Vous verrez! Est-ce que je m'étais trompé tant que ça la fois de notre voyage en Gaspésie où on nous avait convaincus de…

— Est-ce que je peux placer un mot, moi aussi? l'interrompit sa femme.

— Place tout ce que tu veux. Mais si l'affaire tourne en catastrophe, ne venez pas me blâmer. Je vous aurai prévenus. D'ailleurs, c'est *déjà* une catastrophe, j'en suis sûr.

— Jérôme, poursuivit Marie-Rose, as-tu porté plainte à la police?

— Pas encore. J'attendais de...

— J'aurais porté plainte depuis longtemps, moi, bout de cierge! coupa Claude-Oscar.

— Vas-y tout de suite, Jérôme, poursuivit Marie-Rose comme si elle n'avait pas entendu son mari. La police va pouvoir vérifier si les enregistrements qu'il t'a fournis sont vrais.

— Ils sont au nom de sa femme.

— Quelle idée, grommela Claude-Oscar, d'aller donner un acompte de 1000 $ à un pur inconnu avant même d'être passé au bureau d'immatriculation...

— Comme on n'a pas encore inventé la machine pour reculer dans le temps, répliqua Marie-Rose qui commençait à donner des signes d'impatience, je propose, avec ta permission, qu'on s'occupe du présent.

— Bon, bon, ça va. Je vois que je suis totalement inutile dans cette affaire comme dans beaucoup d'autres, alors je vais vous laisser discuter en paix et je retourne à mes dentiers.

La mère et le fils causèrent encore un moment. Jérôme, tout requinqué de s'être confié à quelqu'un, brûlait maintenant de passer à l'action.

— Essaie de calmer un peu papa, hein? dit-il au moment de raccrocher. Il va encore avoir des brûlements d'estomac ou sa fameuse migraine de 48 heures.

— Il aura couru après, le pauvre, soupira Marie-Rose. Que veux-tu? Il ne fait *aucun* effort pour se contrôler. Jamais. Penses-tu que je n'en fais pas, moi, présentement?

Son ton jusque-là détaché et presque froid s'était fissuré en petits ruissellements d'émotion. Elle prit une profonde inspiration, puis s'arrêta, incapable de poursuivre.

— Ne t'inquiète pas, maman, je vais m'en tirer, tu vas voir.

— Tiens-nous au courant, Jérôme… et sois prudent!

♦ ♦ ♦

Les mains dans les poches, Jérôme arpentait la cuisine en jetant un coup d'œil de temps à autre sur son cellulaire déposé sur la table. Ordure ou pauvre type, ce Losier? Ou les deux? Il décida finalement de lui laisser une dernière chance – mais en augmentant la pression qu'il exerçait sur lui. Il allait se montrer chic, mais dur. *Tough love*[3], comme disent les Anglais. L'instant d'après, il l'avait au bout du fil. Il l'avait toujours au bout du fil. Cela faisait peut-être partie de la stratégie de mise en confiance du bonhomme. Celui-ci parut terrifié à l'ultimatum que son jeune acheteur lui servit: s'il ne livrait pas la Toyota tel que promis le lendemain après-midi à 3 h tapantes, Jérôme irait illico déposer une plainte à la police.

— Écoute, Jérôme, bredouilla Losier d'une voix éteinte, essaie de me comprendre un peu, bon sang… Je suis en chômage depuis six mois avec cinq enfants sur les bras et une femme qui travaille à temps partiel pour un salaire de misère… Je le trouvais pas, le fric, pour ces maudits amortisseurs… Mais, minute! Je viens d'avoir une idée pour te dépanner jusqu'à demain: je vais téléphoner à mon cousin Bob et lui demander qu'il te prête sa voiture. C'est une Pinto 92. Elle pompe un peu l'huile, mais pour le reste, elle est de première classe.

— C'est pas la peine. Je vais attendre jusqu'à demain. Demain, 3 h. Mais à 3 h 05, je m'en vais au poste de police, Sylvain. Fini, le niaisage. C'est clair?

— Oui, Jérôme, j'ai compris.

Le ton était si humble, si apeuré, si servile et repentant, le ton qu'on utilise pour implorer son vainqueur en se traînant devant lui à plat ventre, le fond de culotte souillé par un excès de trouille, que Lupien sentit comme un début de remords, mais il le refoula aussitôt au fond de lui-même. S'il obtenait gain de cause le lendemain, ç'aurait été un combat durement gagné. Au diable la sensiblerie!

— Quelle plorine! murmura-t-il en raccrochant.

---

3.   Qui aime bien châtie bien.

Cet échange l'avait réconcilié avec lui-même. Un fond d'inquiétude demeurait, bien sûr, juste ce qu'il faut pour entretenir la vigilance, mais l'horrible crispation qui le torturait depuis des jours commençait à se dissiper.

Il alla chercher une bière au frigo et s'affala devant la télé sur le canapé vert émeraude qui avait orné de son opulence bourgeoise le salon familial de sa jeunesse et que ses parents lui avaient donné, un peu avachi, quand il avait pris un appartement. Après avoir zappé un moment d'une émission idiote à l'autre, il tomba sur un film américain où on s'agitait beaucoup et tenta de saisir le fil de l'histoire. Mais, au bout de quelques minutes, ce conflit de famille de la haute gomme autour d'une écurie de course, plein de cris et de hennissements, lui parut tout à coup absurde et lointain; le doublage en français synthétique n'arrangeait rien. Il poussa deux ou trois bâillements et décida d'aller se coucher. Une fois au lit, il se mit à penser à Lucy. Il s'était montré cavalier avec elle dans l'après-midi et peut-être même grossier. Sans doute offusquée, elle ne lui avait pas encore téléphoné; mais il connaissait un moyen de se faire pardonner. Il se leva et l'appela. À sa grande surprise, elle l'accueillit avec une gentillesse charmante. Passer la nuit ensemble? fit-elle. Bonne idée. Le temps frisquet lui enlevait cependant le goût de sortir. D'autant plus qu'elle venait de prendre sa douche et d'enfiler son pyjama. Par contre, si 15 minutes de métro ne le rebutaient pas outre mesure, il y avait une place pour lui dans son lit.

Le lendemain, après avoir fait la grasse matinée chez sa petite amie – elle s'était levée tôt pour assister à son cours de *French Canadian Culture and Society* à l'Université McGill –, Jérôme retourna chez lui vers 11 h. Dans quatre heures, il saurait à quoi s'en tenir sur son fameux Losier: sac de merde ou pauvre type, il aurait pénétré dans la zone de la certitude. L'angoisse l'avait de nouveau envahi. Dans le métro, une omoplate se mit à le démanger, puis le genou gauche, puis les deux mollets; il se grattait, tandis qu'une petite toux sèche lui faisait sautiller les épaules, bien qu'il n'eût pas le moindre rhume. Un Noir à la taille athlétique, assis en face de lui, se mit à l'observer d'un œil ironique. Lupien comprit qu'il avait l'air ridicule et se plongea dans la lecture du *Devoir* afin de cacher sa misère humaine aux passagers. Sa réconciliation avec lui-même se montrait bien fragile.

À l'appartement, son répondeur contenait deux messages. Le premier de son père, l'autre de Charlie. Il n'avait envie de parler ni à l'un ni à l'autre et alla prendre sa douche (sa nuit avec Lucy avait été particulièrement mouvementée et appelait certains soins d'hygiène).

Cela fait, une terrible fringale s'empara de lui. Pourtant, il venait de déjeuner fort copieusement chez Lucy. Avec les démangeaisons et la fausse toux, la fringale était un autre signe de profonde nervosité chez lui. Il décida de la tuer à coups de rôties lourdement tartinées de beurre d'arachide. Le remède, massif, s'avéra très efficace : une vague nausée remplaça la fringale.

Il était midi trente. Plus que deux heures et demie. Que ferait-il de tout ce temps ? Impossible de lire, il ne pourrait se concentrer. Passer l'aspirateur ? Son appartement en avait besoin, mais il avait plutôt envie de se transformer en poussière et de se faire aspirer lui-même par l'appareil.

Un soupçon horrible traversa tout à coup son esprit. Et s'il était tombé entre les mains, non pas d'un petit minable qui se contentait de tromper les gens quand la chance se présentait, mais d'un escroc professionnel ayant monté un système de combines sophistiqué avec sorties de secours, escaliers dérobés, fausses identités et tout et tout ?

Il se rendit à son bureau, alluma l'ordinateur, ouvrit le site d'annonces classées où il avait repéré la fameuse Tercel et se mit à parcourir les offres d'autos d'occasion. Au bout de quelques minutes, il tomba sur la description d'une Saturn 1999, « 4 porte, de couleur bleu, 35 000 kilomètre, en excellante condision », dont le vendeur demandait 1400 $.

Bout de crisse de sainte varlope ! Il reconnaissait les mêmes fautes d'orthographe ! L'ignorance était chose largement répandue, mais, d'ordinaire, chacun avait sa propre façon de l'afficher, non ? Suivait un numéro de téléphone, différent, il est vrai, de celui de Losier, mais encore là, qu'est-ce qui l'empêchait d'en avoir plus d'un ?

Il voulut en avoir le cœur net, attrapa son cellulaire et composa le numéro. Quel accent contreferait-il ? Haïtien ? Anglais ? Espagnol ? Il opta pour l'espagnol dans le registre haut perché.

— Allô ? fit une voix familière.

Alors, en arrondissant les syllabes comme s'il avait eu la bouche pleine de sucre d'orge, Lupien demanda si la Saturn en question possédait un système de climatisation. Non, à ce prix-là, monsieur, elle n'en possédait pas, bien sûr. Mais, d'un autre côté, si on tenait compte de…

— Merci, monsieur.

Il raccrocha. Aucun doute, c'était bien lui ! Mais comment s'appelait-il, ce *lui* ? Le salaud avait sûrement utilisé un faux nom. Il fallait trouver une façon de le cerner. Lupien connaissait du moins son adresse ou, en tout cas, celle de la femme qui lui servait de complice. Il décida de s'y rendre sur-le-champ. Il n'avait plus rien à perdre. Jamais sa Tercel ne lui serait livrée.

Il sortit, héla un taxi et se fit conduire rue Florian.

— Attendez-moi, dit-il au chauffeur, je n'en ai pas pour longtemps.

— Presse-toi pas, mon tit gars, répondit le gros homme chauve épanoui dans sa graisse et qui faisait dans l'humour familier, j'aime le bruit du compteur, ça me détend.

Jérôme s'avança en claquant des talons sur le trottoir, l'œil vengeur ; il allait gravir l'escalier qui menait à l'appartement lorsqu'une exclamation lui échappa : « sa » Tercel était stationnée juste devant lui !

Alors, des imprécations aux lèvres, il grimpa les marches quatre à quatre et sonna à la porte, essayant de percer du regard le rideau de mousseline grisâtre qui masquait les carreaux. Des pas se firent entendre, il distingua vaguement une forme menue qui s'avançait à l'intérieur, la porte s'ouvrit et une petite fille en salopette bleue et chemise rose tachée ici et là par ce qui semblait du caramel, leva la tête vers lui et demanda avec le plus grand calme :

— Qu'est-ce que tu veux ?

On entendait une voix de femme quelque part dans l'appartement. Il sentit la chance qui passait.

— Est-ce que ton père est là ?

Elle fit signe que non et s'apprêta à refermer la porte.

— C'est qui, Henriette ? lança la femme d'un ton criard.

— Un monsieur, maman, répondit-elle en se retournant.

Alors Jérôme se pencha vers elle et, avec son plus beau sourire :

— Comment il s'appelle, ton papa ? s'enquit-il à voix basse.

Elle parut surprise, hésita, puis, comme s'il s'agissait d'une évidence :

— Eh ben, Sylvain Tardieu.

— Merci.

Il dégringola l'escalier et venait tout juste de s'engouffrer dans le taxi lorsque la porte de l'appartement s'ouvrit de nouveau et qu'une femme en robe de coton jaune à manches courtes s'avança sur la galerie, les bras frileusement serrés autour de son corps, et jeta un regard inquiet sur le véhicule qui démarrait.

◆ ◆ ◆

Une heure plus tard, Jérôme Lupien apprenait au poste de police que cinq plaintes d'escroquerie concernant des ventes d'automobiles avaient déjà été portées contre le dénommé Sylvain Tardieu, alias Losier – et qu'on faisait enquête sur lui. Le ton sur lequel le sergent-détective Boilard lui communiqua ces renseignements – un mélange d'ironie, de lassitude et de légère pitié – l'incita à croire qu'il avait bien peu de chances de revoir son argent. Il posa directement la question à l'enquêteur :

— Si ça vous chante, vous pouvez bien aller à la Cour des petites créances, répondit ce dernier avec un soupir. Ç'a l'avantage de ne pas coûter cher… Vous allez facilement obtenir un jugement contre lui. Mais pour ce qui est de retrouver votre fric… Ces gens-là n'ont jamais une cenne devant eux, mon ami, ils dépensent tout au fur et à mesure : la drogue, la boisson, les pitounes, les voyages dans le Sud, et Dieu sait quoi encore…

Jérôme Lupien avait le caquet bas quand il retourna chez lui en métro. Il n'avait toujours pas rappelé ni son père ni Charlie. Personne ne répondit chez ses parents, partis sans doute faire des courses. Il joignit Charlie à son travail. De ses propos succincts, il se souviendrait toute sa vie.

— Va acheter *Le Journal de Montréal*, Jérôme. Il y a une manchette qui va t'intéresser.

Le ton de Charlie ressemblait étrangement à celui du sergent-détective Boilard. Et pourtant, il était impossible que son ami fût au courant des derniers développements de sa mésaventure. Malgré l'insistance de Jérôme, Charlie ne voulut rien ajouter. Lupien, le cœur battant, se rendit au dépanneur le plus près, acheta le journal, mais le roula bien serré dans sa main pour lutter contre la tentation de le lire en pleine rue. Il se hâta ensuite vers la Brûlerie Saint-Denis, sur Côte-des-Neiges, choisit un coin tranquille et déroula le journal.

Une serveuse s'approcha, souriante :

— Un petit *latte*, comme d'habitude ?

Jérôme leva vers elle un visage congestionné, fit signe que oui et poursuivit sa lecture.

Dans le coin supérieur droit de la première page, un orignal étalait un panache gigantesque, tandis qu'à sa gauche, une manchette sur trois lignes résumait la question :

QUI A TUÉ LE MONSTRE DE MANIWAKI ?

En page 2, un article racontait les tracas d'un certain Donat Pimparé, guide de la Société des établissements de plein air du Québec. Des agents de la conservation de la faune l'avaient rencontré deux jours plus tôt au cours d'une enquête sur la vente illégale d'un panache d'orignal hors du commun qu'il avait faite à un riche Américain de Princeton. Pimparé affirmait avoir aperçu une première fois la bête une dizaine de jours plus tôt alors qu'il accompagnait un chasseur novice, mais que ce dernier n'avait pas réussi à l'abattre ; son client lui aurait alors demandé de changer de site, ce qu'ils avaient fait. Mais revenant seul le lendemain sur les lieux où ils avaient aperçu le Monstre, le guide l'aurait alors abattu, quoique sans permis de chasse, et prétendait avoir le droit de disposer du panache comme bon lui semblait. Mais sa version des faits, disait-on, était contestée.

Lupien se dressa comme si on lui avait planté une pique dans le derrière, tandis que sa tasse de café dansait dans la soucoupe :

— Hostie de menteur ! C'est *mon* panache ! lança-t-il, l'air égaré, à la grande surprise des clients.

Quelques minutes plus tard, retiré dans un coin discret d'une librairie voisine, il avait maître Asselin au bout du fil.

— Vous avez vu la manchette du *Journal de Montréal* ce matin, maître?

L'avocat partit d'un long rire aux accents métalliques :

— J'en suis un peu à l'origine, monsieur Lupien.

— Ah bon! c'est donc...

— Je vous avais bien dit que si la dénonciation provenait d'un avocat, les choses risquaient d'aller assez vite. Est-ce que je me suis trompé?

— Mais vous auriez pu quand même m'avertir! Je viens de l'apprendre. C'est comme si j'étais tombé d'un troisième étage!

— C'est vrai. J'ai complètement oublié. Excusez-moi. Je suis débordé de travail ces jours-ci, à ne plus savoir où donner de la tête. Désolé.

— Et maintenant, qu'est-ce qu'on fait?

— Le plus long reste à venir. Comme il y a beaucoup de fric en jeu dans cette histoire, la partie adverse, vous pensez bien, va se battre bec et ongles.

— Ça risque donc d'entraîner pas mal de frais.

— Sans doute.

— Il faudrait que je fasse un emprunt... Mais je n'ai pas d'emploi... pas d'emploi stable, en tout cas.

Il y eut un silence.

— Il n'y a personne qui pourrait vous aider, monsieur Lupien? Je ne sais pas, moi, vos parents, par exemple?

— Je ne veux pas mêler mes parents à ça, répondit Jérôme, buté.

— S'ils en ont les moyens, vous avez tort, mon ami. Nous avons de très bonnes chances de gagner. La mauvaise foi de ce guide est évidente. Ce mot par exemple qu'il vous a laissé à l'hôtel le lendemain de la chasse, c'est une preuve *manifeste* de sa tromperie. Sans compter que... Écoutez, laissez-moi réfléchir à cette affaire... Ce n'est pas dans mes habitudes, mais je pourrais peut-être envisager de travailler à pourcentage plutôt qu'à taux horaire.

— Vous pourriez?

— Peut-être. Pour être franc avec vous, je n'aime pas beaucoup ça, mais... Il faudra d'abord que j'évalue soigneusement l'affaire... Désolé, je dois vous quitter, monsieur Lupien. On se reparle. Bonne journée.

Planté devant un étalage d'albums sur la Deuxième Guerre mondiale, l'Holocauste et l'apartheid, Jérôme se dandinait en faisant des grimaces, son cellulaire encore à la main. Malgré l'espoir que lui avait laissé l'avocat, un découragement mêlé de dégoût le gagnait. Il chercha un endroit où s'assoir. La librairie n'en offrait pas.

— La vie, quelle beurrée de merde, marmonna-t-il en se dirigeant vers la sortie. Tous des salauds! Tous!

Dans la soirée, il alla à une quincaillerie acheter un litre de décapant à peinture.

— Le plus puissant que vous avez, précisa-t-il.

La nuit tombée, il se rendit encore une fois rue Florian. La Tercel noire s'y trouvait toujours. Après s'être assuré que personne ne le voyait, il aspergea l'auto de l'avant à l'arrière à partir du toit, puis s'éloigna le plus tranquillement qu'il put, son bidon vide caché dans un sac; il s'en débarrassa discrètement trois coins de rue plus loin, l'esprit non pas en paix mais du moins un peu soulagé.

◆ ◆ ◆

Une étrange langueur s'était emparée de lui, de celle qu'on peut ressentir après avoir reçu coup sur coup deux puissants uppercuts sur la gueule. On ne le reconnaissait plus. Il restait la plupart du temps encabané chez lui, assis devant la télé ou penché au-dessus d'une grille de mots croisés ou alors plongé dans un roman policier. Sa barbe et ses cheveux allongeaient, lui donnant des airs de Robinson Crusoé, les messages s'accumulaient sur son répondeur, les courriels dans son ordinateur, le courrier dans sa boîte aux lettres; il s'en fichait comme un naufragé d'une annonce de piscine. Ses amis s'efforcèrent un temps de continuer à le fréquenter, par esprit de loyauté et bientôt par compassion, puis cessèrent peu à peu – sauf Charlie, que la langueur de Jérôme impatientait de plus en plus, et qui passa près de se brouiller avec lui à quelques reprises.

— Le pauvre con, il fait une dépression et il est trop orgueilleux pour l'admettre. Comme si c'était une honte! Il n'y a pas pire malade que celui qui refuse de se faire soigner. Cette histoire va finir par mal finir, vous verrez!

Il téléphona à ses parents pour essayer, par leur entremise, de le tirer du marais spongieux où il le voyait s'enfoncer jour après jour, mais ceux-ci se déclarèrent aussi impuissants que lui devant la détresse de leur garçon.

— Mon pauvre Charlie, soupira Marie-Rose, nous l'avons invité trois fois à souper pour tenter de l'aider, et trois fois il a claqué la porte aussitôt que nous avons abordé le sujet. Il a presque aussi mauvais caractère que mon mari.

— Ce qui n'est pas peu dire, ricana Claude-Oscar derrière elle.

Seule Lucy parvenait, après bien des efforts, à le tirer de sa langueur, mais cela ne marchait pas toutes les fois. Elle finit par se lasser, eut une aventure avec un de ses professeurs de McGill qui donnait un cours intitulé *Community Life of the Saint-Lawrence River Valley Peasantry, 1850-1950*[4], et cessa bientôt, elle aussi, de le voir.

— Je crois, analysa-t-elle un soir, les sourcils doctement relevés, en sirotant un cognac avec le professeur Pettigrew-Dansereau, que les malheurs de ce pauvre garçon… euh… *have reactivated his old French Canadian roots*; *in my opinion*, il souffre d'une… euh… recrudescence d'*immobilisme sociologique. Don't you think so*[5]?

— C'est en effet très canadien-français, ça, approuva le professeur avec un sourire éclatant, *and it doesn't seem to be very good for fucking, eh, sweetie*[6]?

Et il glissa aimablement une main sur sa cuisse.

Jérôme considéra la défection de sa petite amie comme une troisième trahison du destin, mais une trahison qu'il avait, hélas! lui-même en quelque sorte encouragée.

Une nuit, il se réveilla en sursaut comme si quelqu'un venait de le tirer par une oreille. Assis dans son lit, haletant, il promenait un regard éperdu dans l'obscurité. Entre les coups de timbale qui résonnaient sourdement dans ses oreilles, il entendit le grondement lointain d'un

---

4. *La vie communautaire de la paysannerie de la vallée du Saint-Laurent, 1850-1950* .

5. … ont réactivé ses vieilles racines canadiennes-françaises; à mon avis, […]. Ne trouves-tu pas?

6. […] et ça ne semble pas être très utile pour la baise, hein, mon chou?

autobus quelque part dans la ville et ce bruit pourtant familier le remplit soudain d'un sentiment de désolation épouvantable.

— Mais qu'est-ce que je fais ici ? murmura-t-il au bout d'un moment.

Il ne se questionnait pas sur la place où il se trouvait dans la chambre, ni dans l'immeuble, ni dans la ville ni même sur la planète, mais bien sur celle qu'il occupait... dans l'Univers ! Comme une lourde massue maniée par le bras d'un géant, elle venait de faire éclater en mille miettes le sentiment de banalité et de familière insignifiance que nous donne habituellement la vie quotidienne et qui affecte d'une douce myopie le regard que nous portons sur notre existence. Qui donc, en effet, avait décidé de le faire apparaître, lui, infime grain de poussière perdu dans l'Inconnu, ballotté à gauche et à droite d'une façon insensée, et condamné aux tracas perpétuels et à la souffrance sans pouvoir en connaître la raison ?

Chienne de chienne ! Il faisait une crise d'angoisse métaphysique ! Jamais une telle chose ne lui était arrivée. Comment était-ce possible ? De vagues souvenirs de lecture de Nietzsche et de Schopenhauer, résidus d'un cours de philosophie, refaisaient surface, sinistres et grimaçants fantômes qui s'amusaient à le terroriser avec leur hantise du néant ou du malheur éternel. Il essaya de se rassurer en se disant qu'après tout il ne faisait que partager la condition des huit milliards d'être humains en train de respirer comme lui sur la planète, mais cela ne lui fut d'aucun secours ! Il avait l'impression que sa pensée était désormais vouée à errer dans une sorte de vide galactique glacial et désolé, et la phrase célèbre de Pascal lui revint, frémissante : « Le silence éternel de ces espaces infinis m'effraie. »

Ah ! maudites lectures ! maudite culture ! Elles étaient en train de le perdre. Elles allaient le rendre fou. Que n'était-il donc resté ignorant comme au jour de sa naissance ? Est-ce qu'apprendre, ce n'était qu'ajouter aux façons d'être malheureux ?

Voilà que ses intestins s'en mêlaient, à présent, et qu'une chiasse immonde de trouilleux le forçait à courir à la toilette ! Il s'y précipita en retenant ses sanglots. Ses pieds poisseux collaient au plancher, il se heurta contre le chambranle d'une porte et jura. Une fois soulagé, il se mit à errer dans l'appartement ; il avait allumé dans toutes les pièces et, le corps en sueur, le souffle court, l'œil hagard, ne sachant plus où donner de la tête, il poussait de petits gémissements, s'assoyait, se relevait, pressait à tout moment la main sur la poitrine, d'où il avait l'impression que son cœur allait sortir.

— Est-ce que ça va durer comme ça longtemps? murmurait-il de temps à autre avec désespoir.

Il voyait bien que son angoisse alimentait son angoisse. Alors, il alla fouiller dans la pharmacie à la recherche d'un médicament pour briser le cercle vicieux qui le torturait et ne trouva qu'un flacon de comprimés de valériane, d'ailleurs périmés, qu'il avait utilisés deux ou trois ans auparavant pour lutter contre l'insomnie. Il en avala quatre, sans grande conviction, puis décida de s'habiller et de sortir.

Un vent frisquet de novembre soufflait dans la rue déserte, que la lueur des lampadaires faisait paraître plus large et plus longue. Au loin, des autos montaient le chemin de la Côte-des-Neiges en direction du centre-ville. Il se mit à marcher en prenant de profondes inspirations, et cela lui fit du bien; le sentiment d'irréalité et d'affreuse solitude qui l'étreignait commença à se relâcher. Il aurait voulu parler à quelqu'un, à n'importe qui et de n'importe quoi. Mais, à 3 h du matin, quelle bonne âme aurait voulu l'écouter? Il parvint ainsi jusqu'au boulevard Édouard-Montpetit et entendit dans son dos le grondement d'un autobus. Mais cette fois, chose curieuse, le grondement, au lieu de le remplir d'un sentiment de désolation, le réconforta. Dans l'autobus, il y avait un chauffeur et sans doute quelques passagers. Leur présence lui parut un cadeau inespéré. Il s'élança vers le prochain arrêt, qui se trouvait à 20 mètres, et attendit. L'autobus s'arrêta avec ses grincements et ses soufflements familiers, la portière s'ouvrit avec son claquement sec, et il monta. La chauffeure, une quinquagénaire costaude et bien en chair avec un visage énergique et des joues couperosées, lui jeta un regard machinal, puis un second, plus appuyé, en levant les sourcils. Il glissa sa carte sur le lecteur et alla s'asseoir un peu plus loin. Au fond, à demi allongé sur deux sièges, le dos appuyé contre la glace, les genoux relevés, un homme sans âge à queue de cheval blonde et veste de cuir western à longues franges lisait un journal comme s'il se trouvait dans son salon. Jérôme jeta un regard à l'extérieur; la glace, d'un noir presque opaque, lui renvoya son image.

«Qu'est-ce que je fais ici? se demanda-t-il de nouveau (mais cette fois sa question avait perdu son caractère philosophique). Est-ce que je suis devenu fou ? Non, se répondit-il aussitôt. Si j'étais fou, je ne me demanderais pas si je suis fou. » Mais un doute apparut dans son esprit sur la qualité de ce raisonnement.

L'autobus s'immobilisa à un feu rouge et la chauffeure se retourna pour lui jeter un rapide coup d'œil.

« Merde. J'ai l'air bizarre et ça l'inquiète. »

Il se recroquevilla sur son siège et pencha la tête. Décidément, cette promenade nocturne n'était pas une très bonne idée. Et pourtant il se sentait mieux. Mais où descendrait-il ? Car il fallait bien descendre quelque part. Les autobus n'étaient pas des refuges. Et c'est en se posant et se reposant cette question qu'il s'endormit. Arrêts brusques, secousses et cahots, rien ne parvenait à le tirer de son sommeil. Quatre adolescents complètement gelés passèrent près de lui en se bousculant et en riant aux éclats, il ne les entendit pas.

◆ ◆ ◆

Un tapotement sur l'épaule le réveilla en sursaut. Debout à ses côtés, la chauffeure le regardait avec un grand sourire où se lisait un peu d'appréhension.

— Terminus, monsieur. Il va falloir aller dormir ailleurs.

Il bondit sur ses pieds et bredouilla d'une voix enrouée :

— Quelle heure est-il ?

— Il est 5 h 15, monsieur. J'ai fini de travailler, moi. Je rentre l'autobus au garage. Vous êtes sur Mont-Royal, près de Fullum, ajouta-t-elle aussitôt, allant au-devant de sa question. Voilà deux fois que vous faites le circuit ! Vous aviez l'air de si bien dormir que je n'ai pas voulu vous réveiller, même si ça va contre les règlements. Mais, à présent, il faut partir, monsieur.

— Excusez-moi, fit-il en se levant, et il s'élança vers la sortie.

Debout sur le trottoir, il se massait le cou pour tenter de dissiper un début de torticolis, résultat de ses deux heures de sommeil en position assise, et réfléchissait sur la meilleure façon de rentrer chez lui lorsqu'un autobus surgit tout à coup à sa droite dans un rugissement d'enfer, s'apprêtant à décrire une large courbe pour rentrer lui aussi au garage. Lupien se recula pour échapper aux fumées puantes et, l'autobus disparu, vit apparaître une Honda jaune qui s'arrêta devant lui.

La chauffeure aux joues couperosées baissa la glace :

— Encore ici, vous ? s'étonna-t-elle.

Puis, après une seconde d'hésitation :

— Est-ce que je peux vous déposer quelque part ?

— Merci, ça va, madame, répondit-il en rougissant.

— Vous êtes sûr ?

Manifestement, Jérôme lui inspirait de la sympathie.

— Allez, montez, ordonna-t-elle sur un ton plein d'entrain. Vous avez l'air d'un petit chien perdu au pôle Nord.

La comparaison lui déplut, mais il obéit, par paresse, par fatigue, et parce qu'il n'avait aucune raison à lui opposer.

— Où demeurez-vous ? demanda-t-elle quand il eut pris place à ses côtés.

Il donna son adresse.

— Je vais vous laisser au métro Mont-Royal. De là, vous serez chez vous en quinze minutes. Ça vous va ?

— Vous êtes bien gentille. Merci beaucoup.

La femme, remettant l'auto en marche, sourit, toussota, puis jeta deux ou trois regards de biais sur son passager tandis que la Honda filait vers l'ouest. À présent, c'était elle qui semblait mal à l'aise.

— Jamais je ne fais monter d'inconnus avec moi, crut-elle bon de préciser. Dans mon métier, on voit tellement de choses... Je ne sais pas ce qui m'a pris... Faut croire que votre visage inspire confiance..., poursuivit-elle en riant. Qu'est-ce que vous faites dans la vie ?

— Je suis étudiant à l'université, répondit Lupien pour simplifier les choses.

Il se présenta, parla un peu de ses études, puis se tut ; une immense envie de dormir venait de s'emparer de lui à nouveau. Il avait peine à former des phrases.

— Moi, je m'appelle Marlène Guibord, répondit la chauffeure.

Elle toussota de nouveau, fredonna une vague musiquette, puis :

— Ça n'a pas l'air de très bien aller, vous.

— Pas tellement, non... Mais ça va passer. C'est presque passé.

Elle lui jeta de nouveau un coup d'œil en biais, eut une moue sceptique, puis :

— Problèmes d'études ? Arrêtez-moi si je suis indiscrète, hein...

— Non, non, pas du tout. En fait, j'ai pris un an de congé. Une sabbatique, comme on dit. Je voulais partir en voyage. Mais j'ai eu des pépins.

Et il se tut.

Un moment passa.

— Écoutez, j'ai l'habitude chaque matin après le travail d'aller déjeuner à la boulangerie Première Moisson que vous voyez là-bas, devant vous. Il faut bien que je déjeune, après tout, et j'ai toujours besoin d'une pause avant de me mettre au lit. D'autant plus que, parfois, mes nuits au volant sont assez agitées, vous comprenez… Est-ce que ça vous tenterait de m'accompagner ? Je vous invite. Je n'ai jamais proposé ça à un client de la STM, mais il faut bien une première fois, non ?

· Il la regarda, surpris, presque méfiant, mais son sourire bon enfant le gagna :

— Vous êtes bien gentille, dit-il de nouveau. Justement, j'ai un petit creux.

— Alors, on va le remplir, lança-t-elle joyeusement.

L'instant d'après, ils entraient dans la boulangerie-café. Une atmosphère chaude et parfumée les enveloppa, où se déployaient des arômes de vanille, de cannelle et de chocolat. Jérôme soupira d'aise. À leur droite, des étalages de pâtisseries luisaient dans des comptoirs-vitrines brillamment éclairés ; sur le dessus on avait disposé des assortiments de friandises. À gauche, une dizaine de tables attendaient les clients pour la consommation sur place ; deux vieillards à casquette, attablés chacun dans un coin, parcouraient *La Presse* en mangeant une brioche. Une jeune employée, menue, les traits délicats, avec de longs cheveux noirs, nettoyait une table, l'air absent. Elle leva la tête et, à la vue de la quinquagénaire, son visage s'éclaira :

— Ça va, madame Guibord ?

— Comme jamais, chère, répondit l'autre dans un élan d'optimisme officiel. Et le petit ?

— Je voudrais bien avoir son énergie !

Marlène Guibord se tourna vers Jérôme :

— Assoyez-vous, je vais aller commander. Qu'est-ce que vous voulez ? Une brioche ? Un muffin ? Une danoise ? Un morceau de gâteau? Avec un café, bien sûr. Moi, je vais prendre un déca, car dans un quart d'heure je file droit au lit.

Il hésita une seconde, puis:

— Un muffin au son, s'il y en a…

— Il y en a. Je vous en apporte deux, vous avez l'air d'avoir faim.

— … et un café.

— Au lait? Allez, ne vous gênez pas, c'est moi qui paie la traite.

— Euh… au lait, si vous voulez.

— Je veux tout, moi. C'est vous qui choisissez. Bon. Je reviens dans une minute.

Il s'assit et se mit à observer l'employée qui nettoyait à présent une autre table, juste en face de lui. Il la trouva jolie, mais avec quelque chose de souffreteux, d'épuisé, comme il imaginait les mères célibataires à faibles revenus. Et soudain il réalisa que ses angoisses avaient disparu.

La chauffeure revint bientôt, portant la commande sur un plateau; elle avait choisi pour elle une imposante chocolatine encore tiède et recouverte d'amandes émincées.

— Je ne devrais jamais venir ici, soupira-t-elle en s'attablant devant lui. En deux ans, j'ai pris quasiment cinq kilos avec ces satanées pâtisseries. Il va bien falloir que je me raisonne un jour.

« Parle, parle, ma toutoune, lui répondit intérieurement un Jérôme rempli tout à coup de malice, mais tu vas bientôt en prendre cinq autres », et il lui fallut toute sa volonté pour réprimer un petit sourire. Mais il trouva sa réflexion mesquine et cruelle, et décida de se racheter, même si sa compagne, naturellement, ne se doutait de rien. Aussi, à la première question de Marlène Guibord sur sa vie et ses occupations, il voulut lui donner une preuve de confiance et se mit à lui raconter en long et en large ses mésaventures récentes, allant même jusqu'à lui confier l'inconstance de sa petite amie de Toronto. Mais plus il avançait dans son récit, plus l'angoisse et le découragement qui l'avaient assailli et torturé reprenaient de la force.

— Alors cette nuit, conclut-il avec un soupir, je me sentais tellement seul, seul comme un chien tout nu perdu sur une autoroute, que je me suis retrouvé dans votre autobus.

Elle l'avait écouté avec attention, en apparence impassible, tout en mordant dans sa chocolatine et en buvant son café à petites gorgées.

Ils se regardèrent un moment en silence.

— Ouais, soupira la chauffeure, c'est épouvantable, ça... Et coup sur coup... Vous n'êtes pas chanceux... On dirait que le diable vous a adopté.

Elle prit une autre bouchée, la mouilla d'une gorgée de café et se mit à mâcher lentement, les yeux huilés de plaisir.

— Moi aussi, il y a huit ans, le diable m'avait adoptée... et j'ai bien pensé qu'il ne me laisserait pas, le maudit... Voilà pourquoi, cette nuit, je me trouvais dans un autobus, moi aussi.

Jérôme leva les sourcils d'un air interrogateur.

— Eh oui, poursuivit-elle doucement, le regard dans le vague, quand t'as un mari sur la coke depuis des années qui t'abandonne un beau soir en te laissant trois enfants sur les bras et en prenant soin, avant de partir, de te sacrer une volée qui t'envoie à l'hôpital pour deux mois, t'as vraiment l'impression d'être devenue la fiancée du diable... Et puis, une fois de retour à la maison, les morceaux plus ou moins recollés, il faut bien que tu te débrouilles, n'est-ce pas, pour te trouver un gagne-pain... Alors, après avoir pleuré toutes les larmes de ton corps, tu te mets à chercher un emploi, même si tu ne sais pas faire grand-chose, et tu finis par suivre une formation de chauffeure d'autobus...

— Ah bon, se contenta de répondre Lupien, impressionné.

Elle le regardait avec un léger sourire, enserrant sa tasse des mains, et il eut l'impression qu'une pointe de dureté venait d'apparaître dans son regard, comme pour lui signifier qu'il existait de bien meilleures raisons que des histoires de panache d'orignal, d'auto d'occasion et de parties de jambes en l'air pour s'apitoyer sur son sort.

Et il eut tout à coup envie d'être désagréable avec cette femme qui n'avait cessé pourtant de le couvrir de gentillesses.

Marlène Guibord prit une dernière gorgée de café et glissa le reste de sa chocolatine dans un sac de papier ciré :

— Alors, je vous laisse au métro ?

◆ ◆ ◆

Vers la mi-décembre, Jérôme reprit son ancien emploi de garçon de café dans le Vieux-Montréal ; il avait abandonné ses projets de voyage et ne savait tout simplement plus quoi faire de son reste d'année sabbatique. À force de discussions et d'argumentations, ses amis et ses parents avaient fini par le convaincre d'intenter une poursuite contre Sylvain Tardieu à la Cour des petites créances ; vers la fin de janvier il avait obtenu un jugement en sa faveur ; mais une victoire en cour ne garnit pas nécessairement le portefeuille, d'autant plus que, deux jours plus tard, l'escroc s'était fait coffrer pour un an. Il ne resta en fin de compte à Jérôme Lupien que la secrète satisfaction d'une vengeance au décapant, accompagnée de celle, très éthérée, d'une victoire morale.

— Ah ! si je pouvais récupérer mon panache ! soupirait-il.

Maître Asselin avait fini par accepter de défendre sa cause en se faisant rémunérer à pourcentage, mais l'avait prévenu que l'affaire pourrait prendre des mois, sinon des années, avant d'aboutir.

La nuit d'angoisse qui l'avait poussé dans un autobus et lui avait permis de rencontrer la très aimable Marlène Guibord avait eu un effet étrange sur lui, dont il ne se rendit pas compte tout de suite. Une sorte de cautérisation semblait s'être opérée dans son être, détruisant certaines fibres, en renforçant d'autres, comme dans la création d'une carapace. Le jeune homme plutôt idéaliste, à l'indignation facile, sensible aux malheurs et aux injustices subis par ses frères humains – mais dont la compassion, faut-il ajouter, ne se traduisait le plus souvent qu'en paroles vite oubliées – s'était comme mis en retrait pour faire place à un autre au regard détaché, à l'indifférence ironique, qui laissait une impression de froideur un peu cynique. Cela ne se remarquait pas toujours, quoique de plus en plus souvent.

Peu après sa victoire en cour, il avait proposé un soir à Charlie d'aller voir le dernier film des frères Dardenne au Quartier Latin ; ils décidèrent ensuite de se rendre dans une microbrasserie voisine, rue Saint-Denis, et leurs discussions, alimentées par la bonne bière capiteuse, les menèrent jusqu'aux approches de minuit. En quittant l'établissement pour prendre le métro, ils aperçurent un robineux qui s'avançait vers eux en chancelant, la main tendue, manifestement grand amateur de bière lui aussi malgré un budget plus restreint, qu'il cherchait encore à augmenter malgré l'heure tardive. Le froid était vif, une flaque d'eau sur le trottoir avait tourné en glace ; l'homme posa maladroitement le pied dessus et tomba. Son dos et sa tête heurtèrent le trottoir avec un bruit sourd. Pendant quelques secondes, il demeura immobile, la bouche ouverte, l'œil hagard, puis se mit à gigoter, cherchant à se relever. Jérôme et Charlie accoururent. L'homme, de peine et de misère, avait réussi à s'assoir et frottait sa tête, qui saignait. Il était trapu, tout en rondeurs, sans âge, avec un visage aux traits épaissis et comme fondus par l'alcool.

— Crisse ! chu étourdi, bougonna-t-il d'une voix spongieuse. Aide-moé à me relever, toé, dit-il en s'adressant à Charlie penché au-dessus de lui. Mieux que ça, tabarnac ! J't'ai pas demandé de tomber sur moé, chose, un avec le cul par terre, c'est ben assez, stie !

— Viens-t'en, Charlie, lança Jérôme, dégoûté, en s'éloignant, il est capable de se débrouiller tout seul.

Son ami, d'un geste, lui montra la flaque de sang qui grossissait sur la glace :

— On peut pas le laisser comme ça. Aide-moi.

Jérôme se retourna :

— Règle numéro un dans les accidents, bonhomme : ne pas bouger le blessé.

Pendant qu'ils échangeaient ces paroles, l'homme, soufflant et geignant, s'était mis à genoux et, le torse penché en avant, les mains appuyées au sol, essayait de se remettre debout.

— On n'a pas le choix, rétorqua Charlie. Amène-toi !

Jérôme, de mauvaise grâce, obéit. Après quelques efforts, ils réussirent à remettre le robineux debout et, le tenant chacun par une épaule, allèrent l'adosser contre la façade du Théâtre Saint-Denis.

— Pas trop vite, les *boys*, marmonnait le blessé, ça tourne en tabarnac !

Jérôme, les narines pincées, se tourna vers son ami en grimaçant : l'homme dégageait une puanteur abominable. Charlie sortit un cellulaire de sa poche et s'adressa au robineux qui tenait à peine sur ses jambes :

— Il faut que t'ailles à l'urgence, mon vieux. Je vais t'appeler une ambulance.

L'homme, la tête levée, semblait fixer un point dans le ciel et marmonna quelques mots inintelligibles.

— Eh bien, moi, ma B.A. est faite pour aujourd'hui, lança Jérôme avec humeur, je fous le camp. Salut.

Et il s'éloigna à grands pas vers une bouche de métro. Il allait y pénétrer lorsqu'un clignotement familier bleu et rouge le fit se retourner; une voiture de police venait de s'arrêter devant le Théâtre Saint-Denis et deux agents en sortaient, libérant son ami de sa mission de bon Samaritain.

Jérôme haussa les épaules et s'engouffra dans le métro.

♦ ♦ ♦

Cet incident donna lieu quelques jours plus tard à une discussion assez vive entre les deux amis, un soir qu'ils soupaient à l'appartement de Charlie, rue Marie-Anne. Ils avaient commandé une pizza et Charlie, qui se piquait d'être un fin connaisseur en vins, voulait que Jérôme profite d'une *découverte historique* faite la semaine d'avant; il s'agissait d'un Château Drobeta-Turnu, vin rouge du sud-est de la Roumanie (mais dans sa portion septentrionale); ce merlot-grenache élevé en fût de chêne américain, aurait rempli de jalousie, disait-il, bien des producteurs bordelais réputés. Ils en vidèrent rapidement une bouteille et quand la deuxième commença à souffrir d'un vide prononcé, une franchise virile se mit à régner dans la conversation.

— T'as changé, toi, depuis un mois ou deux, observa Charlie d'un ton quelque peu abrupt.

— Oui, bien sûr. J'ai vieilli d'un mois ou deux, selon le cas.

— Essaie pas de tourner ma remarque en farce, je suis sérieux. Je trouve que t'as changé, Jérôme – et pas nécessairement pour le mieux.

— Ah bon. Désolé. Est-ce que je peux avoir les détails?

— Je pense, entre autres, à l'histoire de ce robineux de la rue Saint-Denis. Je t'ai déjà vu plus compatissant, c'est le moins qu'on puisse dire.

— Tout le monde ne peut pas avoir comme toi du sang de Mère Teresa dans les veines, bonhomme. T'as peut-être reçu une transfusion?

— Non, j'avais tout mon sang d'origine. Mais toi, ce soir-là, je ne te reconnaissais plus, Jérôme, vraiment plus.

— Que veux-tu ? Quand un robineux puant et abruti s'écrase devant moi sur le trottoir et qu'il se met à insulter celui qui vient l'aider, ça me donne envie d'aller voir si je ne serais pas ailleurs.

— Je te comprends, Jérôme. Moi aussi, il me levait le cœur. Mais on ne pouvait quand même pas le laisser là à -10 °C en train de se vider de son sang, et puis, comme je te disais, ce n'est qu'*un* exemple. T'en veux un autre ? Jeudi passé, quand je t'ai annoncé que mon père allait se faire opérer pour un cancer de la prostate, c'est comme si je t'avais dit que le club des Lapins tondus de Val-d'Or risquait de finir en dernière position cette année. Ce n'est pourtant pas banal : il risque même d'en crever. En cherchant un peu, je pourrais continuer, je n'ai pas dressé de liste, remarque, ce n'est pas mon genre. Il y en a qui te feraient rire sans doute, tu les trouverais insignifiants. Moi, pas. En fait, chum, c'est ton attitude en général qui me chicote. On dirait que depuis un certain temps tu te fous des gens, peu importe ce qui leur arrive, bonheur ou malheur. Comme si tu t'étais coupé du monde. Poli, gentil, mais froid comme un glacier.

— Ça y est, Charlie, ma décision est prise : je te choisis comme confesseur. T'as vraiment le genre, je trouve. Il va falloir, par contre, que tu suives quelques cours de morale et de théologie pour obtenir ton diplôme de curé, mais tu pourras continuer à baiser, je te le permets.

— Tu vois, fit Charlie en remplissant leur verre, tu te fous de tout. On dirait vraiment qu'il y a quelque chose de gelé en toi.

— Et pourtant, je me sens de plus en plus chaud, Charlie… Bon, je t'accorde que ce n'est pas le mot d'esprit du siècle… On efface. D'ailleurs, soit dit en passant, ton vin, il est pas mal pour le prix, mais il ne mettra pas en faillite les négociants de Bordeaux – ni d'ailleurs, d'ailleurs.

— Tu changes de sujet, bonhomme ? Aurais-tu peur de poursuivre ? Ça tremble un peu dans tes culottes ?

De rougeaud, le visage de Jérôme devint tout à coup écarlate :

— T'occupe pas de ce qu'il y a dans mes culottes, chose, je gère très bien ça moi-même. J'ai l'habitude, tu comprends… Je te trouve tout à coup bien moralisateur, Charlie, et aussi pas mal naïf. La vie, pourtant, c'est pas du bonbon, tu ne t'en es pas encore rendu compte ? Il faut se protéger un peu, non ? Il faut voir venir, être aux aguets, si on ne veut pas se retrouver dans le fond de la cale avec tous les nonos de la société. C'est ça que tu me reproches ? Est-ce que c'est ça ?

Charlie eut un sourire sarcastique, prit une gorgée de vin et fit claquer sa langue d'un air satisfait pour bien montrer à Lupien que sa critique du Drobeta-Turnu ne l'influençait aucunement. Le tour qu'avait pris la conversation commençait cependant à l'inquiéter ; il fallait trouver une voie d'évitement sans perdre la face, mais il n'en voyait aucune.

— Tout ça à cause d'une histoire de bazou qui a mal tourné, finit-il par ronchonner sans conviction.

Jérôme assena alors sur la table un coup de poing si violent que son compagnon dut bondir vers la bouteille de vin pour l'empêcher de tomber.

— Tu dérailles, bonhomme ! lança Jérôme dans une volée de postillons. Tu capotes à 300 milles à l'heure ! Qui t'a parlé de bazou ? Il n'y a pas que le bazou ! Il y a aussi une histoire de panache d'orignal où je risque de perdre 200 000 $, et peut-être plus ! Une misère, quoi ! Il y a… il y a…

Sa voix s'était mise à trembler, un sanglot montait dans sa gorge.

Alors, par un violent effort de volonté, il se calma tout à coup, vida son verre en deux goulées, prit une grande inspiration, les yeux levés vers le plafond, puis d'un ton très posé :

— On ouvre une autre bouteille ?

Charlie, pourtant convaincu qu'ils avaient largement dépassé les limites du raisonnable, se leva (il dut s'appuyer sur la table), alla au comptoir et revint avec une troisième bouteille du très remarquable Château Drobeta-Turnu ; il voulut la déboucher, mais ses mains ne lui obéissaient plus aussi bien qu'avant.

— Passe, ordonna Jérôme.

Le bouchon sortit de la bouteille avec un joyeux claquement.

Il remplit les verres, plongea les lèvres dans le sien :

— Je le trouve meilleur que tout à l'heure, ce vin. Curieux.

L'autre, soulagé de voir son ami radouci, opina lentement de la tête.

Un moment s'écoula.

— Et alors ? fit Jérôme.

— Et alors quoi?

— Tu me classes dans la catégorie des sans-cœur, hein?

— Mais non, pas du tout, assura Charlie qui aurait préféré empiler de la brique toute la nuit ou changer les couches de 50 bébés plutôt que de reprendre la discussion. C'est plutôt que…

Et, malgré l'épaisse bouillie qui remplissait son crâne, il se mit à chercher une formule à la fois diplomatique et franche pour exprimer son opinion.

— C'est plutôt que quoi? reprit Jérôme, plongeant un regard vacillant dans celui non moins vacillant de son ami.

— Écoute, Jérôme, fit celui-ci en secouant la tête comme un cheval harcelé par un taon, pourquoi on ne reprendrait pas cette discussion une autre fois, hein? On est tous les deux paquetés aux as, je ne sais plus trop ce que je dis, toi non plus, on risque de partir une autre engueulade qui pourrait nous brouiller pour des mois, et moi, je ne veux pas te perdre comme ami, et je suppose que toi non plus, non?

Lupien eut une grimace de dépit:

— Bon… Puisque tu ne veux pas me livrer le fond de ta pensée, je vais te livrer le fond de la mienne, ça compensera un peu. Tu te désoles de me voir pratiquer le fameux «chacun pour soi, au diable les autres». Pas très ragoûtant, hein? Eh bien, ouvre-toi les yeux, Charlie, c'est ce que tout le monde fait sans oser le dire. Seules exceptions: les niaiseux, et deux ou trois saints, que personne n'a jamais rencontrés, d'ailleurs. Ah oui, j'oubliais l'exemple classique des parents quand il s'agit de leurs enfants. Facile à expliquer, ça: c'est l'instinct de reproduction qui les pousse, ou plutôt celui de la perpétuation de l'espèce. Les vaches en font autant pour leurs veaux. Et malgré l'instinct en question, les journaux sont remplis chaque jour de drames de famille assez horribles, merci, tandis que la DPJ ne fournit pas à ramasser les enfants abîmés. Tu me reproches en fait de vouloir m'adapter à la vie. Voilà. Eh bien, moi, je te donne un conseil d'ami: imite-moi donc un peu, bonhomme, tu t'en trouveras mieux.

Et, souriant, il se mit à fixer son verre, une lueur de satisfaction dans son regard embrumé.

Charlie éclata de rire:

— Alors si, moi, je suis un confesseur, toi, t'es devenu prédicateur, mais d'une drôle de sorte, toton de tôle!

Dix minutes plus tard, deux ronflements s'élevaient dans l'appartement, l'un en provenance du salon, où Jérôme cuvait laborieusement son vin, étendu sur un canapé, l'autre de la chambre à coucher, où d'étranges cauchemars agitaient Charlie.

◆ ◆ ◆

Les deux amis furent plusieurs jours sans se voir ni se parler. Était-ce l'effet de leur discussion nocturne? À vrai dire, les vapeurs du Drobeta-Turnu l'avaient rendue plutôt confuse dans leur esprit et, au cours des rencontres qui suivirent, ils n'y firent jamais allusion, comme s'ils avaient tout oublié. Mais peut-être le vague pressentiment que leurs vies étaient sur le point de prendre une trajectoire différente les avait-il portés à éviter le sujet.

Les semaines s'écoulaient lentement, avec leur succession de coups de gels et de redoux pluvieux où le printemps et l'hiver se gâchaient l'un l'autre en se mélangeant; depuis quelques années, cela semblait désormais la nouvelle forme qu'avait décidé d'adopter la saison froide. Jérôme continuait de travailler à son café du Vieux-Montréal, rue de la Commune, et avait commencé une liaison avec la fille de la patronne; la maman, une Française de Rouen très forte sur les principes, faisait semblant néanmoins de ne rien remarquer, flattée de voir sa chérie fréquenter un *étudiant de l'université*; elle entretenait peut-être le vague espoir de l'avoir un jour comme gendre et associé, car il lui paraissait énergique, débrouillard et rempli d'entregent.

Mais, début avril, écœuré tout à coup par son emploi et par la sloche grisâtre dans laquelle Montréal piétinait depuis dix jours, Jérôme décida de prendre deux semaines de vacances à Cuba, et on ne le revit plus jamais au café.

Il se retrouva un mardi soir à Varadero par 31 °C dans un gigantesque hôtel cinq étoiles construit en forme de fer à cheval et entouré d'une flopée de fausses huttes à toit conique recouvert de feuilles de palmier et qui servaient à des fins récréatives ou utilitaires; le site Internet où il avait fait sa réservation lui promettait *des délices haut de gamme*, prenant soin de préciser que l'établissement était géré par une compagnie espagnole.

Il passa les premiers jours de ses vacances à dormir, à se baigner, à s'empiffrer au buffet de la salle à manger et à flâner sur le terrain de l'hôtel, s'arrêtant à un des nombreux bars en plein air pour commander dans un espagnol de touriste des daiquiris qu'on lui servait avec un grand sourire, mais dont il fallait s'envoyer un nombre incalculable avant de ressentir un début d'euphorie.

La chaleur, le soleil, le farniente, les promenades en maillot de bain pieds nus dans le sable fin déclenchèrent bientôt chez lui, comme il s'y attendait, une fringale de sexe qu'il fallait satisfaire le plus vite possible sous peine de gâcher ses vacances. Et puis, le manque de compagnie commençait à lui peser. Le choix de rencontres offert par l'hôtel à ce moment de l'année n'était, en général, pas très fameux ; on y accueillait une clientèle composée en grande partie de retraités, vieux couples ayant choisi de troquer la Floride contre Cuba, célibataires aux approches de la soixantaine venus dans l'espoir de trouver l'âme sœur sous les cocotiers, rescapés du bistouri ayant décidé de faire un ultime pied de nez à la Faucheuse – ou alors jeunes parents accompagnés de leurs rejetons qui essayaient de peine et de misère de concilier une nouvelle lune de miel avec leurs obligations familiales. Jérôme regretta de n'avoir pas mis plus d'efforts à convaincre sa copine de l'accompagner et se voyait bientôt réduit à faire l'amour avec lui-même.

Il se mit à la recherche d'une jolie femme qui accepterait de partager son lit ou de l'accueillir dans le sien. Au cours de ses allées et venues, il avait bien remarqué une bonne demi-douzaine de partenaires potentielles, mais toutes semblaient avoir été coulées dans le même moule : quadragénaires, style secrétaires de direction, à l'allure un peu froide ou donnant l'impression de lutter contre la migraine tout en s'efforçant de paraître détendue. Mais il avait surtout remarqué la pauvreté soudaine de ses talents de dragueur ; dans un environnement étranger (c'était son premier séjour à Cuba), il se découvrait plutôt gourd, hésitant, quelque peu dépourvu de bagout et redoutant les rebuffades. C'est ainsi qu'une des secrétaires de direction avec qui il tenta de lier connaissance dans le hall de l'hôtel en lui demandant : «Est-ce que c'est votre premier séjour à Cuba?» lui répondit sèchement :

« Est-ce que j'ai l'air de ça ? » et, haussant les épaules, s'éloigna à grands pas vers les ascenseurs.

— Merci, salope, marmonna-t-il entre ses dents, tu me rends service en foutant le camp.

Il en fut déprimé pour le reste de la journée. Pourtant, la matinée du lendemain sembla vouloir offrir une embellie.

Il sortait de la piscine après plusieurs longueurs de crawl lorsque son regard croisa celui d'une grande blonde étendue sur un transatlantique, sa petite fille blottie contre elle. La femme lui adressa un sourire. Il y répondit et s'approcha.

— Vous nagez bien, observa la femme.

— Oh, j'étais bien meilleur avant, fit-il modestement. Je ne fais presque plus de natation à présent.

— Quand même, vous nagez bien, reprit la femme. Trouves-tu, Andrée-Anne ?

— Oh oui, il nage mieux que toi, maman.

— Vous permettez ? fit Jérôme en tirant vers lui un fauteuil de plage, le cœur battant.

Début trentaine, assez grande et légèrement grassette, elle avait des traits agréables et une expression particulière qui frappa Jérôme, comme un air de profond soulagement après une longue souffrance, cet air qu'on voit pendant une fraction de seconde chez le plongeur sur le point de suffoquer qui remonte à la surface pour se remplir les poumons d'oxygène.

Ils se mirent à causer tandis que la petite fille, après avoir gigoté un moment aux côtés de sa mère, saisie d'ennui, sauta en bas de la chaise longue et courut vers la barboteuse où une dizaine d'enfants s'ébattaient en criant. Eugénie Métivier travaillait comme diététiste pour la chaîne d'épiceries Metro ; elle demeurait à Montréal et retournait chez elle le lendemain, ravie de sa semaine à Cuba qu'elle trouvait bien courte.

— J'en avais un grand besoin, soupira-t-elle, sans plus de précisions.

Jérôme s'était présenté à son tour en quelques mots. Tandis qu'il parlait, un calcul fiévreux s'effectuait dans son esprit. La femme lui plaisait et manifestement c'était réciproque. Il leur restait à peine 24 heures pour faire plus ample connaissance ; c'était peu, mais quand même mieux que rien; la présence de l'enfant risquait toutefois de compliquer les choses. Il s'agissait de ne pas perdre de temps et d'aller droit au but, avec élégance.

— Cet après-midi, nous allons visiter une plantation de canne à sucre, annonça Eugénie Métivier. Est-ce que vous y allez?

— Non, fit-il, cachant avec peine sa déception. Il fallait s'enregistrer, je suppose?

— Oui. À cette heure-ci, toutes les places doivent être prises, mais on ne sait jamais. On vous le confirmerait à la réception. Ça vous tente de venir?

Les excursions de groupe l'horripilaient, mais il n'en fit rien voir.

— Tiens, pourquoi pas? Je vais m'informer.

Il se hâta vers l'hôtel. Ces quelques heures passées ensemble seraient fort utiles, un prélude touristique à la nuit de baise dont il avait tant besoin.

— C'est complet, annonça-t-il, dépité, en revenant quelques minutes plus tard.

— Je m'en doutais bien.

Alors, n'ayant plus rien à perdre, il joua le tout pour le tout:

— À quelle heure serez-vous de retour?

Elle eut un étrange sourire où l'ironie se mêlait à la gêne:

— Vers 5 ou 6 heures, j'imagine.

— J'aimerais vous revoir. J'aimerais *beaucoup* vous revoir. Est-ce que c'est possible dans la soirée? ajouta-t-il précipitamment, la fixant droit dans les yeux, rouge jusqu'aux oreilles.

Elle se mit à rire:

— Oui, je veux bien. Après tout, on est en vacances, non?

Il allait poser la main sur son bras lorsqu'un cri strident partit tout à coup de la barboteuse. Andrée-Anne, qui en sortait, venait de glisser dans une flaque d'eau et s'était frappé la tête contre le carrelage. L'instant d'après, sa mère était auprès d'elle. L'enfant, devenue hystérique, saignait beaucoup. Un petit attroupement se fit, un employé accourut, il fallait se rendre à l'infirmerie. Jérôme voulut accompagner la mère et la fille, puis jugea qu'il se mettait dans une situation ambiguë et, après un signe d'encouragement à Eugénie Métivier, qui ne sembla pas le remarquer, rebroussa chemin et monta à sa chambre passer des vêtements.

Il ne les revit que deux heures plus tard dans le hall, après le dîner ; elles s'apprêtaient à monter dans le car pour la visite de la plantation. Andrée-Anne avait un grand pansement au front et lui envoya timidement la main tandis que sa mère lui adressait un sourire qui lui parut distrait, et même un peu froid.

Un insupportable sentiment de frustration l'habitait à présent, comme un prurit ardent qui l'empêchait de se concentrer sur quoi que ce soit et le remplissait d'un ras-le-bol général. Il rageait de désir et, en même temps, se sentait comme une baudruche que le vent se serait amusé à ballotter ici et là. Le sort se moquait de lui et avait décidé de transformer ses vacances à Cuba en punition.

Alors il décida de faire une promenade jusqu'à Varadero, qui se trouvait à cinq ou six kilomètres de l'hôtel ; la marche lui ferait du bien et sa visite l'aiderait à tuer le temps jusqu'au soir. Il partit sur la route à grands pas. Au bout d'un moment, un sentiment étrange l'envahit : habitué qu'il était depuis trois jours aux voisinages incessants de la vie d'hôtel, il se retrouvait seul tout à coup ; à de longs intervalles, un véhicule passait, vieille américaine aux couleurs déteintes ou pathétique camion rouillé rafistolé avec de la broche, qui crachotaient une fumée noire et tentaient laborieusement d'étirer une longévité de plus en plus hasardeuse. Il s'épongea le front du dos de la main. Le soleil tapait dur ; Jérôme avait l'impression qu'on avait approché de son visage une plaque chauffée au rouge pour s'amuser à faire bouillir son cerveau. Sous son t-shirt s'était formé un petit sauna ; il sentait la sueur couler en minuscules filets le long de son dos et de ses cuisses. En dépit de tout, un sentiment de liberté euphorique l'habitait : il avait échappé au printemps gluant et morose qui régnait à Montréal ; partout où ses yeux se posaient, des couleurs éclataient joyeusement ; à chaque inspiration, des senteurs grasses, profondes, épicées, lui emplissaient le nez. Il ralentit le pas, un peu étourdi par la chaleur et cet afflux de sensations nouvelles, et se mit à chercher un coin d'ombre ; Varadero semblait encore bien loin. À dix mètres de lui, il aperçut une vieille palissade de planches grisâtres qui dispensait un peu d'ombre. En s'accroupissant à ses pieds, il pourrait se reposer un moment.

Une Mercury des années 1950, d'un jaune citron éclatant et comme fraîchement sortie de l'usine celle-là, apparut tout à coup. Arrivée à sa hauteur, elle ralentit et un éclat de rire en jaillit.

— *Pobre crio*[7]! lança moqueusement une voix de femme.

L'instant d'après, elle était déjà loin.

On riait de lui? Dans le cul. Ce devait être une de ces putes à touristes prête à faire n'importe quoi pour un vieux dix.

Il se rendit à la palissade, inspecta le sol couvert d'une herbe courte, sèche et brunâtre – y avait-il des tarentules, scorpions et autres saloperies à Cuba? –, puis, satisfait, se mit à croupetons et s'y adossa. Par contraste, la température de l'endroit lui parut délicieuse. Il ferma les yeux et sombra peu à peu dans une lourde torpeur. Cela dura 10, 15, 20 minutes, il n'aurait su dire. Soudain, de petits grincements se firent entendre et une voix aigre le tira de sa sieste:

— *Hola! Señor! A donde va? Quiere subir*[8]?

Un vieux paysan assis dans une charrette tirée par un âne agitait la main dans sa direction.

Jérôme devina l'offre qu'on lui faisait. Tout le monde ici semblait s'ingénier à trouver de petits revenus supplémentaires grâce aux touristes. Dans les circonstances, c'était une aubaine inespérée.

Il bondit sur ses pieds, courut à la charrette et enjamba la ridelle, tandis que l'homme lui souriait de toutes ses dents, qu'il avait larges, jaunies et bien plantées.

— *Varadero*? demanda le charretier en pointant l'index devant lui tandis que l'âne, une oreille rabattue, l'autre dressée bien droite, tournait un œil soupçonneux vers le nouveau venu.

— *Si! Si!* répondit Lupien et il glissa la main dans sa poche pour sortir son portefeuille.

Après quelques refus polis, l'homme accepta le dollar que lui offrait Jérôme et la charrette se remit en branle. Son conducteur, petit, sec et tout en nerfs, semblait avoir dépassé la soixantaine. Sa peau ridée, d'un brun mat, rappelait vaguement l'herbe au pied de la palissade.

---

7. Pauvre petit!

8. Hé! Monsieur! Vous allez où? Voulez-vous monter?

« L'homme fait le pays, le pays fait l'homme », se dit Jérôme et, sans trop savoir pourquoi, il se sentit très fier de cette pensée. Qui aurait pu parler ainsi ? Hugo ? Péguy ? Hemingway ? Miron ? Eh bien, dans le cas présent, c'était Lupien, Jérôme.

Vingt minutes s'écoulèrent. Le soleil devenait sadique. Jérôme sentait comme un casque brûlant lui enserrer la tête tandis que ses épaules cuisaient ; la soif le tourmentait de plus en plus. À chaque kilomètre franchi, il se réjouissait un peu plus de la chance qu'il avait eue de rencontrer ce charretier. Ses échanges avec lui se réduisaient à des sourires et à de grands gestes ponctués d'onomatopées ou de ce qui semblait en être.

Depuis quelques minutes, les champs coupés de bandes de buissons et de bouquets d'arbres qui bordaient la route laissaient place peu à peu à des baraques, à des bâtiments agricoles plus ou moins misérables et à des masures autour desquelles circulaient des bandes d'enfants et quelques adultes ; on approchait de la ville. La charrette s'arrêta soudain à un embranchement d'où partait un petit chemin de terre cabossé ; le paysan se tourna vers Jérôme et, avec force gestes et en répétant plusieurs fois le nom de Varadero, lui fit comprendre qu'il ne se rendait pas à la ville, mais qu'elle se trouvait tout près.

Jérôme le remercia avec un profond salut, sauta en bas de la charrette et reprit sa marche, saluant de nouveau le paysan qui, les mains en porte-voix, semblait lui souhaiter bonne chance.

Brusquement, ce fut la ville. Elle lui parut plutôt misérable avec ses rues pavées, mais sans trottoirs, bordées de bicoques grisâtres devant lesquelles des enfants s'agitaient parmi de la volaille. Le besoin d'une bière glacée prise à l'abri du soleil le taraudait. Il allongea le pas et se mit à la recherche d'un établissement, bar, café, restaurant, n'importe quel endroit où l'on pouvait étancher sa soif. Il aperçut bientôt à sa droite un magasin aux larges vitrines qui lui parut une épicerie ; il entra. Des rangées de tablettes dégarnies s'allongeaient dans le local, d'une propreté impeccable mais d'où émanait une impression de disette sans remède. Dans une allée, il eut une exclamation de surprise : trois contenants de savon à vaisselle Irresistibles, la marque maison de la chaîne d'épiceries québécoise Metro, se dressaient bien en vue sur une tablette presque vide. Par quelles diables de circonstances se trouvaient-ils à Cuba ?

— *No cerveza, señor*[9], lui répondit placidement un petit homme à demi chauve qui l'observait depuis un moment derrière un comptoir, les mains derrière le dos.

— *Agua mineral*[10] ? demanda alors Jérôme.

— *No agua mineral*[11], répondit l'homme en haussant les épaules comme pour s'excuser.

Mais il lui fit signe d'attendre, quitta le comptoir et revint, tout souriant, avec une bouteille de limonade.

Jérôme la paya, sortit et vida la bouteille en trois gorgées. La limonade était très sucrée et sa soif empira. Il continua sa promenade. Des passants le croisaient, lui jetant un bref regard du coin de l'œil, certains avec un début de sourire; la plupart portaient des vêtements fort modestes mais propres et en bon état. Alors qu'il passait devant la porte entrouverte d'une petite maison à la façade de crépi vert lime ravagée par les ans, une vieille femme en surgit brusquement avec une brassée de fleurs et voulut lui vendre un bouquet. Il n'avait pas besoin de bouquet, mais d'une bière glacée.

— *Cerveza,* lui dit-il d'un ton suppliant.

— *Cerveza? Allí Allí*[12] ! fit-elle en agitant la main vers le fond de la rue.

Alors s'inclinant bien bas une seconde fois :

— *Muchas gracias, señora !*

Et il poursuivit son chemin.

Quelques minutes plus tard, une exclamation de joie lui échappait : de l'autre côté de la rue, se dressait un bâtiment à pignon sans étage, un peu en retrait, devant lequel on avait disposé quelques tables et des chaises de métal; au-dessus de la porte s'étalait une enseigne sur toute la longueur de la façade :

EL SOMBRERO
A LOS TRES PICOS

---

9. Pas de bière, monsieur
10. Eau minérale ?
11. Pas d'eau minérale
12. Là-bas ! Là-bas !

De toute évidence, on pouvait y boire quelque chose. Il traversa la chaussée presque en courant.

— *Cerveza, cerveza*, murmura-t-il avec la joie du naufragé agrippé à une épave qui aperçoit le bateau sauveteur.

Une moiteur à couper en tranches régnait dans l'établissement, mais on y servait de l'excellente bière presque froide. Il en but deux coup sur coup et se sentit un peu étourdi. Une odeur de friture aigre flottait dans la salle. Il était pour l'instant le seul client. La petite femme maigrichonne qui l'avait accueilli avec un sourire aimable lui avait demandé :

— *Canada ?*

— *No. Quebec*, avait-il tenu à préciser.

— *Ah ! Francés, francés*, avait-elle conclu en hochant la tête à plusieurs reprises comme s'il s'était agi d'une bonne nouvelle.

Par la suite, elle ne lui avait plus reparlé, occupée à houspiller deux petits garçons qui entraient et sortaient avec des cris stridents par une porte donnant sur une cour. Il commanda une troisième bière. « *Lento, lento*, Jérôme, se dit-il. Faut pas rentrer à l'hôtel à quatre pattes, tout de même. »

Les jambes allongées, il sirotait sa bière tandis qu'un agréable engourdissement le gagnait. Comment se terminerait sa soirée ? Ah ! il ne fallait surtout pas y penser ! Il fallait se laisser aller, suivre le courant, improviser. Les calculs rendent coincé.

Tout ce liquide ingurgité demanda soudain à changer de contenant. Il promena son regard dans la salle.

— *Los servicios*[13] ? fit la patronne, devinant sa pensée.

Et elle pointa son index vers une porte à demi cachée par une empilade de chaises de plastique. Dans les toilettes exiguës, l'eau de Javel luttait héroïquement contre les relents de vieille urine, et la cuvette, fissurée et raccommodée tant bien que mal, laissait s'échapper des gouttes qui alimentaient une petite flaque sur le carrelage. Il fronça le nez, retint son souffle et se mit à pisser le plus vite qu'il put. À la hauteur du regard, une petite fenêtre permettait un peu d'aération. On y apercevait un bout de ruelle et, près d'un mur, deux hommes en train de causer avec animation. L'un des hommes, dans la jeune vingtaine, semblait un touriste.

---

13. Les toilettes ?

L'instant d'après Jérôme revenait à sa table. Il venait à peine de s'y rassoir que la patronne, toute confuse, s'avança vers lui avec ses deux mioches et, à force de mimiques, finit par lui faire comprendre qu'elle devait quitter les lieux à cause de ses garçons, mais qu'il pouvait continuer à déguster sa bière à l'une des tables de la terrasse ; et, toute en sourires et en excuses, elle se rendit à la porte en poussant devant elle ses enfants, déploya un parasol installé au centre d'une table, tira une chaise et l'invita à s'installer. Puis, la porte barrée, elle s'éloigna d'un pas pressé avec sa progéniture devenue tout à coup grave et silencieuse.

Il prit encore quelques gorgées de bière, mais elle avait beaucoup tiédi et il n'avait plus soif. Jetant alors des coups d'œil autour de lui, il se demandait quelle direction il allait prendre lorsqu'un cri s'éleva en provenance de la ruelle. Ce n'était un cri ni de joie ni de colère, mais de détresse.

Il se leva d'un bond, bousculant la table tandis que son verre à demi plein se fracassait sur le pavé. Une imprécation furieuse venait de répondre au cri. On souhaitait beaucoup de mal à quelqu'un en espagnol.

Sans qu'il l'ait vraiment décidé, Jérôme se retrouva dans la ruelle à quelques pas des deux inconnus. Un individu dans la quarantaine, le teint basané, petit mais avec un thorax de bouledogue et la physionomie idoine, tenait le jeune touriste par le col de sa chemise tandis que son autre main, armée d'un couteau, l'obligeait à rester immobile.

— Qu'est-ce qui se passe ? tonna Jérôme en mettant les mains sur les hanches.

Les frustrations accumulées en lui depuis des mois venaient de remonter à la surface et bouillonnaient, lui faisant perdre toute prudence.

— *Socorro ! Socorro*[14] ! Il veut me tuer ! lança le jeune touriste.

L'homme-bouledogue poussa un ricanement. Tenant toujours sa victime, il se tourna vers Lupien et, avec des rotations menaçantes de sa main armée, l'invita à se déguiser en courant d'air. Jérôme se figea ; un froid mortel courut dans tout son corps et il sentit ses genoux faiblir ; c'était la trouille, la vraie, dans tout ce qu'elle a de massif et de honteux. Mais plutôt que de le faire décamper, elle l'indigna contre lui-même,

14. Au secours ! Au secours !

et sa rage alors ne connut plus de bornes. Apercevant une roche près d'un mur, il se jeta dessus et, la main tremblante mais le regard assuré, il la lança de toutes ses forces sur l'homme, qui s'écroula, assommé.

— Allez! Amène-toi! lança-t-il à l'inconnu.

Ils se retrouvèrent dans la rue, qu'ils traversèrent au pas de course.

—. Mon auto est tout près, fit l'autre en tournant vers Jérôme un visage livide. La petite Honda près de la maison rose, là-bas.

— Arrête, ordonna Jérôme en le saisissant par l'épaule. On va marcher, plutôt. Faut pas attirer l'attention, tout de même. On n'a pas besoin de la police en plus!

L'autre lui obéit aussitôt et régla son pas sur le sien. Ils marchèrent en silence un moment, comme des flâneurs alanguis par la chaleur, jetant des coups d'œil à gauche et à droite.

— Un grand merci, hein, murmura le jeune homme d'une voix blanche. Je pense que si tu ne t'étais pas pointé, ce chien-là me perçait la peau... C'est vraiment chic, ce que t'as fait.

Jérôme secoua mollement la main avec une moue insouciante; en fait, il était le premier surpris de son geste, qui le remplissait de fierté.

— T'aurais fait la même chose à ma place, répondit-il par politesse.

— Hum... Je n'ai jamais été du genre batailleur...

Il se mit à tourner la tête pour voir ce qui se passait; deux hommes s'étaient arrêtés devant le café et parlaient en gesticulant.

— Regarde en avant, lui enjoignit Lupien. On n'a rien vu, rien fait. On se promène. La vie est belle... C'est quoi, ton nom?

— Félix Sicotte. Et toi?

Jérôme se présenta et apprit que son compagnon logeait comme lui à l'Iberostar.

— Je suis avec ma mère, ajouta Sicotte. Drôles de vacances, hein?

Jérôme ne répondit rien. Ils approchaient de la Honda.

— Une voiture de l'année? s'étonna-t-il. On n'en voit pas beaucoup par ici!

— C'est l'auto de ma mère, répondit sans plus Sicotte en déverrouillant une portière.

Il faisait de grands efforts pour paraître insouciant, mais, avant de s'installer derrière le volant, ne put résister à l'envie de jeter un coup d'œil en arrière:

— On dirait qu'il y a un petit attroupement devant le café, fit-il remarquer d'un ton apeuré.

— Allez, on file, ordonna Lupien en se glissant dans l'auto. L'Iberostar, ça peut toujours aller, mais les prisons cubaines, j'ai comme pas le goût.

La Honda s'ébranla avec un léger crissement de pneus.

— Hé! mollo, bonhomme! s'impatienta Jérôme. Qu'est-ce que tu cherches? À nous faire coffrer ou quoi?

— Excuse-moi, répondit l'autre piteusement.

Ils arrivèrent bientôt à la route qu'avait suivie Jérôme dans la charrette et obliquèrent à gauche. Félix Sicotte conduisait tout doucement et s'efforçait même de siffloter, avec des résultats plutôt mitigés. Jérôme lui jetait de temps à autre un regard en biais. Le type, dans le genre beau blond à l'expression ouverte et animée, inspirait de prime abord la sympathie, mais il lui trouvait quelque chose de niaiseux ou, à tout le moins, de naïf et de bébé gâté. Était-il en présence d'un de ces fils de bonne famille qui n'avait connu les aspérité de la vie qu'à travers un moelleux coussin de velours?

Jusqu'ici, Jérôme considérait que tout s'était déroulé le plus naturellement du monde et que les choses n'auraient pu se passer autrement. Ce n'est qu'au moment où l'auto franchit la grille de l'Iberostar qu'il prit toute la mesure de son acte de courage insensé... pour tirer d'affaire un pur inconnu! Il en ressentait toujours de la fierté, mais, en même temps, son impétuosité l'étonnait, suscitant même en lui une vague inquiétude, car elle ne lui ressemblait pas du tout. Était-ce du défoulement, l'expression d'une sorte de crise?

«Est-ce que je suis en train de me taper une autre petite dépression?» se demanda-t-il tout à coup.

Il fut tiré de sa réflexion par une tape sur l'épaule.

— Allez, je t'offre un verre, lui dit Sicotte avec un grand sourire. Tu le mérites bien.

L'auto venait de s'immobiliser dans le stationnement. Ils se rendirent au bar, presque vide à cette heure. Des palmiers en pot s'étiolaient ici et là dans la pénombre. Un ponceau de bois en dos d'âne enjambait un minuscule ruisseau artificiel qui étirait ses méandres dans la salle. Ils s'installèrent à une table de rotin non loin du comptoir derrière lequel un garçon essuyait des verres, le regard somnolent.

— Qu'est-ce que tu prends? demanda Félix.

Il semblait rempli d'assurance, à présent, comme s'il se retrouvait dans son élément.

Jérôme hésitait, les bras serrés autour de la taille; la climatisation venait de les faire passer de la canicule cubaine à la fraîcheur de l'automne québécois.

— Un rhum, sans glace.

— Bonne idée. Je t'imite.

Il se retourna vers le garçon et lui lança quelques mots en espagnol. Sortant brusquement de sa torpeur, ce dernier s'inclina en souriant; l'instant d'après, les consommations arrivaient sur la table. Les deux jeunes hommes trinquèrent.

— Tu parles espagnol? s'informa Jérôme.

— Ouais… Je viens assez souvent à Cuba. Mes parents possèdent des actions dans l'hôtel.

— Ah bon.

— Cette fois-ci, poursuivit-il avec une moue ironique, j'ai le plaisir d'avoir la compagnie de ma chère maman. Mais la plupart du temps, je viens avec une copine ou des amis, tout dépend.

Jérôme sirotait son rhum en écoutant distraitement la musique sautillante d'un groupe de mariachis que diffusaient des haut-parleurs. L'image de Félix Sicotte se précisait peu à peu dans son esprit.

— Est-ce que je peux te demander pourquoi ce bandit voulait t'enfoncer son couteau dans le ventre? demanda-t-il en déposant son verre sur la table, le regard tourné vers le barman occupé à se lisser les cheveux avec un peigne.

— Tu peux me demander n'importe quoi, répondit Félix en riant, tu m'as sauvé la vie!

Puis, devenu sérieux:

— À cause d'une connerie. J'ai agi en imbécile. Hier, j'ai rencontré ce chien-là dans un bar à putes, pas très loin du café où tu te trouvais. Je cherchais du bon hasch. Il m'en a promis du super, et à prix d'aubaine. Mais il fallait que la livraison se fasse piano-piano, tu comprends, car ce genre de commerce est très mal vu par les autorités ici, on peut écoper gros. Et moi, le con, j'ai accepté qu'on se rencontre dans cette ruelle. Il voulait me donner rendez-vous à 10 h du soir, mais je me suis quand même douté de quelque chose et j'ai exigé qu'on se voie en plein jour. Comme t'as vu, c'était bien mieux… Ça me servira de leçon.

Il allongea le bras en travers de la table et serra le poignet de Jérôme :

— Tu gardes ça pour toi, hein ? Il ne faut pas que cette histoire arrive aux oreilles de ma mère, elle m'assassinerait… D'ailleurs, elle doit être à la veille d'arriver. C'est son heure pour venir prendre un cocktail… On remet ça ? fit-il en soulevant son verre déjà vide. Ça va nous calmer un peu les émotions.

— Comme tu veux, répondit Jérôme.

On avait tout juste apporté les consommations lorsque Félix, dressant la tête, agita légèrement la main en direction d'une femme d'âge mûr et assez grassouillette qui venait d'apparaître dans la salle :

— La voilà, murmura-t-il entre ses dents. Le général vient d'arriver… Garde-à-vous !

Il enfila une gorgée, puis :

— Maman, fit-il en se levant à son approche – une politesse qui surprit son compagnon –, je te présente Jérôme Lupien, un nouvel ami que je viens de me faire à Varadero… Jérôme, ma mère, Francine Desjarlais… Méfie-toi, ajouta-t-il, blagueur, rien ne lui échappe.

Elle eut un haussement d'épaules :

— Tu m'en fais, une belle réputation, toi, répondit-elle en serrant la main de Jérôme. Ton ami va ficher le camp !

Mais elle riait de bon cœur. C'était une femme de taille moyenne, d'aspect plutôt commun, mais à l'œil vif et intelligent, avec une abondante chevelure châtaine ornée de mèches blondes qui lui arrivait aux épaules et vêtue d'une robe de soie à motifs de palmiers au clair de lune avec une encolure plongeante d'un goût plutôt douteux. Elle prit place à leur table tout en enveloppant Jérôme d'un regard rapide qui donna à celui-ci le sentiment que Félix ne blaguait pas et qu'elle venait de lui faire subir un rapide examen préliminaire. Puis elle leva la main en direction du bar sans prononcer un mot et l'employé se mit aussitôt à manipuler des bouteilles ; on entendit un bruit de glace concassée.

— Qu'est-ce qui est arrivé à ta chemise ? demanda-t-elle tout à coup à son fils. Un bouton du haut est arraché. Tu t'es battu ?

Félix, pris de court, eut l'air embarrassé, puis, se tournant vers Jérôme :

— Tu vois ? Je te l'avais dit.

— Qu'est-ce que tu lui avais dit ?

— Que chez nous, c'est le régime militaire : gauche, droite, gauche, droite, Attention ! Présentez arme !

— Bon, bon, bon, je vois... Monsieur veut changer de sujet. Eh bien, ça ne prend pas. Dans quel pétrin t'es-tu encore mis, Félix ?

— Je ne voulais pas t'en parler, car je savais que tu m'engueulerais, mais aussi bien te le dire à présent – de toute façon, je n'ai plus le choix. Eh bien voilà : j'ai fait une mauvaise rencontre à Varadero cet après-midi, maman, et si Jérôme ne s'était pas trouvé dans le coin par hasard, je serais sans doute à l'hôpital – ou peut-être même à la morgue.

Et, sous le regard stupéfait de Jérôme, il lui raconta l'incident en long et en large, omettant toutefois de parler du mobile de sa rencontre avec l'individu dans la ruelle, mais faisant plutôt passer l'affaire pour une vulgaire tentative de vol.

Elle se tourna vers Jérôme :

— Et vous l'avez assommé avec une roche ?

— Euh... oui, madame. Ça m'est venu comme ça. Il allait m'attaquer, moi aussi.

— Eh ben ! vous ne manquez pas de sang-froid ! Jamais tu n'aurais fait ça, toi, lança-t-elle à son fils, railleuse.

— J'étais cuit, maman ! se défendit Félix, piqué. Il me tenait d'une main par le col de ma chemise et, de l'autre, il allait me planter son couteau dans le ventre ! Je ne suis pas Superman !

Elle haussa de nouveau les épaules et, approchant les lèvres de la paille qui se dressait dans le ballon qu'on venait de déposer devant elle, se mit à déguster son cocktail à petites gorgées, l'œil à demi fermé de plaisir.

— Eh bien, mes petits garçons, fit-elle au bout d'un moment en redressant la tête, je vous conseille de rester bien tranquilles à l'hôtel jusqu'à la fin de vos vacances, car vous ne vous êtes pas fait des amis dans le coin, ça, c'est le moins qu'on puisse dire ! Mais qu'est-ce qu'il a bien pu te raconter, Félix, pour t'attirer dans une ruelle ? Il voulait te fournir une bonne adresse peut-être ? Ou alors...

— Eh, dis donc, maman, la coupa Félix avec une désinvolture qui stupéfia son compagnon, au cas où tu l'aurais oublié, je suis majeur et vacciné. Tu n'as pas à te mettre le nez dans ma vie privée.

Elle eut un rire forcé et ne poursuivit pas plus loin. Jérôme écoutait ce curieux échange de propos entre une mère et son fils, essayant de cacher son étonnement. C'était la mère surtout qui l'étonnait. Jamais il n'avait rencontré une femme pareille. Son allure, ses manières et son comportement donnaient l'impression que rien ne pouvait la surprendre ni l'effrayer, et que les règles, les convenances et l'opinion d'autrui, non seulement l'indifféraient, mais qu'elle n'y avait pas pensé trois fois dans toute sa vie. Cela, sans aucune ostentation ni bravade : elle était faite ainsi, point final. C'était comme de naître avec deux bras et deux jambes : le fait ayant été constaté depuis longtemps, elle n'y pensait plus.

Son cocktail terminé, elle en commanda aussitôt un autre et, se tournant vers Félix et Jérôme :

— On remet ça, mes anges ?

Jérôme, qui venait de terminer sa consommation, secoua la tête, se leva et prit congé : il tenait à garder la forme en prévision de la soirée et – pourquoi pas ? – de la nuit qu'il espérait passer avec sa nouvelle rencontre de la matinée. Après tout, rêver n'avait jamais fait de mal à personne.

— Vous allez rejoindre votre petite amie, je suppose ? demanda-t-elle, taquine.

— Non, madame, je suis seul. Pour le moment.

— Ah oui ? Dommage. Vous êtes pourtant beau garçon. Et le soleil de Cuba donne toujours beaucoup d'inspiration, à ce qu'on m'a dit en tout cas, ajouta-t-elle en jouant la nigaude.

Jérôme se mit à rire :

— L'inspiration ne me manque pas, en effet. Mais c'est comme ça.

— Alors, si vous n'avez rien de mieux à faire, venez souper avec nous. Vous avez sauvé mon chenapan de garçon, ça mérite bien une récompense. Suite 1402, 19 h. On vous attend.

Jérôme hésitait.

— Oui, viens, Jérôme, insista Félix, désireux sans doute d'échapper à un repas en tête-à-tête avec sa mère.

— On mange très bien chez moi, vous verrez : la cuisine nous sert toujours un menu spécial ; ça n'a rien à voir avec le buffet de la salle à manger, qui n'est quand même pas si mal, si je peux me permettre un peu d'autopublicité. Et on ne lésine pas sur l'arrosage !

Jérôme la trouvait de plus en plus vulgaire, mais d'une vulgarité plaisante. Il accepta, puis le regretta aussitôt : cela compliquait ses projets pour la soirée. Enfin, il n'aurait qu'à partir tôt afin de ne pas rater son rendez-vous avec Eugénie Métivier ; cela frôlait l'inconvenance, mais la délicatesse ne semblait pas une des valeurs privilégiées par cette madame Desjarlais, qu'il trouvait, à sa façon, aussi olé olé que son gentil garçon.

Il monta à sa chambre, prit une douche, fit sa toilette, changea de vêtements, puis passa sur le balcon et alla s'appuyer sur la balustrade. Il approchait 17 h. Du septième étage, on jouissait d'une belle vue sur la mer et les environs. À tout moment, des pointes de feu aveuglantes s'allumaient et s'éteignaient sur la crête écumeuse des vagues tandis que le bruit sourd, profond et régulier de la mer lui disait : « Je suis là depuis toujours. Rien ne presse. » Il poussa un soupir, ses épaules se décrispèrent et il alla s'étendre sur la chaise longue que l'hôtel fournissait aux aficionados de farniente et de hâle tropical.

Il se mit à penser stratégie, d'une façon détachée, un peu ironique. Il ne devait pas se présenter trop tôt chez la belle Eugénie, cela lui donnerait l'air d'un chien affamé. Ni trop tard non plus, cela pourrait passer pour de la tiédeur. Pourquoi diable avait-il accepté cette invitation à souper ? Courir deux lièvres à la fois, c'était bien lui, ça… Quoique, parfois, on attrapait alors les deux, et c'était bien plaisant. Mais du côté de Félix et de sa mère, où était le lièvre ? En fait, il s'était gouré, voilà tout. Il fallait corriger le tir, et vite.

Il se leva et alla de nouveau s'appuyer sur la balustrade. Pendant un moment, il s'amusa à regarder une bande de gamins se pourchasser autour de la piscine, tandis qu'un grand homme maigre en jogging bleu agitait les bras pour tenter de les calmer. Et soudain 300 ou 400 mètres plus loin, au bout d'une longue allée bordée de palmiers, les grilles de l'entrée principale s'ouvrirent pour livrer passage à un car jaune qu'il reconnut comme celui des excursionnistes revenant de la plantation. Alors, changeant brusquement d'idée, il décida de téléphoner à Eugénie

Métivier pour lui annoncer qu'il avait dû accepter une invitation à souper, mais qu'il serait libre dès le milieu de la soirée. C'était se montrer à la fois intéressé et indépendant, ce qui lui paraissait habile.

Il laissa passer un petit quart d'heure pour donner le temps à la maman et à sa petite fille de monter à leur chambre, puis, les mains un peu moites, s'empara du téléphone. Quelques instants plus tard, il avait la femme au bout du fil.

— Oh, j'allais justement vous appeler, lui dit-elle.

Ce vouvoiement lui coula dans le dos comme une poignée de glaçons.

— Ça ne va pas? répondit-il en essayant de donner à sa voix un accent de légèreté.

— Moi, oui. C'est Andrée-Anne. Je ne sais pas si c'est le sandwich qu'elle a mangé ce midi ou la chute qu'elle a faite au bord de la piscine, mais la pauvre petite a vomi juste avant qu'on reprenne le car; elle fait en ce moment un peu de fièvre et se plaint d'un mal de tête. Je vais l'amener voir le médecin de l'hôtel...

Elle prit une inspiration, puis:

— Malheureusement, je crois que nous ne pourrons pas nous voir ce soir. Je suis désolée.

— Bon, se contenta-t-il de répondre.

Quelque chose venait de s'effondrer en lui. Une profonde déception le vidait brusquement de toute son énergie. Que se passait-il? Jamais il n'avait réagi comme ça dans une histoire de drague.

— C'est vraiment dommage, poursuivit-elle. Et comme nous devons partir demain matin, nous...

— Eh bien, ce sera pour une autre fois, la coupa-t-il sèchement.

— Je suis... je suis vraiment désolée, croyez-moi. Je...

Elle hésitait, empêtrée dans une phrase confuse. Il gardait le silence, cherchant en vain le mot qui lui permettrait de raccrocher.

— Écoutez, fit-elle tout à coup avec effort, si cela vous convient, nous pourrions nous revoir à Montréal...

— Ah oui? Tiens, ça serait chouette, lança-t-il, tout joyeux.

— Je vous laisse mon numéro de téléphone et... Vous restez à Cuba jusqu'à quand?

— Je pars dans cinq jours. Dites donc, Eugénie, tant qu'à y être, on pourrait peut-être... euh... laisser tomber le « vous », non ?

Elle rit :

— Je suis une grande timide, au fond, il faut m'excuser... *Tu* as un stylo et un bout de papier ?

— J'ai tout ce qu'il faut.

Le numéro noté, il lui souhaita bon retour et prompt rétablissement à sa fille, essayant de cacher l'ivresse mêlée d'un étonnement craintif qui le remplissait, puis raccrocha. « Allons, reviens-en, Jérôme, se gronda-t-il avec un petit sourire sardonique. Es-tu en train de capoter ? Ça doit être l'effet du soleil... et de la continence. »

Finalement, l'affaire ne tournait pas si mal : à défaut de voir ses efforts récompensés sur-le-champ, il venait sans doute de faire un placement qui rapporterait sous peu – mais cela le laissait, hélas, dans un état de frustration plus exacerbé que jamais.

— Avoir des enfants, ça ne vaut rien pour le cul, marmonna-t-il en retournant sur le balcon. Mais, bof ! ce n'est pas la première fois que je traverse un désert... Je prendrai un coup ce soir, ça va m'endormir la queue... Et puis, elle m'a l'air chouette et pleine d'allure, cette petite mère, ça vaut peut-être la peine d'attendre.

« Ouais, répondait une voix moqueuse en lui. Es-tu bien sûr de croire ce que tu dis ? »

Il s'étendit de nouveau sur la chaise longue et s'endormit. Une partie de golf abracadabrante (il ne jouait jamais au golf) se mit à lui tirer des grognements ; ses mains se crispaient, des frémissements parcouraient ses jambes. Et soudain un cri de mouette assourdissant le réveilla en sursaut ; l'oiseau semblait avoir frôlé sa tête. Le cœur battant, il le regarda s'éloigner, puis jeta un coup d'œil à sa montre :

— Merde ! Je vais être en retard.

Il se précipita vers sa chambre, se donna un coup de brosse devant le miroir, puis fila vers la suite de madame Desjarlais, actionnaire de l'hôtel et joyeuse parvenue, et de son fils Félix, aspirant sérieux, selon toute apparence, au titre de tête brûlée.

◆ ◆ ◆

— Attention, vieux, murmura Félix en lui ouvrant la porte, la mère est en beau crisse.

Jérôme voulut le questionner, mais il se contenta de poser un index sur ses lèvres.

— Elle nous attend au salon, ajouta-t-il en se dirigeant vers une grande porte à carreaux dépolis qui se dressait à droite de l'entrée.

Il ouvrit un vantail et s'effaça pour laisser passer Jérôme.

Madame Desjarlais, affalée dans un fauteuil, les pieds sur un pouf, un journal étalé sur les cuisses, tenait une coupe de martini d'une main et une cigarette de l'autre.

— Eh bien, vous êtes ponctuel... Ça vous fait au moins une qualité, lança-t-elle, sarcastique.

Comme elle se trouvait à contre-jour devant une grande baie vitrée donnant sur une terrasse, Jérôme ne distinguait pas ses traits, et son trouble s'en trouva d'autant plus accru.

Il s'inclina en balbutiant :

— J'espère qu'il n'est rien arrivé de... Je serais désolé...

— Désolé de quoi ? Félix vous a raconté ?

— Non, maman, je ne lui ai rien raconté. J'ai voulu t'en laisser le plaisir.

— Tout un plaisir, en effet. Allez, assoyez-vous, fit-elle en lui désignant un fauteuil. Qu'est-ce que vous prenez ? Bière ? Vin ? Martini ? Rhum ?

Son ton s'était radouci. Elle ajouta :

— J'ai un Barbancourt Grande Réserve. Il n'est pas piqué des vers, je vous assure.

— Alors, oui, j'en prendrais un peu, s'il vous plaît.

Félix s'approcha d'un petit bahut couvert de bouteilles, versa le rhum dans deux verres, vint s'asseoir près de Jérôme et lui en tendit un.

— Alors, figurez-vous, mon cher Jérôme, poursuivit madame Desjarlais, que la bêtise de mon fils et votre exploit viennent de me coûter 1800 $ US.

Jérôme sentit que sa colère, sans être feinte, faisait partie d'une sorte de mise en scène.

— Qu'est-ce qui s'est passé, madame ? demanda-t-il à voix basse, et il détourna les yeux.

— Vous pouvez m'appeler Francine, Jérôme, et je préférerais qu'on se tutoie. Le «vous», après un certain temps, me donne l'impression d'avoir un parapluie dans la gorge.

Jérôme sourit :

— D'accord.

— Eh bien, une heure environ après qu'on s'est vus au bar de l'hôtel, poursuivit madame Desjarlais, un capitaine de police est venu sonner à ma porte. Quelqu'un, évidemment, avait noté le numéro d'immatriculation de l'auto et l'avait refilé à la police. Le capitaine voulait interroger mon petit garçon adoré. Heureusement, il était dans la douche. Alors, nous avons discuté une bonne demi-heure – quel crampon ! j'en avais tout le corps en sueur –, et j'ai finalement réussi à lui glisser dans la main tous les billets de banque que j'avais sur moi et il est parti en me faisant un grand salut.

Félix, après un regard penaud à Jérôme, eut une grimace, puis avala une grande gorgée de rhum.

— Et le type que j'ai… assommé, demanda Jérôme d'une voix étranglée, comment va-t-il ?

— Mal. Il est à l'hôpital. Aux soins intensifs.

— Est-ce qu'il va s'en tirer ?

— Je le souhaite de tout mon cœur, cher… Peut-être aussi que le policier a exagéré l'affaire pour m'arracher le plus de fric possible… Mais je n'ai pas envie d'aller vérifier, tu comprends.

Elle tira une longue bouffée de sa cigarette, regarda la volute de fumée s'arrondir et s'étirer dans l'air, puis disparaître peu à peu, et, comme s'ils venaient de bavarder de choses anodines :

— Mon mari déteste la cigarette. Comme il n'est pas avec nous, j'en profite pour fumer à mon aise.

— S'il te voyait faire depuis quelques jours, maman, remarqua Félix avec un sourire, je crois qu'il divorcerait.

Elle le fixa droit dans les yeux, voulut répondre, puis se ravisa :

— Bon, fit-elle en se levant, Carla a dû finir de dresser la table, allons manger. Avez-vous faim, mes agneaux ?

Elle se dirigea vers la porte-fenêtre qui donnait sur la terrasse, suivie des deux jeunes hommes, la fit glisser et ils s'approchèrent d'une pergola presque entièrement enfouie sous une luxuriante couche de plantes grimpantes qui jaillissaient de plusieurs pots de grès disposés tout autour. Dans la pénombre se dressait une table pour trois personnes. Un énorme plateau de fruits de mer et de crudités les attendait à la lueur de deux longues chandelles dont la flamme palpitait dans l'air humide et chaud.

— Humm… Maman fait les choses en grand ce soir, glissa Félix à l'oreille de son compagnon. Tu lui es vraiment tombé dans l'œil… si je peux dire.

Une jeune Cubaine à la peau très noire apparut dans une porte, les mains derrière le dos, le sourire aux lèvres ; elle portait la livrée de l'hôtel et le tablier bordé de dentelle des employées de la salle à manger, mais chaussait d'élégants souliers à talons hauts qui semblaient la mettre dans une classe à part ; sa beauté naïve frappa Jérôme. Sur quelques mots d'un espagnol rugueux que lui adressa madame Desjarlais, elle s'inclina, disparut à l'intérieur et revint avec une bouteille de champagne dans un seau à glace.

— Ce soir, on soupe au champagne, lança madame Desjarlais en indiquant sa place à Jérôme d'un geste solennel. Il faut savoir remercier, Félix, quand on nous rend un service comme celui que vient de te rendre monsieur. Je me demande bien, espèce de vaurien, comment je fais pour tenir à toi malgré tout.

— Merci, *monsieur*, fit le jeune homme en s'inclinant avec une exagération bouffonne devant Jérôme qui ne savait plus trop quelle contenance prendre.

Le repas débuta par un toast qu'il accueillit avec la modestie appropriée. S'il avait craint que la soirée fût longuette, ça n'allait pas être le cas. Madame Desjarlais avait le coude léger, les propos fort libres, et semblait mener joyeuse vie. Le contraste entre son comportement et les remontrances qu'elle avait adressées à son fils n'était pas sans étonner Jérôme. Elle se montra en outre une remarquable conteuse qui possédait un répertoire en apparence inépuisable d'histoires comiques et parfois franchement grivoises, dans le style commis-voyageur, dont plusieurs semblaient nouvelles à son fils, qui s'esclaffait à tout moment. Celui-ci, d'ailleurs, ne laissait pas sa place. Il s'amusait parfois à taquiner sa mère avec un mordant et un à-propos qui firent conclure à Jérôme que son compagnon, finalement, n'était pas aussi bête qu'il l'avait cru. Le souper se déroulait donc fort gaiement et Carla apporta bientôt une deuxième bouteille de champagne. De temps à autre, mine de rien, Francine Desjarlais questionnait Jérôme sur sa vie, ses goûts, les études qu'il avait suivies, ses projets d'avenir ; le diplôme d'études littéraires qu'il avait obtenu l'impressionna fortement.

— Et vous, demanda soudain Jérôme un peu ivre, vous avez sûrement une profession, ou quelque chose du genre, non ?

— Mon mari est dans les affaires, répondit-elle, et je l'aide de mon mieux.

— Comme un général aide ses soldats, ricana Félix. Boum ! boum ! Tambour battant.

— Tu dis n'importe quoi. Séverin, poursuivit-elle à l'intention de Jérôme, est conseiller financier et s'occupe aussi de relations publiques et de choses connexes. Cet hôtel à Cuba, c'est mon dada à moi. Il n'y vient presque jamais, le pauvre : deux fois en huit ans… Que veux-tu ? c'est un bourreau de travail qui ne sait pas profiter de la vie. Le jour où il se décidera, il sera trop tard. Couic ! et ce sera fini.

— Il en profite peut-être quand tu n'es pas là, maman, observa perfidement Félix.

Elle le fixa une seconde, lui envoya une grimace et, montrant la bouteille de champagne presque vide, lui fit signe d'aller en demander une troisième.

— Et toi, Jérôme, profites-tu de tes vacances à Cuba ?

Il poussa un soupir :

— J'essaie, mais la chance n'est pas toujours de mon côté, ah ça, non !

Il glissa nerveusement ses mains l'une dans l'autre, soupira de nouveau, puis, le champagne ouvrant sans doute en lui des portes qui seraient normalement restées closes, pousuivit :

— Tenez, ce soir, j'avais un rendez-vous avec une femme vraiment très bien, et quand je dis *très bien*, vous pouvez me croire, car j'ai l'œil. Mais le malheur, c'est qu'elle est avec sa petite fille, et, juste avant de venir chez vous, j'apprends que tout tombe à l'eau parce que la *fifille* fait de la fièvre. Et elles quittent l'hôtel demain !

— Frustrant, ça, mon chou.

— Et comment ! J'aurais envie de gruger le bord de la table.

Elle se mit à rire, puis, posant la main sur son bras :

— Ça peut s'arranger, ça, fit-elle avec un étrange sourire.

Elle n'ajouta rien de plus, et Jérôme, intrigué, n'osa la questionner.

◆ ◆ ◆

Il quitta ses hôtes vers 22 h. La tête lui tournait tellement qu'il décida d'aller faire une promenade sur la plage pour aider les vapeurs du champagne à se dissiper. En se dirigeant vers la sortie, il s'arrêta au bar et but deux grands verres d'eau glacée, car une soif ardente le tourmentait.

À cette heure, la plage était déserte; de la mer perdue dans l'obscurité parvenait une vaste rumeur qui couvrait tous les autres bruits et parlait de temps immémoriaux et de solitude.

Il enleva souliers et chaussettes, les plaça au pied d'une des huttes qui se dressaient aux abords de la plage pour les clients qui recherchaient un peu d'ombre, puis se dirigea vers la mer et se mit à marcher dans les vagues qui venaient mourir à ses pieds et le léchaient parfois jusqu'aux mollets.

De temps à autre, il levait la tête et regardait le ciel sans nuages. Et le ciel, comme tous les ciels sans nuages, étalait au-dessus de lui son foisonnement énigmatique d'étoiles silencieuses, et les choses en restaient là comme de tout temps elles l'avaient fait.

Alors se produisit chez lui ce qui se produit souvent en pareilles circonstances: il se mit à faire un retour sur sa vie. Il n'avait pas du tout la tête à se lancer dans pareil examen, mais la chose s'imposa avec force, dirigeant ses pensées, modelant son humeur. Pendant qu'il donnait des coups de pied rageurs dans les vagues tièdes qui écumaient autour de lui, des questions surgissaient dans son esprit, insistantes, ricaneuses. Où s'en allait-il comme ça, sans plan de vie, sans attaches, vivant au jour le jour, l'esprit rongé de petits soucis? Quelle sorte d'homme serait-il dans 20 ans? Que penserait-on de lui, *on* incluant lui-même? L'insignifiance du citoyen-consommateur n'avait-elle pas commencé à l'imprégner peu à peu pour le transformer insensiblement en un de ces individus sans visage qu'il croisait chaque jour dans la rue, dans le métro, chez le coiffeur, à l'épicerie, partout où le menaient ses pas, et qui débitaient leurs platitudes avec le plus grand sérieux? Comment échapper à ce malheur si banal? Voulait-il vraiment y échapper ? En revenant à Montréal, que ferait-il ? L'enseignement ne l'attirait pas. Pour espérer devenir journaliste, il fallait des contacts qui lui manquaient. Reprendre son métier de garçon de café ? Cela lui levait le cœur. Poursuivre ses études ? Envoyer 87 curriculum vitæ dans toutes les directions ? À qui au juste et pourquoi ?

Soudain, il en eut assez. Une violente envie de dormir, d'une lourdeur végétale, s'empara de lui. Il tourna les talons, alla reprendre ses chaussettes et ses souliers et se dirigea vers l'hôtel, titubant de sommeil.

La tête pesante, les doigts gourds, il mit du temps à déverrouiller la porte de sa chambre. Enfin, elle s'ouvrit. L'air confiné, gracieux effet de la climatisation en circuit fermé, lui fit pincer les narines. Il se rendit à la porte-fenêtre, l'ouvrit toute grande, puis décida de prendre une douche, car il avait l'impression que sa peau allait coller aux draps du lit. Il resta longtemps sous l'eau tiède. Cela lui fit du bien. Puis il éteignit et se coucha.

Il était en train de donner une forme convenable à son oreiller lorsque le téléphone sonna.

Un flot de pensées sinistres l'envahit : la police venait le questionner, son père avait fait une attaque, l'hôtel était en feu.

— Allô ?

— Ah ! vous êtes là enfin, fit une voix de femme. Donnez-moi deux secondes, j'arrive.

— Vous... Mais qui parle, s'il vous plaît ?

— C'est une surprise, répondit la voix en riant. Et je pense que vous ne la regretterez pas.

Il y eut un déclic : on avait raccroché.

Assis sur le bord de son lit, il se perdait en conjectures. Il avait beau ne pas connaître Eugénie Métivier depuis longtemps, ce n'était pas sa voix : l'accent de son interlocutrice, légèrement teinté d'espagnol, était d'une inconnue ; manifestement, il s'agissait d'une Québécoise vivant depuis longtemps à Cuba ou d'une hispanophone ayant vécu au Québec. Soudain, il réalisa qu'il était nu et que quelqu'un s'en venait le voir. Il alluma la lampe de chevet et se précipita vers le placard. Il avait à peine enfilé sa robe de chambre qu'on frappa à la porte.

— Oui ? fit-il en s'efforçant de prendre un ton assuré.

— C'est moi, répondit avec entrain l'inconnue.

Il ouvrit et s'immobilisa, stupéfait.

Une femme ravissante à longue chevelure blonde se tenait devant lui, sourire aux lèvres, maquillée comme une star; sa robe de satin bleu moulante et très courte, ses escarpins vernis à talons aiguilles, le fin collier de pierreries qui brillait dans un décolleté plongeant où bombait glorieusement une poitrine de rêve, le parfum musqué qui émanait de son corps, toute cette élégance tapageuse qui frôlait la vulgarité sans jamais y tomber clamait: «Plaisir à vendre pour qui peut se le payer!»

Jérôme n'avait jamais côtoyé de poule de luxe et se sentit embarrassé. Il eut un sourire timide:

— Je crois que vous vous êtes trompée de porte.

— Et moi je crois que non, répondit-elle d'un ton mutin. Vous vous appelez bien Jérôme? Alors, c'est vous que je viens voir.

Et elle fit un pas vers lui.

— De toute façon, avec la description qu'on m'a faite de vous, je vous aurais reconnu. Le beau garçon de la chambre 712, je l'ai devant moi. Vous permettez?

Elle s'avança encore, toujours souriante, et referma la porte derrière elle.

— Je suis venue agrémenter vos vacances, murmura-t-elle d'une voix caressante. Ne t'inquiète pas, cher, c'est aux frais de la maison.

— Aux frais de la maison? Je... je ne comprends pas. Vous voulez dire que...

— Je veux dire que la maison s'occupe de tout, mon chou, et que moi, je m'occupe de toi.

Et sa main gauche vint lui frôler l'entrejambe.

Il recula, comme si on en avait approché un tison, réfléchit une seconde, le visage écarlate, puis, dans un étrange revirement, la prit par les épaules et l'enveloppa d'un regard émerveillé:

— Bon sang, t'es baisable comme c'est pas possible.

— Ça tombe bien, répondit-elle en riant, je suis venue justement pour ça.

Il se mit à l'embrasser dans le cou, sur la poitrine, puis posa une bouche avide sur ses lèvres.

96 *Yves Beauchemin*

— Oh, murmura-t-elle en se dégageant, le chevalier a dressé sa lance, et toute une ! *Va haber accion*[15] ! Je peux me servir de ta salle de bains ?

— Fais comme chez toi. Dis donc, comment t'appelles-tu ?

— Hilda. Je suis à toi dans deux minutes.

Il s'assit sur le bord du lit et se mit à fixer alternativement la moquette et son sexe rigide au gland violacé. Il avait l'impression de rêver. Francine Desjarlais avait une façon bien originale de le remercier. Devait-il enlever tout de suite sa robe de chambre ? Et puis, quelle importance ? Tout était du pareil au même. Il la jeta sur la moquette, mais décida de ne pas s'étendre tout de suite sur le lit, ça ferait niaiseux.

Hilda (c'était sûrement un nom de lit) sortit de la salle de bains en slip et en soutien-gorge de dentelle noire. L'effet était saisissant, sa beauté animale magnifiée. Jérôme se sentit de nouveau intimidé et toussota.

Malgré une douleur dans la nuque qui l'importunait depuis le début de l'après-midi, la prostituée continuait de lui sourire avec tout son charme coquin. À vrai dire, elle aurait préféré passer la nuit chez elle, mais il fallait calmer ce jeune étalon, on l'avait payée pour ça, et bien payée. Il voudrait sûrement tirer deux ou trois coups. C'est la vie. Au moins, il n'était pas répugnant comme certains clients qu'elle avait dû se taper.

Ils firent l'amour rapidement – trop vite au goût de Jérôme –, puis se mirent à causer dans la pénombre. Il la questionna sur sa vie. Cela arrivait souvent et ses réponses étaient toutes prêtes. Dans ce métier on ne pouvait y échapper. Mais comme il lui plaisait, elle mentit beaucoup moins que d'habitude.

Jérôme ne s'était pas trompé. Elle était née au Québec, mais vivait à Cuba depuis une dizaine d'années. Elle avait fait le Conservatoire d'art dramatique à Montréal, tenu des petits rôles ici et là, pour s'apercevoir finalement que le métier ne l'intéressait pas. Elle était venue d'abord à Cuba comme touriste, bien sûr, mais tout de suite la chance lui avait souri et peu à peu elle avait réussi à s'aménager une niche confortable grâce à des hauts fonctionnaires. Il suffisait de faire preuve de prudence et de discrétion, et on s'arrangeait fort bien.

---

15. Il va y avoir de l'action !

— Tu as quelque chose à boire? lui demanda-t-elle en s'étirant dans le lit.

Il n'avait rien. Elle adorait le champagne. Il en fit monter une bouteille et ils en burent deux verres, puis s'étreignirent de nouveau. Il avait l'impression de se trouver dans un film américain.

— Pour toi, c'est bar ouvert, mon chou, murmura-t-elle en lui caressant une fesse. Ne te gêne pas. J'aime bien baiser avec toi. Tu me verses encore du champagne? Quand j'en bois avec un beau garçon comme toi, ça m'envoie au septième ciel.

Il ne se questionna pas trop sur la sincérité de cette remarque flatteuse; le plaisir l'emportait sur tout, et le plaisir était grand, car c'était une experte en la matière, et de bonne compagnie en plus. Il y avait chez elle cette tension joyeuse et inquiète qu'on remarque chez les jolies femmes dans la mi-trentaine qui réussissent à paraître encore dix ans plus jeunes que leur âge.

À 3 h 20, ils avaient fait l'amour quatre fois.

— Sapristi! t'es pas tuable! s'étonna-t-elle en riant. J'ai un peu sommeil. Pas toi?

Oui, en effet, il commençait à être fatigué. Une bonne pause leur ferait du bien. Après lui avoir humé et sucé les nichons une dernière fois, il s'allongea contre elle et sombra dans le sommeil comme une enclume dans la mer.

Vers 6 h, il se réveilla en sursaut, seul dans son lit. La porte-fenêtre était restée entrouverte et on entendait au loin le ronronnement d'un épandeur d'insecticides. Il n'y avait personne sur le balcon ni dans la salle de bains. Discrètement, elle avait filé.

◆ ◆ ◆

Jérôme revit Félix à quelques reprises avant de retourner à Montréal, mais ne rencontra sa mère qu'une autre fois, pour une courte conversation, le lendemain de sa nuit avec la belle Hilda. Sans qu'il le sache, cet échange de quelques mots dans la rumeur matinale de la salle à manger de l'hôtel allait avoir de grandes conséquences sur sa vie.

— Et alors, Jérôme? Passé une bonne nuit? demanda Francine Desjarlais avec un sourire qui le fit rougir comme un puceau.

— Très bonne, madame, je vous remercie, balbutia-t-il, le regard fixé sur la pointe de ses souliers. J'allais justement vous téléphoner pour vous…

Et il s'arrêta, fort embêté, craignant à la fois de paraître épais s'il entrait dans les détails et mufle s'il ne manifestait pas une reconnaissance plus précise.

— Oh, t'as bien fait de ne pas téléphoner si tôt, fit-elle, amusée par son embarras, Félix est encore en train de ronfler. Il ne supporte pas le champagne aussi bien que toi !

— Euh… ce n'était pas à lui que je voulais parler, madame, c'était plutôt à vous… En tout cas, merci beaucoup.

— Bien dormir, c'est très important pour une bonne santé, poursuivit-elle avec un sourire ambigu, et d'autant plus quand on est un *intellectuel* comme toi… Alors il faut parfois prendre les grands moyens, tu comprends… D'ailleurs, je te trouve très sympathique, et en plus tu as du cran : ce n'est pas donné à tout le monde. Tiens, fit-elle en fouillant dans son sac à main pour lui tendre une carte, si le cœur t'en dit, téléphone-moi quand tu seras de retour à Montréal. J'aimerais te présenter à mon mari. On ne sait jamais, il aurait peut-être quelque chose à te proposer.

— Je n'y manquerai pas, madame, tandis qu'une goutte de sueur venait lui brûler l'œil gauche.

Et il la regarda s'éloigner vers la sortie de son pas vif et alerte, à croire qu'elle avait passé la soirée de la veille à ne boire que de l'eau.

L'attitude de Félix, qu'il rencontra à la piscine au début de l'après-midi, indiqua tout de suite à Jérôme que le jeune homme ignorait la singulière récompense que sa mère avait accordée à son sauveteur. Il lui parla du mal de bloc terrible qui l'avait torturé jusqu'à midi, se promettant de ne plus jamais boire de champagne, un vin, de toute façon, qu'il avait toujours trouvé insipide, puis, entre deux plongeons, il se mit à lui décrire un projet qu'il caressait depuis plusieurs mois et à qui ne manquait, pour sa réalisation, que l'aval du paternel :

— Je veux me lancer, mon ami, dans un commerce d'avenir : *les cigarettes électroniques*.

— Ah bon…

— Tu ne fumes pas, toi, hein ?

Jérôme fit signe que non.

— T'as jamais fumé ?

— J'ai arrêté il y a trois ans, après une bronchite qui a duré la moitié d'un hiver.

— Petite nature, va ! Moi, je fume depuis l'âge de 13 ans. Mais j'ai beaucoup diminué depuis quatre mois. Maintenant, je *vapote*.

— Tu vapotes.

— Ouais, je vapote. Je pourrais te faire une démonstration ici même. Malheureusement, je n'ai plus de cartouche.

Et il se mit à lui expliquer le fonctionnement d'une cigarette électronique, dont Jérôme n'avait qu'une vague idée. Contrairement à une cigarette ordinaire, elle ne produisait pas de fumée, mais une vapeur qui en avait l'apparence, d'où l'origine du mot « vapoter ». Elle était alimentée par une pile au lithium, et cette vapeur pouvait contenir un pourcentage plus ou moins élevé de nicotine, ou pas du tout, et – chose très importante – ne contenait pas de goudron, un produit cancérigène.

— Pour ceux qui veulent arrêter de fumer sans arrêter de fumer, c'est l'idéal, mon vieux. Tu peux diminuer graduellement la quantité de nicotine que tu consommes tout en conservant le fameux rituel du fumeur, t'sais j'veux dire ? La cigarette après le repas, la cigarette après la baise, la cigarette après une grosse émotion… Je me documente sur le sujet depuis quelques mois. C'est un marché en pleine expansion. Y a beaucoup de fric à faire là-dedans. Tout le monde veut arrêter de fumer, la plupart des gens n'y arrivent pas. Faut leur donner un coup de main.

— Hum ! Beau projet, ironisa Jérôme. Mère Teresa ne parlerait pas autrement. Pour un amateur de hasch, t'as beaucoup de mérite.

Félix lui donna une bourrade en riant :

— Arrête de niaiser. Cette cigarette-là va m'aider *aussi* à me libérer du hasch, bonhomme. Il suffit que j'y mette un peu de volonté. Y a des périodes, je le reconnais, où j'en prends un peu trop. Ça me coupe de la réalité par bouts. Pas bon, ça… Tiens, quand tu seras revenu à Montréal, viens faire un tour chez nous, je te montrerai les différents modèles de cigarettes que j'ai achetés. Je te le dis, c'est le boum de l'avenir !

Jérôme accepta volontiers son invitation. Elle lui fournissait l'occasion de pénétrer dans un milieu qui l'intriguait et lui avait toujours semblé inaccessible : celui des grosses légumes.

◆ ◆ ◆

Le lendemain de son retour à Montréal, Jérôme, comme il se devait, alla rendre visite à ses parents. Une chaleur précoce avait débarrassé la ville de la neige et de la glace, laissant les rues et les trottoirs couverts de grandes taches sombres qui séchaient à vue d'œil. Il arrivait le même jour qu'une carte postale qu'il avait envoyée de Cuba la semaine précédente, et ses parents l'accueillirent avec une joie et une tendresse qui n'arrivaient pas à masquer leur inquiétude grandissante devant la vie de bohème que leur fils semblait mener depuis quelque temps.

Jérôme apportait en cadeau pour sa mère un CD de musique pour piano d'Ernesto Lecuona, la classique bouteille de rhum vieilli en fût de chêne pour son père et une tête de diable en terre cuite pour Marcel, qui se trouvait alors à l'école et ne la vit qu'en fin d'après-midi, son grand frère déjà parti.

Marie-Rose tenta de le retenir pour le souper, mais après deux semaines d'absence, Jérôme avait trop de petites choses pressantes à régler et ne pouvait rester plus longtemps; il promit de revenir deux ou trois jours plus tard.

— Et alors ? Quels sont tes projets, fiston ? se risqua à demander Claude-Oscar sur le pas de la porte, tandis que la même question pouvait se lire dans les yeux inquiets de sa femme debout derrière lui.

— Oh, j'ai une ou deux affaires en vue, répondit Jérôme en détournant le regard, je vous en parlerai bientôt.

Il prit congé de ses parents et s'éloigna à pas pressés. Il avait de la lessive à faire, un frigo à regarnir, un répondeur à vider, plein de courriels à lire et sûrement quelques factures en souffrance à payer, mais d'abord et avant tout une envie pressante de raconter à son ami Charlie ses vacances inusitées à Cuba; après tout, ce n'était pas tous les jours qu'on assommait un homme dans une ruelle pour ensuite passer une nuit gratis avec une poule de luxe qui aurait fait craquer la statue du Commandeur – sans parler de cette jolie diététiste de la chaîne Metro qui aurait bien aimé étaler devant lui son épicerie intime et devait sans doute sursauter avec un soupir chaque fois que son téléphone sonnait.

Charlie devait faire des heures supplémentaires ce soir-là, ce qui l'empêchait de voir Jérôme. Mais, devant son impatience, il accepta de souper avec lui en vitesse dans un petit resto près de l'ancienne gare Jean-Talon à deux pas de son lieu de travail. Il pouvait lui accorder 45 minutes.

Vers 18 h, les deux amis s'attablaient chez Pizza Pizza, rue Jean-Talon. Charlie félicita Jérôme pour son hâle cubain et sa bonne mine. Il avait changé son aileron de requin pommadé pour une coupe à l'iroquoise qui lui donnait un air quelque peu farouche mais ne l'avait pas empêché – ce fut la première nouvelle qu'il annonça à Jérôme – de faire la conquête de la nouvelle réceptionniste de la boîte. Et leur affaire marchait très bien.

— Mais toi, pousuivit-il en examinant Jérôme, sauf erreur, on dirait que t'as pris un peu de poids?

— Ah oui? Peut-être à cause du champagne. J'en ai bu pas mal, figure-toi donc.

Et il lui raconta d'une traite ses aventures à Varadero. Charlie l'écoutait bouche bée, incapable d'émettre un son. C'est ce que Jérôme avait espéré; son triomphe était complet.

— Est-ce que quelqu'un t'a déjà fait remarquer, réussit enfin à bredouiller Charlie, que t'es?... complètement cinglé, mon pauvre ami?

— C'est l'envie qui te fait parler, ricana Jérôme. Tu *baves* d'envie, je le vois bien. T'aurais voulu te la taper, hein, ma *Minute Maid*?

— Qui ne le voudrait pas?... La question n'est pas là... As-tu pensé une seconde – *une seule seconde* – aux risques que t'as courus? T'as commis un *acte criminel*, bonhomme! Et pourquoi? Pour sauver un p'tit minable qui doit en avoir épais sur la conscience, un fils à maman qui va se dépêcher de te balancer à la première occasion... Sans compter que les prisons de Fidel ne font pas dans les cinq étoiles, chose; on sait quand on y entre, mais pour en sortir, c'est une autre affaire... Et – en plus! – tu veux revoir sa poufiasse de mère qui m'a tout l'air de faire partie... de la pègre!

Jérôme posa la main sur son bras:

— *Calma, calma*, Charlie... Si je vois qu'il y a des risques, je me tire, c'est tout.

Charlie, le visage sombre, secoua la tête:

— Veux, veux pas, tu t'es compromis, Jérôme. C'est comme si on t'avait vissé une poignée dans le dos. La madame peut t'emporter où elle veut, n'importe quand.

— Tu oublies, rétorqua ce dernier, que son *fifils* est aussi compromis que moi.

— Pas autant, Jérôme. C'est *toi* l'agresseur dans l'histoire, lui, c'est une victime, une victime qui voulait acheter de la drogue, mais une victime quand même. Dans son cas, c'est une banale histoire de hasch. Toi, t'as peut-être un meurtre à ton palmarès. T'imagines?

— Allons donc, elle me l'aurait dit, voyons… Très bien. Suppo-sons, pour te faire plaisir, que c'est le cas: la police a maintenant la gueule bourrée de fric. Elle va se tenir tranquille, t'inquiète pas.

— Sans doute, soupira Charlie. Mais, on ne sait jamais, il pourrait prendre l'envie à ta bonne femme de te faire chanter. Pourquoi pas? Qu'est-ce que t'en sais? Tu ne la connais pas, à part le fait qu'elle est prête à te payer des putes. En tout cas, si j'étais à ta place, je les fuirais, elle, son garçon et tout le reste. Oh que oui!

Il planta avec détermination sa fourchette dans son dernier morceau de pizza, en détacha soigneusement la croûte avec la pointe de son cou-teau (il détestait la croûte) et termina son repas en deux bouchées:

— Il faut que j'y aille, Jérôme, fit-il en se levant. Je suis débordé de travail. Pense à ce que je t'ai dit. Et puis, tant qu'à y être, tu pourrais peut-être aussi commencer à te chercher un boulot? Ça t'occuperait l'esprit, ça éloignerait les idées folles – et ça renflouerait un peu tes finances, non?

Jérôme eut une moue agacée: son quota de conseils judicieux était atteint. Ils échangèrent une poignée de main et Jérôme le regarda s'éloigner, pensif, en terminant son café.

◆ ◆ ◆

Malgré neuf heures d'un sommeil de marmotte, il se leva tendu, bou-gon, l'esprit confus. Il enfila sa robe de chambre et se mit à errer dans l'appartement, déplaçant et replaçant des objets au hasard et promenant la langue contre son palais avec des grimaces, car la nuit lui avait laissé mauvaise bouche. Était-ce sa discussion de la veille avec Charlie? Un obscur combat semblait se dérouler en lui dont il n'arrivait pas à déterminer l'enjeu.

D'un pas traînant, il se rendit à la cuisine, alluma la machine à café (cadeau de Noël de ses parents l'an dernier), se fit couler un espresso bien tassé et, debout devant la fenêtre, le sirota en regardant avec une moue ironique un voisin démonter son abri Tempo, sanctuaire quétaine qui avait protégé sa Ford 2001 des rigueurs de l'hiver. Les craintes de Charlie continuaient de lui paraître exagérées, sinon enfantines. Le pauvre garçon, malgré sa coupe de cheveux à l'iroquoise, était en train de virer pépère. Au train où allaient les choses, il craindrait bientôt de sortir de chez lui à la noirceur.

Toujours maussade, il prit sa douche et s'habilla. Son cafard idiot ne le lâchait pas, sapait son entrain habituel du début de la journée. En fouillant dans son portefeuille pour compter son argent (Charlie avait raison, ses ressources s'amenuisaient), il mit alors la main sur un bout de papier et le déplia; c'était le numéro de téléphone d'Eugénie Métivier.

Et c'est alors que tout s'éclaira dans son esprit.

Il avait l'intention de la voir le plus vite possible. Or, si l'intérêt qu'elle lui avait manifesté ne s'était pas évaporé à son arrivée à Montréal, elle le questionnerait tout naturellement sur sa vie, ses goûts, ses occupations et lui demanderait tôt ou tard de quoi il vivait. « Oh, pour l'instant, répondrait-il, j'ai une ou deux affaires intéressantes en vue, ça devrait débloquer bientôt. »

Il n'aimait pas cette réponse. Elle ne le mettait pas à son avantage. C'était donc qu'il tenait à la bonne opinion qu'elle aurait de lui et que, par conséquent, il ne s'agissait pas dans son esprit d'une vulgaire histoire de baise. Autrement, il s'en serait foutu, et royalement! Ou alors, il lui aurait menti à pleines turbines. Mais pourquoi donc tenait-il à sa bonne opinion? Que s'était-il passé? Pour qu'elle soit si importante à ses yeux, il fallait qu'il ait *lui-même* une sacrée bonne opinion d'elle, ou quelque chose du genre... Mais non, ce n'était pas ça, il devait s'agir d'autre chose. On ne peut pas avoir bonne opinion d'une pure inconnue, pas plus qu'on peut aimer un livre qu'on n'a jamais ouvert. Aimer. Bon. Le mot était lâché. Le mot classique. Celui qui avait inspiré des millions de phrases, fait imprimer des millions de livres, fait couler des fleuves et des fleuves de larmes, provoqué fièvres, frissons, soupirs, insomnies, duels, transes et hoquets de plaisir – et des billions de billions de gaffes. Du calme, du calme, mon Jérôme… Procédons par ordre. Il la trouvait jolie. Oui, mais pas plus que bien d'autres. En fait, il avait vu à l'Iberostar des femmes mieux tournées, et elles ne lui avaient pas toutes paru hors d'atteinte. Et c'était sans compter les poulettes qu'il avait croisées un peu partout depuis que la puberté avait commencé à le travailler et dont certaines étaient d'une beauté si radioactive qu'elles l'avaient hanté pendant des jours et jusque dans son lit, pour ne parler que de cet endroit… Alors, la question se posait de nouveau : que s'était-il donc passé ? Avait-il avalé un philtre d'amour ? On lui avait fait le coup de Tristan et Yseult ? Foutaises, évidemment, que ces histoires à la noix de coco. Quatre ou cinq ans plus tôt, il avait lu l'adaptation de Joseph Bédier de la célèbre légende. La seule impression qu'il en gardait, c'était celle d'un formidable ennui et d'une raideur paralytique qui lui avait donné un torticolis de girafe. Il revoyait les deux amoureux en contemplation l'un devant l'autre, hébétés comme des accidentés de la route ; debout derrière eux, le roi Marc, malgré ses grands airs, lui était apparu bien ridicule dans son rôle de cocu. Le pauvre Bédier aurait été déçu de sa réaction, et Wagner, qui avait tiré un opéra de leurs malheurs, l'aurait envoyé promener, mais qu'y faire ? Ce genre d'histoires l'émouvait autant qu'un tas de clous rouillés dans le fond d'une poubelle.

En fait, la seule histoire d'amour – et encore, à sens unique ! – qu'il avait jamais vécue remontait à ses 17 ans, vers la fin du secondaire. L'élue de son cœur (elle avait de magnifiques tresses blondes qui lui allaient jusqu'au milieu du dos et se balançaient au-dessus de ses jolies fesses), après quelques baisers à la sauvette et des dizaines de lettres échangées pendant trois semaines, lui avait ri au nez devant tout le monde pendant la récré lorsqu'il lui avait demandé de l'accompagner au bal des finissants. Ah ! la salope ! Il l'aurait étranglée ! Cela dit, le moment avait quand même été bien choisi : c'était un vendredi, la fin de semaine allait commencer. Suant de honte et de rage, il avait foutu le camp chez lui et s'était donné deux jours de congé supplémentaires en se faisant porter malade. Quand il était reparu à l'école, tout semblait avoir été oublié, et il feignit d'avoir fait de même. Mais l'humiliation publique que lui avait infligée la petite garce avait instillé en lui une froideur cynique dans ses rapports avec les filles ; il la dissimula avec le plus grand soin, la nourrissant de subterfuges et de manipulations, et développa ainsi une prudence de chasseur à l'affût qui ne tire que lorsqu'il est sûr que le coup va porter. Peu à peu, la tactique se mit à donner des fruits. Alors, il l'avait longuement et lentement perfectionnée, apprenant autant sinon davantage de ses échecs que de ses succès ; la distance prophylactique qu'il maintenait dans ses sentiments entre lui-même et la prise qu'il convoitait atténuait les effets des uns comme des autres.

Il y avait, bien sûr, des périodes sèches où rien ne semblait marcher, comme s'il avait perdu la main, et d'autres où aucune fille ne le tentait, comme s'il en avait perdu le goût. Alors il retournait à ses livres, à Internet, à la natation et aux randonnées à bicyclette, et passait de longues soirées dans les bars et les cafés à discuter avec les copains. Mais ces périodes ne duraient jamais bien longtemps, et au fil des mois et des années il avait fini par acquérir une réputation de tombeur qui était loin de lui déplaire. Il en remerciait parfois à voix basse la petite agace-pissette aux tresses blondes.

Mais ce matin, comment se retrouvait-il ? Dans la situation qu'il détestait le plus. Celle du quémandeur tremblotant qui pâlit et rougit à la seule pensée d'une femme rencontrée parmi bien d'autres dans un hôtel cubain, mais dont l'image ne le quittait plus. La belle affaire ! Si au moins elle n'était que bandante. De celles-là, il en avait connu plusieurs et on arrivait à pouvoir s'en passer, la dernière libérant de la précédente. Mais il ne s'agissait pas de ça du tout. Il avait le sentiment que même si, au début, les choses n'auraient été que couci-couça au lit, l'important se trouvait ailleurs : *il avait besoin d'elle pour continuer à vivre* – ou, à tout le moins, pour se sentir vivant. Situation périlleuse et ridicule. Dépendance atroce. Et dont la cause, semblait-il, ne se trouvait pas en elle, *mais en lui*. Quand il quittait la cuisine, par exemple, pour se rendre à la salle de bains et se contempler dans le miroir, le problème faisait la même chose et se contemplait lui aussi ! Sauf erreur, il était *tombé amoureux*. Et d'une femme affligée d'une fillette encombrante comme une portée de chiots. Que le verbe *tombé* était d'ailleurs bien choisi ! Celui ou celle qui avait inventé cette image avait frappé dans le mille. Car il s'agissait bien d'une chute. Ou plutôt d'une dégringolade. Il était en train de dévaler une pente abrupte en se râpant les coudes, les fesses et les genoux parmi une volée de cailloux, sans trop savoir ce qui l'attendait en bas.

Ouais, finalement, ce long voyage en Amérique du Sud qu'il avait projeté pour couronner son année sabbatique n'était pas une si mauvaise idée, après tout. Mais il n'avait plus assez de fric pour le faire. Et même en supposant que ses finances le lui auraient permis, rien ne garantissait que l'image de cette maman à la petite fille en porcelaine n'aurait pas tout gâché. C'était insupportable. Une vague de colère mêlée de peur monta en lui. Attablé dans la cuisine devant sa tasse d'espresso refroidi, il se mit à respirer bruyamment, le visage rouge, les mains moites. Soudain, il se leva et, d'un pas décidé, se rendit à la chambre à coucher, enleva ses vêtements, s'étendit flambant nu sur son lit et commença à se masturber avec application, les sourcils froncés, dans un effort méthodique et libérateur. Le plaisir tardait, car il avait du mal à se concentrer. Au bout de trois ou quatre minutes, il poussa enfin un gémissement rauque et se mit à fixer le plafond, l'œil alangui, tandis qu'une coulée tiède glissait le long de sa cuisse. La sensation devint rapidement désagréable. Toujours couché, il tendit la main vers une boîte de papiers-mouchoirs près de son lit et s'essuya avec soin, puis ferma les yeux. Il allait s'endormir lorsqu'une sorte de commotion intérieure le fit se dresser brusquement.

— T'es con, murmura-t-il avec une dérision apitoyée. Comme si une crossette pouvait régler ton affaire… Pauvre p'tit con.

Quelques minutes plus tard, s'étant rhabillé, il entrait dans la cuisine, se faisait couler un deuxième espresso et, après avoir hésité un moment, téléphonait à Félix Sicotte.

◆ ◆ ◆

Charlie Plamondon avait fait la connaissance de Jérôme à l'âge de 17 ans un samedi matin de juillet en plein milieu de la rue Ontario au moment où celui-ci, après avoir fait une crevaison spectaculaire à bicyclette en roulant sur un tesson de bouteille, se relevait de sa chute, sonné et un peu ahuri, avec un coude qui pissait le sang, tandis que les autos continuaient de filer autour de lui comme si de rien n'était;

c'était sans doute une de ces journées où le sentiment de solidarité humaine enregistre une baisse momentanée.

Mais cette baisse n'affecta pas Charlie qui, se précipitant vers le malheureux, s'était improvisé agent de circulation, puis l'avait aidé à tirer sa bécane vers le trottoir.

— Bout de crisse! Je ne me suis pas raté, murmura Jérôme en épongeant le sang de sa blessure avec une serviette de papier qu'il venait de trouver dans le fond de sa poche.

Malgré son vif désir de paraître stoïque, il n'arrivait pas à réprimer des grimaces de douleur; son coude fendu sur près de sept centimètres demandait sans doute des points de suture.

— Ton pneu y a pas mal goûté, observa Charlie, apparemment plus intéressé par l'aspect technique de l'accident. Demeures-tu loin?

— Ouais, assez... 31e Avenue près de Beaubien.

Charlie avait eu alors un sourire jubilatoire:

— Ça tombe bien: mon père travaille dans un garage tout près d'ici. Mécanicien. On pourra te rafistoler ton pneu pour que tu puisses retourner chez toi.

— J'ai pas grand fric sur moi: 2 $ au max... Et puis, faut que je me rende à une pharmacie m'acheter un pansement pour mon coude.

Et tandis qu'il parlait, de larges gouttes de sang s'aplatissaient sur le trottoir, bordées aussitôt d'un ourlet de poussière rouge foncé.

— T'occupe pas. Ils ont une trousse de premiers soins au garage. Pour le reste, on s'arrangera.

Et, saisissant le guidon de la bicyclette, il s'avança sur le trottoir, tête haute, avec le sentiment de fierté du bon Samaritain impressionné par sa propre générosité.

En voyant apparaître les adolescents, Normand Plamondon, levant la tête des entrailles d'une Ford d'où s'échappaient des filets de vapeur, poussa un sifflement de surprise et se dirigea droit vers Jérôme. C'était un petit homme vif et râblé, ramassé sur lui-même, au visage brunâtre et prématurément vieilli, avec une démarche curieuse, la tête portée en avant, qui donnait l'impression qu'il allait bondir sur quelque chose.

— Tu t'es pas manqué, mon ami! lança-t-il d'une voix haut perchée sans prendre la peine de jeter un regard à son fils.

Une immense tache de sang sur le t-shirt blanc de Jérôme donnait en effet à son arrivée un caractère assez dramatique.

La tête poivre et sel d'un sexagénaire apparut dans une porte qui donnait sur un bureau ; l'homme écarquilla les yeux, fronça le nez en reniflant, puis disparut en poussant un grognement à teneur indéterminée.

Cinq minutes plus tard, le coude de Jérôme était désinfecté et pansé, et le pneu de sa bicyclette en bonne voie d'être réparé.

— Allez donc prendre un café en face, les gars, conseilla soudain Plamondon père à voix basse. Le *boss* aime pas les flâneurs dans le garage. C'est déjà beau qu'il me laisse travailler sur le bicycle.

Charlie allait répondre qu'ils ne *flânaient* pas du tout, mais les circonstances ne se prêtaient vraiment pas à une discussion ; il entraîna son compagnon vers le petit resto-dépanneur qui se dressait de l'autre côté de la rue.

C'est là que les choses commencèrent à se corser. Les garçons, qui s'étaient déjà présentés l'un à l'autre, firent plus ample connaissance. La famille de Charlie Plamondon demeurait dans les environs, rue Wolfe. Au moment de l'accident, Charlie faisait une course pour sa mère, qui travaillait comme caissière dans un Dollarama du quartier. Le jeune homme, qui avait la confidence facile, ajouta qu'elle n'aimait pas son emploi mais que, n'ayant trouvé rien de mieux jusqu'ici, elle devait s'y résigner, car la situation financière de la famille n'était pas reluisante : son père, qui avait déjà possédé un garage, avait fait faillite trois ans plus tôt, et le syndic l'avait essoré jusqu'à la dernière goutte, comme font les syndics ; à présent, il était l'employé d'un homme dur, exigeant, qui le payait mal.

— Et je peux te dire qu'il n'a pas inventé la bonne humeur, celui-là, ah, ça non ! S'il souriait une seule câlisse de fois, je pense que la face lui fendrait en deux ! Je suis surpris qu'il soit pas venu japper après p'pa tout à l'heure. C'est probablement ta tache de sang qui l'a impressionné.

Jérôme l'écoutait, essayant de cacher son étonnement ; c'était la première fois qu'on lui décrivait la vie des petites gens avec cette franchise brutale.

— Et toi, qu'est-ce qu'il fait, ton vieux ?

— Mon père? le corrigea Jérôme. Il est denturologiste... il fabrique des dentiers, tu comprends? Et ma mère est prof de piano en musique classique.

Bien des jeunes gens, plus chouchoutés que la moyenne par leur naissance et dont les opinions ne reposent que sur quelques idées reçues et une poignée d'expériences mal digérées, ont une vision de la vie parfois un peu simpliste. C'était le cas de Jérôme; il avait le sentiment de se trouver devant un membre de la grande famille des ti-counes condamné à une vie sans envergure parce que, justement, il en manquait, alors que lui, bien sûr, faisait partie de ceux que le sort destinait tout naturellement à la réussite.

— Eh ben! s'exclama Charlie avec une pointe de sarcasme, t'es chanceux: t'avais une cuiller d'argent dans la bouche en venant au monde.

Pendant une seconde, ils se jaugèrent d'un regard abrasif.

— Faut pas exagérer, répondit Jérôme en jouant la modestie, notre maison n'est même pas encore toute payée.

Puis il se rappela que, des deux, c'était lui le débiteur, et ajouta aussitôt pour se montrer gentil:

— Je suis sûr que ton père va reprendre le dessus. Ça doit être seulement une mauvaise passe.

— Oh moi, je pense que non, soupira Charlie. La malchance a toujours couru après lui.

Il secoua la tête comme pour chasser une pensée désagréable et se leva:

— On y va? Ton pneu doit être réparé.

Jérôme voulut régler l'addition, mais l'autre s'y opposa, d'un ton presque brutal:

— Non. Ça me fait plaisir.

« Drôle d'escogriffe, pensa l'autre, on ne se connaît même pas. »

La bicyclette, appuyée contre une poubelle, l'attendait dans le garage. Le mécanicien s'avança vers Jérôme en s'essuyant les mains sur un chiffon huileux:

— Si c'était que de moi, mon ami, je te demanderais rien, murmura-t-il comme en s'excusant, ça m'a même pas pris dix minutes, mais c'est pas moi, le patron ici. Ça va te coûter un beau cinq.

Jérôme rougit:

— Je ne l'ai pas sur moi, mais si vous voulez bien m'att...

— Je te l'avance, l'interrompit Charlie avec un accent de triomphe.

— Mais non, riposta Jérôme, de plus en plus agacé. T'en as assez fait comme ça. Je saute sur ma bécane et je vous apporte le fric dans une demi-heure.

— Normand! cria une voix éraillée dans le fond du garage, j'ai besoin d'une chaudière!

— Je vous laisse discuter, les gars, fit Normand Plamondon en s'éloignant. Faut régler au comptoir, ajouta-t-il à l'intention de Jérôme.

Et il pointa le doigt en direction de la porte où était apparue 20 minutes plus tôt la tête poivre et sel du patron qui, justement, venait de réapparaître et promenait son regard dans le garage comme le faisceau de la lampe de poche d'un policier sur la scène d'un crime.

Charlie se dirigea à grands pas vers l'homme, son billet de 5 $ à la main, tandis que Jérôme, après un haussement d'épaules, s'emparait de sa bicyclette et allait l'attendre sur le trottoir.

Il était furieux contre cet inconnu qui l'écrasait de son dévouement – tout en se sentant coupable de l'être: comment pouvait-on, en effet, s'offusquer de pareille chose? Mais, dans le cas présent, cela tournait au déluge de bons services: encore un peu, et il allait s'y noyer!

Charlie réapparut, souriant, l'air satisfait. Jérôme s'efforça de lui rendre son sourire:

— Merci encore, hein... T'es vraiment chic... Je m'en vais chercher l'argent à la maison. Je suis de retour dans pas long. Tu peux m'attendre?

— Ouais, prends ton temps... Je suis pas pressé.

Et il inclina la tête comme un moujik devant son seigneur.

Trente-neuf minutes plus tard, Jérôme s'arrêtait devant le garage, hors d'haleine. Son bienfaiteur, assis sur un bloc de béton contre un mur, referma *Le Journal de Montréal* qu'il parcourait pour la troisième fois:

— C'était pas la peine de tant te presser, on dirait que le cœur va te sortir par la bouche!

— Tiens, fit Jérôme d'une voix sifflante, merci *beaucoup* encore une fois.

Il lui tendit l'argent et se mit à chercher quelque chose d'aimable à ajouter, mais une bouffée de colère emporta brusquement ses bonnes résolutions :

— Vraiment – excuse-moi de te le dire – mais t'en fais un peu trop… Es-tu comme ça avec tout le monde ? Tu vas mourir à la tâche, ma foi !

Charlie se dressa, le visage empourpré :

— J'en fais trop ? Peut-être. Mais peut-être que toi, t'en fais pas assez ? As-tu pensé à ça ?

Jérôme se figea net, bouche bée. Les deux garçons se fixèrent en silence, vrillant de nouveau l'un sur l'autre un regard venimeux, puis tournèrent les talons et partirent chacun de leur côté.

◆ ◆ ◆

La franchise, même brutale, constitue une excellente base pour l'amitié, et peut-être la seule. Quelle ne fut pas la surprise de Jérôme, un mois plus tard, le jour de la rentrée au Collège de Maisonneuve, d'arriver face à face avec son bon Samaritain. Il avait eu le temps de réfléchir à sa conduite envers le brave Charlie et de la regretter. Mais comme il ne connaissait pas ses coordonnées et ne se sentait pas le courage d'aller les demander à son père, il s'en était tenu aux regrets.

Sa réaction fut instantanée :

— Excuse-moi, Charlie, fit-il en lui tendant la main, j'ai été poche avec toi l'autre jour. Je ne sais pas ce qui m'a pris… Ça devait être ma blessure au coude… Elle me faisait mal en diable.

— Ça serait plutôt à moi de m'excuser, répondit Charlie, bon prince. Je t'ai parlé sec en tabarnouche.

Et c'est par cette réconciliation impromptue qu'avait débuté une amitié qui durait maintenant depuis huit ans.

Charlie n'avait pas pour autant changé de caractère et cherchait toujours à voler au secours de la planète et de ses habitants. Mais il avait fini par apprendre à modérer les élans de sa générosité ou, du moins, à utiliser divers stratagèmes pour leur donner une apparence plus discrète et conforme aux usages. Cependant, la frivolité avec laquelle Jérôme menait sa vie depuis son retour de Cuba avait fini par le ramener au donquichottisme de son adolescence. Et ce matin-là, perché sur un tabouret dans la cuisinette qui servait aux pauses-café des employés de Micro-Boutique, insensible aux jacasseries qui bourdonnaient autour de lui, il était plongé dans une sombre méditation sur l'avenir que se préparait son ami.

Suzanne, l'appétissante réceptionniste avec qui il couchait depuis quelque temps, s'approcha sans bruit et se penchant à son oreille:

— Qu'est-ce qui se passe, Charlie? Viens-tu d'apprendre que t'as le cancer?

Il sursauta:

— Non, non, ma santé est bonne, ne t'inquiète pas.

— C'est *toi* qui as l'air inquiet, Charlie, pas moi. Est-ce qu'on se voit ce soir, mon gros loup? poursuivit-elle à voix basse. Mon cours de psycho se termine à 9 h.

Il eut un nouveau sursaut:

— Ton cours de psycho? T'as bien dit *ton cours de psycho*? marmonna-t-il, l'air un peu égaré, comme sous le coup d'une révélation.

— Ouais, mon cours de psycho… Est-ce que je t'apprends que je suis un cours de psycho, Charlie? Non? En tout cas, à te voir la binette et sans vouloir te blesser, je pense que tu ferais en ce moment un bon sujet d'étude pour un psychologue.

Sa remarque fut captée par Benoit, un technicien qui travaillait depuis quelques mois avec Charlie, occupé pour le moment à déglutir une énorme bouchée de gâteau aux carottes.

— C'est ce que je lui dis depuis longtemps, lança-t-il d'une voix pâteuse. Je suis sûr qu'il ferait avancer la science!

Des rires fusèrent dans la cuisinette. Mais Charlie haussa les épaules, quitta la pièce et se dirigea à grands pas vers son atelier. L'instant d'après, il lançait une recherche sur Internet.

— Ouais, ouais, Frémont, Joëlle Frémont, marmonna-t-il au bout d'un moment, l'air satisfait, je pense que c'est justement la personne qui ferait l'affaire…

Et tandis que son ami Jérôme composait chez lui le numéro de Félix Sicotte, Charlie, croyant bien faire comme il arrive parfois lorsqu'on commet une bévue, entrait en contact avec la dénommée Frémont.

◆ ◆ ◆

Jérôme raccrocha et, le pas incertain, s'approcha de la table de la cuisine et se laissa tomber sur une chaise, livide, le dos en sueur. Pendant un moment, il fut incapable de penser ; un tournoiement de sentiments contradictoires emplissait sa tête d'un chaos effrayant. Plusieurs minutes s'écoulèrent ainsi. Puis, peu à peu, il arriva à orienter son attention vers les bons aspects de la nouvelle qu'on venait de lui apprendre.

Son intention avait été de téléphoner à Félix dans l'espoir de se faire inviter chez lui et d'avoir ainsi l'occasion de rencontrer sa mère afin de vérifier si l'offre d'emploi qu'elle lui avait laissé entrevoir avait des chances de se concrétiser. Car, à présent, il aspirait avec force à un emploi, à n'importe quel emploi, pourvu que celui-ci le fasse paraître à son avantage.

Une voix de femme un peu faiblarde lui avait répondu au bout du fil que monsieur Félix était absent pour le moment. Dans combien de temps serait-il de retour ? avait demandé Jérôme. Un court silence avait suivi, puis la femme, apparemment embarrassée, avait demandé : « Est-ce que je peux savoir qui l'appelle ? » Il s'était nommé et, l'instant d'après, il parlait à Francine Desjarlais.

C'est alors que les bonnes et les mauvaises nouvelles s'étaient succédé. Félix avait dû quitter Montréal pour des raisons de santé, mais tout rentrerait bientôt dans l'ordre, l'avait-elle assuré. « Il m'a parlé de toi plusieurs fois, Jérôme, et il te considère comme un ami… Et je le comprends, après le service que tu lui as lui rendu ! » Mais, à ce sujet, avait-elle poursuivi en baissant tout à coup la voix, les choses n'avaient pas très bien tourné à Cuba : on lui avait appris la veille que l'agresseur de son fils était décédé à la suite de ses blessures.

— Mais ne t'inquiète surtout pas, s'était-elle empressée d'ajouter, j'ai les choses bien en main, ou plutôt, ajouta-t-elle avec une sorte de ricanement, j'ai la main bien plongée dans ma bourse. De toute façon, c'est le sort qui attend tôt ou tard ces crapules, tu le sais bien… Qu'il en crève une de temps à autre, ce n'est pas une grande perte pour la planète, et je dirais même, entre toi et moi, que ça nettoie un peu le paysage… Et puis n'oublions pas que, dans ton cas, tu te portais au secours de quelqu'un, et qu'on pourrait aussi invoquer la légitime défense, non ? Car le salaud, comme t'as dit, se préparait à t'attaquer…

Bref, tu t'es comporté en héros. En tout cas, c'est ainsi que, moi, je vois les choses.

Curieusement, l'affaire semblait l'enchanter au plus haut point.

— Merci, madame, répondit Jérôme d'une voix à peine audible.

Il se tourna vers l'évier; il avait le plus pressant besoin d'un verre d'eau glacée mais n'osa interrompre la conversation.

— Je suis contente que t'appelles, Jérôme, poursuivit Francine Desjarlais sur le même ton guilleret, car je voulais justement te rencontrer.

— Ah oui?

Et une timide poussée de joie s'infiltra dans son désarroi.

Ils prirent rendez-vous pour 15 h, et Francine Desjarlais, avec un entrain qui ne semblait jamais la quitter, l'assura encore une fois qu'il n'avait pas du tout à s'inquiéter pour la tournure des événements à Cuba.

Il dut s'appuyer des deux mains sur la table pour se lever, s'approcha de l'évier et se fit couler un verre d'eau, puis un deuxième. Loin de le ranimer, cela amplifia son trouble. Cette sensation glacée répandue dans son thorax, c'était le froid de la mort, de la mort qu'il avait infligée à un autre homme de la façon la plus brutale et primitive qu'on puisse imaginer.

Il revint s'assoir. Ses paumes avaient laissé deux empreintes luisantes sur le formica; c'était les empreintes d'un assassin. Il faisait maintenant partie de cette famille sinistre dont on voyait souvent des spécimens dans les journaux.

— Je suis un assassin, dit-il à voix haute. J'ai tué un homme.

Une souffrance étrange l'habitait, qu'il n'avait jamais ressentie. Elle ne venait pas tant d'un sentiment de culpabilité (car, après tout, son acte avait été involontaire et, qui plus est, commis pour venir en aide à quelqu'un) que de celui d'une solitude totale et irrémédiable. Il était devenu, et pour toujours, un être *à part*. Combien d'humains appartenaient à cette catégorie? Si on exceptait les militaires, dont c'était le métier et qu'il avait d'ailleurs toujours un peu méprisés par bonne conscience pacifiste, il y en avait bien peu. Toutes proportions gardées, bien sûr. Si on les avait tous rassemblés en un même lieu (il imaginait une foule compacte et silencieuse dans une plaine baignée d'une lumière blafarde), chacun d'eux aurait été seul, aussi seul que s'il avait vécu sur une planète déserte; car il avait enlevé à un autre humain la chose la plus précieuse qu'on puisse posséder, la seule chose qui compte. L'homme, au fond, n'avait le pouvoir de poser que deux actes absolus : donner la vie et l'enlever.

Cette impression étouffante s'atténuerait sans doute peu à peu, il finirait par partager son secret avec quelqu'un, ce qui l'allégerait, mais, à ses propres yeux, il aurait en quelque sorte changé de nature, et une part de lui-même lui serait devenue étrangère.

Et soudain, il repensa à Eugénie Métivier. Comment oserait-il se présenter devant elle ? Passe encore chômeur, mais assassin !

Il rumina un moment cette idée, le regard fixe, se mordillant l'intérieur des joues, puis, tout à coup, son poing, devenu indépendant de lui-même, s'abattit avec fracas sur la table; le verre d'eau bondit, tomba sur le plancher et roula jusqu'au milieu de la cuisine.

— Ça suffit ! hurla-t-il en se dressant debout, son visage écarlate tordu par la colère. Est-ce que je vais arrêter de vivre parce que j'ai voulu secourir un petit con ?

Puis il regarda sa montre. Si la voisine d'en haut n'était pas partie au travail, elle devait croire qu'il était devenu cinglé ou parti sur une balloune.

Ça ne pouvait pas continuer ainsi. Il fallait absolument décompresser avant sa rencontre de 15 h – et avant *l'autre rencontre*, bon sang, oui ! *l'autre rencontre* !

L'idée de balloune l'inspira tout à coup. Il se rendit à la dépense, s'accroupit devant la tablette du bas où il gardait quelques bouteilles de vins et de spiritueux, et s'empara d'une bouteille de cognac, cadeau de Noël de son père; puis il alla ramasser le verre toujours sur le plancher, intact, et le remplit à moitié. Quatre minutes plus tard, après force grimaces, il arrivait au fond. Claude-Oscar se serait offusqué de le voir ingurgiter ce cognac de grand prix comme un remède. L'effet ne se fit pas attendre. Les joues engourdies, la vision floue, il se dirigea d'un pas incertain vers sa chambre à coucher et se laissa tomber à plat ventre sur le lit. Vingt secondes plus tard, il dormait.

Ce fut la sonnerie du téléphone qui le réveilla. Il allongea la main vers sa table de chevet et décrocha, mais avant même de dire un mot, il constata avec joie que sa minicuite ne lui avait pas infligé la redoutable gueule de bois qui suivait ordinairement ses excès d'alcool ; il serait donc frais et dispos pour son rendez-vous.

— Allô ? marmonna-t-il d'une voix éraillée.

— Bout de crisse ! Je te réveille ? s'étonna Charlie. T'es malade ?

Jérôme avait eu le temps de s'éclaircir la gorge et répondit d'un ton amusé :

— Pas du tout, voyons. C'est que je n'ai parlé à personne depuis que je suis levé. Je suis en train de lire.

Et, jetant un coup d'œil à sa montre, il constata avec soulagement qu'il n'était que midi quarante-cinq.

— Qu'est-ce que tu lis ?

— Ça ne t'intéressera pas. C'est pour des lecteurs cultivés.

— Va au diable... Si je te montrais l'étendue de ma culture, t'exploserais de jalousie... Écoute, je dois retourner au boulot dans deux minutes, je vais aller droit au but : faut se rencontrer ce soir.

— Pas sûr qu'on puisse.

— Ah non ?

La déception se lisait dans sa voix.

— Mais demain, si tu veux. Pourquoi veux-tu me voir ?

Charlie hésita une seconde, puis :

— Je voudrais te faire rencontrer quelqu'un.

— Tu t'occupes de ma vie sentimentale, à présent ? C'est gentil, mais je me débrouille assez bien tout seul. Merci quand même.

— Tu n'y es pas du tout. Écoute, on se reparle. Il faut que je te quitte. À demain, donc.

Et il raccrocha.

Assis sur le bord de son lit, Jérôme se massa les cheveux, bâilla, fit quelques grimaces pour se dégourdir les muscles du visage, puis poussa un long soupir. Sa conversation avec Charlie lui avait fait du bien, comme s'il était redevenu pendant quelques instants celui qu'il était avant qu'on lui annonce... la Chose. Il suffirait donc de se tenir très occupé et la détresse qui l'avait envahi serait tenue à distance. N'était-ce pas le remède qu'avait trouvé Charles Dickens, un de ses auteurs préférés, pour lutter contre une angoisse chronique dont il craignait qu'elle le mène à la folie ? Cela avait donné une œuvre majestueuse et truculente, inspirée par un combat courageux contre l'injustice. L'humanité en avait bien plus profité que si on l'avait soigné aux anxiolytiques.

Il prit une longue douche, termina par 30 secondes d'eau glacée – un coup de fouet qui le remit sur le piton –, dîna d'un sandwich au poulet et d'un verre de jus de légumes, puis, après avoir passé en revue sa garde-robe, décida d'aller acheter quelques chemises, car il jugeait plus ou moins défraîchies celles qu'il avait. Ce jour-là, il fallait une tenue impeccable. Manque de fric? Il avait une carte de crédit. On les avait inventées pour ça.

Il se rendit en métro aux Ailes de la mode, rue Sainte-Catherine, et en ressortit avec deux superbes chemises, l'une en soie, l'autre en lin, et une dette de 198,12 $. Il avait enfilé la première dans une cabine d'essayage et glissé l'autre dans sa serviette de cuir (se présenter avec une serviette de cuir ferait plus sérieux, trouvait-il). Après une telle dépense, l'économie s'imposait. Le couple Sicotte-Desjarlais habitait au 27, Caledonia Road à Mont-Royal, ville fameuse pour la clôture qui délimitait sans équivoque la différence de niveau social entre elle et les quartiers voisins moins fortunés. Comme pour la plupart des Montréalais de la classe moyenne, Mont-Royal lui était aussi familier que le pôle Sud. Le métro l'évitait soigneusement, comme par pudeur; sans doute aussi par respect, les familles de cette enclave cossue possédant au moins trois automobiles.

Sa montre marquait 14 h 15. Il fallait trouver rapido la façon la moins coûteuse de se rendre à destination – tout en soignant les apparences. Les mains moites, il sortit son cellulaire et, coup de chance, obtint presque aussitôt le service des renseignements de la STM où une préposée à la voix un peu lasse lui indiqua que la station la plus près du lieu de son rendez-vous était L'Acadie. Il lui restait juste assez de temps pour s'y rendre. De la station, il poursuivrait en taxi.

À 14 h 55, la gorge serrée, il sonnait à la porte d'une imposante maison de brique à étage, de style vaguement loyaliste, qui se dressait au coin de l'avenue Portland. On lui ouvrit aussitôt et une jeune femme longue et fluette, au teint olivâtre, aux traits fins et comme étirés, s'inclina devant lui avec un sourire entendu:

— Monsieur Lupien? murmura-t-elle avec un soupçon d'accent hispanique. On vous attend. Si vous voulez bien me suivre.

Malgré sa nervosité, Jérôme ne put s'empêcher de sourire devant le contraste bizarre entre une personne aussi frêle et la porte massive qu'elle refermait.

Ils s'avancèrent dans un hall rectangulaire au parquet recouvert d'une épaisse moquette vieux rose, éclairé par un lustre à pendeloques de cristal qui répandait comme une atmosphère de faste (bien qu'il n'y eût personne à part eux) et parut à Jérôme disproportionné à la pièce où on l'avait installé. « Un peu quétaine, la madame, se dit-il, elle aime péter de la broue. »

Son assurance lui revenait.

Il s'attendait à être reçu dans un salon somptueux avec une cheminée monumentale et un piano à queue dont personne ne saurait jouer. À son étonnement, la jeune femme, parvenue au fond du hall, poussa une porte et s'engagea dans un corridor qui communiquait avec une partie de la maison qu'on ne pouvait apercevoir de la rue et qui possédait une entrée indépendante.

L'instant d'après, il pénétrait dans une pièce d'apparence tout à fait ordinaire, dont une bonne partie était occupée par des classeurs métalliques et qui prenait jour par deux grandes fenêtres armées de barreaux. Assise derrière un bureau devant un ordinateur, madame Desjarlais leva la tête :

— Monsieur Jérôme, s'écria-t-elle joyeusement, et ponctuel en plus ! Mon bonheur est complet. Merci, Alma, poursuivit-elle en se tournant vers la jeune femme, je t'appellerai tout à l'heure.

Alma inclina la tête et disparut comme un papillon.

— Assieds-toi, Jérôme, assieds-toi, fit Francine Desjarlais en lui désignant une chaise. Elle est mignonne, ma protégée, n'est-ce pas ?

Jérôme acquiesça, par politesse. Le qualificatif de « mignonne » ne lui serait pas venu spontanément à l'esprit au sujet de cette fragile jeune femme aux frontières de l'immatérialité.

— Et pas mal dégourdie en plus, je te prie de me croire… Elle est arrivée de Colombie avec sa famille il y a cinq ans. Des réfugiés politiques. Je parle du père, bien sûr. Et peut-être aussi d'un de ses garçons, l'aîné. Allez savoir… Ils vous racontent bien ce qu'ils veulent.

— Ça joue dur en Colombie, fit remarquer Jérôme pour dire quelque chose.

— Ça joue dur partout, cher ami, il ne faut pas se fier aux apparences.

Elle le fixa un moment avec un sourire bienveillant, puis son visage s'assombrit légèrement et, dans un soupir :

— C'est mon mari que j'aurais voulu te faire rencontrer aujourd'hui, mais – pas de chance ! – il a dû partir en vitesse tout à l'heure pour une affaire urgente, et je ne sais pas du tout quand il va revenir.

Jérôme faillit offrir de repasser, mais craignant de paraître servile, se contenta de prendre un air de regret ; sa crainte fut alors remplacée par celle de ne pas se montrer assez accommodant. Il croisa les jambes, puis les décroisa, toussota et se mit à fixer une corbeille à papier.

— De toute façon, poursuivit Francine Desjarlais, ce n'est pas plus grave que ça... Séverin et moi, nous fonctionnons de façon autonome dans la plupart de nos dossiers. Après 27 ans de mariage, tu comprends...

Puis, se penchant en avant, les coudes sur son bureau :

— Je tenais à te dire encore une fois, Jérôme, combien tu m'as fait bonne impression à Cuba... Tu m'as l'air d'un jeune homme énergique, débrouillard, courageux et, d'après ce qu'on m'a rapporté, ajouta-t-elle avec un sourire taquin, qui ne déteste pas les plaisirs de la vie !

— Quand on me les offre aussi gentiment que vous l'avez fait, madame, répondit Jérôme avec une légère rougeur, c'est bien difficile de les refuser.

— Oh ! je n'aurais *surtout pas* voulu que tu les refuses, cher, répondit-elle en riant. La facture aurait été presque la même.

La réponse lui parut d'une grande vulgarité, mais il s'efforça de rire de bon cœur.

— Venons-en au fait. Tu ne t'es quand même pas déplacé jusqu'ici pour entendre mes mots d'esprit. J'aurais préféré que tu voies aussi mon mari, mais je lui ai déjà parlé de toi et il sait que j'ai un bon pif. Alors je me sens autorisée à te donner certains détails sur la proposition que nous allons te faire ; pour le reste, il s'arrangera avec toi. Nous avons besoin de quelqu'un qui...

Jérôme l'interrompit d'un geste :

— Excusez-moi, madame...

— Je t'en prie, appelle-moi Francine.

— Excusez-moi, Francine, mais il faut que je vous prévienne tout de suite... L'autre jour, vous m'avez dit que votre mari est conseiller financier. Or moi, les chiffres, ce n'est vraiment pas mon rayon, vous comprenez. Si vous cherchez quelqu'un pour...

— Aucune importance. En fait, Séverin, pour être plus précis, est... lobbyiste. Tu sais ce que c'est?

— Bien sûr, répondit Jérôme sur un ton avantageux, suffit de lire les journaux ou de regarder la télé... Il représente les intérêts de compagnies auprès du gouvernement?

— Voilà... C'est un métier... délicat qui demande beaucoup de doigté, de patience – et d'intuition aussi.

— Jamais rien fait dans le genre, observa Jérôme étourdiment.

Elle eut un petit rire sec:

— Ça, je m'en doutais, imagine-toi donc... À ton âge... De toute façon, je te parlais du métier de mon mari. Je vais lui laisser le soin de t'expliquer ce qu'on attendrait de toi. Cependant, je peux te dire tout de suite que si tu t'acquittes bien de la tâche qu'on veut te confier, tu ne seras pas mécontent de ta situation chez nous. On n'a jamais lésiné ici. Ce n'est pas le genre de la maison.

L'anxiété de Jérôme s'était presque entièrement dissipée. Si on lui avait demandé comment il trouvait la vie, il aurait répondu: «Passionnante!» Malgré le flou des renseignements fournis par Francine Desjarlais, il eut le sentiment de se trouver devant la chance de sa vie. Et tout de suite il pensa à la splendide carte de visite qu'il allait pouvoir présenter à Eugénie Métivier! Une ivresse bébête le gagnait. Il avait envie de battre des pieds sur le plancher mais réussissait à garder un visage calme, raidi dans un léger sourire.

— Je vous remercie de la confiance que vous me montrez, madame, dit-il en essayant de maîtriser un léger tremblement dans sa voix, et j'espère...

— Francine. C'est Francine, mon nom. Les «madame» me donnent des varices, cher.

Il rit. Il lui aurait baisé les mains.

Elle se leva:

— Je devrais avoir des nouvelles de mon mari dans une heure ou deux. Tu me laisses ton numéro de téléphone? Tiens, écris-le sur ce bout de papier… Séverin t'appellera au cours de la soirée. Attends, je vais demander à Alma de te reconduire.

Il s'était mis à la fixer, de nouveau anxieux, une question muette dans les yeux.

— Quelque chose qui ne va pas? demanda-t-elle, surprise.

— Euh… ce type… ce type à Varadero… il est vraiment… décédé?

Elle eut un haussement d'épaules:

— Ouais… Que le diable lui plante son tisonnier dans le cul… Imagine-toi donc que la police m'a importunée avec cette affaire jusqu'ici… On me parlait d'extradition et d'un tas de conneries du genre… J'ai dû mettre la main dans mon portefeuille encore une fois, mais là, c'est réglé pour de bon, ne pense plus à ça. C'est comme si ça n'avait jamais eu lieu. Promis?

Il déglutit avec effort, mais parvint à répondre d'un ton assuré:

— Promis.

Elle allait appeler sa *protégée* à l'interphone, mais Jérôme, toujours debout devant elle, s'était remis à la fixer d'un air inquiet. Elle fronça légèrement les sourcils et, contenant un début d'impatience:

— Qu'est-ce qu'il y a encore, Jérôme?

— Félix… il est au courant?

— Félix, mon cher, est en désintox à Portage et il en a encore pour plusieurs mois… Ç'a été pour lui une décision difficile à prendre, mais il n'avait plus le choix, vraiment… Non, il n'est au courant de rien, et je ne crois pas, dans les circonstances, que ce serait une bonne idée de lui en parler.

L'accablement qu'il sentit dans sa voix lui fit regretter sa question.

◆ ◆ ◆

Dans le taxi qui le ramenait chez lui, il dut lutter contre une deuxième crise d'euphorie, d'une autre origine, celle-là, et tellement violente qu'il en avait perdu partiellement le contrôle. Au bout d'un moment, le jeune chauffeur haïtien qui le ramenait chez lui, intrigué, puis agacé par les battements de pied de son client dans son dos, se retourna et, d'une voix suave:

— Dis donc, mon ami, tu travailles au Cirque du Soleil, peut-être, et tu veux pas perdre la forme, c'est ça?

— Excusez-moi, monsieur, fit Jérôme, confus, et les battements cessèrent aussitôt.

— Je suis pas méchant, je t'assure, j'aurais même de la misère à tuer *une mouche*, mon ami. Pourquoi? Parce que je me dis que tout le monde a droit à la vie – en tout cas, c'est ce que ma mère m'a toujours enseigné, et ma grand-mère aussi… Mais là, franchement, poursuivit-il en riant, tu y allais pas mal fort sur le plancher, mon ami, et c'est *pas* une auto neuve, tu comprends, elle a déjà *sept hivers* de traversés. T'imagines? C'est une vieille dame, à présent. Faut la minoucher.

— Je suis vraiment désolé, reprit Jérôme, de plus en plus embarrassé, et il se promit de verser un gros pourboire au chauffeur, ce qui était peut-être l'objectif visé par son petit laïus.

Dix minutes plus tôt, il faisait poliment la conversation avec l'immatérielle Alma en attendant le taxi qu'elle venait d'appeler, lorsque la jeune femme dut le quitter précipitamment, réclamée par sa patronne. Debout dans le vestibule, il se mit à fixer la rue, s'appuyant tantôt sur une jambe tantôt sur l'autre, et les minutes passaient, de plus en plus fades et pesantes. Alors l'angoisse boueuse qui avait monté en lui quelques heures plus tôt quand Francine Desjarlais lui avait annoncé l'issue tragique de l'incident de Varadero se mit à l'envahir de nouveau, noyant peu à peu les points de repère quotidiens de sa vie; le jour de la semaine, l'endroit où il se trouvait, la raison qui l'y avait amené, tout cela pâlissait et s'effaçait, emporté dans une sorte de vertige. L'assassin allait se contempler encore une fois dans un jeu de miroirs diabolique qui lui renverrait son image sous une multitude d'angles et tenterait de le dissoudre dans l'horreur de lui-même. « Jamais! » se dit-il.

Il fallait faire comme Charles Dickens, se lancer dans l'action. Là seul se trouvait le salut. Il s'empara de son cellulaire, repéra le numéro de téléphone d'Eugénie Métivier et l'appela, sans avoir la moindre idée de ce qu'il allait lui dire.

Une voix courtoise et impersonnelle répondit, la voix d'une femme très occupée mais soucieuse de bien faire les choses:

— Eugénie Métivier. Puis-je vous être utile?

— Eugénie, c'est Jérôme Lupien. Excuse-moi de te déranger à ton travail. Je ne serai pas long. Je voulais prendre de tes nouvelles et savoir si on pouvait…

— Jérôme! Comment vas-tu? Je pensais justement à toi ce matin.

La métamorphose qui s'était opérée dans sa voix le remplit de joie, de cette joie incrédule du collectionneur devant une trouvaille, de cette joie vorace du chasseur sur le point de faire une bonne prise. C'était donc plus qu'un début de flirt au bord de la mer et qui s'évapore, les vacances finies? Ils n'échangèrent que quelques mots (Eugénie était en effet débordée) et convinrent de se voir chez elle à 19 h pour un souper à la bonne franquette.

Il venait de raccrocher, tout absorbé dans ses pensées, lorsque Alma réapparut, comme venant de nulle part, et pointa le doigt vers la rue:

— Votre taxi est arrivé.

Il s'inclina devant elle sans un mot, sortit presque à la course et monta dans le véhicule en lançant: «5207, avenue Decelles, monsieur» comme si c'était l'annonce d'une victoire.

Le chauffeur avait terminé son petit laïus par diverses considérations aimables sur le Québec et ses saisons, sur Montréal («Une ville *sûre*, mon ami, et je sais de quoi je parle: mon beau-frère fait du taxi à Détroit!»), sur la gentillesse de la plupart de ses clients («Ils sont généreux, surtout les Québécois, je me demande bien pourquoi.») et autres sujets connexes et d'une égale gravité. Jérôme lui répondait par de polis monosyllabes. Son euphorie se calmait peu à peu, remplacée par des réflexions à caractère tactique. La soirée s'annonçait bien. C'était une baise presque assurée (si, bien sûr, la petite Andrée-Anne n'était pas malade ou blessée et qu'elle acceptait de faire dodo avant 23 h). Par contre, quand on allait trop vite en affaires, la plupart du temps ça ne durait pas. Le cul à l'état pur, c'était comme neige au soleil. Quelle ligne devait-il suivre alors? Il fallait monter trois ou quatre stratégies et s'adapter aux circonstances. Car l'amour, dans ses débuts, ressemble beaucoup à une bataille. Mais il n'avait préparé aucun plan. Pas de voie de retraite. Attaques surprises? Manœuvres de contournement? Rien ne lui venait à l'esprit. Il était à genoux devant cette femme. Comme un corniaud. Le seul besoin qu'il ressentait, c'était de se presser contre elle. Il en avait des fourmis dans la queue et, en même temps, les larmes lui montaient aux yeux. Foutue affaire. Voilà si longtemps que cela ne lui était arrivé! C'était magnifique et effrayant. Et plus il y réfléchissait, plus il s'entortillait dans ses réflexions.

Le chauffeur, intrigué par son silence, jeta un coup d'œil dans le rétroviseur. « Il n'a pas l'air d'aller fort, le moineau… J'espère qu'il a assez de fric pour me payer la course. » Un pourboire de 5 $ fit disparaître ses craintes.

En entrant chez lui, Jérôme ne savait plus du tout quoi faire. Pourquoi la joie chez lui était-elle si souvent suivie par ces stupides angoisses ? Pourquoi la perspective de passer la soirée avec une femme ravissante le mettait-elle dans un pareil état ? Pourquoi, bon sang de bon sang, n'était-il pas *comme tout le monde* ?

Par bonheur, un message de Charlie sur son répondeur lui servit de puissante diversion.

Charlie venait de téléphoner de Micro-Boutique et s'était montré particulièrement éloquent.

« Jérôme, disait-il d'un ton grave et recueilli, j'ai pris ma pause-café une demi-heure avant tout le monde cet après-midi pour être seul dans la cuisinette, car j'ai à te parler de choses importantes – qui concernent ta vie. Eh oui, mon vieux, ta vie, rien de moins… J'ai même, à ce sujet, une proposition à te faire. Une proposition qui m'est venue après de *longues* réflexions. Ah, je t'imagine déjà en train de rouspéter comme tous les abrutis de ton espèce… Aussi je suis bien content de parler à ton répondeur plutôt qu'à toi ! Lui, au moins, ne m'interrompra pas à tout bout de champ… Alors, j'en viens au fait. »

Il s'éclaircit la gorge, puis eut un toussotement nerveux.

« Je veux te faire rencontrer quelqu'un, Jérôme… Quelqu'un qui va t'aider à retrouver le nord, car tu es en train de le perdre – je te l'ai déjà fait remarquer à quelques reprises –, et ta vie s'en va à vau-l'eau, ça, tu ne peux pas le nier, et moi je m'en inquiète, évidemment, comme un véritable ami doit s'en inquiéter. Ce quelqu'un est une psychologue, Jérôme ; je suis allé la consulter à trois reprises (je ne m'allongerai pas pour l'instant sur les raisons, si tu permets), et elle m'a été d'un grand secours. Elle s'appelle Joëlle Frémont, c'est une spécialiste du *rebirth* qui a été formée – c'est très important – par un élève de Leonard Orr, l'inventeur même de la thérapie. Tu n'es sûrement pas sans savoir que le *rebirth* est une des plus grandes réussites du mouvement *New Age*. Le *rebirth* a sauvé des milliers de personnes, Jérôme, et, si tu le veux, il pourrait te sauver toi aussi. »

Jérôme ferma le répondeur. Deux taches rouges s'étaient allumées sur ses joues, et sa bouche amincie aux commissures incurvées vers le bas annonçait le tonnerre, la foudre et les éclairs.

— Qu'est-ce qu'il lui prend? Il a fumé du hasch trop fort ou quoi? C'est plutôt lui qui aurait besoin d'être *sauvé*, comme il dit.

Sa colère était d'autant plus vive qu'il sentait que Charlie, avec sa main pataude, avait touché juste: dans une discussion serrée – et malgré les perspectives heureuses qui venaient de s'ouvrir devant lui –, n'aurait-il pas été forcé de convenir que sa vie, depuis longtemps, était en quelque sorte à la dérive? Avec, en prime, le risque – théorique pour l'instant, mais qui connaît l'avenir? – d'être impliqué dans une histoire d'homicide.

Il prit son cellulaire et pitonna fébrilement un numéro.

— Allô? fit la voix de Charlie.

— C'est moi, répondit froidement Jérôme.

— Ah, salut… T'as eu mon message?

— Et comment! Écoute-moi bien, mon vieux. Deux choses. *Primo*: je suis sur le point d'avoir un emploi qui va te faire baver d'envie et *secundo*: j'ai rendez-vous ce soir avec une femme épatante. Alors, malgré tout le respect que je te dois, ton *rebirth*, dans le cul!

Il y eut un moment de silence au bout du fil.

— Ta réaction, répondit enfin Charlie avec un calme étonnant, est tout à fait normale, Jérôme… La première fois, j'ai eu la même.

Jérôme se mit à suer de rage:

— Sauf que, dans mon cas, chum, cracha-t-il dans le téléphone, la première fois, c'est en même temps la dernière. Alors, fais-moi plaisir et ne m'embête plus avec tes conneries, O.K.?

— Comme tu veux, répondit stoïquement Charlie. De toute façon, c'est toi qui perds au change. Mais prends quand même le temps d'y repenser. Maintenant, tu vas m'excuser, j'ai du boulot. On se reparle.

Jérôme arpentait la cuisine à grandes enjambées.

— Ma foi du bon Dieu, grommela-t-il en fourrageant d'une main fébrile dans ses cheveux, il a attrapé le virus des Témoins de Jéhovah ou quelque chose du genre? Il n'est plus fréquentable, le pauvre…

Il fallait se changer les idées. La colère ne devait pas gâcher cette journée qui s'annonçait mémorable. La sonnerie *new wave* de son cellulaire se mit à chanter.

— Séverin Sicotte à l'appareil, fit une voix profonde et granitique. Est-ce que je vous dérange?

— Pas du tout, monsieur Sicotte, répondit avec empressement Jérôme.

Ses aisselles devinrent aussitôt de petites étuves. «Ne pas oublier de changer de chemise avant mon rendez-vous de ce soir.»

— Vous avez rencontré ma femme cet après-midi. Auriez-vous un peu de temps à m'accorder?

— Bien sûr, monsieur. Quand vous voulez.

Mais à la pensée que cela pourrait retarder sa rencontre de la soirée avec Eugénie, il grimaça, et deux taches sombres apparurent bientôt sur sa chemise.

— Bien aimable à vous, répondit la voix profonde. Je me trouve au Ritz-Carlton, rue Sherbrooke. Vous connaissez?

— Oui, bien sûr, répondit le jeune homme qui n'y avait jamais mis les pieds mais se rappelait que de Gaulle, Churchill et Céline Dion y étaient déjà descendus.

— Pouvez-vous être à la suite 342 dans, disons... une demi-heure?

— Tout à fait, monsieur.

— Ce n'est pas trop vous demander?

— Pas du tout.

— Désolé de vous faire galoper comme ça, mais j'ai une journée très chargée – et elle n'est pas terminée... À tout à l'heure, donc.

Jérôme referma son cellulaire, consulta sa montre, puis posa un regard découragé sur sa chemise; elle n'était plus présentable. Il l'enleva, se rendit à la salle de bains, s'aspergea les aisselles d'eau de Cologne, enfila une nouvelle chemise et décida d'en glisser une autre dans sa serviette de cuir, au cas où. Tout cela avait pris huit bonnes minutes.

«Heureusement qu'il passe beaucoup de taxis dans le coin», se dit-il en dégringolant l'escalier qui menait à la rue.

◆ ◆ ◆

Séverin Sicotte entra dans la suite, fit quelques pas, puis s'arrêta brusquement et se mit à renifler en tournant la tête à gauche et à droite, les sourcils froncés. Malgré les vapeurs odorantes du whisky qui roulaient encore dans ses fosses nasales, il avait détecté une odeur suspecte et haïe.

— Ça sent la cigarette, Olivier, grogna-t-il en se tournant vers un petit homme vif et au crâne dégarni qui le suivait et venait de refermer la porte derrière lui.

Olivier poussa un profond soupir, comme si le désagrément que venait de lui signaler son patron l'ennuyait lui-même encore bien davantage et, d'un pas précipité, alla ouvrir une fenêtre, puis une seconde, et activa ensuite le système de ventilation, tandis que Séverin Sicotte l'observait avec une expression où le courroux se mêlait à la satisfaction de voir ses volontés si promptement satisfaites.

Une initiation des nouveaux étudiants à la Faculté de droit de l'Université Laval en 1977 était à l'origine de sa haine de la cigarette et de tout ce qui pouvait affecter la respiration. Cette année-là, le comité de réception des 92 *naveaux* à la Faculté de droit avait obligé les malheureux à s'entasser vaille que vaille dans une chambre capable de recevoir tout au plus 20 personnes – certains ayant dû s'empiler sur leurs camarades dans des positions grotesques. On les avait alors obligés à fumer chacun une Gitane, fournie gracieusement par le comité, puis à chanter en chœur et sans fausser *Alouette, gentille alouette* jusqu'à la satisfaction entière des organisateurs. L'opération avait duré 38 minutes ; six étudiants avaient vomi ; trois s'étaient évanouis ; un *naveau* (une mauviette, évidemment) avait dû être transporté à l'hôpital mais en était sorti le soir même. Pendant toute l'initiation, Séverin Sicotte était resté coincé sous un lit dans un nuage de fumée pestilentielle, la main gauche écrasée par le talon d'un condisciple et la tête pressée contre la poitrine d'un compagnon en train de lutter contre une crise de panique. L'expérience l'avait marqué, déterminant même chez lui une tendance à la claustrophobie.

— Le Ritz m'a habitué à un meilleur service, grogna de nouveau Sicotte. Mon bonhomme arrive dans *cinq* minutes… On n'a pas le temps de changer de suite.

— Ce n'est pas la première fois, observa Olivier, que je te suggère de toujours louer la même. De cette façon, tu saurais quel air tu respires.

— Tu n'y penses pas : louer une suite durant des mois au Ritz-Carlton ? Une fortune !

Olivier ne répondit rien, mais le sourire qui se dessina sur ses lèvres minces et pâles semblait indiquer qu'à son avis ce qui coûtait une fortune pour le commun des mortels pouvait n'être qu'une dépense plutôt légère pour d'autres.

Séverin Sicotte alla s'installer derrière un grand bureau de style Empire, remarquable par la finesse de sa marqueterie, et disposa devant lui quelques feuilles et documents pris dans la serviette qui l'accompagnait partout. Puis il recommença à renifler en tournant la tête de tous côtés, l'air mécontent, et des toussotements se mirent bientôt à lui secouer les épaules.

— Ça ne part pas, cette maudite odeur, se plaignit-il. Augmente la ventilation, Olivier.

— Je l'ai réglée au maximum, patron, répondit l'autre de la pièce voisine. Il faut attendre un peu.

Puis passant la tête dans l'embrasure :

— Est-ce que je demande qu'on apporte du café ?

Sicotte fit signe que oui.

Des coups à la porte transformèrent subitement Olivier en courant d'air, et pendant l'entrevue qui suivit aucun bruit ne signala sa présence.

Séverin Sicotte alla ouvrir et, d'une voix qui essayait d'être chaleureuse mais qui n'y parvenait pas tout à fait :

— Monsieur Lupien ? Merci d'être venu si vite… Excusez-moi encore une fois pour ce rendez-vous à la dernière minute… J'ai des journées épouvantables, si vous saviez… Et puis, je dois vous avouer, ajouta-t-il avec un sourire un peu forcé, qu'après ce que ma femme m'a raconté à votre sujet, j'avais un peu beaucoup hâte de vous voir !

— Je vous en prie, monsieur, merci, bafouilla Jérôme qui depuis son arrivée dans le chic hôtel se sentait comme un va-nu-pieds.

— Allez, venez vous assoir, fit Sicotte en l'entraînant dans la pièce.

Il lui montra un fauteuil, s'installa sur un canapé en face de son visiteur et, penché en avant, les coudes sur les cuisses, se mit à le fixer avec un sourire engageant. Jérôme rougit, lui rendit son sourire et, ne sachant plus quelle contenance prendre, se tortilla dans le fauteuil.

Une expression de gravité pleine d'émotion se répandit alors sur le visage de Séverin Sicotte :

— Je veux tout d'abord vous remercier, monsieur Lupien, articulat-il de sa voix lente et profonde, pour le courage que vous avez montré dans cette histoire malheureuse à Varadero. Sans vous, mon garçon serait peut-être déjà six pieds sous terre, le pauvre.

Jérôme, qui avait décidé de jouer la carte de la modestie, eut un geste comme pour signifier qu'il n'avait fait que ce que n'importe qui aurait fait.

— Dans ces milieux-là, poursuivit son hôte, ça joue très dur, tout le monde sait ça. Vous connaissez des histoires, j'en connais plein, moi aussi… Et puis, cela va sans dire, je suis désolé, *très* désolé, croyez-moi, pour les complications que cela vous a apportées… Mais tout est réglé à présent, ma femme vous l'a dit… Merci mille fois.

Alors son visage s'éclaira comme sous l'effet d'un jeu de lumière :

— Est-ce que je peux vous offrir un café, du vin, une eau minérale ? Un café ? Bien. Je viens justement de demander qu'on en monte.

Il avait à peine terminé sa phrase qu'on entendit des coups discrets frappés à la porte.

— Le voilà.

Une fois le café servi avec le décorum typique du célèbre hôtel, tout se déroula rapidement. En quelques minutes, Jérôme présenta de vive voix son curriculum vitæ ; il détenait un diplôme en lettres de l'Université de Montréal et s'intéressait également à une foule de domaines (les sciences et la politique comprises) ; il était un mordu de littérature étrangère (en traduction, évidemment, sauf pour l'anglais) et – si cela pouvait être d'un quelconque intérêt – il avait obtenu trois ans plus tôt le premier prix au concours de la Dictée des Amériques.

— Vous êtes fort en orthographe, c'est ça ? fit Sicotte, visiblement impressionné. C'est bien, c'est bien.

Et il prit une gorgée de café, pensif, l'œil à demi fermé.

— Ma femme m'a dit que vous ne fumez pas, c'est vrai ? reprit-il en déposant sa tasse sur la table.

— Non, je ne fume pas, répondit Jérôme, étonné. C'est important ?

— Pour moi, ça l'est. Je n'aime pas la cigarette. Ça tue.

Il approcha de nouveau la tasse de ses lèvres, prit une gorgée, redéposa la tasse, puis, du bout de son pied, se mit à battre doucement le plancher.

Une décision était sur le point de tomber. Jérôme l'observait, ses orteils brûlants recroquevillés dans ses souliers ; il n'avait même pas demandé de quel emploi au juste il s'agissait. « Oh là là ! se dit-il tout à coup, j'ai donc bien fait d'apporter une chemise de rechange. Je sue comme un bœuf qui tire une maison. »

— Voyez-vous, monsieur Lupien, fit Sicotte en relevant la tête, je cherche quelqu'un de débrouillard, de dynamique, capable de rédiger des textes – en français, bien sûr, mais aussi un peu en anglais : après tout, nous sommes en Amérique, n'est-ce pas ? Qu'il ait ou non de l'expérience, ça m'importe peu, pourvu qu'il sache apprendre.

— Je peux vous assurer que je n'en ai pas, répondit Jérôme mi-figue mi-raisin, mais j'apprends vite.

Puis, la situation lui paraissant de plus en plus absurde, il demanda :

— De quel emploi s'agit-il au juste, monsieur Sicotte ?

— Je suis à la recherche d'un… heu… secrétaire, qui pourrait être en même temps, quand c'est nécessaire, une sorte d'agent de liaison. Voyez-vous, monsieur Lupien, j'exerce la profession de lobbyiste, mais, une chose en entraînant une autre, j'ai parfois plusieurs chaudrons sur le feu.

— Vous êtes lobbyiste pour qui ?

— Je vous expliquerai tout ça au fur et à mesure. C'est un métier un peu compliqué.

« C'est donc qu'il m'engage ! » s'exclama intérieurement Jérôme.

Il eut peine à contenir sa joie et – par une sorte de coq à l'âne intérieur qui l'étonna – ses pensées se tournèrent vers Eugénie Métivier. Sa hâte de la revoir décupla.

— Si mon offre vous intéresse, poursuivait Sicotte, je vais vous prendre à l'essai. Au début, je vous emploierais comme une sorte de… rédacteur de textes pour la correspondance et ce genre de choses, vous voyez ? Car je dois vous avouer que, tout avocat que je suis, l'écriture n'a jamais été mon fort… En fait, ça m'ennuie un peu, pour ne rien vous cacher. Mais j'ai beaucoup de respect pour ceux qui savent écrire, se reprit-il aussitôt. Vous travaillez à l'ordinateur? Oui, bien sûr, votre génération a connu l'informatique à l'âge du biberon. Nous autres, les vieux, nous avons dû apprendre sur le tard, et on en a parfois arraché! Pour vous, les jeunes, c'est comme voler pour un oiseau, hein? Maintenant…

Il redressa le torse et se laissa aller mollement contre le canapé dans une pose alanguie, comme s'il allait aborder un sujet mineur:

— Quelles sont vos conditions, jeune homme?

Jérôme, pris au dépourvu, resta coi.

— 50 000 $ par année, ça vous irait pour commencer?

Le scintillement qui apparut dans les yeux du jeune homme amena un léger sourire aux lèvres de Sicotte. Il poursuivit:

— L'horaire de travail peut varier, par contre. La plupart du temps, vous ferez la semaine de 35 heures, mais il peut arriver des urgences, des cas spéciaux, et là vous faites comme moi, on ne compte plus les heures…

— Ça me convient tout à fait, monsieur, répondit Jérôme en s'efforçant de prendre un ton ferme et dégagé.

Sicotte se leva et lui tendit la main:

— Alors, marché conclu, mon ami. Demain matin, 9 h, à mon bureau, Caledonia Road. À présent, je vais devoir vous mettre à la porte, j'ai un client qui va se pointer.

Jérôme, un peu sonné et marchant comme sur un nuage, allait partir lorsque l'avocat l'appela:

— Ta serviette… tu oubliais ta serviette, Jérôme.

— Ah! diable! c'est bien vrai, fit ce dernier en revenant précipitamment sur ses pas et, tout confus, il alla la prendre près du fauteuil tandis que son nouveau patron le fixait avec un sourire narquois.

— On se tutoie maintenant, hein, Jérôme? Dans une équipe, le «vous», ça va à la poubelle.

— Oui, bien sûr, comme vous… euh, comme tu veux.

— Comme tu veux, *Séverin*.

— Séverin, répéta le jeune homme en rougissant… Eh bien, à demain, donc.

Sicotte attendit que la porte soit refermée, puis alla s'assurer en posant l'œil contre le judas qu'il était bien parti. Quand il se retourna, Olivier était réapparu.

— Et alors, mon ami, quel est ton avis ?

— Je crois que tu es bien tombé, patron. Il ne me semble pas sot du tout, bien au contraire, mais il est encore un peu naïf. Ça va nous aider à le former petit à petit – et d'autant plus facilement qu'il y a cette épée de Damoclès au-dessus de sa tête…

— Elle est en caoutchouc, l'épée, répondit Sicotte en riant, mais voilà : il ne le sait pas. Et si jamais un jour il l'apprenait, après les petits travaux que je lui aurai fait faire, ça n'aura plus d'importance. C'est amusant, cette histoire, hein, tu ne trouves pas ?

Olivier hochait la tête avec un léger sourire, tout flatté de voir que son patron lui parlait comme sur un pied d'égalité. Après tout, il n'était à son service que depuis 11 mois et une semaine ; mais il avait quand même eu le temps de lui donner des preuves éloquentes de loyauté.

◆ ◆ ◆

Il approchait 18 h quand Jérôme réapparut dans le hall du Ritz-Carlton ; il avait rendez-vous avec Eugénie Métivier à 19 h. Mais il fallait auparavant changer de chemise pour la troisième fois – avait-il attrapé la fièvre jaune, bon sang ? Jamais, de toute sa vie, il n'avait autant sué ! – puis acheter une bonne bouteille – pas question de manquer aux usages en se présentant les mains vides – et enfin arriver à temps au 159 de l'avenue Querbes à Outremont. Il avisa un groom, se fit indiquer les toilettes, en ressortit avec une chemise fraîche, puis, retraversant le hall, glissa naïvement une pièce de 2 $ (on n'était pas dans un Holiday Inn, après tout) dans la main d'un portier quinquagénaire aux allures de gouverneur général qui, d'un geste hiératique, fit avancer un taxi.

Dix minutes plus tard, en pleine heure de pointe, il descendait devant le Complexe Les Ailes, rue Sainte-Catherine, où se trouvait une succursale de la Société des alcools.

— Je reviens tout de suite, lança-t-il au chauffeur. Vous ne bougez pas, hein ?

Sept autres minutes plus tard, son achat en main, Jérôme reprenait la route en direction d'Outremont. Un embouteillage monstre causé par un accident les bloqua pendant 27 minutes; loin devant eux, des sirènes hurlaient, des gyrophares clignotaient; le chauffeur parlait de l'avenir de ses enfants (trois garçons, deux filles) et des ennuis de santé de sa femme, couturière à la manufacture Vêtements Peerless et qui suivait des cours de francisation après son travail. Jérôme s'efforçait de rester calme: il ne pouvait quand même pas changer de chemise une autre fois. Il franchit les limites du quartier chic et huppé à 19 h 14. Pendant le trajet, il avait téléphoné à Eugénie pour la prévenir de son retard; un coup de chance extraordinaire venait de lui arriver, lui annonça-t-il, et il avait hâte de lui en parler.

— Voilà, monsieur, on est rendus, lança le chauffeur en posant un regard satisfait sur le compteur. Quand même pas pire, avec toute cette circulation!

Jérôme régla la course (encore une fois, le pourboire fut généreux) et s'éloigna sur le trottoir, sa bouteille en main et le cœur battant.

Eugénie logeait à l'étage d'un assez bel immeuble de brique un peu en retrait de la rue et conçu, comme la majorité des maisons des rues avoisinantes, dans le style postvictorien à l'ornementation plus sobre affectionné par une certaine classe moyenne ascendante.

Un vieil érable déjà bourgeonnant ombrageait durant la belle saison la façade et ses deux perrons superposés à balustrades de bois ouvragé.

Jérôme monta lentement l'escalier extérieur qui menait à l'étage, soucieux de ne pas se mettre en sueur, et sonna; par-delà une grande porte à carreaux biseautés tendue d'un rideau de mousseline parvenaient le son d'une trompette bouchée et des accords de piano. Une question jaillit alors dans son esprit, qu'il fut surpris de ne s'être jamais posée. Eugénie était-elle divorcée, veuve ou alors mère célibataire, comme le voulait maintenant la mode dans certains milieux?

Il n'eut pas le temps de s'y attarder. La porte s'ouvrit et elle apparut, souriante et plus belle que jamais, tandis que des pas précipités s'approchaient:

— C'est qui? c'est qui? demanda une voix d'enfant.

— Mais je te l'ai dit, mon amour, c'est Jérôme qui vient nous voir, tu te souviens de lui, non? répondit la jeune femme en se penchant vers Andrée-Anne pressée contre ses jambes et qui fixait le visiteur avec des yeux à la fois timides et inquisiteurs. Entre, je t'en prie, dit-elle à Jérôme avec un sourire entendu. Ta visite a l'air d'être tout un événement...

Elle n'aurait jamais cru si bien dire.

La petite fille était repartie en courant avec des gloussements d'excitation.

— Tu me donnes ton manteau ? fit Eugénie.

Il y eut un frôlement de main appuyé d'un regard tendre, la paupière à demi fermée, qui indiqua à Jérôme que sa soirée ne serait vraisemblablement pas perdue.

Et tandis qu'elle suspendait le manteau sur un cintre, il s'avança dans un salon spacieux meublé dans le goût scandinave, qui revenait à la mode.

— C'est joli chez toi, dit-il en essayant de prendre un ton familier et détendu (mais une question ne cessait de revenir dans sa tête : à quelle heure la petite fille se couchait-elle ?). Il y a longtemps que tu habites ici ?

— J'ai acheté le duplex il y a deux ans, répondit-elle en s'approchant de lui. Après mon divorce. Mais viens t'assoir et raconte-moi l'histoire extraordinaire qui vient de t'arriver. Je te sers quelque chose ? Vin ? Bière ? Martini ?

— C'est Miles Davis qui joue ? fit-il en tendant le doigt vers une chaîne haute fidélité qui dressait devant eux sa splendeur minimaliste d'acajou et d'acier brossé.

— Oui. T'es amateur de jazz ?

— Oh, pas vraiment, mais qui ne connaît pas Miles Davis ?

Insoucieux de l'enfilade de coq-à-l'âne où ils s'empêtraient, ils essayaient vaillamment de s'arrimer l'un à l'autre comme deux inconnus feignant de se connaître depuis longtemps.

— Et alors, reprit-elle, qu'est-ce que je te sers ?

— Je prendrais bien du vin rouge.

— J'en ai découvert un excellent l'autre jour, un espagnol, le Juan Gil – si tu aimes les vins boisés... Ne t'inquiète pas, ajouta-t-elle en riant, je n'essaie pas de te refiler un vin d'épicerie même si je travaille chez Metro.

— Va pour le Juan Gil, lança-t-il.

D'un mouvement vif et gracieux, elle pivota sur ses talons et quitta la pièce. Il s'installa dans un fauteuil, allongea les jambes, prit une grande inspiration et sourit. Des tintements de verre parvenaient de la cuisine accompagnés d'un chantonnement, et autour du chantonnement s'enroulaient les volutes d'un fumet qui lui faisait gargouiller l'estomac. Dans la pièce voisine, la petite fille babillait, comme si elle avait oublié sa présence. Les choses allaient bien. *La vita è bella!* Il la trouvait plus chouette que jamais, cette Eugénie, avec ses cheveux ramenés en arrière qui dégageaient le délicieux ovale de son visage. Elle était à la fois simple et raffinée – pas du tout la snobinarde d'Outremont qu'avait créée la légende populaire –, avec, en plus, quelque chose de calme, de clair et de sûr de soi dans le regard qui était reposant. L'impression de naufragée qu'elle lui avait d'abord faite sur le bord de la piscine à l'Iberostar s'était envolée. Évidemment, ils étaient tous deux ce soir-là en mode séduction. Pour le reste, on verrait. Son détachement subit l'étonna. Que s'était-il donc passé en lui? Il y a quelques heures à peine, il se débattait comme un forcené, pris dans les pinces de ce *besoin d'elle pour continuer à vivre.* L'aimait-il ou pas? *On verrait plus tard.* C'était comme si l'image de la belle-naufragée-devenue-le-centre-de-sa-vie venait de se fracasser contre la perspective d'une bonne baise bien solide dont les deux auraient ressenti un ardent besoin.

Eugénie réapparut, avançant d'un pas prudent avec un plateau où elle avait déposé la bouteille de vin, deux ballons et une assiette de hors-d'œuvre.

— Et alors? fit-elle en déposant le plateau sur une table à café, raconte-moi ce qui t'est arrivé.

Elle s'assit en face de lui, ils trinquèrent, Jérôme eut un claquement de langue satisfait, puis se lança dans son récit et faillit se rendre jusqu'à la fin.

— Maman! cria Andrée-Anne comme si on lui avait transpercé la main d'une dague. Quand est-ce qu'on soupe? J'ai faim!

— Viens dans le salon, ma chérie, il y a de bonnes petites choses à manger ici, on va se mettre à table dans cinq minutes. Elle s'est empiffrée comme un ogre en arrivant de la garderie, poursuivit-elle à voix basse à l'intention de Jérôme, mais je crois que mademoiselle veut attirer l'attention.

Andrée-Anne apparut avec un album à colorier, puis s'arrêta et jeta un long regard réprobateur à Jérôme.

— Est-ce que je peux voir ton album? demanda-t-il aimablement, croyant que c'était la question à poser.

Elle secoua lentement la tête:

— C'est personnel, répondit-elle gravement.

Il rit et sa réaction sembla plaire à la petite fille qui sourit, s'approcha et allongea la main vers l'assiette de hors-d'œuvre:

— Est-ce qu'elles sont piquantes, les olives, maman?

— Non, chérie, pas du tout. Tiens, prends aussi ce craquelin avec du fromage, tu aimes ça.

— Ah, c'est dommage, plaisanta Jérôme, c'est le dernier, et je voulais le manger.

— Maman t'en fera d'autres, répondit-elle en le regardant droit dans les yeux.

Et elle engouffra d'un coup le craquelin et l'olive, puis, leur tournant le dos, s'assit par terre et se mit à feuilleter l'album.

— Dis donc, fit Jérôme, quel âge as-tu? Cinq ans?

— Je vais avoir cinq ans la semaine prochaine, annonça Andrée-Anne comme s'il s'agissait d'un exploit. Il ne me reste plus de crayon vert, maman.

— Je t'en achèterai demain ou après-demain, trésor, quand je ferai mes courses.

Jérôme eut l'agréable impression de pénétrer dans leur intimité. «Et ce n'est qu'un début!» jubila-t-il dans un élan de fatuité.

— Et donc, fit Eugénie en se retournant vers lui pour reprendre la conversation, tu te lances demain dans la profession de lobbyiste? C'est chouette. Tu vas rencontrer toutes sortes de gens intéressants.

— Oh, je ne serai pas lobbyiste demain matin, tu t'imagines bien. Il faut d'abord que j'apprenne le métier, que je fasse mes preuves... Qui sait? On pourrait me foutre à la porte dans une semaine...

— Moi, j'ai confiance, répondit-elle.

Il y avait dans sa voix une calme gravité qui laissait entendre que cette confiance s'étendait bien au-delà de ses capacités professionnelles. Jérôme en fut flatté et, en même temps, un peu inquiet.

Mais déjà son attention était requise ailleurs.

— Est-ce que ça se peut, un papillon bleu ? lui demandait Andrée-Anne en posant l'album ouvert sur ses genoux.

Au milieu de la page gauche, un papillon aux ailes bleues fuyait la gueule béante d'un petit épagneul encore sans couleur.

Il l'examina une seconde, cherchant la réponse adéquate.

— Je ne sais pas, mais en tout cas, il est très joli.

Il essayait d'éviter la platitude du gentil mononcle qui essaie de jouer à l'enfant. Mais, à propos, comment faisait-on ?

— Je l'ai colorié à l'école ce matin, poursuivit la petite fille devenue soudain volubile. Myriam m'a dit que ça se pouvait pas, un papillon bleu, et qu'il était très laid, mais Myriam, elle se chicane avec tout le monde et elle n'est pas bonne en dessin – pas du tout ! – et puis il me semble qu'on en voit des fois à la télévision, des papillons bleus – des vrais, je veux dire, pas des papillons de dessins animés.

— Ce qui compte, de toute façon, c'est qu'il soit beau. Et puis, oui, il me semble que j'en ai vu à la télé il n'y a pas si longtemps.

— Ah oui ? Quand ?

Eugénie regarda sa montre.

— À table, annonça-t-elle en se levant. Apporterais-tu le vin, Jérôme ?

Le repas se déroula gaiement. Comme dans les maisons bourgeoises, un passe-plat permettait de faire le service entre la cuisine et la salle à manger et Jérôme, de plus en plus galant à mesure que le vin baissait dans la bouteille, s'était offert à aider l'hôtesse, ce que celle-ci, de plus en plus familière et détendue, avait fini par accepter. Après avoir chipoté deux ou trois minutes dans son assiette (« Tu le sais bien, maman, j'aime pas ça, le canard »), Andrée-Anne s'était retirée de table pour regarder un DVD dans sa chambre en attendant le dessert, et la conversation entre Eugénie et son invité avait pris aussitôt un tour plus libre.

— Je te trouve adorable, lui avait tout à coup déclaré Jérôme en passant derrière elle pour aller porter des assiettes, et il l'avait embrassée dans le cou. Est-ce que tu m'invites à passer la nuit?

Elle avait levé la tête avec un sourire taquin:

— Je n'aurais sûrement pas le droit de te laisser partir dans l'état où tu es.

Leurs lèvres allaient se toucher lorsque le regard de Jérôme tomba sur Andrée-Anne, immobile dans la porte et qui les observait d'un air réprobateur; leur baiser en fut plus court qu'il ne l'aurait souhaité.

— Est-ce qu'on mange le dessert? demanda l'enfant d'une petite voix acide.

— On le mangera quand je t'appellerai, Andrée-Anne, répondit sa mère en luttant contre un début d'impatience.

Mais aussitôt, d'un ton radouci:

— Bon, approche-toi, chérie… Je crois qu'on est rendus là, n'est-ce pas, Jérôme?

— Effectivement.

Le dessert servi et dégusté, ils retournèrent au salon. Andrée-Anne, après un long regard soupçonneux sur Jérôme, s'installa dans un coin avec une tablette électronique d'où s'échappèrent d'étranges pépiements. Mais bientôt, à la grande satisfaction du jeune homme, elle se mit à bâiller et à se frotter les yeux en grimaçant.

— Je crois que l'heure du dodo est arrivée, ma chérie. Viens mettre ton pyjama et faire une petite toilette. Tu dis bonsoir à Jérôme?

— Bonsoir, marmonna-t-elle sans le regarder.

— J'en ai pour deux minutes, fit Eugénie en se tournant vers son invité.

Et elle amena sa fille à la salle de bains.

Par la porte entrouverte, on entendit bientôt des bruits d'eau et les soupirs d'un enfant qu'on débarbouille en vitesse.

— Je ne prends pas mon bain? s'étonna Andrée-Anne.

— Pas ce soir, chérie, j'ai de la visite.

— Tu frottes trop fort, maman!

— Excuse-moi, Minouchette, je vais faire attention… Mais comment as-tu fait pour te tacher comme ça, dis donc? Donne-moi ton pied.

Un moment passa. Des gémissements avaient succédé aux soupirs. Cette toilette expéditive avait rendu la petite fille maussade; elle ronchonnait sur tout et sur rien : elle avait du savon dans les yeux, son pyjama était *vieux et laid*, sa portion de dessert avait été *bien trop petite*, etc.

— Tu n'aimais pas ça quand papa buvait du vin, se plaignit-elle tout à coup, mais toi, t'en as bu toute la soirée…

— Papa buvait *tous* les soirs, Andrée-Anne, et il buvait *beaucoup*, tandis que…

La porte refermée empêcha Jérôme d'entendre la suite, mais cette scène intime l'avait fort intéressé et mis de bonne humeur. Il se mit à chantonner *L'Ode à la joie* sur un rythme de valse, tandis que des images salaces virevoltaient dans sa tête.

Soudain, un spasme au ventre lui envoya comme un coup de froid dans tout le corps. « Ouais, se dit-il en refermant ses mains moites, je commence mon nouveau travail demain. Il faut que je sois à la hauteur… vraiment à la hauteur, sinon… »

Il prit une grande inspiration :

« Bon… ça va aller… Je vais me débrouiller… Après tout, je ne suis pas n'importe qui… *Tu n'es pas n'importe qui, Jérôme Lupien*! *Tu n'es pas…* »

Une porte s'ouvrit, il y eut un trottinement de pieds nus, puis une autre porte se referma. La maman allait border sa Minouchette. Il était temps, ah ça, oui! *L'Ode à la joie* avait repris, plus guillerette que jamais, et Jérôme, affalé dans le fauteuil, balançait les cuisses, le regard au plafond, perdu dans une songerie voluptueuse.

Soudain, Eugénie apparut devant lui avec un sourire à la fois radieux et tendu :

— Elle est couchée, annonça-t-elle à voix basse. Dans quatre ou cinq minutes, elle va dormir.

Elle s'approcha et, familièrement, s'assit sur l'accoudoir du fauteuil qu'il occupait :

— Quelle énergie on a à cet âge, soupira-t-elle en allongeant un bras sur le dossier.

Il leva la tête vers elle avec un sourire équivoque :

— Ce soir, je me sens pas mal d'énergie, moi aussi. Et toi?

Il se mit à lui caresser une cuisse, puis introduisit une main sous sa robe. Elle se laissa glisser sur les genoux de Jérôme et ils se fondirent dans un enlacement passionné.

— Non, non, pas ici, Jérôme, je t'en prie, chuchota-t-elle en le repoussant. Il faut attendre un peu, elle ne dort pas encore, j'en suis sûre.

Il se rejeta en arrière, respirant avec bruit, tandis que, debout devant lui, l'œil inquiet et les joues rougies de désir, elle remettait de l'ordre dans sa coiffure et ses vêtements.

Ils se regardèrent un moment.

Jérôme eut alors un petit rire sarcastique :

— Je vais finir par exploser, moi.

— Et comment penses-tu que je me sens ?

Elle fit quelques pas, tendit la tête vers la chambre de sa fille, puis revint devant Jérôme, un doigt sur les lèvres : quelques minutes encore, et ça y était.

— Je te sers quelque chose ?

— Tiens, pourquoi pas ? Ça va faire passer le temps…

Il prit de nouveau une profonde inspiration, puis sourit :

— Que dirais-tu de goûter au vin que j'ai apporté ? C'est un Montecoma 1998, pas mal du tout – si tu aimes les Ripassos –, et une très bonne année en plus (il aimait parfois étaler ses connaissances de garçon de café).

Ils se rendirent à la cuisine où, plutôt que d'ouvrir la bouteille, il se remit à la lutiner en lui murmurant à l'oreille des douceurs qui la faisaient sourire ; elle répondit bientôt à ses caresses avec la même ardeur.

— Arrête, je t'en prie, fit-il tout à coup en se dégageant, tu m'excites trop.

Les yeux baissés, elle riait, un peu gênée de se laisser aller à ce point avec un homme qu'elle connaissait au fond si peu.

Il l'enveloppa d'un regard plein de tendre convoitise et se mit à lui caresser les cheveux :

— T'es belle, belle à faire damner un conclave…

Elle pouffa de rire :

— Eh bien! c'est la première fois qu'on me fait un compliment aussi... catholique! Par contre, à bien y penser, je crois qu'avec des cardinaux t'aurais plus de chances que moi.

Mais Jérôme, emporté par son élan, poursuivait avec ferveur :

— Et dire qu'à Varadero j'aurais pu passer à côté de toi ce jour-là et te louper... Quel désastre ç'aurait été!

— Ne parle pas trop vite, répliqua-t-elle en agitant un index, tu seras peut-être déçu.

Il y avait comme une trace d'inquiétude dans sa voix.

Il secoua la tête et la prit par les épaules :

— Impossible! Quand je te regarde, ça me... ça me part des talons! Bon. Buvons un peu.

La main tremblante, il déboucha la bouteille de vin tandis qu'elle apportait des verres, et ils se mirent à boire à petites gorgées en se dévorant des yeux. Au bout d'un moment, elle alla jeter un coup d'œil dans la chambre de sa fille, revint sur la pointe des pieds et fit signe à Jérôme de la suivre. Ils entrèrent dans une chambre spacieuse où se dressait, massif et sombre, un grand lit victorien qui jurait avec l'ameublement moderne de l'appartement. Sur une table de chevet, une lampe potiche répandait une pénombre bleutée; l'air sentait le jasmin. «Elle s'était préparée, la bougresse», constata Jérôme avec une joie narquoise.

Sans un mot, ils enlevèrent en vitesse leurs vêtements, qui jonchèrent le tapis, et se jetèrent sur le lit comme des affamés. Leurs ébats furent silencieux, précis et vigoureux, presque rudes, assouvissement d'une faim qui les avait trop longtemps tiraillés; les candides amants de Vérone en auraient sans doute été choqués. Mais, déjà, c'était fini. Blottis l'un contre l'autre, ils reprenaient leur souffle en échangeant des regards un peu étonnés, émoussés par le plaisir.

— C'était bon, murmura-t-elle.

— Mais vite.

— Mais bon.

— T'es gentille... On se reprendra.

Elle se mit à rire :

— Ah, pour ça, je n'ai aucune inquiétude.

Ils s'assoupirent. Deux fois, Jérôme se réveilla et consulta sa montre ; il ne fallait surtout pas arriver en retard le premier jour d'un nouvel emploi ! Mais la nuit ne faisait que commencer.

Vers 2 h, il ouvrit de nouveau les yeux, mais cette fois-ci c'était l'amour qui le réveillait. Eugénie, sous l'afflux de ses caresses, émergeait doucement du sommeil avec des soupirs d'aise lorsque le trottine-ment de pieds nus se fit entendre de l'autre côté de la porte, qui s'ouvrit, et une petite voix ensommeillée et pleine de détresse lança :

— Maman, j'ai fait un mauvais rêve, je veux me coucher avec toi.

— Qu'est-ce qu'il y a, mon chou ? fit Eugénie en se dressant dans le lit, un peu effarée.

Andrée-Anne, interdite, fixait Jérôme qui venait de se tourner brusquement sur le ventre, le visage plongé dans son oreiller, comme s'il avait honte.

— C'est qui, lui ? demanda l'enfant d'un ton apeuré.

— C'est Jérôme.

— Il dort avec toi ?

Une trace d'aigreur affleurait dans sa voix.

— Oui, Andrée-Anne, on a décidé de dormir ensemble cette nuit.

Un court silence suivit. L'enfant, immobile, reniflait.

— Je veux dormir avec toi.

— Tu ne peux pas, ma chérie, ça va déranger Jérôme. Va te recou-cher, Minouchette, il est parti, ton mauvais rêve, il ne reviendra plus.

— Non, je veux dormir avec toi, maman. Je vais dormir *de ton côté*. Je ne bougerai pas, je te le promets, et je ne parlerai pas non plus, je te le promets.

La discussion se poursuivit un moment ; elle allait se mettre à pleurer lorsque Jérôme se dressa à son tour dans le lit :

— Tu peux venir, Andrée-Anne, dit-il d'une voix résignée, ça ne me dérange pas.

Et le reste de sa nuit, commencée dans la passion, se termina par une longue méditation sur la condition du père de famille et de sa valeureuse compagne, la mère.

◆ ◆ ◆

Le lendemain matin, 19 avril, Jérôme se présentait à 9 h au 27, Caledonia Road à Mont-Royal, l'œil cerné, le mollet quelque peu tremblant, mais capable de compter sur la bienheureuse réserve d'énergie que la nature accorde avec libéralité aux humains qui n'ont pas dépassé la trentaine.

Ce fut un petit homme à demi chauve au visage plissé tout en sourires qui l'accueillit, la main tendue :

— Monsieur Lupien ? Olivier Fradette. Je suis l'assistant de monsieur Sicotte. Donnez-vous la peine d'entrer, cher monsieur, je vous en prie. Un peu frisquet, ce matin, n'est-ce pas, pour le mois d'avril ? J'attends mon patron d'une minute à l'autre. Il avait un déjeuner d'affaires qui devait se terminer à 8 h 30, mais les choses ont dû traîner en longueur, comme il arrive souvent. Voilà pourquoi il m'a demandé hier de me trouver ici pour vous accueillir au cas, justement, où il serait retardé, car madame Desjarlais est absente aussi, figurez-vous, ce qui arrive rarement, je dois dire, à cette heure-ci.

Et, tout en soumettant le jeune homme un peu éberlué à ce déluge de paroles, il l'avait aidé à enlever son manteau, avait suspendu le vêtement à une patère, puis, lui faisant signe de le suivre et se retournant à tout moment vers lui avec force sourires, il avait traversé le hall au lustre énorme qui avait tant frappé Jérôme la veille, puis s'était engagé dans le corridor qui menait au bureau de Francine Desjarlais et, passant outre, s'était rendu jusqu'au fond, où donnaient trois autres portes. L'espace d'un instant, quand ils étaient passés devant le bureau de la patronne, la porte s'était entrouverte et Jérôme avait cru reconnaître Alma, l'évanescente secrétaire de Francine Desjarlais.

Tandis qu'il répondait de son mieux à la kyrielle de banalités que son compagnon lui débitait comme s'il s'agissait d'un devoir de politesse, il tentait de réfléchir. Ce lustre de parvenu à l'opulence grotesque s'ajoutait dans son esprit à la récompense paillarde de Francine Desjarlais à Cuba et à mille autres petits détails qui produisaient sur lui une impression de plus en plus douteuse. « Où est-ce que je viens d'atterrir, bon sang ? Et qu'est-ce qu'on va m'offrir comme travail ? Ça commence à sentir bizarre. Ouvre tes quenœils, bonhomme. »

— Eh bien, voilà le bureau du patron, annonça fièrement Fradette.

Et d'un geste ample, il ouvrit une porte et s'effaça devant Jérôme.

Une grande pièce aux lambris de chêne ouvragé prenait jour par deux grandes fenêtres qui donnaient sur un jardin couvert de neige fondante émergeant peu à peu de l'hiver. Mais la première impression de Jérôme fut celle d'un jaillissement d'or et de marbre qui l'enveloppa de sa magnificence. Immobile sur le seuil, il demeurait muet, soufflé par le raffinement de la marqueterie incrustée d'écailles, de nacre, d'ivoire et de bronze ciselé et doré. Jamais il n'avait rien vu de tel, sauf peut-être dans des films d'époque. Au centre de la pièce trônait majestueusement un bureau plat aux angles ornés de figures de bronze à l'expression hiératique sur lequel une lampe halogène de facture ultramoderne et une pile de dossiers un peu écornés juraient comiquement. Derrière le bureau, un fauteuil du même style et devant, placés en angle, deux fauteuils plus petits. À gauche, un canapé et une table basse à plateau de marbre. Face à l'entrée, entre les deux fenêtres, trônait un secrétaire à tiroirs superposés d'où s'élevait une folle dentelle de sculptures dorées au centre de laquelle l'ébéniste avait inséré une horloge.

— Wow! laissa enfin échapper Jérôme, sonné. Jamais rien vu de pareil!

Olivier Fradette eut un petit rire satisfait.

— Pas mal, hein?

— On se croirait à Versailles!

— Eh bien, mon ami, vous avez un bon pif: ce sont en effet des meubles Boulle, le fameux ébéniste qui a travaillé sous Louis XIV et même sous Louis XV, je crois.

— Ah oui? s'exclama Jérôme, qui promenait dans la pièce un regard éperdu.

Il se rappela tout à coup la passion que Balzac vouait aux meubles Boulle, passion ruineuse qui, pour le bonheur des générations futures, l'avait obligé à écrire comme un damné afin de calmer ses créanciers.

La fâcheuse impression laissée par le lustre du hall commençait à se dissiper.

— Oh, quand je dis des meubles Boulle, rectifia Fradette, il s'agit de copies, bien sûr – mais de copies anciennes, tout de même –, car un meuble Boulle authentique, ça va chercher aujourd'hui dans les millions, mon cher monsieur. Même les fous les plus riches doivent travailler pas mal fort s'ils décident de se meubler avec du vrai Boulle. Mais entrez, je vous en prie, monsieur Sicotte devrait arriver d'une minute à l'autre. Tenez, fit-il en se dirigeant vers le canapé, assoyez-vous, mettez-vous à votre aise. Est-ce que je peux vous offrir un café ? Hé, hé ! vous auriez tort de refuser, ajouta-t-il avec un grand sourire devant l'hésitation du jeune homme, le patron est également un fin connaisseur en cafés… Alors, qu'est-ce que je vous sers ? Un *latte* ? Un cappuccino ? Un espresso ? Simple ? Double ? Un americano ? Un café à la turque, peut-être ? On fait tout, ici.

— Un *latte*, s'il vous plaît, répondit Jérôme, impressionné.

— Monsieur Sicotte a toujours aimé *le beau*, déclara Olivier Fradette en réapparaissant quelques minutes plus tard avec deux *latte* (Jérôme ne put réprimer un léger sourire devant cette façon de parler populaire). Je dirais même, poursuivit-il en déposant les cafés sur la table basse, que c'est un très fin connaisseur.

Il s'assit à une extrémité du canapé, prit une gorgée, pinça les lèvres d'un air satisfait, puis, interrogeant Jérôme du regard :

— Ça va ?

— Délicieux, merci.

Pendant quelques instants, ils burent leur boisson en silence.

— Il y a un autre avantage à ce bureau pour monsieur Sicotte, déclara soudain Olivier Fradette avec un pétillement malicieux dans le regard. Il est assez loin de celui de madame… Mon patron aime la tranquillité, quoi.

— Ah bon, fit Jérôme en s'efforçant de cacher son étonnement devant une pareille remarque. « Eh ben… Je ne le prendrais pas comme confident, lui… »

— Je vois que ma remarque vous surprend, poursuivit Fradette. Vous venez de me classer dans la famille des méchantes langues, hein ? Oui, oui, n'essayez pas de le nier, votre réaction est tout à fait normale… Mais il faut que je vous dise une chose : c'est monsieur Sicotte lui-même qui exige de nous la franchise la plus totale – dans les limites du bon sens, bien sûr. Ce n'est pas la peine de travailler ensemble, nous répète-t-il souvent, si on ne se dit pas l'un à l'autre ce qu'on pense. Pas d'hypocrisie, pas de fausse politesse, c'est le mot d'ordre. Je viens de le mettre en pratique. Comme ça, tout le monde sait à quoi s'en tenir sur tout le monde. Ça purifie l'atmosphère d'une façon incroyable, vous verrez.

Un bourdonnement jaillit de la poche intérieure de son veston. Il en retira prestement un cellulaire et, tournant le dos à Jérôme, se mit à répondre par monosyllabes à un interlocuteur manifestement fort nerveux ou en colère. Ce dernier parlait tellement fort que Jérôme, malgré la distance à laquelle il se trouvait, pouvait comprendre certains passages du monologue que l'individu hurlait au téléphone (il était devenu manifeste à présent qu'il piquait une colère noire). C'est ainsi que le jeune homme entendit clairement une phrase presque complète : « Graisse à queue de tabarnac ! crachait-on dans le récepteur. Je vais lui montrer à me respecter, moi, ce maudit... »

Cette phrase eut pour effet d'inciter Olivier Fradette à s'éloigner encore davantage, puis finalement, levant les épaules dans un geste d'impuissance désolée à l'intention de son visiteur, à quitter la pièce, laissant Jérôme seul devant son café. Le jeune homme put ainsi réfléchir tout son soûl à l'énorme disparité de styles entre l'ameublement de bureau de Séverin Sicotte et celui – tout à fait banal – de sa femme, aux disparités non moins grandes qui semblaient exister entre leurs caractères et leurs goûts, puis se questionner sur les fonctions précises que remplissaient ce curieux bonhomme de Fradette et la vaporeuse Alma ; il se demanda enfin ce qu'on attendait de lui au juste dans ce milieu qui lui paraissait un peu plus étrange à chaque minute qui s'écoulait.

Il termina son café, poussa un bâillement et promena de nouveau son regard sur les splendeurs qui l'entouraient. Les minutes passaient. Il devait lutter contre l'envie de se lever et d'aller palper toute cette magnificence ; la politesse et la prudence lui conseillaient de réserver ce plaisir pour plus tard.

— Ex-cu-sez-moi ! s'écria Olivier Fradette, tout rouge, en faisant irruption dans le bureau. Mon Dieu ! quelle façon de vous recevoir !

Jérôme sourit :

— Je vous en prie... Vous n'avez pas à vous excuser de travailler, tout de même.

— C'était monsieur Sicotte, annonça l'assistant en revenant prendre place sur le canapé.

Il porta la tasse de café refroidi à ses lèvres et la reposa aussitôt sur la table avec une grimace.

— Monsieur Sicotte? s'étonna Jérôme.

Il avait peine à faire le lien entre le juron ordurier entendu au téléphone et les chefs-d'œuvre d'André-Charles Boulle, ébéniste du roi Louis XIV.

— Il est retardé et vous prie de l'excuser. Un imprévu, comme il arrive souvent dans ce métier. Il ne pourra pas être ici avant 11 h. En conséquence, il m'a demandé de m'occuper de vous.

— Je peux revenir, offrit poliment Jérôme, vous avez sûrement plein de choses à faire.

— Non, non, non... Tout va bien, tout va bien. En fait, je dois vous faire passer un petit test – petit, mais important. Monsieur Sicotte y tient beaucoup. Je suis sûr d'ailleurs que vous allez le réussir haut la main – et même que vous allez vous amuser en le passant. Si vous voulez bien me suivre, nous allons à la Place Versailles, le centre commercial, rue Sherbrooke... Vous voyez? Nous continuons de nous occuper du Roi-Soleil, ajouta-t-il en faisant un clin d'œil.

Ils sortirent dans le corridor.

— Excusez-moi, je vous reviens à l'instant.

Jérôme le regarda s'éloigner à pas pressés, balançant les bras comme un pantin, puis disparaître par une porte. Un moment s'écoula. Il toussa, se gratta une joue et se mit à examiner le corridor. Des murs café au lait où courait une corniche de plâtre à la corinthienne, une moquette également café au lait – décidément, on semblait vouer ici un culte au café – à motifs de gerbes de roses entrelacées, très *Old English*, des boiseries en chêne d'un travail compliqué, rien pour rivaliser avec l'atelier Boulle, bien sûr, mais quand même... On avait déployé dans un simple corridor les efforts les plus héroïques pour atteindre au *nec plus ultra* du chic conventionnel. Ici, aucun complot gauchiste n'avait sûrement été tramé.

Soudain, venant des profondeurs de la maison, une voix de femme se fit entendre, inquiète, presque larmoyante; elle semblait parler au téléphone, mais la distance empêchait de saisir clairement ses paroles. Jérôme crut reconnaître celle de Francine Desjarlais et pensa aussitôt à son fils en désintox à Portage. Lui était-il arrivé un malheur? À n'en

pas douter, ce pauvre Félix était un con, mais un con plutôt sympathique, après tout. Et puis, d'une certaine façon, Jérôme lui devrait son
nouvel emploi – si jamais il l'obtenait.

— Me voilà! me voilà! lança Fradette en réapparaissant tout à
coup. Désolé pour l'attente. Je n'arrivais pas à trouver mes livres.
Allons-y.

— Des livres? Quels livres?

— Vous verrez, vous verrez. Je ne peux pas vous en dire plus pour
l'instant.

Son visage avait pris une expression taquine, mystérieuse. Il semblait s'amuser, comme s'il s'agissait d'une mystification plaisante; il
prit Jérôme par le bras, et les deux hommes se dirigèrent à grands pas
vers la sortie; ils se retrouvèrent de nouveau dans le hall silencieux et
enfilèrent leur manteau.

— Brrrrr! Quel printemps frigide! murmura Fradette en sortant.
Ça ne doit pas inspirer les amoureux... Vous ne trouvez pas?

Et il porta encore une fois sur Jérôme un regard que celui-ci commençait à trouver déplaisant.

Du ciel, entièrement dégagé, tombait une lumière froide qui faisait
ressortir le plus petit détail avec une précision impitoyable. Tandis
qu'ils se dirigeaient vers une Camry rutilante qui essayait d'emmaga-
siner par ses glaces et son revêtement noir tous les UV de cette journée
glaciale, Jérôme jeta un regard en biais sur son compagnon. Il crut lire
dans ce visage sans grâce, fluet et comme desséché, au teint de pomme
de terre, une expression affairée et mesquine. C'était là, semblait-il,
le visage d'un homme facile à mépriser. « Hé! l'ami! se réprimanda-
t-il aussitôt, arrête-moi ça tout de suite! Qu'est-ce que tu connais de
lui, corniaud? »

Et, pour se pardonner à lui-même cette pensée si peu charitable, il
se pencha avec un grand sourire vers Fradette qui venait de se glisser
derrière le volant et lui faisait signe de monter:

— Elle est bien cotée, cette Camry. Vous avez fait un sacré bon choix.

— Oui, elle est pas mal, merci, fit l'autre en démarrant. Oh, pendant que j'y pense: madame Desjarlais m'a appris que vous n'aviez
pas d'auto. Il vous en faudrait une.

— Je suis justement en train d'en magasiner une, répondit Jérôme en rougissant.

— Bah! ça ne presse pas tant que ça... Et puis, de toute façon, il y a ce petit test à passer, mais j'ai confiance, j'ai confiance, se reprit-il aussitôt, ne vous inquiétez pas.

— Où allons-nous au juste à la Place Versailles? demanda Jérôme, de plus en plus intrigué.

— Oh, je ne sais pas trop. Ça dépendra de vous.

— Ça va dépendre de moi? s'étonna son passager.

— Ouais... de vous, et des circonstances, naturellement... Savez-vous comment certains historiens qualifiaient Napoléon? Non? On disait de lui qu'il était *l'homme des circonstances*. C'était sa force. Ne pas s'enfermer dans des plans trop précis afin de pouvoir s'adapter aux événements et prendre ainsi les meilleures décisions possible. Ça lui a pas mal réussi, du moins un certain temps. J'essaie de l'imiter... à mon niveau, bien sûr!

Et il se mit à rire, le regard droit devant, comme pour lui-même.

«Ma foi, est-ce qu'il est fou? se demanda Jérôme. Dans quelle marmite est-ce que je suis tombé, chienne de chienne?»

Il ne posa plus de questions et, de plus en plus perplexe, se contenta de regarder les maisons cossues qui défilaient de chaque côté de la rue.

Trois quarts d'heure plus tard, après avoir échangé à peine quelques mots, ils s'arrêtaient devant une des entrées du centre commercial. Olivier Fradette se tourna vers Jérôme:

— Nous avons choisi la Place Versailles, non pas pour son nom, malgré ce que j'en ai dit tout à l'heure, mais pour vous faciliter le test. Ici, la clientèle, comme vous le savez, est surtout francophone. Ça ira mieux pour vous.

— Comme vous voulez, soupira Jérôme en mettant pied à terre.

Il rejoignit son compagnon qui l'attendait en sifflotant et en balançant sa serviette.

— Et ces fameux livres, est-ce que je peux les voir enfin? demanda Jérôme, incapable de maîtriser plus longtemps son impatience.

Pour toute réponse, Fradette ouvrit la serviette et les lui montra. Il y en avait deux. Ils étaient neufs, encore sous cellophane et avec leur étiquette. Le premier s'intitulait *Comment réussir en affaires à partir de rien*, d'un certain James Sharrett. Sur la couverture du second, un album luxueux, on voyait une nymphette en tenue d'Ève qui exhibait avec une bonne humeur rigolote ses trésors les plus intimes et, les bras levés, tenait au-dessus de sa tête une banderole où s'étalait en caractères coquins : *L'amour dans le Paris des Années folles.*

— Cochon, hein ? ricana Fradette tandis que son regard glissait sur l'illustration comme une coulée de sirop. Ça, c'est rien, comparé à ce qu'on peut voir à l'intérieur… J'en ai un exemplaire chez moi. Ça ne porte pas à la continence, hé, hé…

Jérôme éclata de rire :

— Qu'est-ce que vous voulez que je fasse avec ça ?

Mais son rire était celui d'un homme inquiet.

— Venez, nous allons prendre un café, et je vous explique tout.

Il l'entraîna dans le centre commercial ; un moment plus tard, ils s'attablaient au Bon Café. Et c'est devant un autre *latte* que le jeune homme, stupéfait, prit connaissance de l'épreuve qu'il devait passer subito presto et qui permettrait à son éventuel employeur de prendre la mesure de sa débrouillardise, de son assurance et de son entregent.

Il avait une heure pour vendre un des deux livres – ou, mieux encore, les deux – à un prix raisonnable (un minimum de 5 $ pour le livre de Sharrett et de 15 $ pour l'album cochon) ; mais il devait éviter la librairie du centre commercial qui, de toute façon, refuserait d'acheter à un particulier.

Jérôme, dépité, regardait son interlocuteur sans dire un mot.

— Vous conviendrez que nous avons mis le maximum de chances de votre côté, poursuivit Fradette d'un air avantageux qui tombait de plus en plus sur le gros nerf de son compagnon. *Primo* : vous allez travailler dans votre langue. *Secundo* : les deux livres s'adressent chacun à des clientèles très différentes, ce qui double vos chances. Et *tertio* : ils traitent de sujets très populaires : l'argent et le sexe. Qui dit mieux ?

— Et si je ne réussis pas à les vendre dans une heure ?

Fradette eut un mouvement d'épaules comme pour laisser entendre que la décision ne relevait pas de lui.

— Et l'utilité de ce test débile, c'est quoi ?

— Je viens de vous le dire, mon ami. Mes patrons ont le plus grand respect pour l'instruction et les diplômes, mais ils savent aussi qu'on peut posséder des valises pleines de doctorats et avoir en même temps les deux pieds dans la même bottine. Cela dit sans vouloir vous blesser, bien sûr.

— Je ne possède qu'un diplôme de premier cycle, répliqua Jérôme avec un sourire acide.

Il se mit à siroter son café, plongé dans une réflexion qui amenait sur son visage les expressions les plus diverses, de l'amusement au dédain.

— Et alors ? fit Fradette. Le temps passe…

L'autre ne répondit que par un grognement.

— Allons, un peu de courage, bon sang ! Je suis sûr que vous allez réussir. J'ai un bon pif pour ça, moi.

Jérôme leva la tête et d'un ton méfiant, presque hargneux :

— Je suis le combientième à passer l'épreuve ?

Fradette eut une grimace d'impatience et se dressa debout :

— On perd notre temps. C'est oui ou c'est non ? J'ai plein de travail qui m'attend au bureau.

Alors Jérôme se leva à son tour et s'empara des livres :

— Vous avez un sac ? Je n'ai pas envie qu'on m'accuse de vol, quand même…

— Oui, bien sûr.

Et il lui tendit un robuste sac de plastique à poignées de toile. Jérôme glissa les livres dedans et attendit son tortionnaire à la porte du café pendant que ce dernier réglait l'addition.

— Je préférerais que vous ne me voyiez pas au travail, lui dit-il d'un ton maussade quand Fradette vint le rejoindre.

— À vos ordres, chef. Je me déguise en courant d'air. Rendez-vous ici dans une heure. Bonne chance !

Il lui donna une petite tape sur l'épaule avec un sourire complice et disparut bientôt au coin d'une allée.

— Merde de merde, grommela Jérôme entre ses dents. Qu'est-ce que je fais, maintenant ?

Le trac lui enlevait une bonne partie de ses moyens et l'irritation, presque tout le reste. Il s'éloigna dans la direction opposée à celle qu'avait prise son curieux entraîneur. Midi approchait ; les clients et les badauds affluaient, s'ajoutant aux nombreux vieillards qui, assis sur des bancs, essayaient de meubler leur vie oisive en bavardant ou en reluquant les jolies femmes.

Il marchait à grands pas, son sac à la main, les sourcils froncés, promenant son regard partout à la recherche d'une occasion, du commencement d'une idée de stratagème, et ne trouvant rien. Tenter d'écouler sa marchandise, c'était accepter de passer pour un voleur, un drogué en manque de fric ou un bizarroïde malade du coco. Cette triple perspective faisait fondre tout son courage et le remplissait d'un sentiment d'humiliation nauséeux qui lui mettait bras et jambes en flanelle. Mais plus de dix minutes déjà s'étaient écoulées! Il fallait bouger – ou déclarer forfait et sacrer le camp comme un chien battu, la queue entre les pattes.

Il aperçut alors deux ados en train de bavarder sur un banc et décida d'aller s'assoir près d'eux, à tout hasard. Les garçons – un blond et un châtain – avaient tout au plus 16 ou 17 ans, portaient des vêtements propres et représentaient le type même du jeune Blanc francophone de la classe moyenne. Jérôme s'étonna tout de même de trouver à cette heure et à cet endroit des jeunes qui auraient dû normalement être à l'école. Tout en faisant mine de consulter un calepin, il se mit à écouter discrètement leur conversation. Le blond parlait d'un certain Guillaume qui travaillait depuis deux ans à temps partiel au cinéma Quartier Latin, rue Émery, et qui avait ainsi pu s'acheter une belle petite Nissan 2000.

— ... avec à peine 20 000 kilomètres dans le ventre, vraiment, un char impeccable, je te dis, propre comme s'il sortait de l'usine, il m'a fait faire un tour hier, ça ronronnait comme un minou, mon ami, mais quand tu voulais du pep, il y en avait à revendre, tu t'écrasais au fond de ton siège... L'hiver prochain, il va aller en auto à Miami avec sa blonde pendant les vacances de Noël. Ça te casse un hiver en deux, ça !

Son compagnon eut une moue dédaigneuse :

— Ouais... Mais combien d'heures au salaire minimum il a dû travailler, ton Guillaume, avant de pouvoir l'acheter, son bazou ? Une vraie vie de ti-coune !

La discussion s'anima, le blond défendant avec force les petits emplois, même mal payés, *plutôt que de rester les bras croisés à rêver*, et son compagnon prétendant au contraire qu'il fuirait toujours ces *jobines de merde qui nous font mener une vie d'étron*, car travailler à son propre compte, c'était mille fois plus payant et cent mille fois plus intéressant. À ses yeux, ça représentait le seul travail honorable et il comptait bien ne pas en exercer d'autre.

Jérôme trouva l'occasion amusante, plongea la main dans son sac et, se tournant vers eux, exhiba un de ses livres :

— Dites donc, les amis, excusez mon indiscrétion. Je vous écoutais parler et je trouve, fit-il en s'adressant au châtain, que c'est toi qui as raison. J'ai même quelque chose à te proposer qui pourrait t'intéresser : un livre formidable, et à prix d'aubaine en plus : *Comment réussir en affaires à partir de rien*. Je serais prêt à le laisser aller pour, disons, 7 $. Il est encore dans son emballage. À ce prix-là, c'est vraiment donné, mon ami.

Les ados, surpris, se tournèrent l'un vers l'autre, et une sorte de frétillement malicieux passa dans leur regard.

— QUOI ? hurla le châtain en bondissant sur ses pieds, TE SUCER POUR 20 PIASTRES ? ESPÈCE DE DÉGUEULASSE !

Jérôme resta figé une seconde, puis s'éloigna à toute vitesse, cramoisi, tandis que les deux loustics ricanaient en se donnant des coups de coude. Des promeneurs s'étaient arrêtés et le fixaient, étonnés. Une vieille dame qui tenait par la main un petit garçon en train de mordre dans un cornet de crème glacée se planta devant lui, le bras tendu, l'œil furibond :

— Vous devriez avoir honte !

Jérôme filait comme si une colonie de guêpes s'était mise à sa poursuite. Le cœur lui battait si fort qu'il en avait le souffle coupé. Dire qu'il avait gaspillé dix précieuses minutes avec ces petits cons. Finalement, à bien y penser, il valait mieux jeter l'éponge. Ce genre de *test* n'était pas fait pour lui. Il ne se donnerait même pas la peine d'attendre Fradette au café pour lui annoncer sa décision et ficherait le camp tout de suite. Une humiliation suffisait.

Au bout d'un moment, il déboucha dans l'aire de restauration. Autour d'une étendue de tables et de sièges fixés au sol par des tubulures d'acier s'alignaient des comptoirs de *fast food* dans une atmosphère graisseuse et tomatée. À cette heure, les affaires battaient leur plein. On faisait la queue devant la plupart des comptoirs, presque toutes les tables étaient occupées. Le bourdonnement sourd qui roulait dans la vaste salle le calma tout à coup. Il s'arrêta et contempla la foule des dîneurs penchés au-dessus de leurs assiettes de carton ou de plastique et aperçut une table encore libre à 20 pas devant lui. L'instant d'après, il y prenait place et y déposait le sac de livres. Que cela faisait du bien de se perdre dans la foule anonyme et d'avoir l'impression de ne plus exister! C'est que son avant-midi l'avait sérieusement tabassé! Il avait peine à se tenir sur ses jambes, sa tête était comme une boule de plomb et il avait l'ego à zéro.

La pensée lui vint subitement qu'il devait absolument retourner au café où l'attendrait Fradette afin de lui remettre ses livres : manquer son coup était déjà assez humiliant sans passer en plus pour un voleur.

Alors, à son grand étonnement, il s'aperçut que, malgré son profond écœurement, il avait faim. Une odeur de pizza lui titillait les glandes salivaires. Increvables, ces tripes… Pas surprenant qu'on serve ces buffets dans les salons funéraires et que les naufragés de *La Méduse* aient fini par s'entrebouffer. Levant la tête, il essaya de repérer le comptoir d'où provenait la succulente odeur et, ce faisant, son regard rencontra celui d'un homme assis à la table voisine et qui, derrière son journal, lorgnait furtivement le sac de livres. L'inconnu se replongea aussitôt dans sa lecture. Le croisement de leurs regards n'avait duré qu'une fraction de seconde, mais le cerveau de Jérôme se mit à fonctionner à toute allure. Il en avait les oreilles brûlantes. Le contenu du sac entrouvert, visible pour son voisin, l'avait sans doute alléché. L'homme, dans la quarantaine, faisait représentant de commerce avec son veston à pochette et sa cravate de soie fleurie ; il venait de terminer son repas.

Il y avait peut-être quelque chose à tirer de la situation. Mais il fallait faire vite.

Jérôme se leva en sifflotant un petit air allègre, laissa le sac sur la table et se dirigea vers les comptoirs, mais plutôt que de se rendre à la petite pizzeria, trop éloignée, il opta pour le marchand de sushis, mieux situé. Deux dames massives à l'apogée de la ménopause attendaient leurs commandes en causant. Jérôme les rejoignit en quelques enjambées et, bien qu'il n'eût rien à leur dire, se joignit à leur conversation en débitant des banalités qu'elles accueillirent aimablement. De temps à autre, mine de rien, il jetait un œil du côté de sa table et s'aperçut avec joie que l'inconnu, toujours à demi caché derrière son journal, donnait des signes de nervosité de plus en plus apparents.

On venait de servir les deux dames qui étaient parties en lui roucoulant des bonjours. Et soudain, cela se produisit. L'homme roula son journal, se leva tout doucement, s'approcha de la table et, après un rapide coup d'œil du côté de Jérôme, qui était en train de donner sa commande, il s'empara du sac et s'éloigna d'un pas nonchalant, puis de plus en plus vite.

— Hé! monsieur, fit le Japonais en voyant partir son client, vos sushis, vous en voulez plus?

— Oui, oui, je reviens tout de suite, répondit Jérôme avec un grand sourire.

Et il se lança à la poursuite du fripon. L'affluence lui facilitait la tâche. Deux fois, le voleur se retourna pour vérifier si on le suivait, mais, à chacune, Jérôme réussit à se dissimuler derrière un stand. L'homme ralentit bientôt l'allure, obliqua dans une allée, puis dans une autre et, finalement, de plus en plus rassuré, il alla s'assoir sur un banc et se mit à examiner discrètement le contenu du sac avec un petit sourire satisfait. *L'amour dans le Paris des Années folles* semblait le combler.

— Vous êtes mal tombé, monsieur, fit une voix derrière lui, je suis agent de sécurité.

Le voleur se retourna avec une sorte de soupir rauque et leva sur Jérôme des yeux affolés. Il aurait voulu prendre la fuite, mais pour ce faire, il fallait abandonner son manteau aux mains de Jérôme qui le tenait solidement par le collet, et cela, sembla-t-il conclure, n'aurait fait qu'empirer la situation.

— Qu'est-ce qui se passe? balbutia-t-il en se dressant debout.

— Vous venez de me voler ces livres, monsieur, répondit froidement Jérôme en montrant le sac.

Les trois autres personnes qui occupaient le banc s'étaient levées et observaient la scène un peu en retrait, la mine goguenarde ou apeurée; un petit attroupement se forma aussitôt et un sourd murmure s'éleva, parsemé d'exclamations indignées. *L'arrestation* s'était transformée en spectacle. Jérôme craignit alors qu'un véritable agent de sécurité apparaisse qui ferait foirer son plan.

— Suivez-moi, monsieur, ordonna-t-il au voleur en le prenant par un bras. Allez, plus vite… Et n'essayez pas de jouer au finfin avec moi, ajouta-t-il en exhibant son cellulaire (la fertilité de son imagination l'émerveillait). Au moindre signe, je déclenche l'alerte. Compris ? Bon. Je vais être gentil et je laisse votre bras, mais vous aurez été averti, hein ?

— Où est-ce qu'on s'en va ? murmura l'homme, la tête basse, regardant droit devant lui d'un œil morne.

— Au bureau de la sécurité, monsieur, pour appeler la police. « Et maintenant, qu'est-ce que je fais ? Je ne sais même pas où se trouve le bureau – s'il y en a un ! »

Ils longèrent un supermarché, puis, tournant à droite, enfilèrent une allée où les vitrines de quelques boutiques désaffectées avaient été aveuglées avec de grandes feuilles de papier kraft. Elle paraissait moins fréquentée.

— Ma vie est foutue, murmura soudain le voleur d'un air sombre.

De grosses gouttes de sueur coulaient sur son front.

— Ah ça, monsieur, c'est pas de ma faute. Vous n'aviez qu'à vous conduire comme il faut.

— Quelle connerie ! Dire que c'est la première fois…

— À vous voir aller tout à l'heure, j'en doute.

— Puisque je vous dis ! Je suis quelqu'un de respectable, moi… J'ai toujours gagné ma vie honnêtement… Je ne sais pas ce qui m'a pris, bout de câlisse !… Depuis deux mois, monsieur, je traverse une sale passe… *toute* une sale passe… Il y a de quoi perdre la tête, je vous jure… Vous pourriez me donner une chance, non ?

Jérôme ralentit imperceptiblement le pas et regarda sa montre : il restait 20 minutes avant sa rencontre au café avec Fradette.

Son silence remplit tout à coup d'espoir l'homme à la cravate fleurie. Il s'arrêta et se planta devant lui, le regard implorant :

— Laissez-moi m'en aller, s'il vous plaît… Je vous en supplie… Je suis prêt à vous offrir n'importe quoi, monsieur, pour que vous me laissiez partir. Chacun a droit à sa chance, non ?

Une jeune femme passa près d'eux, poussant dans un fauteuil roulant une vieille invalide qui tournait nerveusement entre ses doigts un paquet de cigarettes, puis deux employés d'entretien apparurent, leur boîte à outils à la main et riant aux éclats d'un certain Réjean qui venait de commettre une gaffe.

— Bon. Combien vous avez sur vous? demanda durement Jérôme.

Il sentit ses joues devenir brûlantes. Entre l'idée d'une bassesse et son accomplissement, le passage était fétide! Mais une sorte de rage le poussait à continuer.

— Combien j'ai? fit le voleur.

Ses yeux s'étaient mis à briller d'une joie pitoyable.

— Laissez-moi voir, monsieur, juste un instant, s'il vous plaît.

Il sortit son portefeuille, y glissa une main fébrile et se mit à compter à voix basse:

— Heu... 120 $, annonça-t-il en levant la tête comme s'il demandait l'aumône. Et un peu de monnaie. Est-ce que ça vous va?

Jérôme repoussa dédaigneusement la monnaie:

— Donnez-moi 80 $... Allez. Fichez-moi le camp. Je vous ai assez vu.

L'homme lui lança un regard ambigu et s'éloigna à grands pas. L'instant d'après, il avait disparu au coin d'une allée. Jérôme partit dans la direction opposée, mais comme il ne savait plus trop où se trouvait le café, il alla s'informer à un salon de manucure et fit le reste du trajet au petit trot, car il ne lui restait plus que quatre ou cinq minutes.

Quand il y apparut enfin, Olivier Fradette venait à peine de s'attabler et le reçut avec un grand sourire.

— Mission accomplie, annonça joyeusement le candidat.

— Je sais.

— Ça paraît à mon air?

— Je suis un observateur né, mon ami... Allez, venez vous assoir. Je vous paie la traite. Vous devez mourir de faim.

Jérôme se laissa tomber sur une chaise et allongea les jambes:

— Et comment! C'est que je n'ai pas eu le temps de dîner. Au début, ça n'allait vraiment pas... Oh que non! J'ai même failli abandonner.

Il se mit à parcourir le menu, un bout de langue sorti entre les lèvres.

— Je sais.

Jérôme releva brusquement la tête:

— Vous le savez? Comment ça?

Il le fixa un instant:

— Vous me suiviez ?

— Vous êtes pas mal en filature, mais je ne suis pas mauvais, moi non plus, répondit Fradette avec un petit sourire tordu.

— Vous me suiviez, répéta Jérôme, surpris et quelque peu contrarié.

— Faut pas faire cette tête-là. Monsieur Sicotte me l'avait demandé. Si vous l'aviez su, ça vous aurait coupé les moyens.

— Donc, vous savez combien d'argent j'ai pu tirer de ce pauvre con ?

— Vous auriez dû tout prendre. On ne fait pas la charité à un voleur… Non, non, gardez l'argent, c'est à vous. Vous l'avez bien gagné.

— Je n'en veux pas.

Jérôme déposa les billets de banque sur la table. Fradette eut une moue sarcastique et s'en empara :

— Votre délicatesse vous honore, mon ami.

Jérôme répondit par un léger grognement et se replongea dans la lecture du menu.

— Vous croyez que j'ai passé le test ? demanda-t-il tout à coup en levant la tête.

— Haut la main. Et je dirais même…

Il s'arrêta :

— Est-ce qu'on se tutoie, Jérôme ? Le « vous » me donne des crampes. Après tout, j'ai l'impression qu'on n'a pas fini de se voir… Évidemment, se reprit-il aussitôt, ce n'est pas moi qui décide, mais si tu veux mon avis, l'affaire est dans le sac et le sac dans l'affaire.

— Il faut dire que la chance m'a beaucoup aidé, observa Jérôme avec modestie.

— Oui, mais t'as aidé la chance.

Et se tournant vers le garçon qui s'était approché et attendait patiemment, les mains derrière le dos :

— Des linguine sauce Alfredo, s'il vous plaît.

— Même chose, enchaîna Jérôme.

— Et puis, tiens, fit Fradette, apportez-nous donc la carte des vins.

◆ ◆ ◆

Assis devant Jérôme, Charlie avait atteint le degré de saisissement qui précède immédiatement la syncope. La scène se déroulait dans la cuisine de son ami au cours de la soirée du même jour. Jérôme, tout en évitant de faire le faraud, venait de lui relater la cascade d'événements qui avait transformé à la fois sa vie amoureuse et sa vie professionnelle. Et jamais, jamais Charlie n'avait entendu parler d'une conjugaison de bizarreries aussi extraordinaire : après avoir passé sa première nuit d'amour dans le lit d'une poulette accompagnée de son poussin – situation, pourquoi se le cacher ? d'un goût plus que douteux –, son ami avait dû se transformer en escroc dans un centre commercial et détrousser un cleptomane, ce qui lui avait obtenu une position d'assistant-lobbyiste avec un salaire de départ de 50 000 $ par année !

C'était du jamais-vu dans le genre n'importe quoi. C'était également l'assurance d'une tempête de merde qui, tôt ou tard, s'abattrait sur sa vie et lui ferait apparaître les difficultés qu'il avait connues jusqu'ici comme un véritable petit paradis.

Jérôme dressa la main :

— Minute, bonhomme ! Je trouve que tu fauches un peu large. Reprenons ça point par point, si tu permets. *Primo* : Eugénie et moi, on n'a pas fait l'amour *pendant* que la petite était dans le lit, mais *avant*. Il faut que ça soit bien clair dans ton esprit, ça. Je ne suis quand même pas une ordure, bon sang ! Et je n'ai d'ailleurs pas l'intention de laisser la petite remonter dans le lit quand j'y serai avec sa maman, O.K. ? C'était ma première nuit avec elle, je ne pouvais quand même pas jouer au dictateur en mettant le pied dans la maison. Il faut savoir vivre, après tout. *Secundo* : je t'accorde que ce fameux Fradette fait un peu beaucoup dans le bizarre, mais Sicotte, son patron – *mon* patron –, m'apparaît tout à fait correct, lui. Il s'est d'ailleurs montré très étonné du test que son assistant m'avait fait passer – et j'ai même senti qu'il n'était pas très content. Enfin, dans quelques jours, je verrai sans doute plus clair dans cette histoire.

Charlie le regarda un moment sans parler, allongea la main vers le bock posé devant lui, prit une longue gorgée, puis, d'une voix éteinte et comme lézardée – une voix que son ami ne lui connaissait pas :

— Pour ta bonne femme, je ne sais pas trop, Jérôme, c'est peut-être quelqu'un de très bien…

— *C'est* quelqu'un de très bien ! l'interrompit vivement Jérôme.

— … admettons, admettons… Tu sais, moi, ces histoires de petites filles qui font des cauchemars pendant la nuit, je n'y connais rien, vraiment rien, je n'ai jamais eu d'enfant et je suis fils unique, tu comprends... Mais ton Sicotte...

La tête levée, le regard dans le vague, il faisait penser à un devin sous l'effet d'une prescience horrible :

— ... ton Sicotte, sa femme, leur drogué de garçon et tout l'archi-bang, oh ! que je m'en tiendrais loin, tu ne peux pas savoir !

Il prit une autre gorgée, rota dans le creux de sa main, puis, penché vers son ami, les coudes sur la table, avec une ferveur de raélien en crise de recrutement :

— Pourquoi tu ne vas pas consulter ma psychologue, Jérôme ? T'as besoin de faire le point sur ta vie, ça crève les yeux, et le *rebirth* sert justement à ça. C'est le traitement qui remet en contact avec nos *vraies racines*. Et Joëlle Frémont est extraordinaire là-dedans... Va la voir, je te dis. Tu me remercieras jusqu'à la fin de tes jours.

Jérôme eut un petit ricanement et se leva :

— Je vais plutôt aller consulter quelqu'un à Outremont pour un traitement qu'on se donne à deux et qui n'est pas si mauvais, finalement, même s'il n'est pas de la dernière mode. Maintenant, tu vas m'excuser de te mettre à la porte, chum, mais j'ai un peu de métro à me taper, tu comprends...

— Quand même, poursuivait Charlie en quittant l'appartement avec son ami, je n'ai jamais rien vu de pareil. Ton histoire sent la crosse à plein nez... En tout cas, tu ne pourras pas dire que je ne t'ai pas averti.

Jérôme se contenta de sourire. Ils se quittèrent devant la bouche du métro Côte-des-Neiges, Charlie ayant décidé tout à coup d'aller bouquiner à la librairie Renaud-Bray qui se trouvait à deux pas ; du reste, ce n'était peut-être là qu'un prétexte pour écourter une rencontre qui s'était montrée assez orageuse.

Mais dans le wagon qui l'emportait vers sa nuit d'amour (c'était du moins ce qu'il escomptait), Jérôme, l'œil dans le vague, avait un visage soucieux. Dans le feu de la discussion avec son ami et pour le plaisir d'en sortir vainqueur, il avait quelque peu modifié le récit de sa rencontre avec Séverin Sicotte à son retour de la Place Versailles. Ou plutôt, il avait *arrangé* certains détails de cette rencontre.

Attendu vers 11 h, Séverin Sicotte n'était apparu au bureau en fait qu'à la toute fin de l'après-midi, avec l'expression harassée mais satisfaite de l'homme qui vient d'accomplir un exploit difficile. Lequel? Jérôme ne le sut jamais.

Olivier Fradette, accompagné de Jérôme, s'était alors rendu à son bureau pour lui raconter le haut fait du nouvel employé. L'étonnement scandalisé de Sicotte au récit de la curieuse épreuve subie par leur recrue avait paru bien factice à Jérôme et laissait plutôt deviner, non pas du mécontentement, mais une satisfaction secrète.

Finalement, Séverin Sicotte, après avoir grimacé, froncé les sourcils et poussé quelques grognements, s'était mis à rire :

— Eh bien… Olivier t'a fait passer un bien drôle de test, mon ami, et je dirais même un test qui n'est pas du meilleur goût… mais je dois reconnaître qu'il est concluant. Tu as fait preuve d'une débrouillardise et d'une présence d'esprit remarquables ! Je ne vois pas comment je pourrais refuser de te prendre à mon service.

Et lui tendant la main :

— Félicitations. Et à demain matin, 9 h.

— Merci, monsieur, à demain matin, avait bredouillé Jérôme, tout content.

Mais en sortant du somptueux bureau de son nouveau patron, il avait senti s'établir dans la pièce un silence d'une étrange densité, qui s'était prolongé tout le temps qu'il s'éloignait dans le corridor, l'oreille tendue. C'était, semblait-il, le silence observé par deux personnes qui attendent d'être seules pour échanger à loisir leurs impressions.

◆ ◆ ◆

Pendant plusieurs jours, l'épisode de la Place Versailles remplit Jérôme d'un écœurement boueux. La mise en garde de Charlie lui revenait sans cesse à l'esprit. Qui était Séverin Sicotte, au juste ? Un patron aux méthodes de recrutement originales ou un escroc ? Détail révélateur : malgré sa brillante victoire dans l'épreuve qu'on lui avait imposée, jamais Jérôme n'en glissa un mot à Eugénie, reportant sans cesse la chose à plus tard. À deux ou trois reprises, en se présentant au travail après une mauvaise nuit, il fut sur le point de remettre sa démission, mais chaque fois il se ravisait. Après tout, le salaire était bon – en fait, jamais il n'avait gagné autant d'argent – et, jusque-là, la tâche ennuyeuse qu'on lui avait assignée semblait tout ce qu'il y avait de régulier. Trois jours après son engagement, il avait acheté une petite Honda, sa première auto neuve, qu'il minouchait amoureusement.

Les semaines passèrent, effaçant peu à peu dans son esprit la fâcheuse impression de la Place Versailles. Pour le préparer à ses nouvelles fonctions, on lui avait demandé de mettre en ordre un fouillis de documents qui encombraient jusqu'au plafond une petite pièce sans fenêtre baptisée pompeusement les *Archives*.

— Ouais, bien sûr, c'est pas tellement tripant, avait reconnu Sicotte devant la surprise du jeune homme, mais je pense que c'est une bonne façon pour toi de te préparer à ton futur travail.

De temps à autre, Sicotte ou Fradette – mais le plus souvent ce dernier – venait le trouver et bavardait avec lui de tout et de rien, abordant parfois des sujets assez personnels; Jérôme eut bientôt l'impression que la période de son évaluation se poursuivait.

Pendant sa fastidieuse besogne, il ne tomba sur aucun document qui lui parut suspect; mais la plupart, faut-il ajouter, étaient pour lui du pur chinois et il devait souvent se référer à Olivier Fradette pour leur classement. Deux ou trois fois par jour, le patron ou son assistant l'appelait pour lui dicter une lettre ou un courriel qu'ils jugeaient particulièrement importants, car ni l'un ni l'autre ne paraissait maîtriser convenablement le français écrit – non plus que l'anglais, d'ailleurs, qu'ils devaient souvent utiliser. Là encore, la teneur des messages n'éveilla aucun soupçon chez lui.

— Quelle chance de t'avoir, lui confia un jour Fradette après l'envoi d'un courriel qui avait nécessité plusieurs retouches et corrections. J'aimerais ça avoir ta culture!

— C'est pas de la culture, ça, Olivier, c'est des connaissances de base. Qu'est-ce que tu faisais avant que je sois là?

— Eh ben, très mal pris, j'allais voir Francine. Elle est forte en français, elle aussi.

Mais, à son expression, on voyait que c'était l'ultime recours pour les cas désespérés.

— Tu n'as pas l'air de l'aimer beaucoup, fit remarquer Jérôme qui s'efforçait de pratiquer la franchise recommandée par la maison.

— On ne me paie pas pour l'aimer mais pour travailler, ricana méchamment Fradette.

Jérôme ne poussa pas plus loin son investigation.

Depuis son engagement, il n'avait fait que croiser la femme à qui il devait son emploi ; c'était généralement le matin à son arrivée au travail. Elle lui lançait un chaleureux «Bonjour, Jérôme. Ça va ? Et le boulot, toujours à ton goût ? » «J'apprends, j'apprends», répondait Jérôme en mettant dans sa voix tout l'entrain qu'il pouvait ; ils échangeaient quelques observations météorologiques, puis chacun filait de son côté.

Mari et femme menaient leurs affaires en toute indépendance. Durant leur travail, ils ne se voyaient seul à seule qu'à l'heure du dîner, les rares fois où l'un ou l'autre ne mangeait pas à l'extérieur. Alma, elle, semblait jouir du don d'invisibilité ; parfois, quand Jérôme passait devant le bureau de Francine Desjarlais et que la porte était entrouverte, il entendait sa voix, un murmure aux intonations chantantes et comme ironiques ; par une curieuse association d'idées, cette voix lui rappelait *La Dame de Shanghai*, l'étrange film policier d'Orson Welles, à l'atmosphère si trouble et mystérieuse, que ce dernier avait tourné pour Rita Hayworth avant leur divorce ; pourtant, Alma, petite et menue, avec sa longue chevelure noire, n'avait rien de la belle rousse aux formes opulentes.

Un matin, en arrivant, il se trouva face à face avec elle. Alma le fixa avec un curieux sourire, où l'ironie et la sensualité semblaient à la fois se mêler et se repousser, puis, s'inclina devant lui, ce qui augmenta l'embarras du jeune homme :

— Bonjour, monsieur Jérôme, lui dit-elle avec ce léger accent hispanique qui faisait rouler comme de petites billes dans sa bouche. Je vois que vous allez bien.

— Oui, merci, répondit-il, essayant de cacher son malaise. J'espère que vous allez bien vous aussi, Alma ?

— Francine voudrait vous parler, poursuivit-elle sans répondre à sa question. Voulez-vous me suivre, s'il vous plaît ?

Arrivée devant la porte de sa patronne, elle s'effaça devant lui en s'inclinant de nouveau. Francine Desjarlais, en pantalon, assise sur un coin de son bureau dans une position cavalière, était au téléphone dans le feu d'une discussion en espagnol. D'un geste vif, elle indiqua un fauteuil à Jérôme. Alma allait quitter la pièce lorsque la femme d'affaires lança un *Momento!* à son interlocuteur au bout du fil.

Et couvrant le récepteur de sa main :

— Tu restes ici, Alma.

— Est-ce qu'il le faut absolument? répondit l'autre avec un visage crispé.

Le regard que lui lança sa patronne fut d'une transparente éloquence. Alma s'adossa contre un mur et se mit à fixer le tapis, tandis que Jérôme, perdu en conjectures, contemplait ses ongles. La discussion téléphonique avait repris, mais se termina presque aussitôt sur une exclamation de Francine Desjarlais, qui raccrocha avec un air de profonde irritation.

— Quel sale pays! lança-t-elle. Et ça parle de révolution du peuple, de justice pour tous et tout le bataclan! Le cœur me lève!

— Vous parlez de… Cuba? se risqua Jérôme.

— De quoi d'autre veux-tu que je parle? répondit-elle assez grossièrement.

Elle prit une inspiration qui sembla pomper la moitié de l'air de la pièce, puis, passant derrière son bureau, s'affala lourdement dans son fauteuil, la tête rejetée en arrière.

— Excuse-moi, murmura-t-elle. Je suis épouvantable ce matin. Mais quel début de journée! Ah! Seigneur!… Sais-tu ce qui arrive?

Jérôme arrondit les sourcils d'un air interrogateur.

— Ils demandent ton extradition!

Pendant un moment, le silence régna dans la pièce. La femme d'affaires s'était mise à suivre la trajectoire d'une mouche rescapée de l'été précédent comme si elle avait brusquement oublié la présence du jeune homme qui, le teint crayeux, les mains crispées sur les accoudoirs de son fauteuil, semblait sur le point de défaillir.

— Vous… tu es sérieuse? réussit-il enfin à articuler.

— Mon pauvre ami, il n'y a personne de plus sérieux que moi ce matin, répondit-elle gravement.

— Mais… qu'est-ce qui s'est passé, madame Desjarlais?

— Francine, appelle-moi toujours Francine… Je ne sais pas trop… ou plutôt, hélas, je ne le sais que trop. Quelqu'un là-bas, dans la police ou au gouvernement, veut encore de l'argent, toujours plus d'argent. Voilà trois jours que j'essaie de régler ce maudit problème. Je ne t'en ai pas parlé jusqu'ici pour ne pas t'inquiéter. Qu'est-ce que ça aurait donné, de toute façon ? Mais, à présent, il faut que nous en discutions. Je viens de contacter un avocat à La Havane, maître Augusto Herreras. Il faut en finir avec cette histoire. J'en ai par-dessus la tête... Comme si je n'en avais pas assez avec les problèmes que me cause Félix. Tu sais qu'il a failli se faire renvoyer de Portage il y a deux jours ?

« Je me fous pas mal de ton Félix et de ses problèmes de drogue, ma grosse madame », lui répondit intérieurement Jérôme, et il souleva des accoudoirs ses mains devenues brûlantes. Puis s'éclaircissant la gorge pour raffermir sa voix :

— Et qu'est-ce qu'il dit de tout ça, l'avocat ?

— Oh, tu sais, le métier d'avocat est bien particulier là-bas. On n'est pas dans le même contexte qu'ici, tu penses bien... Quand on peut acheter un juge comme moi j'achèterais une bouteille de vin... enfin, disons un grand vin... Remarque que, dans le cas qui nous occupe, ça pourrait présenter des avantages... Mais l'affaire reste hasardeuse, évidemment. Dans les dictatures, mon cher, les juges ont trois yeux : deux dans le visage et le troisième dans la nuque, qui fixe les autorités, et les autorités sont imprévisibles.

Elle soupira de nouveau et se mit à pianoter de la main droite sur son bureau ; ses ongles effilés peints d'un rouge sombre produisaient de petits claquements secs qui remplirent Jérôme d'un sentiment lugubre.

— Enfin... Herreras m'a laissé entendre qu'il serait bon que je graisse la patte à un ou deux autres fonctionnaires au ministère de la Justice, mais en même temps, il me recommande fortement de te faire fabriquer un alibi en acier trempé... Et c'est ici que tu joueras un rôle, toi, fit-elle en s'adressant à Alma.

On entendit un glissement de pieds au fond de la pièce, puis un toussotement, et le silence s'établit de nouveau. Jérôme n'osait pas tourner la tête.

— Quel rôle ? demanda-t-il à voix basse.

— J'avais d'abord pensé que la *beauté payante* que j'ai envoyée à ta chambre ce soir-là pourrait faire l'affaire.

Un petit rire étouffé se fit entendre au fond de la pièce. Jérôme ne se retourna pas, car ses joues étaient devenues aussi brûlantes que ses mains.

— Il lui aurait suffi d'affirmer sous serment, poursuivit la femme d'affaires, que tel jour, à telle heure, elle se trouvait avec toi en train de… Un alibi, quoi… Mais son métier, tu comprends, lui enlève beaucoup de crédibilité… Alors j'ai pensé à Alma.

— Vous êtes bien bonne, murmura l'assistante avec une ironie persifleuse.

Jérôme, écarlate, bondit de son fauteuil:

— Quoi! il va falloir que je retourne à Cuba pour ce petit con de Félix? Avec la perspective, si ça tourne mal, d'aller moisir dans une prison de Fidel pendant Dieu sait combien d'années? Pas question!

Les mains posées sur le bureau, il la dardait d'un regard féroce.

— ON – SE – CALME, articula-t-elle lentement, nullement impressionnée par cet accès de colère. D'abord, je te ferai remarquer, mon cher, que personne ne t'avait demandé d'assommer ce bonhomme.

— Il serait mort, ton garçon, cracha Jérôme, si je ne l'avais pas fait!

— Ensuite, l'interrompit-elle en levant la main, personne ne te parle de retourner à Cuba. Il suffira pour l'instant…

— *Pour l'instant*, ricana Jérôme.

— Écoute-moi bien, mon p'tit gars, siffla-t-elle, emportée à son tour par le courroux. J'ai dépensé jusqu'ici une petite fortune pour toi, et ça continue! Je ne suis responsable *en rien* de ce que t'as fait ce jour-là, ni de ce qu'a fait mon garçon. T'es d'accord?… Bon. Je veux que ça soit bien clair. J'essaie de vous tirer du pétrin tous les deux, ce n'est pas facile, je me décarcasse comme une damnée et je m'attendrais, dans les circonstances, à ce que tu aies pour moi, si ce n'est pas de la reconnaissance, du moins un peu d'égards.

Jérôme, interdit, la regarda un moment, puis se rassit. Alma, toujours debout dans le fond de la pièce, toussota à deux reprises. Il eut envie de se retourner, mais se retint. Impossible de savoir si ce toussotement exprimait un malaise ou de l'amusement.

Francine Desjarlais se rejeta en arrière dans son fauteuil, allongea les jambes sous son bureau et poussa un long soupir:

— Excuse-moi… Cette histoire me met aussi à l'envers que toi, Jérôme – sans compter que ce *petit con*, comme tu l'appelles, me fait passer des nuits blanches depuis…

Et, levant la main, elle la laissa retomber dans un geste accablé.

Jérôme baissa la tête en soupirant et se mit de nouveau à contempler ses ongles.

— Bon, murmura-t-il au bout d'un moment, qu'est-ce que tu allais me proposer ?

— Tout ce que je demande, c'est que vous signiez, Alma et toi, une déclaration assermentée où vous affirmerez que l'après-midi du 10 avril, entre 14 h et 16 h, vous vous trouviez tous les deux dans ta chambre, Jérôme – ou dans celle d'Alma, peu importe –, en train de… causer, si tu veux. De toute façon, inutile de donner des détails.

« Alma était à Cuba ? s'étonna-t-il. Personne ne m'en avait parlé. »

— J'espère que ça n'ira pas plus loin, fit Alma avec un petit rire qui râpa les nerfs de Jérôme.

Cette fois, il se retourna pour la regarder ; elle semblait trouver l'affaire extrêmement amusante. C'était une fille sans cœur ou sans jugement ? Les deux, peut-être ?

— Où est-ce qu'on doit remplir ce… document ? demanda-t-il froidement à la femme d'affaires.

— J'appelle le consulat tout de suite. On pourra sans doute régler tout ça demain avant-midi. Je te fais signe aussitôt que je lui aurai parlé.

Elle se leva et jeta un regard de côté vers la porte ; l'entretien était terminé.

◆ ◆ ◆

C'est mue par divers sentiments que Francine Desjarlais avait convaincu son mari de prendre Jérôme à l'essai. Elle avait été d'abord poussée par la reconnaissance : après tout, n'avait-il pas sauvé leur fils d'une mort quasi certaine ? Et il l'avait fait avec une pugnacité et un sang-froid qui, après réflexion, lui avaient paru susceptibles de leur être utiles pour leurs affaires à eux. Il se glissait peut-être aussi une obscure raison dans la sympathie qu'elle avait aussitôt éprouvée pour ce beau garçon ; de méchantes langues auraient pu susurrer qu'en lui payant les services de l'aguichante Hilda elle cherchait plus ou moins consciemment à coucher avec lui par personne interposée. Il y a de ces plaisirs que seuls les gens bien nantis peuvent s'offrir... en attendant mieux.

Séverin Sicotte avait accepté sans trop se faire prier de prendre Jérôme à l'essai, mais il lui fallait des garanties et elles étaient délicates à obtenir. Depuis deux ans, ses affaires prospéraient, il débordait de travail et un acolyte sûr et dynamique l'aiderait grandement. Il pouvait compter sur le dévouement d'Olivier Fradette, mais celui-ci manquait un peu de classe et, dans les nouveaux développements qu'il entrevoyait pour ses affaires, il fallait quelqu'un qui en ait beaucoup; c'était le cas de ce jeune diplômé d'université aux manières distinguées, qui s'exprimait fort convenablement et n'avait pas froid aux yeux. Mais les missions qu'il aurait voulu lui confier demandaient des vérifications poussées.

Il avait donc donné instruction à Fradette de mettre à l'épreuve sa débrouillardise. Le test de la Place Versailles avait dépassé toutes ses espérances; il y avait du pitbull dans ce jeune monsieur, on ne voyait pas ça à tous les coins de rue.

À cet âge, beaucoup de jeunes gens de la classe moyenne étaient encore des petits lapins à nez rose; la vie, qui les avait souvent ménagés, continuait de leur apparaître sous des couleurs naïves, et beaucoup d'entre eux commençaient tout juste à réaliser que les beaux principes n'étaient le plus souvent que des ornements dont on se servait dans les discours officiels, les sermons et autres faribolés du genre pour berner le bon peuple et assurer la paix sociale. Dans le cas de sa recrue, il fallait donc se prémunir contre un excès d'indignation qui aurait risqué de mettre à mal ses affaires, car ces jeunes universitaires et autres enfants gâtés pouvaient devenir facilement bavards, et rien ne leur faisait davantage plaisir que de parader dans les médias.

En secourant son bon à rien de fils à Cuba, Jérôme, sans le savoir, lui avait fourni ce moyen sur un plateau d'argent. On aurait essayé de trouver une combine plus ingénieuse qu'on n'en aurait pas été capable!

Il y avait longtemps, bien sûr, que le minable trafiquant qu'il avait assommé à Varadero avait quitté l'hôpital pour se remettre à son petit négoce. C'est en parlant avec son mari de cette affaire merdeuse que

Francine Desjarlais avait tout à coup eu l'idée de monter cette histoire d'homicide involontaire et de demande d'extradition. Elle en était très fière, car la possibilité que Jérôme cherche à vérifier leurs dires était égale à zéro !

Il s'était d'abord opposé au projet, faisant remarquer que c'était un sale tour à jouer à quelqu'un qui leur avait rendu un si grand service ; mais Francine, sous ses airs de bonne maman, était une dure à cuire et avait fini par le convaincre, arguant que la prudence passait avant tout et que rien ne les empêchait, le temps venu, quand ils seraient sûrs de sa loyauté, de lui dévoiler leur subterfuge ; au début, bien sûr, il rirait jaune, mais il finirait vite par rire de bon cœur.

Vers la fin de mai, Séverin Sicotte invita Jérôme un midi au Beaver Club de l'hôtel Reine Elizabeth. Le jeune homme n'avait jamais mis les pieds dans ce temple gastronomique de la bourgeoisie *canadian* où le cinéaste Pierre Falardeau avait un jour tourné *Le Temps des bouffons*, ce court métrage impitoyable sur la haute gomme fédéraliste qui, en costumes d'époque, fêtait là un soir sa réussite avec un faste grotesque. Il se retrouva, surpris et vaguement mal à l'aise, attablé au restaurant avec son patron devant une cheminée où flambaient trois bûches d'érable qui auraient gagné des prix en design de bûche. En se rendant à sa table, Sicotte s'était arrêté pour saluer un homme d'allure prospère, chauve comme un caillou, accompagné d'une dame que le Botox tentait de ramener à la trentaine mais avait comme embaumée ; il leur avait présenté Jérôme en des termes élogieux où les mots « relève » et « jeunesse » figuraient en bonne et due place, accompagnés des petites tapes dans le dos appropriées.

— *Really ? Wonderful !* s'était exclamé la dame avec un rire en cascade tandis que son compagnon hochait gravement la tête comme un connaisseur devant un Van Gogh qu'on aurait déniché dans un grenier.

— Tu l'as reconnu ? Non ? C'est Marc Lalonde, avait glissé Séverin Sicotte à l'oreille de son employé au moment de s'attabler. Un ancien ministre sous Trudeau, tout un *powerman* à l'époque, mon gars. Elle, je ne la replace pas.

Sur la pressante recommandation de son patron, Jérôme avait commandé un steak de chevreuil avec sa garniture de pommes de terre soufflées, de têtes de violon et de girolles des bois, et rompant avec son habitude de ne jamais prendre d'alcool le midi (cela lui empâtait les idées), Séverin Sicotte avait choisi un bordeaux Champmeslé-Dutrisac 1998 dont le sommelier lui avait fait un éloge plein d'émotion.

De toute évidence, pensa Jérôme, il se préparait à lui annoncer quelque chose.

La conversation roula d'abord sur les affaires courantes ; Jérôme essayait de cacher son malaise et se perdait en conjectures sur les raisons qui avaient poussé son patron à l'inviter dans un endroit aussi huppé. Après un troisième verre de vin, Séverin Sicotte, le visage allumé, avança la tête au-dessus de la table et, baissant tout à coup la voix :

— Je t'ai dit, Jérôme, que j'étais lobbyiste. C'est vrai… et ce n'est pas vrai : en fait, je ne suis pas inscrit au registre officiel comme le voudrait la loi.

— Je m'en doutais un peu, ne put s'empêcher de répondre Jérôme que le vin détendait de plus en plus.

— Tu t'en doutais ? fit l'autre en redressant le menton avec une petite moue goguenarde. Eh ben, c'est un bon point pour toi, ça, mon ami. Dans notre métier, il faut avoir les antennes fines, fines comme la soie la plus fine… Ça a l'air d'être ton cas.

— Et alors, s'enhardit Jérôme, c'est quoi, ton métier, Séverin ?

C'est ce moment que choisit le garçon pour remplir leurs verres et s'informer si tout allait selon leurs souhaits. C'était un grand homme mince sans âge aux cheveux lissés, d'une courtoisie de sphinx. Séverin attendit qu'il se fût éloigné, puis, ayant apparemment oublié la question du jeune homme, se lança dans un long monologue, la voix traversée parfois d'accents nostalgiques.

— Quand j'ai quitté l'Université Laval en 1981 avec mon diplôme d'avocat sous le bras, je suis retourné à Farnham, ma ville natale, où j'ai ouvert un bureau. Ça m'a permis de crever de faim pendant 22 mois, 3 semaines et 2 jours. Ô naïve jeunesse ! comme chante le poète… Farnham avait tous les avocats qu'il lui fallait, et j'étais celui qui était de trop. Jamais je n'ai eu la taille aussi fine et la mine aussi longue ; ma blonde de l'époque pensait que j'étais pris de tuberculose ! Je me préparais à retourner à Québec lorsque le vieux docteur Ostiguy, qui avait accouché ma mère de tous ses enfants, est venu me voir un jour parce qu'il avait des problèmes avec la chaîne Radio Shack qui voulait acheter sa maison victorienne de la rue Principale pour y installer une de ses boutiques de bébelles électroniques. Et c'est là que j'ai réalisé qu'il y avait de l'argent vite fait à empocher, surtout quand ton client – le pauvre docteur Ostiguy commençait à branler un peu de la tête par en dedans – ne connaît pas bien la valeur de ce qu'il voudrait vendre. Non, non, mon ami, ne fronce pas les sourcils comme ça, il n'aurait jamais pu me reprocher quoi que ce soit, car ma formation en droit me permettait de me tenir toujours du bon côté de la clôture. Et c'est là que j'ai béni mon papa qui m'avait tant poussé à devenir avocat.

— Et donc, fit Jérôme de plus en plus à l'aise, t'as fait un coup d'argent.

— L'expression est un peu forte, mais disons que, si pendant deux ans j'avais manqué d'épinards, j'ai pu m'en acheter et mettre du beurre dessus. Mais, après trois ou quatre bons coups de ce genre-là, j'ai réalisé que le marché de Farnham était trop petit pour moi : il me fallait un plus grand territoire. Alors, je suis retourné à Québec et je me suis mis, au fil des mois et en travaillant seize heures par jour, à convertir des vieilles maisons et des vieux immeubles en pharmacies, clubs vidéo, salons funéraires, pâtisseries, Tim Hortons, McDonald's, tout ce qui se présentait, quoi. Et toujours *dans les règles de l'art*, mon ami.

Le sourire narquois de Jérôme s'était peu à peu adouci pour faire place à une expression attentive et remplie de curiosité.

— Et alors ?

— Et alors, soupira l'avocat, est arrivée en 1985 l'inscription du Vieux-Québec sur la liste du patrimoine mondial de l'UNESCO, et l'atmosphère a été un peu gâchée, même en dehors du Vieux-Québec, tu comprends. La mode à partir de ce moment-là était *de ne plus rien changer – ou le moins possible*. Si, par exemple, il y avait une vieille église quelque part qu'on n'arrivait pas à chauffer l'hiver parce qu'il n'y avait plus assez de paroissiens pour payer le compte, oh là là ! il fallait se lever de bonne heure, mon gars, pour convaincre les autorités de la remplacer par quelque chose d'utile, qui profiterait à l'économie – et parfois, ça prenait tellement de temps et d'efforts que ton projet finissait par tomber à l'eau. Les rêveurs et les *artisses* qui vivent aux crochets du gouvernement commençaient à nous emmerder royalement !

— Et alors ?

— Et alors j'ai compris que le moment était venu de m'installer à Montréal. On a les mains pas mal plus libres ici ; le Vieux-Montréal est bien trop magané pour intéresser l'UNESCO et avant qu'on inscrive la ville ou une partie de la ville au patrimoine mondial, mon gars, non seulement les poules auront des dents, mais des pissenlits leur pousseront dans le cul.

Un court silence suivit ces pittoresques métaphores. Jérôme trouva que le langage de Sicotte jurait de plus en plus avec l'ameublement de son bureau.

— De toute façon, reprit l'avocat, à partir de Montréal, on rayonne partout, sans compter que maintenant, grâce à Internet, on pourrait rayonner même à partir de Saint-Profond-du-Trou-Perdu, n'est-ce pas ? Et puis, avec le temps, mes affaires se sont beaucoup diversifiées, beaucoup... Je joue maintenant dans les ligues majeures, mon garçon.

Et, portant son poing à la bouche, il écrasa un rot de digestion heureuse.

— De quelles ligues s'agit-il, si je peux me permettre ? demanda Jérôme mi-amusé, mi-inquiet.

— Si t'es fin pour cinq cennes, tu dois commencer à piger, non ? Bien sûr que t'as pigé, j'aurais été bien surpris qu'un gars déluré comme toi l'ait pas fait... Écoute, Jérôme, je vais te parler comme je me parle à moi-même dans ma tête quand je suis tout seul. C'est te dire la confiance que j'ai en toi, hein ? De toute façon, il fallait en arriver là à un moment ou à un autre... Je suis *agent d'influences*, mon garçon, comme tout bon lobbyiste, déclara-t-il d'un ton un peu fat. Je sers de lien, par exemple, entre des politiciens et certains hommes d'affaires, et vice versa. Les politiciens ont besoin d'argent pour se faire élire et les hommes d'affaires ont besoin de contrats pour leurs... affaires. J'essaie de créer *de l'harmonie* entre ces deux besoins, tu vois. Quand tout baigne, l'économie roule, les salaires se paient, chacun a son dû et la société ronronne de contentement. Tu comprends ?

— Je comprends, répondit Jérôme, et il réussit à ne pas baisser les yeux. « Drôle de façon de voir les choses, quand même », aurait-il voulu ajouter, mais il sentit qu'il ne le pouvait pas – et que, bien sûr, il ne le pourrait jamais.

Le garçon apparut de nouveau, fit signe au commis de salle de desservir et présenta la carte des desserts. Sans même consulter son invité du regard, Séverin Sicotte, de plus en plus gris, la repoussa du revers de la main et commanda des digestifs.

Décidément, il s'agissait d'un dîner bien spécial.

— Jérôme, annonça gravement l'avocat, le moment est venu pour moi de t'entraîner... Eh oui! Ma femme m'a rendu un grand service quand elle m'a parlé de toi. Je te regarde aller depuis le jour où je t'ai engagé, je vois ta façon d'agir et de réagir, et, ma foi, je suis enchanté. Enchanté! Et pourtant, comme tu as dû t'en apercevoir, je ne suis pas un complimenteur. Je me suis toujours fait un devoir de donner l'heure juste à mes employés – comme je m'attends aussi à ce qu'on me la donne. Et, pour être tout à fait sincère avec toi, c'est mon garçon, plutôt que toi, que je rêvais de voir à mes côtés...

Il poussa alors un profond soupir, qu'il dut aussitôt combiner avec un salut amical à l'ex-ministre Lalonde qui, de sa table, lui envoyait la main en se préparant à quitter les lieux avec sa compagne fossilisée.

— Mais Félix, poursuivit-il à voix basse, le visage assombri, c'est classé. Un... fumeur! Si encore il s'en était tenu au tabac, ce maudit poison... Mais non! Il fallait que le désastre soit complet. Le pot et le hasch – et sans doute bien d'autres cochonneries – lui ont brûlé la cervelle. Eh oui!... Quand je l'entendais parler de se lancer dans ce commerce du *vapotage... My God!* Est-ce que c'est possible de se détraquer comme ça? Ma femme conserve encore de l'espoir pour lui, mais, quant à moi, c'est classé. Et quand je classe une chose, mon Jérôme, je la classe seulement une fois. C'est l'expérience de la vie qui m'a montré à ne pas perdre mon temps avec les causes désespérées.

Il y avait de la rage et de la douleur dans cette phrase crachée comme un aveu de défaite, mais déjà son esprit galopait ailleurs, la bonne humeur revenue.

— Suffit. J'ai une bonne nouvelle à t'annoncer, Jérôme. Enfin, j'espère que, pour toi, ça va en être une... À partir d'aujourd'hui, tu lâches le classement de paperasses pour venir travailler avec moi. Je vais m'occuper personnellement de ta formation. Au début, tu vas m'accompagner comme simple observateur – dans mon travail, il y a beaucoup de rencontres, forcément – de façon à attraper le tour de main rapido ; mais, comme je te connais, ça ne te prendra pas beaucoup de temps ; puis, à partir de là, mon ami, tu ne seras plus à salaire, mais *à pourcentage* – et tu vas voir que c'est mauditement plus intéressant !

Il se rejeta en arrière sur sa chaise, le ventre épanoui, un large sourire épandu sur son visage aux joues pulpeuses, l'image même de la bienfaisance exercée dans la joie de vivre.

— Alors, qu'est-ce que t'en penses ?

Et, comme pour souligner le caractère inespéré de l'offre qu'il lui faisait, une bûche péta joyeusement dans la cheminée, projetant une pluie d'étincelles contre le pare-feu.

Jérôme le fixait avec de grands yeux. Une sorte de vertige venait de s'emparer de lui et faisait ondoyer Séverin Sicotte et la salle tout autour, devenue un peu floue. Était-ce le vin ? Était-ce la perspective inattendue qui s'ouvrait brusquement devant lui ? Il croyait entendre comme des bruissements de billets de banque, des chuchotements, de petits rires, de légers tintements de verres, tandis qu'une odeur vaguement douteuse montait à ses narines et lui donnait un peu la nausée. Il serait condamné à la respirer, car elle accompagnerait d'office tout le reste. Mais, ce qui l'inquiétait plus que tout, c'était le contentement et la curiosité que venait d'éveiller en lui l'offre de son patron. Il appuya les mains sur le rebord de la table et prit une grande inspiration.

— Merci de la confiance que tu me fais, Séverin, répondit-il enfin, tandis que la rougeur gagnait ses joues et que ses aisselles se mouillaient.

— Alors, tu acceptes ? Bravo, mon gars. Tu ne regretteras pas ta décision. Évidemment, tu vas travailler dur, les nuits seront parfois courtes, et puis dans ce métier-là on rencontre de temps à autre des gens à chier, mais, tout compte fait, c'est la belle vie, tu verras. Apportez-nous donc deux autres calvados, Gary, fit-il en se tournant vers le garçon qui passait.

◆ ◆ ◆

À leur retour au bureau, Séverin Sicotte, un peu massacré par son dîner, prit quelques messages, eut une courte conversation avec sa femme, puis gagna sa chambre pour une petite sieste avant un rendez-vous important.

— Allez, décampe, tit gars! avait-il lancé à Jérôme, tu ressembles à un mal de tête. Je te donne congé jusqu'à demain matin. Laisse ton auto ici, je paierai les taxis. Ce n'est pas le temps de te faire arrêter pour conduite avec facultés affaiblies.

En retournant chez lui, Jérôme se jura de ne parler à personne de sa nouvelle carrière: ni à ses parents, ni à Eugénie, et surtout pas à Charlie qui l'assommerait de sermons jusqu'à ce qu'ils en viennent aux poings. De toute façon, tant que cette menace d'extradition ne serait pas levée, la prudence lui commandait de se montrer bon collaborateur: la main qui aujourd'hui le flattait et lui ouvrait des portes pouvait aussi le pousser dans le vide, il en était sûr. Se rebeller aurait été idiot.

Et puis, il devait le reconnaître: l'aventure le tentait. Était-ce un besoin de revanche après les mauvais tours subis l'année précédente? «C'est peut-être comme ça qu'on devient une crapule, se dit-il en se laissant tomber sur son lit. Question de circonstances.»

Ce constat morose ne l'empêcha pas, trente secondes plus tard, de ronfler à pleines narines.

◆ ◆ ◆

Eugénie Métivier était, de loin, la femme la plus remarquable qu'il eût rencontrée dans sa courte carrière d'amoureux. Les phénomènes biochimiques qui accompagnent, dit-on, les débuts d'une relation et aident à la formation d'un couple avaient dû jouer en lui avec une rare intensité, car l'idée de ne plus la voir lui apparaissait aussi ridicule qu'horrible – et cette idée semblait partagée par sa nouvelle maîtresse.

Calme et plutôt réservée, c'était une femme méthodique, au caractère déterminé, qui voyait un peu la vie en gestionnaire, mais cela s'accordait en même temps chez elle avec un goût pour le plaisir et la fantaisie qui l'avait préservée des œillères qu'on trouve chez certaines gens formées pour l'administration et le commerce. Elle aimait les voyages, la littérature, allait assez souvent au cinéma, et entendre parler de politique ne la faisait pas nécessairement sombrer dans la léthargie. Après des études en diététique, elle avait obtenu six ans plus tôt un baccalauréat en administration des affaires de l'École des hautes études commerciales de Montréal. La chaîne Metro lui avait confié la gestion des aliments dits *santé*.

Comme à tous les êtres humains, la vie lui avait infligé des blessures, certaines encore vives. Jérôme s'en aperçut lorsqu'il voulut la questionner sur son ex-mari :

— C'est un Belge, lui avait-elle répondu plutôt sèchement, et il est retourné en Belgique. Il n'aurait jamais dû en sortir.

Il voulut poursuivre. Elle l'arrêta d'un geste :

— S'il te plaît. Je préfère ne pas en parler.

C'était un samedi matin. Andrée-Anne était chez une petite amie jusqu'à 16 h. Ils avaient tranquillement déjeuné, buvant cafés sur cafés, puis ils avaient baisé comme une colonie de lapins. Eugénie était insatiable de certaines caresses qu'elle lui avait enseignées et en prodiguait elle-même avec beaucoup d'adresse et de passion. Jérôme découvrait de nouveaux pays.

— Eugénie, avait-il lancé soudain en émergeant, tout haletant, d'un spasme de volupté particulièrement intense, comment fais-tu, mon amour, pour m'envoyer en ballon comme ça ?

Elle rit :

— J'ai beaucoup d'hélium, c'est tout. Il faut dire que t'es plutôt facile à faire monter, Geronimo (c'était le surnom qu'elle lui avait trouvé dans un moment d'intimité).

Et elle continuait de rire tandis qu'il lui couvrait le visage de baisers.

— Bon sang, murmura-t-il d'un ton fervent, quelle chance j'ai eue de te rencontrer. Et toi ? Est-ce que tu te trouves chanceuse ?

Elle prit la tête du jeune homme entre ses mains et, le regardant droit dans les yeux :

— Quelle question… Tu as réparé ma vie, Jérôme… Même Andrée-Anne s'en est aperçue.

Il eut comme un gloussement de plaisir. Et c'est à ce moment qu'il faillit rompre la promesse qu'il s'était faite de ne jamais parler de son nouveau métier.

— J'ai réparé ta vie ? reprit-il à voix basse, frappé par l'expression. Je vais peut-être avoir besoin un jour qu'on répare la mienne.

Et il se mit à lui caresser le menton du bout de l'index. Elle lui saisit la main :

— Qu'est-ce que tu veux dire ?

Il hésita, traversé d'un frisson, mais cela ne dura qu'un instant et, plissant l'œil d'un air taquin, il imita le ton qu'elle avait pris quelques instants plus tôt pour écarter ses propres questions :

— S'il te plaît. Je préfère ne pas en parler.

Elle crut deviner une esquive, puis, comme il riait de bon cœur, changea d'idée.

— Farceur, va... Dis donc, qu'est-ce qu'on fait aujourd'hui ?

◆ ◆ ◆

L'expérience que Jérôme avait vécue la veille aurait pourtant fait la matière du récit le plus curieux et succulent qu'on puisse imaginer.

Durant les deux jours qui avaient suivi son dîner au Beaver Club avec Séverin Sicotte, rien de particulièrement nouveau ne s'était passé. Le matin du premier jour, Olivier Fradette, avec un sourire complice, lui avait remis un épais dossier avec l'ordre du grand patron de le parcourir attentivement «à cause de son contenu instructif». Il se mit aussitôt à l'œuvre. L'ensemble des pièces lui parut disparate, plusieurs de celles-ci couvertes de notes obscures ; après deux heures de potassage solitaire, tout ce qu'il crut pouvoir en deviner, c'était que des entrepreneurs de construction spécialisés dans les trottoirs semblaient discuter entre eux d'un appel d'offres de la Ville de Laval.

Dans l'après-midi du deuxième jour, Francine Desjarlais le fit venir à son bureau pour lui annoncer d'un ton maternel que son affaire «prenait une tournure encourageante», mais qu'elle devrait déployer encore pas mal d'efforts pour un règlement définitif. Puis elle lui demanda comment il se sentait dans ses nouvelles fonctions.

— Pour te dire la vérité, Francine, mes nouvelles fonctions ressemblent pas mal aux anciennes.

— Tu ne perds rien pour attendre, répondit-elle en riant.

Séverin Sicotte, retenu à l'extérieur par une affaire imprévue, apparut dans le bureau de Jérôme le lendemain matin pour lui annoncer d'un ton solennel :

— Mon gars, amène-toi. Je vais te présenter à quelqu'un de très important.

Et il ajouta d'un air pénétré :

— Je le considère comme mon maître à penser. Oui, mon gars, rien de moins. Et je ne suis pas le seul, crois-moi.

— Et comment s'appelle-t-il, ce monsieur ? demanda Jérôme en suivant son patron.

— Joseph-Aimé Joyal. On l'appelait Jojo à l'époque, mais jamais en sa présence, sacrament, non ! Il nous aurait fait manger nos souliers.

— *Appelait* ? Il ne travaille plus ?

— Travaillerais-tu encore, toi, à 88 ans ?

— Si j'étais en forme, oui.

— Une réponse de jeune homme, ça.

En mettant le nez dehors, Jérôme poussa une exclamation de surprise. Une imposante berline BMW blanc crème était stationnée près de la petite Honda qu'il venait d'acheter et qui, en pareille compagnie, avait pris un air misérable ; la prestigieuse voiture ne s'y trouvait pas quand il était arrivé une heure plus tôt. Jusqu'ici, Monsieur et Madame s'étaient contentés chacun d'un coupé Cadillac, bleu azur pour Madame, vert olive pour Monsieur, véhicules convenables, mais sans plus, pour des résidants d'une ville aussi huppée que Mont-Royal. La berline blanc crème, dans sa sobriété grand chic, faisait l'effet d'une sonnerie de trompettes célébrant les progrès d'une carrière.

— Il y a bien mieux encore, mais je la trouve pas mal, se contenta de dire Sicotte d'un air faussement détaché en se dirigeant vers le véhicule.

— Wow ! Le grand luxe !

Jérôme promena un regard admiratif à l'intérieur :

— Ça en prend, du fric, pour se payer ça…

— Rien n'est cher, mon garçon, quand on en a les moyens, répondit doctoralement Sicotte.

Il prit une grande inspiration, savourant son truisme pompeux, puis :

— Allez, monte. Il ne faut pas arriver en retard.

— Où est-ce qu'on va ?

— À Westmount, rue Curwood.

La BMW recula doucement dans l'entrée puis, obliquant à droite, prit son élan. Elle semblait flotter silencieusement au-dessus de la chaussée ; l'habitacle embaumait le cuir neuf. La tête droite, un sourire satisfait sur les lèvres, l'avocat tendit coquettement l'auriculaire et pressa un bouton ; les flots de la *Moldau* de Smetana envahirent l'automobile qui se mit à résonner comme une cathédrale. Jérôme, ébahi, tournait la tête de tous côtés.

— C'est trop beau, fit Sicotte, ça me distrait.

Et il coupa la musique :

— Pas mal comme chaîne stéréo, hein ?

— Je n'ai jamais rien entendu de plus beau… dans une automobile, en tout cas, ajouta Jérôme pour faire connaisseur.

— C'est du *grand art*, décréta Sicotte.

Jérôme se mit à le lorgner du coin de l'œil ; il lui parut soudain si bouffi de contentement, si bêtement prosterné devant sa propre réussite qu'il en serra les dents et se mit à les frotter rageusement les unes sur les autres.

Il secoua la tête pour interrompre ces pensées qui, dans les circonstances, ne pouvaient que le desservir. Il sentait que cette rencontre était importante, et peut-être décisive, une ultime évaluation qu'on voulait lui faire subir.

Les maisons cossues, huppées et parfois d'une somptuosité arrogante, continuaient de défiler de chaque côté de la rue. Qui n'avait pas rêvé, à un moment donné, d'en posséder une, tout en sachant qu'il ne le pourrait jamais ? Cela nourrissait chez certains la basse envie, les jalousies rampantes, les frustrations fielleuses – et plus encore. Jérôme se mit à penser à ces gens qui dans les révolutions se battaient dans les rues, dévalisaient les demeures et fichaient le feu partout. D'un grand geste dédaigneux, un de ses profs d'histoire – vieux con de la droite – les qualifiait de *tourbe populaire*. C'était là une expression bien commode quand on voulait éviter de réfléchir. Peut-être les quartiers riches produisaient-ils eux-mêmes les germes de leur propre destruction ?

Sicotte se tourna vers lui :

— T'as donc l'air songeur, mon gars… Quelque chose qui ne va pas ?

— Non, non… Un petit mal de tête, c'est tout, ça va passer, balbutia Jérôme.

Il rougit, mécontent de s'être laissé envahir par ses rêveries contestataires.

— Il est encore en bonne santé, ce monsieur Joyal? reprit-il avec un intérêt de commande.

— La dernière fois que je l'ai vu, il pétait le feu, malgré des problèmes de genoux. Mais ça remonte à plus de six mois. Nous y voici.

À leur gauche, se dressait une maison de pierre à étage et à pignon, d'assez bonnes dimensions, mais qui, selon les standards de Westmount, n'offrait rien de particulier ou d'exceptionnel.

Séverin Sicotte mit pied à terre et, après un coup d'œil à sa montre, s'avança à pas rapides dans l'allée, se retournant à deux reprises vers Jérôme qui s'était arrêté à mi-chemin pour ajuster sa cravate, puis nettoyer avec un papier-mouchoir la pointe de ses souliers.

— Allons, amène-toi, Jérôme, lança-t-il, impatient, tu ne t'en vas pas à un défilé de mode, sacrament! On est en retard de presque trois minutes. Il va nous le reprocher, tu vas voir.

Il voulut sonner, mais la porte s'ouvrit brusquement, laissant apparaître une corpulente Haïtienne avec sa coiffe de bonne :

— Bonjour, messieurs. Monsieur Joyal vous attendait, dit-elle d'une voix un peu éraillée. Suivez-moi, s'il vous plaît.

Il y avait un reproche dans cet «attendait». Séverin Sicotte grimaça, se racla la gorge, puis jeta un regard mécontent à Jérôme, comme si ce dernier avait été responsable de leur retard.

— Comment va-t-il, Clémentine? demanda Sicotte avec un enjouement un peu forcé tandis qu'ils traversaient un salon aux draperies violettes et aux meubles lourds et massifs.

— Oh, pas si mal, vu son âge, mais l'hiver n'a pas été facile, oh ça, non! Juste avant Noël, il a attrapé une grippe si forte et qui a duré si longtemps qu'on a pensé l'envoyer à l'hôpital, monsieur. Heureusement, elle a fini par passer. Heureusement!

Ils arrivèrent devant une large porte de chêne; en haut de l'embrasure, sculptée en relief, une tête de chérubin flanquée de ses petites ailes dodues les observait avec un sourire moqueur. La bonne ouvrit la porte, s'effaça devant eux et tendit le bras :

— Il est dans son bureau. Vous connaissez le chemin.

Ils se trouvaient dans un boudoir sur lequel donnaient d'autres pièces. D'une porte entrouverte partit une voix cassée mais impérieuse :

— Par ici, Séverin ! Je vous attends.

Un gros homme chauve à lunettes de corne noire, aux larges épaules et au corps un peu affaissé, feuilletait un journal étalé sur son bureau. Jérôme nota qu'il était assis dans un fauteuil roulant.

— Je vous attends depuis trois minutes et demie, précisa l'homme avec un grand sourire en tendant la main à Sicotte, puis à Jérôme. À mon âge, je me permets de te le rappeler, chaque minute vaut de l'or, tu verras bien ça un jour.

— C'est de ma faute, Joe. Je viens tout juste de recevoir ma nouvelle BMW et c'est la première fois que je la conduis.

— Une BMW ? Quel modèle ?

— Gran Coupé Série 6.

— Oh ! C'est de l'auto, ça… L'excuse est acceptable. Mais seulement une fois, ajouta-t-il en plissant un œil malicieux. T'as amené ton dauphin ? fit-il en désignant Jérôme.

— Je tenais à te présenter Jérôme Lupien, Joe. C'est un p'tit gars bourré de talent. On a mis beaucoup d'espoir en lui, Francine et moi.

Jérôme secouait la tête, embarrassé, et se trouvait l'air idiot.

— Ne rougis pas comme ça, toi, lui dit le vieillard avec une rudesse joviale, tandis que Sicotte riait doucement. S'il fait ton éloge, c'est que tu le mérites. Dans la vie, il ne faut pas avoir peur de montrer sa valeur. Sinon, on n'arrive à rien. L'humilité, c'est bon pour les gagne-petit.

— C'est que je commence à peine dans le métier, monsieur Joyal, fit remarquer Jérôme. « Quel métier, au fait ? » se demanda-t-il. Monsieur Sicotte est bien bon d'avoir mis tant d'espoirs en moi. Je ne suis pas sûr que si j'étais à sa place et lui à la mienne, j'aurais fait la même chose.

Joseph-Aimé Joyal se tourna vers Sicotte :

— Il ne manque pas d'esprit, ton gars, mais je lui trouve la mentalité encore bien catholique. Il va falloir que tu continues à le former, Séverin.

— Compte sur moi.

— Il y a deux ou trois choses que j'ai enseignées à Séverin et qu'il a fini par comprendre parfaitement. La première, c'est qu'il ne faut jamais se laisser mener par les sentiments ; c'est un luxe que personne ne devrait se payer. La deuxième relève du simple gros bon sens : on ne peut pas obtenir de bons résultats avec du n'importe quoi ou du n'importe qui. Il faut être exigeant, tenace, et travailler dur. Mais, *de loin* la chose la plus importante...

Le regard fixé sur Jérôme, il avança une main aux doigts courts et déformés par l'arthrite et frappa trois petits coups sur le bureau avec sa chevalière :

— ... c'est *l'imagination*, mon gars. C'est elle qui fait la différence entre un simple matelot et un capitaine.

— Oh, pour ça, il n'en manque pas ! intervint Sicotte en riant.

Et il raconta au vieil homme l'épisode de la Place Versailles.

— Bien, très bien, fit Joseph-Aimé Joyal après avoir écouté avec attention, émettant de temps à autre de petits grognements approbateurs. Très prometteur, ça... Tu m'as l'air de ne pas manquer de talent.

Jérôme, qui allait classer leur hôte parmi les casse-pieds professionnels section radoteurs, suspendit son jugement.

— Merci, monsieur. Je suis flatté.

— Vous voyez, reprit Sicotte, radieux, la main tendue vers son employé, en plus, il connaît les bonnes manières et s'exprime très bien. Ce n'est pas donné à tout le monde.

— Bien sûr, bien sûr, répondit Joyal avec une paternelle bienveillance, c'est un atout, aucun doute là-dessus...

Jérôme souriait, de nouveau embarrassé ; il se sentait comme une de ces jeunes filles de bonne famille que, dans le temps, on amenait aux bals pour qu'elle fasse son entrée dans le monde et trouve un parti convenable. La situation devenait loufoque.

— ... mais j'ai bien vu à ton air, poursuivit-il d'une voix railleuse, que je commençais à te les casser un peu beaucoup avec mes conseils... Non, non, non, ne dis pas le contraire, je m'en suis tout de suite aperçu, je ne suis encore ni aveugle ni gaga... C'est normal, les jeunes n'aiment pas qu'on leur donne des conseils, ils débordent tellement de vitalité que ça leur donne l'impression d'être infaillibles... Et ils se pètent souvent la gueule, aussi ! Désolé pour les conseils, mais, que veux-tu, à l'âge où je suis rendu, je ne peux plus prêcher par l'exemple. Est-ce que Séverin t'a parlé de mon histoire du pont Champlain ?

— Non, Joe, je voulais te laisser le plaisir de la lui raconter.

— Est-ce que ça t'intéresserait de la connaître, jeune homme?

— Bien sûr, monsieur Joyal, répondit Jérôme avec de grands hochements de tête.

— Très bien, fit ce dernier, et un air de contentement manifeste se répandit sur son visage jaune et ridé. On a commencé à parler de construire un nouveau pont entre Montréal et la Rive-Sud au début des années 1950; c'était sous le régime de Louis St-Laurent – certains ponts, comme tu sais, sont de juridiction fédérale. Il y avait un boum incroyable sur la Rive-Sud, chacun voulait son auto et les trois ponts qu'on avait à ce moment-là ne suffisaient plus. À l'époque, j'étais dans la trentaine et je possédais une compagnie de pavage, une autre qui faisait dans le béton, plus deux ou trois autres petites bricoles. Mes affaires allaient bien, mais j'étais ambitieux et je voulais les voir grossir plus vite encore. Mon travail m'avait mis en contact avec des bureaux d'ingénieurs un peu partout et j'entretenais de bons rapports avec les partis politiques – chose essentielle, comme chacun sait, quand on veut faire son miel dans les travaux publics.

Il s'arrêta, un peu essoufflé, prit une longue inspiration, puis d'un ton grave, presque solennel:

— Là, mon garçon, je viens simplement de dresser le décor de mon histoire.

Séverin Sicotte eut un petit toussotement nerveux. Penché en avant dans son fauteuil, l'œil dilaté d'enthousiasme, il aspirait les paroles du vieux millionnaire comme une groupie dans un concert rock, défaillant de plaisir devant son idole en train de chanter un tube entendu pourtant mille fois.

— Le 17 août 1955, le ministre des Transports George Marier tient une conférence de presse à Montréal pour annoncer la construction d'un nouveau pont qui va relier le sud-ouest de l'île à Brossard. Si t'avais vu l'excitation un peu partout! Ottawa avait décidé de le nommer le pont Champlain, une petite fleur aux nationalistes, quoi... Les appels d'offres sont lancés. Ce midi-là, je dînais au Kambo, rue Sherbrooke, avec un de mes partenaires du temps, Vic Lamone, et la nouvelle passait à la télévision juste devant nous à cinq ou six pieds au-dessus de notre tête. « Un gros projet, ça, dit Vic. Des millions, des millions et des millions ! Dommage qu'on soit pas assez gros, on aurait pu essayer de monter dans le train. Tu réussis *une* bonne passe là-dedans, et t'es gras dur pour le reste de tes jours. » « Et pourquoi on n'essaierait pas, Vic ? que je lui réponds. On connaît le béton et on n'a pas peur du travail. Suffit de trouver des associés. » « Ça prend des contacts, Joe. On n'en a pas. » L'affaire en reste là, mais je continue à y réfléchir. Ce que Vic ne savait pas, c'est que j'en avais un, contact : deux ou trois semaines plus tôt, j'avais rencontré le responsable du financement dans le comté du ministre Marier au cours d'un souper-bénéfice à Verdun. On avait longuement jasé, le type m'avait paru très parlable – et vite entre les deux oreilles. Je lui ai téléphoné, on s'est vus, on s'est entendus, il m'a présenté à des personnes-clés, et c'est à partir de là que j'ai pu monter une machine de guerre qui m'a permis de me glisser dans le groupe des *happy boys* qui allaient soumissionner... Et, dès le début, j'ai compris qu'il fallait éviter de refaire l'erreur qu'on avait faite en construisant le pont Jacques-Cartier.

— Quelle erreur ? demanda Jérôme, intrigué.

— L'erreur de l'avoir construit trop solide.

— C'était une erreur ?

Il avait peine à garder son sérieux.

— Et comment ! Écoute, mon gars, on a inauguré le pont Jacques-Cartier en 1930, et regarde l'état dans lequel il est ! Quasiment comme neuf ! Suffit de le peinturer de temps à autre, puis, de temps à autre, de réparer ci ou ça, et vogue la galère ! On n'en verra jamais la fin, de ce maudit pont. Moi, sûrement pas, toi, j'en doute. Il est bon pour durer encore au moins 200 ans.

Jérôme le fixait avec un sourire ébahi.

— Je ne comprends pas, monsieur Joyal.

— Je le vois bien, que tu ne comprends pas ! Voilà pourquoi Séverin t'a amené ici pour que je t'explique ma *philosophie des affaires*.

Jérôme se tourna instinctivement vers son patron, comme pour s'assurer qu'on ne s'amusait pas à ses dépens.

Sicotte, l'air recueilli, continuait de boire les paroles du vieil homme.

— Écoute-le, écoute-le, lui enjoignit-il à voix basse.

— Et donc, reprit Joseph-Aimé Joyal, je venais de piger que si on voulait un pays prospère, génération après génération, il fallait que les affaires roulent génération après génération, avec plein de travaux publics à faire et à refaire, de façon à maintenir un bon *flux écono-mique*. Il faut sortir de sa coquille d'égoïsme, mon gars, et penser à ceux qui vont nous suivre et qui vont prendre notre place dans le monde des affaires quand on aura cassé notre pipe. Ce qui est bon pour nous est bon pour les autres, non ? Construire des ponts – ou des hôpitaux ou des routes, peu importe – qui durent trop longtemps, c'est mener un pays à la stagnation économique, à l'anémie chronique ! L'argent est fait pour rouler. Quand il ne roule pas, il rouille. Retiens ça.

Il s'arrêta de nouveau, le souffle court.

Séverin Sicotte bondit sur ses pieds :

— Veux-tu un verre d'eau, Joe ?

— Non, non, répondit le vieillard avec un geste impatient, rassieds-toi… Mais, à bien y penser, je prendrais par contre un petit cognac. Vous m'accompagnez ?

Et, sans attendre de réponse, il toucha un bouton. Clémentine apparut.

— Un petit remontant pour tout le monde, Clémentine.

La domestique se dirigea vers un cabinet de boissons encastré dans une bibliothèque chargée de livres aux reliures sombres et, l'air pincé, servit les consommations.

— Laisse la bouteille sur le bureau, veux-tu, demanda Joyal.

— C'est votre deuxième en dix jours, observa l'Haïtienne d'un air revêche.

— Et dans dix autres, ce sera ma quatrième. Va, ma fille.

— Vous savez pourtant ce que votre médecin vous a dit.

— Va, ma fille, va.

Elle haussa les épaules et quitta la pièce en marmonnant.

— Et donc, reprit Joyal, à force de patience, de diplomatie, de coups de fil faits au bon moment et à la bonne personne, j'ai réussi à m'introduire par la bande dans le *think tank* chargé de concevoir les plans du pont, pour m'apercevoir que deux clans se livraient la guerre : le clan des *pharaons* et le clan des *modernes*.

Il sourit devant la mine étonnée de Jérôme.

— Les pharaons se battaient pour un pont qu'on pourrait admirer durant des siècles et des siècles, *amen*, et qui allait coûter tout un bras, merci ! C'est leur clan qui avait gagné la bataille du pont Jacques-Cartier. Les modernes, eux, voulaient un pont *adapté à notre époque*, pas tellement moins cher à construire, je veux bien, mais qui, surtout, rapporterait des sous aux entrepreneurs *après* sa construction. Tu piges? On bâtit seulement *une fois*, mais on entretient et on répare *plusieurs fois*. Si tu construis trop solide, tu fermes plus ou moins le robinet des revenus de l'entretien et des réparations. La beauté de la chose, en plus, avec l'approche moderne, c'est qu'un jour, après avoir mis beaucoup de fric dans le pont, le gouvernement finit par conclure qu'il n'est plus réparable et qu'il faut en construire un autre. Et on recommence!

Il approcha de son nez le ballon de cognac, en huma les vapeurs et prit une gorgée.

— Naturellement, j'avais choisi le parti des modernes et je me suis arrangé, en faisant des alliances, pour qu'ils gagnent. Les plans sont sortis, les appels d'offres ont été lancés. J'avais eu le temps de bâtir un *holding* qui m'a permis de figurer parmi les gros joueurs, et nous avons soumissionné… Soumissionner est un bien grand mot: en fait, on se partageait le gâteau, quoi… Certains avaient de gros morceaux, d'autres des morceaux plus petits et d'autres pas de morceau du tout mais beaucoup de glaçage… Leur tour viendrait la prochaine fois… Ça grinçait un peu des dents, mais on finissait toujours par s'arranger…

Alerté par la remarque acide que le vieil homme lui avait lancée plus tôt, Jérôme s'était vissé dans le visage un large sourire approbateur pour masquer l'ébahissement un peu dégoûté qui l'avait envahi et modulait de temps à autre ce sourire par de petites moues d'amusement ou de surprise afin d'éviter une fixité qui aurait fini par paraître suspecte. Siroter son cognac lui facilitait beaucoup la tâche.

Posant alors les mains à plat sur son bureau, les bras largement étendus, Joseph-Aimé Joyal enveloppa ses auditeurs d'un sourire satisfait qui pendant une seconde le rajeunit de 20 ans:

— Et la stratégie *moderne* a fini par porter ses fruits. Depuis deux ou trois ans, comme vous avez pu le constater, on parle de plus en plus souvent de refaire le pont Champlain parce qu'il se dégrade. Il est encore sécuritaire, mais il se dégrade. Et, tôt ou tard, on n'aura pas le choix: il faudra le reconstruire. Le gouvernement se fera tirer l'oreille pendant un bout de temps, on posera sur notre vieux pont toutes sortes de cataplasmes – à des prix de fou, d'ailleurs –, mais un jour ou l'autre Ottawa devra bien se rendre à l'évidence: il nous faut un pont! La seule idée d'être au pouvoir le jour où il s'écroulerait en pleine heure de pointe a de quoi faire pisser dans ses culottes n'importe quel politicien ! Alors, il y aura une nouvelle conférence de presse à Montréal, on dressera de nouveaux plans – améliorés, bien sûr, on ne peut pas bouder le progrès, après tout –, on étudiera de nouvelles soumissions, le travail reprendra, l'économie roulera de plus belle et tout le monde sera content.

« Sauf les contribuables », répliqua mentalement Jérôme.

Il craignit que quelque chose de sa réflexion paraisse dans ses yeux et se hâta de prendre une gorgée de cognac.

— Il ne faut pas penser seulement à soi, poursuivit Joyal avec une emphase de prédicateur, mais aux générations futures… Pas vrai, jeune homme ?

La question ressemblait à une mise en garde.

Jérôme hocha vivement la tête :

— Tout à fait d'accord, monsieur.

Il sentit de nouveau une légère rougeur gagner ses joues, mais supporta sans broncher le regard inquisiteur du vieil homme qui semblait le sonder jusque dans ses tréfonds. Il fallait trouver autre chose, n'importe quoi, montrer patte blanche en quelque sorte.

— De toute façon, lança-t-il avec désinvolture, les incompétents qui nous dirigent gaspillent la moitié de nos impôts.

— Voilà ! approuva Séverin Sicotte en lui donnant une tape sur l'épaule. T'as tout compris. Aussi bien qu'un peu de cet argent-là aboutisse dans le privé, non ? Au moins, nous, on sait comment le dépenser et, en fin de compte, la population en profite aussi.

Joyal saisit la bouteille de cognac et, d'un air bonhomme, fit signe à ses invités d'approcher leur verre.

Sicotte leva la main :

— Non, vraiment, Joe, je te remercie, mais il va falloir y aller, le travail nous appelle.

Jérôme se leva prestement, déposa son verre sur le bureau et, tendant la main au vieillard :

— Ce fut un privilège pour moi de vous rencontrer, monsieur Joyal.

— Allez, bonne chance, jeune homme, t'as un bon patron, profites-en.

Et pendant que Jérôme se dirigeait vers la porte, Joyal eut à l'intention de Sicotte une mimique qui disait : « Il m'a fait bonne impression, mais, quand même, tiens-le à l'œil, on ne sait jamais. »

Clémentine apparut aussitôt dans le boudoir et, l'air pincé, les précéda vers la sortie.

— Vous l'avez retenu un peu longtemps, monsieur Sicotte, observa-t-elle en lui ouvrant la porte, il va en être fourbu pendant deux jours, le pauvre homme.

— Désolé, Clémentine. Vraiment désolé. Je ne savais pas.

— Chaque jour, je le vois dépérir un peu plus, monsieur Sicotte. Il n'en a plus pour longtemps, je crois.

« Qu'il crève donc tout de suite, pensa Jérôme, il nous a déjà coûté assez cher comme ça. »

Et, inclinant la tête, il salua la servante avec un grand sourire.

L'air vif et piquant de l'extérieur l'étourdit brusquement. Il faillit chanceler. Était-ce l'effet du cognac ou le contraste avec les propos sordides qu'il n'avait cessé d'entendre tout au long de la rencontre et auxquels il avait dû ajouter les siens ?

Ils prirent place dans la BMW.

— T'as l'air sonné, toi, fit Sicotte en démarrant.

— Ouais, je ne sais pas ce que j'ai… Ça m'a pris tout d'un coup.

— Tu ne tolères pas le cognac, fiston ? C'était pourtant du Hennessy X.O. à 250 $ la bouteille… à faire bander les papilles !

Le ronronnement huileux du moteur, les mouvements moelleux du véhicule et jusqu'à l'odeur épicée des sièges semblaient alimenter une nausée qui ne cessait de le faire déglutir ; la tête penchée en avant, il se mit à respirer avec bruit, la face livide.

— Arrête ! arrête ! lança-t-il soudain d'une voix curieusement embarrassée.

Sicotte se rangea à droite et donna un coup de frein. Jérôme bondit dehors en vomissant, mais une traînée visqueuse maculait le flanc intérieur de la portière.

— Ah, Seigneur, Seigneur… dans quoi je me suis embarqué ? marmonnait-il en s'épongeant les lèvres avec un papier-mouchoir, appuyé contre une borne-fontaine, tandis qu'une dame à cheveux

argentés arrêtée devant lui le fixait avec dégoût, son caniche hystérique réfugié derrière elle.

— Et alors ? Ça va mieux ? maugréa Sicotte quand Jérôme, confus,
l'eut rejoint dans la berline. J'espère que mon cuir ne restera pas taché,
bout de crisse, j'ai enlevé tout ce que j'ai pu. Y a des Kleenex dans la
boîte à gants, ajouta-t-il sur un ton de commandement tandis que
l'auto s'ébranlait de nouveau. Continue de frotter, veux-tu ?

Plus un mot ne fut échangé jusqu'à leur retour au bureau.

◆ ◆ ◆

Eugénie, perplexe, fixait l'écran de son ordinateur; sa porte fermée
coupait de moitié la rumeur des bureaux qui l'entouraient tout en lui
permettant de suivre assez bien une discussion plutôt tendue entre
deux concepteurs du service de la publicité sur la diminution de format
de 600 à 400 grammes des framboises congelées de la marque Irrésistibles sans baisse proportionnelle du prix. Les framboises congelées, si
bonnes pour la santé, lui importaient pour l'instant bien peu. Elle venait
de lire un courriel d'un certain Charlie Plamondon intitulé « Un ami
inquiet de Jérôme ». Ce dernier lui avait parlé à quelques reprises de
Charlie, le décrivant comme son meilleur ami, « un peu pesant parfois,
mais bon cœur », sans développer davantage. Elle poussa un soupir et
relut le message.

Chère Madame Métivier,

*Permettez-moi tout d'abord de préciser que ce n'est pas Jérôme qui
m'a fourni votre adresse électronique (par délicatesse, il aurait
refusé, je suppose); j'ai pu l'obtenir par votre employeur. Allons
droit au but, car je sais que votre temps est précieux (le mien aussi,
d'ailleurs, si je peux me permettre !). Depuis plusieurs jours, Jérôme
m'inquiète et je ne serais pas du tout surpris qu'il vous inquiète
aussi. Serait-il possible de nous rencontrer ? En attendant une
réponse, je vous souhaite une bonne journée.*

Charlie Plamondon

— « *Le mien aussi, d'ailleurs, si je peux me permettre!* » répéta-t-elle à voix basse. Un peu mufle, son ami.

En plus de cette remarque disgracieuse, il y avait quelque chose dans le ton général du courriel qui ne l'incitait pas à répondre sur-le-champ. Sa pratique des gens lui avait appris que ce genre d'attitude était le fait soit d'authentiques casse-pieds se prenant pour des successeurs de Napoléon, soit de personnes très timides qui se servaient de l'impertinence comme carapace, soit enfin d'un mélange de ces deux types, de loin le pire des cas, car on ne savait jamais alors par quel bout les prendre. De toute façon, leur fréquentation était la pire des corvées.

Mais sa décision fut aussitôt prise : elle répondit à Charlie qu'elle le rencontrerait avec plaisir. Est-ce que le lendemain à 20 h au Café Prague, 1317, rue Van Horne, lui conviendrait ?

Dix minutes plus tard, le rendez-vous était confirmé. Elle en ressentit du soulagement. Ce Charlie Plamondon ne s'était pas trompé quant à son inquiétude. En fait, depuis quelque temps, elle ne reconnaissait plus Jérôme. L'humeur sombre, il était devenu distrait, nerveux, parfois même impatient, plongé dans des réflexions dont elle essayait de le tirer en lui posant des questions qu'il éludait par des plaisanteries plus ou moins sarcastiques ou en invoquant la fatigue que lui causaient ses nombreux déplacements et l'apprentissage d'un nouveau métier.

— Tu te réveilles le matin, soupira-t-il un soir, et avant même que tu sois sorti du lit, la journée te saute en pleine face, et ça te prend une petite demi-heure avant de retrouver tes esprits. Plutôt stressant comme métier, je dirais.

Mais sur la nature exacte de ce métier, elle n'avait pu se faire qu'une idée très sommaire. Un soir, agacée par tous ces mystères, elle avait voulu l'acculer à une franche explication. Échec et mat. Un lobbyiste, lui avait-il répondu, qui n'était pas muet comme une carpe sur son travail était un lobbyiste sur le point de se chercher un autre emploi ; ce métier reposait sur la discrétion la plus absolue ; il n'y avait pas de place ici pour les bavards.

— Sois gentille, ma chérie d'amour, lui avait-il demandé en la câlinant comme il savait si bien le faire, et ne me pose plus de questions. Une bonne fois, je pourrais gaffer, et tu le regretterais autant que moi.

Je te jure que mon travail est tout à fait honorable. Difficile mais honorable.

Alors comment expliquer sa tristesse ? Car elle le trouvait profondément triste. D'une tristesse qui lui rappelait la sienne lorsqu'il l'avait abordée sur le bord d'une piscine à cet hôtel de Varadero où elle était en train de cuver son deuil de six années de mariage avec un homme rempli de qualités exquises, mais devenu invivable.

Quel deuil était-il en train de cuver, ce Jérôme dont elle ne pouvait plus se passer ? Est-ce qu'elle était destinée à ne rencontrer que des hommes exquis mais invivables ? Alors, vivement le célibat !

◆ ◆ ◆

Jeudi soir, 20 h, avenue Van Horne. Pluie torrentielle en cette soirée de la mi-juin. Montréal plongée dans la rumeur interminable des milliers d'automobiles qui roulent sur la chaussée ruisselante devenue un miroir qui dédouble les lueurs et les lumières. Début d'amygdalite pour Andrée-Anne. La troisième en huit mois. C'est un des privilèges de la fréquentation des garderies. Eugénie vient de la laisser à Kostis, un ado de 14 ans d'origine grecque, voisin d'en face ; l'été d'avant, le garçon avait annoncé ses services de gardien d'enfants au babillard du supermarché. Calme, sérieux, souriant, il a fait la conquête de sa fille en cinq minutes dès leur première rencontre. Mais ce soir il a fallu une reconquête. La petite ne voulait plus de Kostis et réclamait… Jérôme. Depuis quelque temps, elle s'attachait à lui ; il était devenu son raconteur d'histoires et son compagnon de coloriage officiels ; un samedi, il l'avait amenée faire des courses au marché Jean-Talon ; elle en était revenue une heure et demie plus tard avec des yeux comme Eugénie ne lui avait pas vus depuis longtemps.

Kostis a failli perdre son aplomb de gourou, ses yeux ont laissé voir du désarroi, ce ne fut toutefois qu'un éclair, il a vite repris la situation en main. Deux minutes plus tard, Andrée-Anne riait. D'un rire mal assuré, mais elle riait. Maman en a profité pour filer en auto vers son rendez-vous. Elle aime bien ce Kostis au teint basané et à la voix déjà grave qui, à chacune de leur rencontre, l'enveloppe d'un regard à la fois si timide et brûlant, à croire qu'elle est devenue un de ses *sex-symbols*.

Mais la voilà en train de chercher une place de stationnement le plus près possible du Café Prague, dont la devanture illuminée envoie à travers la pluie torrentielle comme un chaleureux message d'amitié. Le hasard se fait obligeant : une camionnette garée juste devant l'établissement démarre et s'éloigne. L'instant d'après, elle se précipite à l'intérieur, referme son parapluie dégoulinant et jette un coup d'œil dans la place ; personne, à part un monsieur d'âge mûr, installé sur la longue banquette de cuir rouge vin qui borde le mur à droite, en train de feuilleter avec un fin sourire un catalogue IKEA. En apercevant Eugénie, le patron, derrière le comptoir, lui fait un salut amical de la main :

— Vous avez du courage, avec cette pluie ! lance-t-il.

Sa voix mûre de ténor dans la quarantaine, à l'accent français, rayonne de cette énergie du petit commerçant qui se bat pour vivre.

— Il le faut bien, parfois, répond-elle avec un grand sourire. Je ne prends rien pour l'instant, j'attends quelqu'un.

— Je vous apporte un verre d'eau ?

— Merci, merci, j'ai eu toute l'eau qu'il me fallait, je vous assure.

Il rit tandis qu'elle va s'assoir à une petite table placée dans une sorte d'enfoncement près de l'entrée, juste au-dessous d'une série de photos en noir et blanc, des photos du Vieux-Prague, naturellement.

Une odeur de fromage grillé flottant dans l'air lui rappelle qu'elle n'a presque pas soupé. Elle consulte sa montre : 20 h 10. Pourvu que ce Charlie ne la fasse pas trop poireauter, car elle prendrait bien une bouchée. Si dans dix minutes il ne s'est toujours pas montré, au diable l'étiquette, elle commandera quelque chose.

Dix minutes passent. Elle va demander le menu lorsque la porte s'ouvre, laissant pénétrer la rumeur de la pluie avec une bouffée d'air humide, et un jeune homme en imperméable jaune citron s'arrête au milieu de la place et rabat son capuchon, tandis qu'une petite mare s'arrondit à ses pieds ; il l'aperçoit, sourit :

— Eugénie Métivier ? demande-t-il en s'avançant.

— Charlie ? répond-elle, la main tendue, avec un sourire qui cherche à masquer le choc causé par cette coupe à l'iroquoise et cette barbe qui n'arrivent pas à faire oublier un visage maltraité par l'acné.

— Excusez mon retard. Pour faire exprès, une urgence m'est tombée dessus. Désolé.

Il s'assoit devant elle et s'essuie le front du revers de la main.

— Je n'ai même pas soupé, ajoute-t-il d'un air navré.

— Ça tombe bien, moi non plus.

Le patron, qui a l'oreille fine, est déjà auprès d'eux, obligeant, avec des menus et ses suggestions :

— Ce soir, il me reste deux portions de salade-repas au magret de canard et une excellente chaudrée de saumon, plus les sandwichs, paninis et croque-monsieurs habituels. La cuisine ferme dans dix minutes.

— La chaudrée, c'est tchèque, ça ? demande Charlie.

Le silence se fait pendant une seconde, ce qui lui donne le temps de réaliser la balourdise de sa question.

— Il n'y a rien de tchèque ici, monsieur, à part le nom du café, répond plaisamment le patron.

— Alors, pourquoi s'appelle-t-il Café *Prague* ? poursuit Charlie qui s'enferre, le visage tout rouge.

— C'était le choix de l'ancien propriétaire, monsieur, et comme l'établissement avait une excellente réputation, nous avons cru bon de lui conserver son nom.

— Je vais prendre la salade de magret, décide Eugénie pour couper court à cette discussion toponymique et se mettre enfin quelque chose sous la dent.

— Moi aussi, décide Charlie.

Et se tournant vers sa compagne :

— Je vous invite. Après tout, c'est moi qui vous ai fait sortir dans ce déluge.

— Vous y avez goûté encore plus que moi, il me semble, répond Eugénie en riant. Merci. C'est gentil.

L'impression que lui fait le jeune homme ne cesse de changer : d'inquiétant, il était devenu quelque peu nigaud, et le voici maintenant sympathique ; mais elle devine que l'aiguille ne cessera d'osciller sur son cadran d'appréciation tout au long de leur rencontre.

— On boit quelque chose ? propose Charlie. Café ? Hum, se reprend-il aussitôt en consultant sa montre, huit heures presque et demie… Pour moi, le café, même déca, c'est un peu tard, je risque de mal dormir…

— Moi aussi.

— Du vin, alors? Allez, ça me fait plaisir… Vous connaissez la place, à ce que je vois… Ils ont du vin maison potable ici?

— Leur vin rouge est pas mal, observe Eugénie qui rigole intérieurement.

— Un demi-litre de vin rouge maison, patron, lance Charlie en se tournant vers le comptoir.

— Bien, monsieur, répond l'interpellé. Tu t'en occupes, Roxane?

Charlie réalise alors que le patron se complète d'une patronne, beau brin de femme dans la quarantaine qui s'approche, vive et souriante, avec son regard de velours amplifié par le mascara et l'ombre à paupières.

— Voilà, monsieur, fait-elle en déposant le carafon et les verres, qu'elle remplit prestement. Vous allez bien, madame Métivier?

Après quelques mots, elle s'éloigne, car elle a deviné que, par un temps pareil, ses clients ne sont pas venus chez elle pour musarder. De la banquette, l'homme au catalogue IKEA, sans doute satisfait de son analyse, lui demande l'addition, passe à la caisse puis, après avoir contemplé la rue d'un air navré sur le seuil de la porte, déploie un immense parapluie noir et s'enfonce dans l'orage.

Les salades de magret arrivent, accompagnées d'une corbeille de pain tiède qui embaume, sorte de pied de nez à la pluie qui vient encore d'augmenter, impitoyable.

Pendant quelques minutes, Charlie et sa vis-à-vis se contentent de satisfaire leur faim en échangeant d'aimables banalités. Puis Charlie s'arrête, le couteau dans une main, la fourchette dans l'autre, et se met à fixer Eugénie avec un air de profonde gravité:

— Est-ce qu'on peut se tutoyer?

— J'allais te le proposer, fait-elle, un peu étonnée.

— Ça va me faciliter les choses.

Il continue de la fixer, puis déglutit. Une fois. Deux fois.

— Pour l'amour, qu'est-ce qui se passe?

— Je pense… je pense que Jérôme est dans la mafia, ou quelque chose du genre, annonce-t-il à voix basse. J'ai bien hésité avant de vous… de te l'apprendre, car je vais probablement perdre un ami. Mais il le fallait, comprends-tu… pour son bien à lui.

Et il se remet à manger avec appétit, comme soulagé d'un poids ; Eugénie, devenue blême, repousse doucement son assiette ; elle n'y touchera plus.

— Mais... qu'est-ce qui te fait croire ?... Je t'en supplie, précise ce que tu viens de dire, s'emporte-t-elle, l'accusation est grave.

Elle jette un coup d'œil en biais vers le fond du café, d'où on entend un brassement de vaisselle dans un évier et la voix de Roxane au téléphone, puis, rassurée, s'empare du carafon, remplit les verres et attend la suite.

— Mercredi soir passé, débute Charlie, Jérôme soupait chez moi. Je l'avais invité la veille, car je ne le trouvais pas très en forme depuis un bout de temps. On avait bu pas mal de vin et, pour être franc, j'essayais de le paqueter pour lui faire sortir l'anguille de sous la roche, mais jusque-là, ça n'avait rien donné. Et, tout à coup, vers la fin du repas, son cellulaire se met à sonner. Il consulte l'écran et, à son air, je vois qu'il aurait préféré que je sois en train de visiter Disneyland ou mon arrière-grand-mère plutôt que d'être en face de lui. Alors, je ne fais ni une ni deux, je me lève et je m'en vais à la salle de bains, en bon ami qui sait quand faire pipi. Mais j'avais mon plan... De la cuisine, on ne peut pas voir la porte de la salle de bains. Je l'ouvre et je la referme, mais je reste dans le corridor et j'écoute – oh, 30 secondes, pas plus. Et dans ces 30 secondes-là, j'en ai plus appris sur son travail que pendant toutes les semaines qui ont précédé.

— Et qu'est-ce que tu as appris ?

Charlie arrondit les sourcils, l'air important :

— Ce que j'ai appris ? Eh bien...

Il fait une pause et prend une gorgée de vin.

Alors Eugénie explose à voix basse :

— Écoute, l'ami, on n'est pas en train de jouer dans une série policière, on est dans la vraie vie, bon sang, alors accouche... Je suis en train de mourir d'angoisse, moi !

Et elle lui agrippe la main tandis que le patron avance la tête au-dessus du comptoir et la retire aussitôt.

— Il discutait avec Sam Calvido, voilà, répond précipitamment Charlie.

— Sam Calvido? Le président du comité exécutif de la Ville de Montréal?

— Lui-même… Une belle relation, hein? Depuis un mois, comme tu sais, on n'arrête pas de parler de lui au sujet du scandale des lampadaires, et avant-hier son nom est apparu – coucou! – dans celle du Faubourg Saint-Amable, une fraude de plusieurs millions, paraît-il. Ça doit être le début d'une liste longue d'au moins cinq kilomètres… Je parierais dix ans de mon salaire qu'on s'apprête à le dégommer pour ensuite le traîner en cour. Ho! ho! ça va soulever tout un nuage de merde!

C'est au tour d'Eugénie, à présent, de se tourner vers le comptoir, la main levée:

— Roxane, pourriez-vous nous apporter un autre carafon de rouge, s'il vous plaît?

L'entrain qu'elle essaie de mettre dans sa voix transpire tellement la détresse que Roxane et son mari échangent un regard.

— Tout de suite, madame.

Elle apporte le vin et se retire plus rapidement, s'il est possible, que la première fois.

Pendant un moment, Charlie et son invitée gardent le silence. Ils ont déjà vidé leur verre lorsque Eugénie, animée soudain par un dernier espoir, se penche vers son compagnon:

— T'as dit qu'il parlait à Sam Calvido?

— Oui.

— T'en es bien sûr? Il y a parler *à* et parler *de*. Ce n'est pas la même chose.

Charlie l'enveloppe d'un regard compatissant. «Ma foi, elle l'aime pour de vrai, la pauvre… Du genre à se jeter pour lui en dessous d'un camion! Il ne connaît pas sa chance, le crétin!»

— Désolé, fait-il en secouant la tête, je ne l'ai pas écouté long-temps, mais quand même assez pour l'entendre dire: «Oui, monsieur Calvido… non, monsieur Calvido,», une façon de parler qu'on n'utilise, d'après moi, que lorsqu'on parle justement à un monsieur Calvido, n'est-ce pas, et, ajoute-t-il en levant la main pour désintégrer à tout jamais un ultime espoir, il s'agissait bien du gros pourri qui fait la man-chette des journaux, car Jérôme a parlé de lampadaires. Deux fois.

— Bon, soupire-t-elle en penchant la tête, je suppose qu'il n'y a plus rien à ajouter. Merci de m'avoir avertie.

De la rue parvient comme un bruit de glissade suivi d'un choc sourd. Charlie tourne brusquement la tête. La vitrine, opaque, lui renvoie son reflet. Sa compagne, elle, semble n'avoir rien entendu.

— Qu'est-ce que t'as l'intention de faire ? demande Charlie.

— Je n'en ai pas la moindre idée, soupire-t-elle.

«C'est incroyable, s'étonne-t-il, comme je me sens à l'aise avec cette femme. Elle me fait tout un effet. Attention, Jérôme... Si elle te largue, moi, je me pointe dans la demi-heure qui suit!»

Elle vide son verre d'un trait, tend la main vers le carafon, puis se ravise avec un sourire sarcastique:

— Ma foi, je suis en train de devenir comme mon ex. Suffit.

Un moment passe. Elle n'a plus qu'une envie: partir – partir, avaler un somnifère et dormir trois ans.

— La pluie a l'air de se calmer, ajoute-t-elle en se tournant vers la rue. Tu es stationné loin?

— Je suis venu en taxi, ment Charlie qui a pris le transport en commun.

— Je te dépose chez toi?

C'est qu'ils ont pas mal bu, et elle plus que lui. L'image d'un ivressomètre avec son ballon maudit par les noceurs apparaît dans l'esprit de Charlie. Avec ce temps de soupe aux pois, un accrochage est vite arrivé. Il voit presque les faisceaux bleu, blanc, rouge du gyrophare de la police balayer la rue derrière lui. Ah! et puis, que le diable emporte la police... Il se sent bien avec cette bonne femme, même à demi décomposée. Qu'est-ce qu'il y a de mal à prolonger un peu la rencontre? Après tout, ça ne met pas sa loyauté d'ami en cause.

— Je veux bien, si tu n'es pas trop fatiguée, répond-il avec un grand sourire. Je reste à dix minutes d'ici.

◆ ◆ ◆

Séverin Sicotte en avait jusque-là de Roland Dozois, ce vieux collecteur de fonds du Parti Nouveau Montréal qui, depuis des lustres, fréquentait les officines de la métropole ainsi que tout endroit, bien ou mal famé, susceptible d'enrichir la cagnotte du parti et la sienne propre. Trapu, bedonnant, avec une tête blanchie à demi chauve, la face sillonnée de rides qu'on aurait dites tracées au couteau, grand buveur et gros fumeur, toujours de bonne humeur, il semblait s'accommoder parfaitement de sa carcasse, qu'il promenait inlassablement d'un endroit à l'autre pour récolter *le nerf de la guerre*, ainsi qu'il disait d'un air grave et pénétré comme s'il venait d'inventer l'expression. Un journaliste peu charitable l'avait comparé un jour à un char d'assaut qui aurait fait le siège de Stalingrad, vestige indestructible d'une époque funeste. Dans sa jeunesse, un accident d'automobile où il avait failli crever l'avait amené sur le billard pour une trépanation qui lui avait laissé sur le côté gauche du crâne une longue cicatrice qui allait se perdre dans ce qui lui restait de cheveux ; cela lui avait valu le surnom de Trépané, qu'on utilisait rarement en sa présence, mais dont il s'amusait lui-même.

— C'est pour ça que j'ai l'esprit ouvert, disait-il en promenant l'index sur sa tempe gauche. Ma cervelle a eu la chance de s'aérer pendant une couple d'heures, c'est rare, ça ! Ça me permet de comprendre tous les points de vue en même temps et d'avoir une vision *très large*, vous comprenez... Pour mon métier, c'est un atout en jériboire !... Il y en a qui se surprennent de me voir durer dans cette job-là depuis si longtemps : la raison est là, cherchez pas plus loin.

Cela expliquait sans doute ses allégeances multiples et successives : à Québec, il avait travaillé pour l'Union nationale, pour le Parti libéral, puis s'était tourné vers Ottawa afin de garnir la caisse des créditistes (Réal Caouette, hélas, l'avait foutu dehors à coups de pied au cul), puis celle du Parti libéral du Canada pour échouer enfin chez les conservateurs. Il s'était toujours gardé, toutefois, de frayer avec les *séparatisses* et la *gogauche*.

— On perd son temps avec ces pelleteux de nuages... Tous des hypocrites, en plus, quand on gratte un peu. Ils me lèvent le cœur.

Presque partout où il était passé, on avait reconnu l'efficacité du Trépané. Les jeux de pouvoir, les rivalités internes et les caprices du hasard expliquaient ses changements d'employeurs. Mais son enthousiasme demeurait intact. Il faut dire que les revenus substantiels que lui rapportait son métier l'alimentaient puissamment.

— Je vis d'amour, mais pas d'eau claire, et le bon whisky coûte cher.

La phrase, ayant fait le tour de la ville, s'était rendue jusque dans les hauts lieux du pouvoir, et on avait ri. Certains, toutefois, avaient ri jaune, car ils trouvaient que le Trépané choisissait du whisky bien dispendieux. Mais tous convenaient que l'homme était un virtuose des *bons contacts* et des *renseignements utiles* et que, dans son domaine d'activité, les seuls événements que le Trépané pouvait ignorer étaient ceux qui ne s'étaient pas encore produits.

Sicotte, depuis quelque temps, faisait partie du groupe au rire jaune. Pourtant, quelques années plus tôt, c'était grâce à Roland Dozois qu'il avait été mis au parfum du projet de changement de zonage d'un immense terrain dans l'est de la ville ; le conseil municipal allait y permettre la construction d'immeubles d'habitation de 12 étages là où on n'avait autorisé jusque-là que des constructions bifamiliales. Il avait ainsi pu se joindre à un groupe très sélect de spéculateurs qui avaient acquis le terrain avant son changement de zonage, puis, dix mois plus tard, avaient revendu leur part en empochant un énorme profit. Il venait de commettre un délit d'initié, mais qui n'aurait pas craqué ?

Dès la transaction passée, le Trépané s'était présenté à son bureau avec sa grosse face joyeuse, ses manières d'habitant et sa voix éraillée par le tabac ; Sicotte avait dû casquer – et deux fois plutôt qu'une ! D'abord, bien sûr, pour le Parti Nouveau Montréal (pas de progrès sans caisse électorale bien garnie, et plus elle est garnie, plus Montréal progresse) ; et ensuite pour son fidèle ami ici présent qui avait eu le plaisir de lui fournir une occasion en or de faire du fric – beaucoup de fric, en fait – et qui ne voyait aucune difficulté à recevoir en tant que fidèle ami une récompense pour service rendu, celle-ci pouvant être, à titre indicatif, de l'ordre de 15 % du profit empoché, payable maintenant s'il vous plaît. Merci. À la prochaine.

Le Trépané s'était montré également fort utile lorsque Francine Desjarlais avait décidé d'acquérir avec son mari l'hôtel Iberostar à Varadero, que ses propriétaires espagnols, en difficulté, se voyaient forcés de vendre « à prix de sacrifice ». Utilisant ses hautes relations à Ottawa, où il avait bourlingué dans tous les caniveaux possibles à partir des années Diefenbaker, il leur avait facilité et simplifié les nombreuses et complexes formalités qui attendent le citoyen désireux d'acheter un bien immobilier dans une dictature communiste dirigée, qui plus est, par un barbu à cigare coiffé d'une casquette militaire.

— Je vous demande seulement de payer mon temps, avait-il dit avec un bon sourire à Francine Desjarlais en venant présenter sa note de frais un bon matin.

Elle avait pris le bout de papier :

— Votre temps, vous dites ? Misère à poil ! Avez-vous commencé à vous occuper de ce dossier quand vous étiez en culottes courtes ?

Il s'était esclaffé, et elle avait fini par rire à son tour, mais son rire rappelait la couleur du citron.

Cela dit, l'achat de l'hôtel s'était avéré une bonne affaire. Le Trépané se montrait rapace mais fiable et de bon conseil, ce qui le distinguait tout de même du vulgaire bandit.

C'est ainsi que Séverin Sicotte prit l'habitude de le compter parmi ses collaborateurs ; il lui permettait même d'aller faire deux ou trois fois par année des séjours gratos à l'Iberostar en compagnie de la respectable madame Dozois qui s'adjoignait parfois une nièce pour meubler ses soirées en jouant aux cartes, car son mari, devant l'aubaine d'un bar ouvert, était la plupart du temps ivre mort à partir de 18 h.

Tout allait bien jusqu'à ce que se produise cette malheureuse histoire des lampadaires. Quelques mois plus tôt, Montréal, afin d'améliorer la sécurité publique, de diminuer sa consommation d'électricité et de rehausser l'esthétique de ses rues, avait lancé un appel d'offres pour l'achat de 30 000 lampadaires nouvelle génération dont l'installation devait s'échelonner sur trois ans. On parlait d'un projet de 400 M $. L'occasion d'une vie ! Dans certains bureaux, une personne à l'oreille fine aurait entendu des bruits de salivation.

Le fabricant beauceron Luminar avait alors requis les services de Séverin Sicotte comme lobbyiste *officieux* et l'avocat s'était tourné tout naturellement vers le Trépané ; celui-ci, après consultations en haut lieu, lui promit mer et monde, aux conditions habituelles, ajoutant avec un sourire entendu que l'installation desdits lampadaires avait toutes les chances d'être confiée au bureau d'ingénierie québécois Sopin & Vermillard, dont la réputation n'était évidemment plus à faire et qui avait ses entrées particulières au comité exécutif de Montréal comme au ministère des Affaires municipales.

— Sopin & Vermillard? fit Sicotte avec un haussement d'épaules. Pourquoi pas? Ça ne me regarde pas, ça.

— T'as raison. Moi non plus. Y a ceux qui font le ketchup et ceux qui font les pots, pas vrai? Nous, c'est le ketchup.

Le Trépané venait de lui passer un message à mots couverts que l'autre, manifestement, n'avait pas saisi. L'avocat lobbyiste ignorait, en effet, que Sam Calvido, le président du comité exécutif de Montréal, avait, grâce à un prête-nom, des intérêts financiers dans Sopin & Vermillard. Malgré cette précaution, des bruits avaient commencé à circuler. Certains jasaient à voix basse, et méchamment. La malchance aidant, il y avait là matière à provoquer un séisme de magnitude 8. Le collecteur de fonds s'étonna que Sicotte, pourtant si fin renard, n'en ait pas eu vent, mais tant pis si un scandale éclatait et que l'avocat venait le trouver pour se plaindre: il pourrait toujours lui répondre que, tel jour, à telle heure, il l'avait averti, croyant que l'autre était au courant de la situation. Quant à lui, il avait pris toutes ses précautions pour se mettre à l'abri d'un ouragan de caca.

Les choses suivirent leur cours. Quatre soumissionnaires répondirent à l'appel d'offres de la Ville, mais comme ils s'étaient préalablement entendus pour le partage à long terme de la tarte municipale, Luminar obtint le contrat des lampadaires, pour la plus grande joie de Sicotte qui empocha une très jolie commission. De temps à autre, le Trépané, faisant office de messager pour Calvido, venait lui demander à titre gracieux des avis juridiques au sujet de la transaction qui se préparait avec Sopin & Vermillard, avis qu'il transmettait à l'illustre président du comité exécutif en échange de quelques bons billets de banque.

Sicotte et Calvido s'étaient croisés à quelques reprises dans des réunions mondaines ou des assemblées politiques, et deux fois dans un studio de télévision, mais ne se connaissaient pas vraiment. L'édile demanda un jour au Trépané de lui arranger une rencontre avec l'avocat; la semaine d'après, le collecteur de fonds invitait Calvido et Sicotte, accompagnés de leur femme, dans sa loge du Centre Bell pour assister à un match de hockey opposant les Canadiens aux Bruins de Boston. Messieurs Sopin et Vermillard, également invités, s'étaient excusés pour leur absence, le premier parti en croisière sur son yacht dans les Caraïbes, le second se remettant à Las Vegas d'un épisode de surmenage.

La soirée se déroula dans une ambiance joyeuse et décontractée, et fut couronnée par l'apparition éclair de la ministre Normande Juneau venue saluer Calvido et lui présenter ses vœux de prompt rétablissement à la suite d'une petite opération qu'il venait de subir dans une partie intime de sa personne.

— Vous êtes trop bonne, ma chère Normande, répondit Calvido, touché par cette attention, et il lui fit le baisemain.

La ministre, une femme dans la mi-trentaine, grande, mince, plutôt jolie, avec des yeux noirs au regard enveloppant et subtilement chafouin, se mit à rire :

— Je ne suis bonne que pour ceux qui sont bons pour moi, monsieur Calvido. Ça fait déjà pas mal de monde ! Quant aux autres, je leur souhaite bonne chance.

— Ils ne la méritent pas, madame.

Et il pressa entre ses grosses mains aux doigts courts la main fine et veloutée de la politicienne, qui rit de plus belle.

La respectable madame Calvido, qui depuis une vingtaine d'années se perdait lentement dans la graisse et la cellulite, souriait de toutes ses dents tout en fusillant son mari du regard. Ce vieux cochon, qui, malgré son âge, continuait de courir les poulettes, insoucieux du ridicule, avait-il réussi à inscrire cette intrigante parmi ses prises de chasse ? Il y aurait discussion en fin de soirée.

C'est à ce moment précis que, sur un signe du Trépané, deux garçons en livrée firent leur apparition, l'un portant un magnum de champagne frappé, l'autre poussant une table de service avec flûtes et hors-d'œuvre, et madame Juneau, qui avait pourtant fort à faire ce soir-là, accepta de rester quelques minutes afin de sabler le champagne en si charmante compagnie. Ce fut l'apothéose de la soirée et un moment de triomphe inoubliable pour le collecteur de fonds, où il puisa même la force de boire, pour une fois, avec modération.

Trois jours plus tard, Sam Calvido se voyait éclaboussé par un article en première page du *Devoir* où on l'accusait de conflit d'intérêts majeur dans l'adjudication par la Ville d'un contrat portant sur l'installation de 30 000 lampadaires à la firme Sopin & Vermillard, dont il aurait été actionnaire.

Affolé par la perspective d'être entraîné lui aussi dans un scandale, Séverin Sicotte tenta de joindre le président du comité exécutif, sans succès.

— Le chien sale, grommelait-il à tout moment, le teint gris, la cravate de travers. Jamais vu un gaffeur comme ça! Un enfant d'école aurait fait mieux! Si j'avais su, jamais je ne me serais embarqué dans cette histoire. Je risque de me faire lessiver avec eux sur la place publique. C'est que je lui ai envoyé trois avis juridiques, moi, et il y en a un avec ma signature. Il faut qu'il me remette ces documents, le salaud, sinon je lui arrache les poils du cul un par un!

Il réussit enfin à l'avoir au bout du fil un jeudi. Mal lui en prit: un article embarrassant venait de paraître le matin même sur Calvido, cadeau d'un journaliste qu'il avait considéré jusque-là comme un frère d'armes. Ses amis tournaient en Judas. Allait-il finir crucifié dans un procès?

Calvido reçut fort mal Sicotte, qui se montra lui-même grossier. Le ton monta, les deux hommes s'injurièrent à qui mieux mieux. L'édile raccrocha. C'était la rupture, alors qu'il aurait fallu s'unir pour parer les coups.

— Tu aurais dû te contrôler un peu, siffla Francine Desjarlais, qui était demeurée à ses côtés pendant l'appel. Maintenant, qu'est-ce qu'on va faire?

— Facile de prêcher la vertu quand on n'est pas obligé de la pratiquer, bégaya Sicotte, le visage rouge et gonflé.

Mais il savait que sa femme avait raison. Dans ce genre de métier, seuls les animaux à sang froid parvenaient à se sortir de ce genre d'embarras. Ses nerfs l'avaient trahi. Devenait-il trop vieux?

— À présent, lança-t-il d'une voix aigre, si tu pouvais me laisser seul un moment, ça m'aiderait à travailler.

Elle quitta le bureau en claquant la porte. Olivier Fradette et Jérôme, qui se trouvaient dans la pièce voisine et avaient tout entendu, échangèrent des moues inquiètes. Une atmosphère infecte régna dans la boîte toute la journée.

Les nuits de Séverin Sicotte se divisèrent bientôt en deux parties à peu près égales : l'une consacrée à l'insomnie, l'autre aux cauchemars. Pendant les insomnies, il se tournait et se retournait dans le lit conjugal en proie à des démangeaisons d'orteils qui le poussaient à des contorsions acrobatiques ; les cauchemars, d'un réalisme diabolique, allaient du supplice de la pendaison aux chutes dans des fosses grouillantes de tarentules. Il se dressait alors dans le lit avec des yeux de détraqué et hurlait un « HA ! » à faire reculer les murs. Sa femme, épuisée, alla dormir dans un salon du rez-de-chaussée, où elle passait la nuit, étendue sur un canapé, à chercher une solution pour se tirer de ce bourbier, car le sommeil l'avait, bien sûr, elle aussi abandonnée.

Les deux hommes devaient à tout prix se réconcilier. La désunion risquait de leur être fatale. Un matin, au déjeuner, elle proposa à son mari, qui affichait une tête de mort, d'envoyer Olivier Fradette en émissaire auprès de Sam Calvido pour lui présenter ses excuses et lui offrir sa collaboration la plus entière. Ce qui fut fait dans l'heure qui suivit. Tiré à quatre épingles et soigneusement préparé par son patron, Olivier ne parvint même pas à parler à un subordonné de troisième rang. Le nom de Sicotte semblait avoir l'effet du choléra sur l'entourage de l'édile montréalais. Ou peut-être Olivier avait-il trop l'air de ce qu'il était ? Jusqu'ici pourtant, cela n'avait pas causé de problèmes.

Depuis des semaines à l'Assemblée nationale, Aline Letarte, la chef de l'opposition, réclamait à grands cris une commission d'enquête sur le financement des travaux publics ; elle en avait fait son refrain préféré qu'elle lançait à toute occasion dans des effluves prenants de Chanel N° 5. La pression des médias devenait insupportable. Ce matin-là, le premier ministre Jean-Philippe Labrèche, sans doute ébranlé par les sondages, annonça d'un air résigné la création d'une commission d'enquête.

Francine Desjarlais, hâve, la coiffure en désordre, une grande échelle dans un de ses bas de nylon, fit irruption à 9 h 15 dans le bureau de son mari, se laissa tomber sur un canapé et se mit à pleurer silencieusement.

— On est foutus, murmura-t-elle d'une voix cassée, c'est la fin. Et tout ça à cause de tes conneries.

Séverin Sicotte poussa un grognement, toussota deux fois, puis d'un vague geste de la main balaya cette accusation. À son lever, il avait réussi à trouver quelque part au fond de lui-même un restant d'énergie combative et affichait à présent l'air stoïque du capitaine d'un navire en perdition qui s'apprête à lancer dans la nuit sa dernière fusée de détresse:

— Tout à l'heure, j'ai essayé encore une fois de parler à Calvido. On m'a reçu comme un Témoin de Jéhovah. Alors j'ai décidé d'envoyer Jérôme.

— Jérôme? Es-tu fou? Il n'a pas assez d'expérience, voyons!

— En tout cas, il a plus de classe qu'Olivier. Ça compte, ça. Et il est plus intelligent. Sans compter qu'il est nouveau dans le paysage. Presque personne ne le connaît, il n'a pas eu le temps de se faire d'ennemis... Parfois, l'inexpérience, c'est un avantage. De toute façon, chère, on n'a plus rien à perdre. Si tu as une meilleure idée, envoie-moi ça par courrier recommandé.

Son poing s'abattit tout à coup sur le bureau:

— Il me les faut, ces maudits papiers! Je n'ai pas envie d'aller témoigner en commission, moi, ça ruinerait les affaires à tout jamais... Et dire que j'ai travaillé *gratis* pour ce trou de cul!

Francine Desjarlais s'était mise à fixer le bureau Boulle aux angles incrustés de figures de bronze, signe éclatant de leur prospérité; elle l'avait offert en cadeau de Noël à son mari huit ans plus tôt. Le bureau et tout le reste risquaient d'être emportés dans une tempête qui les laisserait nus comme des vers et à tout jamais déshonorés.

— Quand vas-tu lui en parler? demanda-t-elle à voix basse.

— Je viens de lui en parler. Il est parti tout à l'heure. J'attends son coup de fil vers la fin de l'avant-midi.

— Quelles instructions lui as-tu données?

— De faire pour le mieux.

Puis il ajouta:

— Il y a des moments comme ça où il faut se fier à son instinct. Sa performance à la Place Versailles m'avait bien impressionné, tu t'en souviens?

Jérôme avait sauté dans son auto et s'était rendu à l'hôtel de ville. Les sentiments les plus contradictoires s'emparaient de lui tour à tour: la peur de faillir à sa mission, la fierté d'avoir été choisi pour l'accomplir et un dégoût profond pour cette histoire et le métier d'escroc dans lequel on cherchait à l'entraîner, car Séverin Sicotte lui avait décrit avec une franchise brutale la situation épineuse où il se trouvait. Chose curieuse, ce dégoût lui inspirait en même temps une sorte de détachement amusé où il puisa un aplomb qui avait abandonné son patron depuis des jours.

« Et s'il n'est pas content de mon travail, que le diable l'emporte, se dit-il en se présentant à l'hôtel de ville. Je lui lance ma démission par la tête, et *adios, amigos*! J'ai un peu de fric devant moi, ça me donnera le temps de changer de balançoire. Et puis, sait-on jamais? mon avocat va peut-être réussir bientôt à faire cracher à ce maudit guide l'argent qu'il m'a volé? Qui aurait dit, s'étonna-t-il avec un sourire désabusé, qu'un jour je travaillerais moi-même pour des voleurs? »

Après avoir fait du charme successivement à une réceptionniste, à deux secrétaires et à un agent d'information (qui sembla, lui, s'y montrer particulièrement sensible), il réussit à parler au téléphone avec un certain Aurélien Dumais, conseiller politique de Sam Calvido, qui finit par accepter à contrecœur de lui consacrer 30 secondes dans le fond d'un corridor vers la fin de l'après-midi.

— Et alors, comment puis-je vous être utile, monsieur Lupien? lui demanda avec hauteur l'homme à fine moustache, qu'on aurait dit sorti tout droit d'une partie de chasse à courre. Je suis très occupé, monsieur Calvido l'est encore plus que moi si c'est possible et je crois que lui et votre patron se sont dit tout ce qu'ils avaient à se dire, non?

— Peut-être pas, répondit Jérôme en le regardant droit dans les yeux tout en remuant les orteils dans ses chaussettes trempées de sueur. Tout d'abord, monsieur Sicotte m'a chargé de présenter ses excuses à monsieur Calvido. Il regrette profondément le tour qu'a pris leur conversation et il attribue sa… nervosité à un excès de fatigue.

— Bien, fit l'autre avec une grimace condescendante. Je les lui transmettrai. Autre chose?

— Monsieur Sicotte m'a chargé également, poursuivit Jérôme qui, les pommettes brûlantes, s'était mis à improviser, de… de présenter une offre à monsieur Calvido, afin de… récupérer des documents auxquels il tient beaucoup.

— Je ne sais pas de quoi vous parlez, répondit l'autre sèchement.

— Auriez-vous l'obligeance de transmettre tout de même mon message à monsieur Calvido, monsieur? poursuivit Jérôme en s'inclinant devant le conseiller. Je vous assure qu'il s'agit d'une offre très intéressante. Monsieur Calvido serait peut-être déçu de ne pas la connaître.

— Je verrai ce que je peux faire, fit l'autre avec un haussement d'épaules, et son torse eut un léger mouvement de rotation, indiquant que l'entretien était terminé.

— Voici ma carte, monsieur Dumais. Je suis à l'entière disposition de monsieur Calvido. Est-ce que je peux me permettre d'attendre une réponse sur place?

— Vous perdriez votre temps, mon ami. Monsieur Calvido vous appellera s'il le juge à propos. Bonne journée.

Et il disparut dans l'embrasure d'une porte qui se referma avec un claquement sourd.

«Les ordures aiment s'entourer de gens chics, faut croire, pensa Jérôme en s'éloignant. Séverin me disait qu'à leur rencontre il s'était comporté comme un voyou.»

Il retourna faire le rapport de sa mission à Séverin Sicotte et on attendit la réaction du président du comité exécutif. Un jour passa, puis deux.

À la demande de Sicotte, Jérôme s'installa dans un café à deux pas de l'hôtel de ville afin d'être prêt à rencontrer Calvido dès que ce dernier en manifesterait le désir. Fébrile, taciturne, se bourrant de pâtisseries et avalant café sur café sous les regards intrigués du personnel, il téléphonait de temps à autre au bureau d'Aurélien Dumais pour n'obtenir qu'une vague réponse ou rien du tout, puis en informait Séverin Sicotte qui fulminait et tapait du pied dans son bureau, tandis qu'Olivier Fradette se terrait craintivement dans le sien et mâchait de la gomme avec frénésie.

Finalement, dans l'après-midi du troisième jour, à demi fou d'écœurement (les excès de pâtisseries commençaient aussi à taxer son foie), il retourna à l'hôtel de ville, ne serait-ce que pour se dégourdir les jambes et dissiper un insupportable sentiment d'inertie.

Depuis le début de la matinée, un soleil radieux l'appelait dehors. Les mains dans les poches, il se promena un moment sur l'esplanade qui jouxte l'imposant édifice, puis entra et se mit à faire les cent pas dans l'immense hall plein d'échos; l'endroit lui parut lugubre. Il lorgnait chaque personne qui passait, dans l'espoir de voir apparaître Calvido, qui n'apparaissait pas. Son comportement finit par attirer l'attention. Un gardien s'approcha, début vingtaine, joufflu, l'air important sous sa casquette trop grande:

— Est-ce que je peux vous aider, monsieur?

— Euh… non… j'attends quelq… Ou plutôt, oui… Pourriez-vous m'indiquer où se trouve le service de la comptabilité, s'il vous plaît?

Le gardien plissa un front sévère:

— La comptabilité ou le service des taxes?

— Euh… les deux, en fait.

Le gardien, soupçonneux, lui fournit les indications, d'ailleurs incompréhensibles, et, les mains sur les hanches, le regarda s'éloigner, puis, prenant son cellulaire, fit un appel.

Après avoir traversé le hall, Jérôme enfila un corridor, puis un autre, et un autre encore, se retrouva devant une porte d'ascenseur, qui s'ouvrit en déversant une demi-douzaine de secrétaires qui bavardaient joyeusement, répandant autour d'elles comme un parfum de jeunesse (une blondinette lui sourit, et, surpris, il inclina la tête). «Hum… pas mal, la fille, se dit-il en pénétrant dans l'ascenseur. Je l'ai peut-être vue l'autre jour quand j'ai rencontré Dumais.»

Il pressa le bouton du quatrième étage, mais l'appareil se mit à descendre, puis s'immobilisa avec une saccade; la porte s'ouvrit sur un corridor de sous-sol où flottait un relent amer de gaz d'échappement, typique des stationnements souterrains. Personne ne semblait avoir appelé l'ascenseur. Machinalement, il quitta l'ascenseur (après tout, il fallait bien se trouver quelque part, et il n'avait nul besoin d'aller à la comptabilité ni au service des taxes), prit à gauche, fit quelques pas et, presque aussitôt, entendit derrière lui un murmure de voix masculines qui approchait. Il se retourna. Quatre hommes apparurent, et il reconnut parmi eux Sam Calvido lui-même, court, bouffi, le teint très rose, coiffé d'un feutre gris qui masquait sa calvitie, un paletot plié sur son avant-bras et, apparemment, d'excellente humeur.

Jérôme sentit comme un coup dans l'estomac, sa vision se brouilla légèrement, puis il s'élança vers lui, saisi par une sorte de transe:

— Monsieur Calvido! lança-t-il d'une voix étranglée. Quelle chance de vous rencontrer! Est-ce que votre conseiller, monsieur Dumais, vous a transmis mon message? Excusez-moi: je me présente: Jérôme Lupien, monsieur, de la part de Séverin Sicotte. Est-ce que…

Le groupe s'était arrêté, silencieux. D'un léger mouvement de tête, Calvido fit signe à ses compagnons de poursuivre leur chemin, puis enfila lentement son paletot, sans regarder Jérôme, comme s'il se trouvait seul.

— Est-ce que…, reprit ce dernier dans un balbutiement.

— Pousse-toi, l'ami, murmura l'édile, toujours sans le regarder. Je t'appelle à 6 h. Pile. Allez, pousse, pousse, fit-il en lui donnant une légère bourrade.

Et il s'éloigna à pas pressés.

Jérôme reprit l'ascenseur et se retrouva bientôt dans le hall, brillamment illuminé à présent; les employés d'un traiteur s'affairaient à y monter un buffet pour une réception. Il sortit de l'hôtel de ville, contempla un moment la rue Notre-Dame congestionnée à cette heure de pointe, et la fatigue, tombant sur lui comme une masse d'eau glacée, liquéfia ses mollets qui se mirent à trembler. Les yeux fermés, un peu étourdi, il en avait perdu le fil de ses pensées. Cela ne dura qu'un instant. Sa montre indiquait 16 h 20. «Il n'appellera pas, le salaud, je suis sûr, c'était juste pour se débarrasser de moi…» Il décida quand même de retourner au café, au cas où, et ainsi se mettre à l'abri de tout reproche.

Une heure plus tard, il avait vidé une demi-bouteille de vin rouge, se sentait pas mal détaché des contingences terrestres et n'avait pas encore appelé Sicotte pour lui annoncer sa rencontre inopinée. Le cellulaire glissé dans la poche de sa chemise se mit à émettre sa mélodie. C'était Eugénie.

— Je ne peux pas te parler, chérie, je suis en mission commandée dans le Vieux-Montréal. Je t'appelle vers 19 h, promis… Bon sang, que j'aime entendre ta voix! ne put-il s'empêcher d'ajouter, sous l'effet d'une érection carabinée.

— Dis donc, Jérôme, s'étonna Eugénie en riant, aurais-tu bu, par hasard?

— Et comment! Une demi-bouteille de rouge, pour l'instant. C'est la grande débauche, quoi… Allons, il faut que je te quitte, mon

amour, et bien malgré moi, je t'assure. J'attends un appel important.
À tout à l'heure, chérie. Je t'embrasse. Partout.

Il remit le cellulaire dans sa poche, puis décida de couper le vin : si
jamais le Calvido lui téléphonait, il fallait pouvoir tenir des propos
cohérents.

— Un double espresso, s'il vous plaît, et bien tassé, lança-t-il en se
tournant vers le comptoir.

Il réalisa alors, à l'expression narquoise du garçon qui rangeait des
tasses, comme à celle de sa collègue qui faisait fonctionner la machine
à café, qu'un des effets de l'alcool est l'augmentation involontaire du
volume de la voix ; et un regard circulaire dans la salle lui confirma en
plus que sept clients l'avaient entendu et rigolaient doucement.

Il avala son espresso avec un sourire confus, régla la note et sortit.
Il était 17 h 50. Il venait de s'assoir dans son auto lorsque le cellulaire
se mit à tinter.

— Calvido, fit une voix bourrue. Qu'est-ce que tu veux ? Fais vite,
je suis pressé.

Une spirale d'idées se mit à tournoyer dans la cervelle de Jérôme ;
il en attrapa une au hasard :

— Monsieur Sicotte serait prêt à vous… dédommager pour récupérer ses documents. Il m'a chargé de… discuter de l'affaire avec vous.

Un ricanement lui répondit, puis le silence se fit.

— Dédommager ! reprit l'autre. Pas mal, ça ! Les avocats choi-
sissent toujours bien leurs mots !

— C'est *moi* qui emploie le mot, monsieur, précisa Jérôme, un
peu piqué, puis il regretta aussitôt sa mise au point.

— Alors, tu risques de faire un bon avocat, toi aussi ! se moqua
l'édile, qui semblait avoir fréquenté la bouteille comme Jérôme, mais
avec plus de passion. Combien qu'il veut m'offrir, ton *boss* ?

Jérôme, sidéré par la grossièreté de son interlocuteur, en resta coi.

— 20 000 $, lança-t-il enfin à tout hasard.

— C'est des pinottes, ça, mon ami… Il est au courant de la situation autant que moi. Peut-être même un peu plus… Sinon, il aurait
pas pété les plombs comme il l'a fait l'autre jour… Jamais vu un gars
se comporter comme ça… Il s'est pas fait un ami de moi ce jour-là,
Sicotte, oooh non ! ça, tu peux le dire !

— Alors, combien demandez-vous, monsieur Calvido ?

Jérôme entendit un long raclement de gorge, puis un marmonnement qui fut suivi d'un léger glouglou ; les temps semblaient durs pour le président du comité exécutif.

— Moi, en bas de 50 000 $, jeune homme, je bouge pas.

Jérôme garda le silence quelques secondes. Était-il possible que la société fût dirigée par de pareils truands ? Mais le moment ne se prêtait pas aux considérations sociopolitiques. Il fallait réagir tout de suite.

— Alors, disons 40 000 $, monsieur Calvido ? répondit-il en essayant de prendre un ton allègre et détaché. Je vous ferai remarquer en tout respect que je viens de doubler la mise. J'ai des comptes à rendre, vous savez… et très peu de goût pour le chômage.

Calvido se mit à rire :

— T'as pas l'air d'avoir la langue dans ta poche, toi. Alors, on s'entend pour 45 ?

— Je regrette, monsieur, répliqua Jérôme, qui avait senti dans la voix de l'édile qu'il faiblissait, mais je vais avoir toutes les misères du monde, vous savez, à faire accepter 40 000 $. C'est beaucoup d'argent, vous conviendrez, pour des avis juridiques que – sans vouloir vous offenser – mon patron vous a fournis gracieusement.

— Bon, ça va, marché conclu. Il me faut l'argent comptant au plus tard demain midi. En coupures de 20 $ et de 100 $, moitié, moitié. Compris ?

— Compris, monsieur. Bonne soirée.

Jérôme, partagé entre l'espoir d'être porté aux nues et la crainte de se faire engueuler, fila vers Caledonia Road pour faire rapport de sa mission. C'est Alma qui le reçut : le patron, indisposé, gardait le lit et madame, qui éprouvait le besoin de se changer les idées, était partie au cinéma avec une amie.

— Ça brasse pas mal, hein ? conclut-elle en balançant légèrement les hanches avec un curieux sourire.

— Il faut absolument que je parle à Séverin, Alma, c'est urgent, répondit Jérôme en retenant une grimace.

Un glissement de pas se fit alors entendre, une porte s'ouvrit et Séverin Sicotte, qui avait entendu l'arrivée de Jérôme, apparut en robe de chambre, le visage défait, le teint grisâtre, vieilli de dix ans.

— Dans mon bureau, ordonna-t-il à Jérôme sans lui donner le temps d'ouvrir la bouche.

À l'annonce du montant convenu avec Sam Calvido pour la remise des documents, l'avocat, assis sur le canapé, eut comme une sorte de commotion et Jérôme crut qu'il allait glisser sur le plancher. Mais cela ne dura qu'un instant.

— Euh... Ouf... Bon, fit-il après s'être essuyé le front avec la manche de sa robe de chambre, c'est beaucoup d'argent, il n'y a pas à dire... mais avec ce genre d'ordures, je suppose qu'on ne pouvait pas y échapper.

Il poussa un profond soupir, allongea les jambes et se mit à fixer un point dans l'espace au-dessus de la tête de Jérôme, puis, reportant son regard sur le jeune homme, il eut un faible sourire :

— Merci pour ton bon travail, Jérôme ; le pire est évité, du moins je l'espère. Sauf qu'il faudra demander un délai à cet abruti : 40 000 $ en coupures de 20 $ et de 100 $, on ne trouve pas ça sous une roche, tu comprends. Dans ce genre d'affaires, il faut agir avec discrétion.

— J'aurais une petite question à te poser, fit Jérôme, soulagé et flatté par les éloges de son patron.

— Minute, coupa Sicotte en se dressant avec une énergie retrouvée.

Il se rendit au somptueux secrétaire à horloge, ouvrit un tiroir, puis un autre, et revint avec un flacon de cristal et deux ballons :

— Rien comme un bon cognac pour clarifier les idées et purger le cerveau des émotions négatives.

Ils trinquèrent.

— Ronceau-Legardois 1937, 675 $ le flacon, mon ami, crut bon de préciser Sicotte. Pour les grandes occasions seulement. Dommage que Francine soit au cinéma ; elle a sûrement éteint son cellulaire ; je lui aurais annoncé tout de suite la bonne nouvelle.

Il sourit à Jérôme :

— Et ta question, c'est quoi, au juste ?

— Tu ne crains pas que Calvido se garde une copie de tes documents pour te porter éventuellement un coup fourré ?

Le lobbyiste secoua la tête :

— Ne t'inquiète pas. Ce sont des papiers bien plus… compromettants pour lui que pour moi. Il les aurait sans doute détruits. Mais je ne voulais pas courir de risques… On ne sait jamais.

— Alors, pourquoi toute cette chicane, ce marchandage et tout ?

— Il voulait me donner une leçon. Il est comme ça. Sale type.

Jérôme, crevé par sa mission, buvait par politesse en s'efforçant d'apprécier le précieux élixir. Il avait le sentiment d'avoir dépassé Olivier Fradette dans l'estime du lobbyiste. Sa carrière s'annonçait tumultueuse et risquée, mais prometteuse. Sauf qu'il ne s'agissait pas du tout de celle dont il avait rêvé.

La question des petites coupures occupa Jérôme pendant presque deux jours. Il dut téléphoner à Calvido à quelques reprises afin de l'inciter à la patience, et ce dernier, sans doute débordé de travail, l'appela deux fois afin de changer la date de leur rendez-vous pour la remise du montant.

Ce fut un de ces appels que Charlie surprit un soir qu'il avait invité Jérôme chez lui et qui l'alerta.

◆ ◆ ◆

Juin fut un mois faste pour Jérôme. Sur le plan salarial. Séverin Sicotte, reconnaissant pour son habileté et sa débrouillardise dans l'affaire Calvido, et sur les conseils pressants de sa femme, doubla presque le salaire annuel de son employé, qui atteignit les 90 000 $. Et la rémunération au pourcentage n'avait même pas commencé ! Tout cet argent à 25 ans ! Il croyait rêver.

— Et ce n'est qu'un début, mon gars, lui assura l'agent d'influences avec un sourire un peu fat.

Mais les bonheurs du mois de juin s'arrêtèrent là. Jérôme ne fut pas long à s'apercevoir que ses succès de négociateur avaient fait d'Olivier Fradette, jusqu'ici amical et serviable, un concurrent malade de jalousie. Une semaine environ après le règlement de l'affaire Calvido, il surprit par hasard une conversation entre Alma et son compagnon de travail dans le bureau de ce dernier.

— Facile de dépenser l'argent des autres, avait-il répliqué, hargneux, lorsque Alma avait voulu vanter la performance de Jérôme. Je pourrais dépenser des millions, moi, les deux doigts dans le nez ! En veux-tu, du fric ? En v'là ! Tiens, tiens, tiens ! Attrape ! Toi aussi, tu pourrais faire la même chose. N'importe qui, en fait. Il n'y a pas de quoi s'exciter.

Sa voix sifflante et rageuse était celle de la jalousie apeurée, la plus sombre et la plus féroce des jalousies, celle que l'instinct de survie réveille pour défendre des intérêts vitaux : Olivier se sentait déclassé et craignait de perdre sa position. La donne venait de changer : c'était lui ou Jérôme.

Celui-ci s'expliqua alors la froideur d'Olivier depuis quelque temps, ses sourires sarcastiques, ses remarques ambiguës, comme l'impossibilité où il se trouvait désormais – à cause, disait-il, d'un surcroît de travail – de l'accompagner au restaurant le midi.

Il lui fallait dorénavant se méfier de son entraîneur des premiers jours.

Juin fut marqué également par d'autres déboires, plus douloureux encore : une brouille avec Charlie et quelque chose d'approchant avec Eugénie, toutes deux conséquences, bien sûr, de l'affaire Calvido.

Cela commença un vendredi soir, habituellement glorieux début de la fin de semaine qui inspire le sentiment d'une liberté sans fin – jusqu'au réveil tristounet du lundi matin. Eugénie l'avait invité à souper, et il escomptait, pour se remettre des fatigues de son travail, une de ces *soirées 4B* (Bonne Bouffe, Bonne Baise), selon l'expression inventée des années plus tôt par Charlie, à l'époque amoureux par-dessus la tête d'une très chouette mais très bizarre psychologue, amatrice de sauts en parachute et de tables tournantes. Des 4 B, Jérôme n'avait pu profiter, hélas, que des deux premiers, les deux autres s'étant volatilisés à la fin du repas au cours d'une discussion avec sa maîtresse sur la nature exacte de la profession qu'il exerçait.

— Jérôme, lui avait-elle dit d'une voix hésitante, une bouteille de Cuvée Julien ayant fait lever chez l'un et l'autre les inhibitions habituelles, j'ai une question à te poser au sujet d'une affaire qui me chicote depuis quelques jours.

— Tu veux savoir où en est mon traitement contre le sida ? répondit ce dernier. Ou peut-être quel est mon grade dans l'Opus Dei ? Vas-y, mon amour. Je n'ai rien à te cacher, ce soir. Je suis même prêt à me mettre tout nu devant toi immédiatement.

— Jérôme, reprit-elle, de toute évidence sourde à ses blagues et le regardant droit dans les yeux, est-ce que ton patron est dans la pègre ?

Il y eut un silence.

— Pourquoi me demandes-tu ça ? murmura-t-il d'une voix changée.

— Parce que c'est important pour moi de le savoir.

Il fit tourner son verre un moment entre ses doigts, puis enfila une gorgée.

— Il n'est pas dans la pègre. Sinon, je ne travaillerais pas pour lui. Mais, en même temps, ce n'est pas un enfant de chœur... ni moi non plus, je suppose. On est dans la vie, quoi, la vraie vie sans fioritures ni dentelles... Faut se débattre, si on ne veut pas se faire aplatir par le voisin, et ce n'est pas toujours joli, tu le sais autant que moi.

Allongeant le bras au-dessus de la table, il prit sa main :

— Qu'est-ce qui se passe, Eugénie ? Qu'est-ce qui s'est passé ? Depuis quelques jours, je remarque que tu n'es plus tout à fait la même. Pourquoi ?

Il sentait comme une pierre dans son estomac, l'euphorie du vin tout à coup envolée.

— Jérôme, dit-elle d'une voix assourdie, mercredi dernier, Charlie m'a téléphoné et nous nous sommes rencontrés dans un café.

Et elle lui fit part calmement de la conversation téléphonique qu'il avait surprise entre lui et Sam Calvido, du choc qu'il en avait ressenti, de ses réflexions tourmentées, puis de la décision qu'il avait prise de la lui rapporter, non par goût du commérage, mais poussé par la sollicitude d'une véritable amitié.

— Salaud, murmura Jérôme entre ses dents.

— C'est vrai que tu as parlé à Sam Calvido ? poursuivit-elle, pressante. C'est vrai que tu es mêlé à cette histoire de lampadaires ?

— Je lui ai parlé plusieurs fois, et je l'ai même rencontré trois fois – à la demande de Sicotte, je tiens à préciser –, mais je ne suis pas du tout mêlé à cette histoire puante et je suis même enchanté de n'avoir aucun lien d'aucune sorte avec ce pourri à qui je souhaite la prison – et vite !

— Alors, pourquoi fraies-tu avec lui ?

— Je ne fraie PAS avec lui ! lança Jérôme. Si mon patron ne m'avait pas forcé à le rencontrer, je n'aurais jamais vu sa face de porc ni enduré ses façons de malappris. C'est un homme dégoûtant, quoi. Faire affaire avec ce genre d'individus, c'est une des misères du métier !

Des pleurs d'enfant tiré de son sommeil s'élevèrent dans l'appartement et les forcèrent au silence. Jérôme tripotait nerveusement le bord de la nappe tandis qu'Eugénie, la tête basse, semblait remuer de lugubres pensées.

— En tout cas, reprit-elle dans un chuchotement douloureux, il t'impose de drôles de rencontres, ton patron, c'est le moins qu'on puisse dire.

— On n'a pas toujours le choix de ses rencontres, Eugénie, tu en as sûrement fait l'expérience.

Sa voix manquait singulièrement de conviction ; elle eut une moue amère.

Andrée-Anne, après avoir soupiré et marmonné un moment, s'était rendormie.

— Si tu n'es pas dans la magouille, Jérôme, tu y seras tôt ou tard, crois-moi. Ton patron cherche à te pousser dans un entonnoir, j'en suis sûre, et quand il aura réussi, tu glisseras jusqu'au fond, sans pouvoir remonter. Le coup classique.

Il ne répondit rien, puis détourna la tête ; elle s'aperçut alors qu'il avait les yeux pleins d'eau.

— Jérôme, j'ai vécu une relation avec un homme qui m'a fait souffrir à un point que tu ne peux pas imaginer. C'était pourtant quelqu'un d'honnête, je crois, mais il s'était engagé dans un cul-de-sac et, malgré toute l'aide qu'on lui a apportée et tous les conseils qu'il a reçus, il n'a jamais voulu rebrousser chemin. Nous avons connu des moments horribles et Andrée-Anne en a beaucoup souffert. Je me suis promis de ne plus jamais revivre ça, tu comprends. Je ne suis pas en train de te faire la morale, Jérôme, j'essaie tout simplement de sauver ma peau. Et comme je t'aime beaucoup, je veux aussi que tu sauves la tienne. Car ils vont finir par l'avoir, ta peau, d'une façon ou d'une autre. Ton fameux Sicotte et sa femme, ils se fichent complètement de toi et de ce qui peut t'arriver, Jérôme. Tout ce qui compte pour eux, c'est le fric, tu le sais bien. Et le jour où ils te trouveront embarrassant, ils te laisseront tomber dans les trente secondes, sois sûr de ça.

Il tournait et retournait machinalement un couteau posé sur sa serviette chiffonnée, tandis que son regard désemparé voltigeait de-ci de-là dans la pièce, se posant de temps à autre sur le visage d'Eugénie pour le quitter aussitôt. Il était rempli de honte, de désespoir et aussi d'une étrange irritation, comme si sa maîtresse s'était tout à coup transformée en une maman qui essayait de corriger sa conduite et de lui inculquer les bons principes ; elle avait beau être son aînée de quatre ans, jamais il ne l'avait vue ainsi et c'était très désagréable.

— Alors, murmura-t-il d'une voix amère et sarcastique, tu veux qu'on se quitte, c'est ça ?

Elle le fixa une seconde, déconcertée, puis, après une courte hésitation :

— Non, Jérôme, il ne s'agit pas de ça du tout. Je t'aime – ne t'en rends-tu pas compte ? –, mais il faut que tu quittes ces gens douteux qui vont te faire du mal – qui ont *déjà* commencé à t'en faire, ça se voit.

— Ah oui ? répliqua-t-il avec un ricanement. Eh ben ! ce qu'on peut être distrait ! Je ne m'en étais pas aperçu.

Mais ce ne fut qu'une courte parade et, de nouveau, son visage s'assombrissait :

— Facile de donner ce genre de conseils quand on a un bel emploi bien payé... Mon argent, je le gagne, je ne le vole à personne. On ne pourrait pas en dire autant de bien des gens qui promènent partout leur face honorable...

Il aurait pu invoquer un argument autrement plus fort, mais n'osa pas ; cette histoire sulfureuse de menace d'extradition ne ferait que ternir encore plus son image. Merci bien !

— Si je pars, se contenta-t-il d'ajouter, je n'ai rien devant moi... Ça va être joli !... Et si je décide de rester ? lança-t-il tout à coup sur un ton de défi. Tu me fous à la porte, c'est ça ?

Elle ferma les yeux et parut tout à coup exténuée :

— Je ne sais pas, Jérôme, je ne sais pas... Mais la seule idée de vivre de nouveau les mêmes... Il faut que tu les quittes, Jérôme, reprit-elle avec force en redressant la tête. Si tu m'aimes vraiment, tu vas les quitter... Dis-moi que tu vas les quitter, je t'en supplie...

De la voir dans un tel état de détresse fit naître en lui une sorte de plaisir boueux dont il eut un peu honte. Il la désirait.

Il se leva, s'approcha et se mit à la caresser. Elle se raidit, puis secoua la tête et d'une voix étouffée :

— Jérôme, non, pas maintenant, s'il te plaît… Je n'ai vraiment pas la tête à ça… vraiment pas…

Ses caresses s'enhardirent pendant un moment, sans plus de succès. Il s'arrêta.

— Alors, on dessert ? fit-il d'un petit ton froid et vexé en s'emparant d'une assiette, puis d'une autre. Au moins, on n'aura pas perdu complètement notre temps…

— Laisse, laisse, répondit-elle avec un pauvre sourire en secouant la main.

Lui tournant le dos, il se dirigea vers le vestibule :

— Tu m'excuseras, je vais aller dormir chez moi, alors. J'ai rendez-vous très tôt demain matin chez un concessionnaire d'automobiles (ce qui était faux). J'ai décidé de m'acheter une nouvelle auto (ce qui était vrai).

Elle le rejoignit devant la porte.

— Tu m'en veux, n'est-ce pas ? fit-elle en posant une main sur son épaule.

— Je ne vois pas tout à fait les choses comme ça, répondit-il sèchement.

Elle le regarda un moment, et il se sentit rougir.

— Qu'est-ce que tu vas décider, Jérôme ? Il faut prendre une décision.

— Je t'en ferai part quand elle sera prise, Eugénie.

Et il partit sans l'embrasser.

◆ ◆ ◆

Il n'avait à présent qu'un désir : se rendre chez Charlie pour le pulvériser. D'amis de cette sorte, il pouvait se passer ; en fait, c'était un luxe ruineux.

Charlie habitait rue Marie-Anne près de Saint-Denis. Jérôme l'appela de son auto. Un vendredi soir à minuit et demi, il était sûr de le trouver chez lui. La sonnerie se fit entendre cinq fois, puis un répondeur se déclencha.

— Je suis sûr pourtant qu'il est chez lui, marmonna Jérôme, furieux, en démarrant. Il se cache. Il a peur de moi. Les délateurs sont toujours des lâches. Attends juste un peu pour voir, mon beau salaud!

Un quart d'heure plus tard, il arrivait rue Marie-Anne; le sort semblait travailler pour lui: chose rarissime, un espace de stationnement était libre juste en face du petit immeuble où demeurait le délateur, qui logeait au deuxième étage. Debout près de son auto, les mains sur les hanches dans une pose de redresseur de torts, il constata que les fenêtres étaient obscures. Pourtant, Charlie était plutôt casanier – et un intuable couche-tard les fins de semaine, regardant des films et lisant des romans policiers jusqu'aux petites heures du matin.

— Il fait le mort, ou alors il s'est sauvé, pesta Jérôme en tapant du pied.

Deux grands loustics surgirent à sa droite, passèrent devant lui en le dévisageant d'un regard effronté, cigarette au bec, puis s'éloignèrent avec des éclats de rire, laissant dans leur sillage une entêtante odeur de mari.

Jérôme entra dans le vestibule fortement éclairé par des néons et actionna la sonnette. Une fois. Deux fois. Trois fois. À la quatrième, son index demeura appuyé sur le bouton pendant une minute entière. Aucun signe de vie ne venait de l'appartement. C'était comme s'il avait essayé de contacter la nébuleuse XG 19444. Le panier percé était parti; mais tôt ou tard, il reviendrait.

«Et je serai là pour l'accueillir, se promit Jérôme. S'il le faut, je passerai la nuit dans mon auto. Il n'y échappera pas, oh non!»

Son attente fut courte: en sortant du vestibule, il faillit buter contre lui.

— Ah ha! te voilà, enfin! rugit-il avec un rictus menaçant.

La figure de Charlie se crispa, mais il répondit assez calmement:

— Je savais que tu serais ici. J'arrive de chez une copine. Elle devait passer la nuit chez moi, mais j'ai préféré qu'on se parle seul à seul.

Il y avait un accent de fierté dans sa voix tendue.

— Merci pour ta discrétion, ricana Jérôme tandis que son ami déverrouillait la porte d'entrée et s'engageait dans l'escalier qui menait au deuxième. Dommage que t'aies pas commencé à la pratiquer plus tôt!

Charlie se retourna vers lui, un doigt sur les lèvres:

— Il y a des gens qui dorment ici, chuchota-t-il. Calme-toi un peu, je t'en prie.

L'œil furibond, Jérôme secoua un poing devant son nez, mais le reste du trajet se fit en silence.

Chose étonnante, au lieu du chaos habituel, un ordre de vieille fille compulsive régnait dans le studio de Charlie, preuve qu'il avait bien prévu, en effet, y passer une nuit galante. Mais Jérôme le remarqua à peine. Aussitôt la porte refermée derrière eux, il se planta devant Charlie et, d'un ton glacial :

— Je ne savais pas que je fréquentais un espion. Et qu'il allait ensuite me moucharder auprès de ma blonde.

Charlie blêmit, rougit, puis blêmit de nouveau :

— J'allais t'en parler ce soir même, Jérôme… Et puis il y a Martine qui est arrivée dans le décor en fin d'après-midi, et ça m'est comme sorti de la tête, tu comprends… J'aurais dû le faire avant, c'est vrai… Mais, sur le coup, le cœur m'a manqué. Excuse-moi.

— Ils parlent toujours comme ça, ceux qui se font prendre les culottes baissées.

— Hé ! l'ami, *moderato*, veux-tu ? Tu vois des complots partout.

— Il n'y a *plus* d'ami, bonhomme. Terminé. Jésus a pardonné à Judas, mais moi, je ne veux pas finir sur la croix. J'ai la peau trop sensible, vois-tu.

— Tu permets que je m'explique, Jérôme, ou alors préfères-tu la méthode totalitaire ? Je n'ai *aucun* intérêt dans cette affaire, moi, aucun ! Si je suis allé trouver Eugénie, c'est que j'étais inquiet à ton sujet, Jérôme, *très* inquiet, et comme dans une discussion t'es la plupart du temps aussi parlable qu'un char d'assaut en marche, je me suis dit qu'elle avait sans doute plus de chance de t'influencer que moi, un point, c'est tout.

Le ton monta encore un peu. Les mêmes arguments que Jérôme avait entendus dans la bouche de sa maîtresse se retrouvèrent dans celle de Charlie, et il y apporta les mêmes réponses, mais cette fois avec une mauvaise foi plus assurée.

— C'est l'inconscience ou le cynisme qui te fait parler comme ça ? lança finalement Charlie, exaspéré. Réalises-tu que t'es en train de te préparer un séjour longue durée en prison ? Ton *boss* et sa racaille peuvent se payer des avocats, eux, qui vont peut-être leur trouver des portes de sortie ou leur gagner du temps, mais toi ? Toi, hein ?

— Qu'est-ce que ça peut bien te faire ? répliqua Jérôme en empoignant le bouton de la porte. On ne se connaît plus, Charlie... Salut.

Et il sortit en claquant la porte. Un voisin de palier souligna son départ par un grand coup de poing dans le mur.

◆ ◆ ◆

On arrivait à la fin de juin. Les plaisirs du farniente étaient à portée de main – du moins pour ceux qui pouvaient se les accorder. Jérôme n'avait pas revu Charlie depuis leur engueulade nocturne de la rue Marie-Anne. La brouille entre les deux amis semblait profonde, peut-être définitive. Jérôme poursuivait sa liaison avec Eugénie, mais leurs rencontres, devenues irrégulières, se distançaient de plus en plus. Quelque chose s'était brisé dans leur relation et la preuve en était qu'ils ne se parlaient plus jamais du différend qui les avait opposés. Avant de mourir, l'amour se tait. Le commerce charnel semblait servir pour le moment de pis-aller.

Le 28 juin, Eugénie téléphona à Jérôme pour lui annoncer qu'elle participait à Paris à un congrès de l'industrie alimentaire qui se tiendrait durant la dernière semaine de juillet ; elle en profiterait ensuite pour faire un saut à Barcelone où demeurait une amie qu'elle n'avait pas vue depuis des lunes et ne serait de retour qu'à la mi-août. D'ici son départ, le travail et la rédaction de sa communication ne lui laisseraient guère de temps. Jérôme, surpris qu'elle lui annonce cette nouvelle si tard, fit quelques blagues pour cacher son dépit et ajouta qu'au fond cela tombait bien, car il était lui-même tellement débordé de travail qu'il devrait sans doute repousser ses propres vacances à l'automne (ce qui était faux, bien entendu). Que se passerait-il à son retour d'Europe après ces trois semaines d'absence ? Il ne voulait même pas y songer.

Il avait vendu sa Honda pour acheter un cabriolet Mitsubishi dont il rêvait depuis longtemps et songeait à faire l'acquisition d'un condo dans le quartier Notre-Dame-de-Grâce ; c'était dans l'immobilier, avait toujours dit son père, que les investissements étaient les plus profitables et les plus sûrs. Oubliant son dédain pour le style vesti-mentaire bourgeois qui lui avait toujours paru *vieux jeu* ou *parvenu*, il avait adopté la veste et la cravate, ce qui l'avait obligé à garnir sa garde-robe. Sa vision des choses changeait. Métier oblige, disait-il. On ne va pas à la pêche avec un marteau.

Le péril Calvido étant pour le moment écarté, Séverin Sicotte l'avait adjoint à Olivier Fradette pour s'occuper d'un dossier complexe et délicat : le placement d'une partie des avoirs de la famille Afnali, de richissimes Algériens arrivés au Québec depuis quelques mois comme immigrants investisseurs ; ils s'étaient installés discrètement à Saint-Lambert, en attente du statut de résidents permanents. Deux hic venaient compliquer leur cas et exigeaient un singulier doigté : ils étaient poursuivis par le fisc de leur pays d'origine (« Le fisc, ce préda-teur », disait Séverin Sicotte avec un haussement d'épaules) de même que pour la sortie illégale de trésors appartenant au patrimoine natio-nal, en l'occurrence des bas-reliefs de l'époque romaine (« Ce dossier ne nous concerne pas », précisait Sicotte avec un autre haussement d'épaules). Les Afnali avaient placé des fonds considérables dans l'in-dustrie des sables bitumineux en Alberta, ce qui semblait leur avoir acquis une imposante respectabilité auprès des autorités fédérales ; cela dit, il fallait quand même respecter les formes.

Cependant, travailler avec Olivier déplaisait de plus en plus à Jérôme ; son collègue était devenu peu coopératif, facilement irritable et parfois même franchement hargneux, et il le soupçonnait de lui avoir fait à deux reprises un coup fourré qui l'avait mis dans l'embarras.

Un rendez-vous fixé à 9 h avec Salem Afnali, le patriarche de la famille, avait été faussement reporté à 10 h (Olivier niait tout, évidem-ment, et prétendait que Jérôme avait mal compris), ce qui avait valu à ce dernier une semonce de son client comme il n'en avait jamais reçu. Puis, quelques jours plus tard, pendant une rencontre avec des membres de la famille milliardaire, il y avait eu cette *blague* d'Olivier qui s'était tourné vers Jérôme après que le patriarche Salem eut accepté une condition accueillie d'abord avec réticence :

— Eh bien, tu vois, Jérôme, lui avait-il dit avec un grand sourire, contrairement à ce que tu prétendais l'autre jour, les nantis du monde arabe sont quand même parlables.

Celui-ci, écarlate, avait mis une ou deux minutes à se dépêtrer des effets de ladite *blague* sous le regard indéchiffrable des nantis assis en face de lui.

Cela donna lieu durant leur retour à Montréal à une vive discussion entre les deux hommes, Olivier arguant que Jérôme manquait d'humour, Jérôme répliquant que son collègue manquait de jugement (il s'en tenait pour le moment à ce diagnostic).

Furieux et inquiet, il avait rapporté l'incident à Séverin Sicotte en présence d'Olivier.

— Je vous paie assez cher, les amis, s'était contenté de répondre l'agent d'influences, essayez de vous entendre, bon sang! On n'est pas dans une garderie ici! Allez, serrez-vous la main tout de suite, devant moi, et qu'on n'en parle plus.

Mais le 29 juin se produisit un événement qui allait permettre à Jérôme de prendre ses distances d'un collègue aussi peu fiable et entraînerait de grandes conséquences pour sa carrière et sa vie.

Ce jour-là donc, à 11 h, le premier ministre Sydney Westwind, flanqué du ministre du Patrimoine canadien Chuckley Colslaw, tint une conférence de presse à Ottawa pour annoncer la création à Montréal d'un Musée de la culture canadienne de langue française. On n'avait pas choisi la date au hasard : cinq jours s'étaient écoulés depuis la Saint-Jean-Baptiste, Fête nationale du Québec ; l'effervescence patriotique des habitants de la Belle Province avait eu le temps de se calmer et on était à deux jours du 1er juillet, Fête du Canada, ce qui présentait l'avantage de fournir de la matière neuve aux discours sur l'unité canadienne qu'on s'apprêtait à prononcer un peu partout.

— Nous avons prévu un budget de 675 M $ pour la nouvelle institution, ânonna le premier ministre dans un français impeccable alourdi par son célèbre accent caoutchouteux. Ce Musée de la culture canadienne de langue française témoignera, pour les citoyens d'aujourd'hui comme pour les générations futures, du caractère biculturel du Canada et de l'attachement de notre pays à un des éléments fondamentaux de sa personnalité nationale.

Il poursuivit ainsi pendant de longues minutes, promenant ses yeux de poisson mort sur la foule des journalistes et des cameramen, étirant les clichés habituels jusqu'à les rendre translucides, puis céda la parole au ministre Colslaw, qui répéta les mêmes choses en des termes différents. La physionomie des journalistes s'alourdissait de seconde en seconde ; six d'entre eux réprimèrent des bâillements. Don Macpherson, par contre, le redoutable chroniqueur de *The Gazette*, griffonnait fiévreusement dans un calepin, sourire aux lèvres, ravi par cet approvisionnement de munitions fraîches.

C'est alors qu'une jeune femme leva la main, l'air faussement innocent, et demanda si le Québec avait été consulté pour un projet qui le concernait aussi vitalement. D'un mouvement rapide de la main, Westwind fit signe à son ministre que cette question était pour lui :

— J'ai le plaisir de vous annoncer que des discussions se déroulent actuellement à ce sujet entre notre gouvernement et celui du Québec, et nous avons bon espoir qu'elles seront fructueuses. Il serait tout naturel, en effet, que le Québec, foyer principal de la vie française en Amérique du Nord, devienne un partenaire majeur dans un projet qui veut célébrer l'œuvre des descendants de Samuel de Champlain, un apport si précieux à la culture canadienne, [etc.].

Ottawa était conscient que cette annonce soulèverait un tollé au Québec et, notamment, chez les séparatistes, ces éternels braillards : on l'accuserait d'intrusion dans un domaine de compétence provinciale, de gaspillage de fonds publics, de machiavélisme, et le reste.

Aussi, le choix du 29 juin pour cette conférence de presse présentait-il un autre avantage : la turbulence créée par la nouvelle se calmerait vite dans la chaleur de l'été qui voit l'intérêt des citoyens pour la chose politique baisser à mesure que monte le mercure.

Le lendemain, un commentaire caustique paraissait dans *Le Devoir* : « Les Québécois, des objets de musée ? » se demandait le chroniqueur Michel David. Un éditorial de Josée Boileau allait dans le même sens. Pendant quelques jours affluèrent des lettres de lecteurs mécontents ou ravis du projet Westwind (comme on s'était mis à l'appeler), Facebook et Twitter bourdonnèrent un peu, on discuta brièvement de l'affaire à la télé, un humoriste obtint un certain succès avec une blague sur le Québec empaillé, il y eut une petite manifestation devant le Grand Séminaire de Montréal, rue Sherbrooke : le bruit courait, en effet, que les Sulpiciens s'apprêtaient à vendre au gouvernement fédéral le jardin qui jouxtait leur vénérable institution pour qu'il y construise le musée.

À Québec, la chef de l'opposition, Aline Letarte, hacha menu comme chair à pâté le projet d'Ottawa – jusqu'au 1er juillet, date où elle s'envola avec les siens pour des vacances au Costa Rica bien méritées. Le nom du musée, déclara-t-elle avec force en secouant ses bracelets, le regard étincelant, était une insulte aux Québécoises et aux Québécois. Il aurait fallu à tout le moins nommer l'institution Musée de la culture québécoise, en tout respect, bien sûr, pour les vaillantes minorités françaises des autres provinces qui par leur ténacité, etc. Cela dit, le maître d'œuvre de ce projet devait être Québec et non Ottawa, le domaine culturel étant d'abord et avant tout de compétence québécoise. « À la rigueur, ajouta-t-elle dans un effort de conciliation propre aux politiciens chevronnés, on pourrait peut-être songer à une forme de collaboration avec le gouvernement fédéral qui tiendrait compte de certains facteurs spécifiques, notamment, etc. »

Jean-Philippe Labrèche, le premier ministre du Québec et fervent Canadien s'il en fut, appuyait dans son ensemble le projet annoncé par Westwind, mais favorisait plutôt comme appellation Musée de la culture canadienne-française, plus représentative, selon lui, de notre histoire et tenant davantage compte de la riche diversité canadienne, blablabla. Mais un observateur attentif aurait deviné que le débat l'ennuyait passablement et qu'il avait hâte lui aussi de prendre des vacances bien méritées.

Un sondage sur le nom du futur musée parut alors dans *La Presse* qui donnait gagnante par une faible marge de 3 % l'appellation favorisée par Aline Letarte comparée à celle que proposait Jean-Philippe Labrèche. L'affaire devenait délicate. On était dans le mou. Volatile (pour ne pas dire volage) comme était l'opinion publique, impossible de savoir qui sortirait gagnant. Des discussions au plus haut niveau se tinrent dans l'opposition. Un ex-ministre, réputé pour sa subtilité, fit valoir que le qualificatif « canadien-français », bien que démodé – et à juste titre ! –, était tout de même plus inclusif que « québécois », car une quantité non négligeable de francophones vivaient à l'extérieur du Québec, et cela sans compter les Québécois qui se percevaient d'abord comme des Canadiens et qu'il ne fallait quand même pas indisposer.

Il fut alors décidé, par souci démocratique, d'adopter une attitude neutre en mettant l'affaire sur la glace, quitte à reprendre le débat si les circonstances devenaient favorables.

Séverin Sicotte suivait le débat attentivement, mais pour de tout autres raisons. Une de ses antennes à Québec venait de lui apprendre qu'à la reprise de la session d'automne le premier ministre Labrèche annoncerait la participation du Québec au projet du musée; des modalités restaient à être précisées, mais l'implication financière du gouvernement s'annonçait importante. En fait, Westwind et Labrèche avaient conclu une entente officieuse trois mois auparavant, souhaitant par cet exemple spectaculaire de collaboration promouvoir l'unité canadienne.

L'unité canadienne, tout comme le sort du Québec, n'avait jamais empêché Séverin Sicotte de dormir ni même de ronfler. Par contre, à l'idée des montants colossaux que les deux paliers de gouvernement s'apprêtaient à dépenser dans un but de pure propagande, il lui passait dans tout le corps des frissons de plaisir qui le tenaient parfois éveillé durant de longues heures.

Ce n'était pas tout de frissonner : il fallait agir.

Il fit plusieurs appels, participa, lui, si piètre golfeur, à deux tournois dans un club sélect de l'Ouest-de-l'Île, invita deux fois plutôt qu'une les dirigeants d'un bureau d'architectes à dîner au Beaver Club (la note lui causa un reflux gastrique), fut invité lui-même par d'autres (il prit alors sa revanche), se rendit avec sa femme à une partie de plaisir organisée sur son yacht par un entrepreneur en construction qui ne semblait plus savoir quoi faire de son argent et, encore moins, de ses principes, et le 9 juillet à 15 h convoqua dans son bureau Jérôme et Olivier, ce dernier par pure forme, car il n'avait pas l'intention de lui confier un mandat particulier, mais tenait toutefois à ménager l'amour-propre de son collaborateur. L'esprit d'équipe, avait-il coutume de dire, se renforce par la mise en commun des informations importantes.

— Mes amis, débuta-t-il sur un ton solennel où perçait une pointe d'émotion, si tout va comme je l'espère, les mois qui viennent s'annoncent particulièrement juteux. On risque, hé! hé,! de rouler dans le *bacon* première catégorie. Si vous savez gérer votre chance, les *boys*, vous allez vous râper le gorgoton à force de me remercier. D'une part, fit-il en se tournant par courtoisie vers Olivier, il y a le dossier Afnali, où tu te débrouilles vraiment bien, mon gars, et qui n'a pas fini de nous rapporter du fric. Mais, d'autre part, il y a un nouveau dossier dont on parle beaucoup ces temps-ci...

— Le projet Westwind? l'interrompit Olivier avec un sourire entendu.

— Justement. C'est à cause de lui que vous m'avez moins vu dans la boîte ces derniers temps. Mais, avec un peu de chance, je ne me serai pas absenté pour rien, oh non! Ce dossier-là, fit-il en se tournant cette fois vers Jérôme, on va être deux à s'en occuper, mon gars. Inutile de compter sur Olivier, qui en a plein les bras avec ses Algériens. Qui trop embrasse mal étreint, ou quelque chose comme ça, ne l'oubliez pas.

— Et qu'est-ce que je dois faire?

— D'abord prendre des vacances pour être en pleine forme dans deux semaines. Ça vaut aussi pour toi, Olivier, pour autant que les Afnali te le permettent.

— Je vais m'arranger, répondit ce dernier en essayant de retenir une moue de dépit.

— Non, *moi*, je vais m'arranger, décida tout à coup Sicotte. Je téléphone tout à l'heure au grand Salem pour lui annoncer que tu vas être invisible et introuvable durant les deux prochaines semaines, Olivier. S'il y a urgence, il n'aura qu'à me contacter. T'as besoin de vacances comme tout le monde, mon ami. Je tiens à la santé des membres de mon équipe autant qu'à la mienne. Compris?

— Compris, chef.

— Une dernière chose: Francine part à Varadero après-demain régler des choses à l'hôtel. Elle va être de retour le 9 août pour accueillir Félix, qui revient parmi nous. Enfin.

Sa voix avait changé. Il y eut un court silence. Jérôme et Olivier se mirent chacun à fixer une cariatide de bronze dans l'angle du bureau.

— Alma l'accompagne? demanda enfin Olivier.

— Non. Pas cette fois. Elle a affaire.

Le téléphone sonna. Sicotte saisit le combiné, puis eut un geste pour indiquer que l'entretien était terminé.

Olivier invita alors Jérôme à prendre un café dans son bureau et, pour l'occasion, sortit d'un tiroir une boîte de biscuits au chocolat importés de Suisse et en offrit à son collègue avec un grand sourire («Vas-y, vas-y, gêne-toi pas, ils sont délicieux!»), geste qui surprit quelque peu Jérôme, car il avait eu le temps de constater que son collègue était plutôt radin. Voilà longtemps qu'il ne l'avait vu aussi avenant. Les compliments prodigués par Sicotte expliquaient sans doute ses bonnes dispositions.

— Qu'est-ce que tu comptes faire durant tes vacances? s'informa aimablement Jérôme.

— Me tenir le plus loin possible de l'Algérie, répondit l'autre en riant.

— Mais encore?

— Je vais peut-être aller passer quelques jours sur la ferme d'un de mes oncles dans les Cantons-de-l'Est, et puis ensuite aller me dorer la bedaine à Ogunquit. Et toi? Tu vas continuer à élever la fille de ta blonde?

La question, pleine de bonhomie, étonna au plus haut point Jérôme qui ne parlait jamais de sa vie privée au bureau. Peut-être y avait-il fait un jour une vague allusion et son futé de collègue, rompu aux déductions, en avait retenu ce renseignement.

— Aucun risque pour ça, répondit Jérôme avec un sourire désabusé. Je suis libre comme le vent.

— Ah, fit sans plus Olivier, et la conversation changea de sujet.

◆ ◆ ◆

Au bout de trois jours, Jérôme commença à trouver ses vacances mortelles. L'absence d'Eugénie, l'inquiétude que lui inspirait leur relation, la brouille avec Charlie, qui ne donnait plus signe de vie, se mêlaient dans son esprit à de douloureuses réflexions sur ce qu'il était en train de devenir. Inutile de se leurrer: il s'en allait grossir les rangs des crapules. Dans un roman de Dickens, il se retrouverait parmi les personnages haïssables, Murdstone et compagnie, lui qui les avait tant méprisés; dans un roman de Balzac, il fraterniserait avec l'affreux Vautrin et Lousteau le pourri. Ses seules consolations: une aisance nouvelle et l'excitation apportée par un travail en zone sombre qui demandait de se tenir constamment aux aguets. Il avait souvent l'impression, en effet, de vivre dans un thriller – un thriller où flottaient des émanations fétides, mais dont les épisodes rapportaient gros! Et le meilleur, avait annoncé Séverin Sicotte, restait à venir.

Malgré ce *meilleur à venir*, ses vacances lui paraissaient aussi réjouissantes qu'un séjour sur une île déserte. Il avait téléphoné à Eugénie à quelques reprises, échangé avec elle deux ou trois courriels dans le genre neutre et factuel. Depuis quelques jours, le silence s'était fait, comme s'ils n'avaient plus rien à se dire. Non, cela n'allait plus du tout entre eux. Quelque chose s'était brisé, peut-être irréparablement.

Dans l'après-midi du quatrième jour, il alla voir ses parents, qui l'accueillirent avec une joie affectueuse. Sa mère interrompit la leçon de piano qu'elle donnait à une élève (jolie, mais l'air un peu empotée) pour venir l'embrasser et tint à lui préparer sur-le-champ un *latte* avec leur nouvelle machine à café.

— Et alors? Tu aimes?

— Ouais, délicieux, maman, vraiment délicieux. C'est une Ravina? Ma foi, j'ai envie d'en acheter une.

— Je te dirai où aller. On m'a fait un bon prix. Maintenant, tu m'excuseras, mon chéri, il faut que je retourne à ma leçon… J'arrive, Odile.

Le farniente de la belle saison n'existait pas pour Claude-Oscar qui avait décidé il y avait longtemps que septembre était le mois idéal pour les vacances en dépit des inconvénients que cela créait pour sa femme et, surtout, pour le jeune Marcel. À l'arrivée de Jérôme, il était sorti précipitamment de son atelier dans son sarrau couvert de taches:

— Eh ben! mon fils bien-aimé qui daigne enfin nous rendre visite!

Et, au lieu de la poignée de main habituelle préconisée par le code des rapports masculins, il l'avait serré dans ses bras. Puis, le tenant toujours par les épaules, il s'était reculé pour l'examiner:

— Comment vas-tu? T'as l'air bien, en tout cas. Ma foi, t'es même en train de prendre une allure de *monsieur*. Toujours satisfait de ta Mitsubishi?

— Pour l'instant, oui, papa.

— Viens me la montrer, fiston. J'ai hâte de la voir.

Le même entrain un peu excessif le possédait toujours, mais Jérôme l'avait trouvé vieilli. Sa leçon de piano terminée, Marie-Rose était réapparue dans la cuisine pour préparer le souper (il était hors de question, bien entendu, que Jérôme ne mange pas avec eux) et lui avait glissé à l'oreille que Claude-Oscar souffrait de diabète.

— Ne lui en parle surtout pas… Quand le docteur Groulx lui a appris la nouvelle, il était furieux.

— Contre qui ?

— Contre la vie, je suppose.

— Il doit se piquer à l'insuline ?

— Non, ce n'est qu'un début de diabète. Pour le moment, on lui a prescrit du glucophage, mais il doit suivre un régime, et, comme tu peux imaginer, ce n'est pas toujours facile.

Vers 17 h, Marcel avait fait irruption dans la maison avec un camarade et Jérôme avait dû montrer de nouveau la Mitsubishi sous toutes ses coutures, puis amener les deux garçons pour une promenade dans le quartier.

— Wow ! s'exclama Marcel en levant de grands yeux vers Jérôme, on dirait une auto de millionnaire.

Jérôme avait pouffé de rire.

— Est-ce que *t'es* millionnaire ? demanda le petit garçon avec le plus grand sérieux.

— Alors là… jamais de la vie ! Pourquoi me demandes-tu ça ?

— L'autre jour, papa a dit que tu faisais plein d'argent.

— Eh bien, oui, j'en fais pas mal, mais je ne gagne pas des millions, tout de même.

Et il lui ébouriffa gentiment les cheveux.

Malgré sa visite à l'improviste, Marie-Rose, accomplissant des prodiges de vitesse, avait confectionné un souper de grande classe : crème de champignons, salade niçoise, ris de veau, escalopes de pommes de terre et comme dessert – diabète oblige – une salade de fruits arrosée d'un soupçon de porto. L'accueil qu'on lui faisait touchait Jérôme et, en même temps, l'attristait un peu : toutes ces marques d'attention contenaient un doux reproche pour la négligence qu'il montrait envers ses parents. Mais un détail l'avait frappé plus douloureusement encore : pas une fois on ne l'avait questionné sur son travail, comme s'il s'agissait d'un sujet tabou. Et donc suspect. Ses parents se doutaient sûrement de quelque chose et cachaient leur inquiétude.

Il quitta la maison vers 21 h, tenta de joindre un camarade de cégep, puis un autre, sans succès. Juillet semblait avoir vidé Montréal. Il pensa même à téléphoner à Lucy, puis se dit qu'il y avait des limites tout de même à ne pas franchir dans le ridicule. De toute façon, elle se trouvait sans doute à Constantinople ou dans les îles Fidji avec un *sugar daddy*.

Alors, il décida d'aller draguer dans une discothèque du centre-ville. Vers 2 h du matin, il revenait chez lui bredouille et chaudasse, avec l'envie de faire sauter son appartement.

Quand il se réveilla le lendemain au milieu de la matinée, il se sentait dans de meilleures dispositions, et cela l'étonna. « Ma foi, se dit-il en préparant son déjeuner (il avait très faim), c'est à croire qu'on n'est qu'un assemblage d'hormones et de cellules, une sorte de machine qui se regarde fonctionner sans trop savoir comment elle fonctionne – ni pourquoi. » Assis devant la fenêtre, il buvait son café au lait et mordait dans ses rôties tartinées de confitures aux framboises. Oui, cette Ravina le tentait vraiment. Il en achèterait peut-être une dans l'après-midi.

Qui sait ? son changement d'humeur dépendait peut-être du temps. Le ciel était gris, mais d'un gris lumineux qui donnait aux choses un aspect calme et joyeux. Il semblait impossible que des gens quelque part sur la planète soient en train de s'entretuer.

Et soudain, la sonnerie *new wave* de son cellulaire s'éleva dans la chambre à coucher.

« C'est Charlie. Il veut qu'on s'explique », se dit-il en s'élançant vers l'appareil.

Il réussit à le dénicher dans une poche de son pantalon.

— Allô ?

Ses lèvres s'arquèrent vers le bas dans une grimace de déception. C'était la voix d'Olivier Fradette. Il l'appelait du bureau. Une tuile venait de lui tomber dessus. Pouvait-il venir lui donner un coup de main rapido ? Non, il ne pouvait rien dire de plus au téléphone. Cela l'embarrassait beaucoup de le déranger ainsi pendant ses vacances, mais il n'avait pas le choix, hélas ! Il lui revaudrait ça.

— Ouais… Ça tombe plutôt mal, pour ne rien te cacher. « Ça tombe toujours mal, mon pote, quand il s'agit de toi », poursuivit-il intérieurement. Penses-tu que ça va être long ? Tu ne le sais pas… Hum…

Bon. Je prends une douche, je saute dans mes culottes et j'arrive...
Merde! lança-t-il en raccrochant. Comme si j'avais besoin de ça! Il
est censé avoir plus d'expérience que moi, pourtant, cet enfoiré de
mes deux fesses...

En filant vers le bureau, il pensait à leur rivalité et à la jalousie har-
gneuse de son collègue à son endroit et s'étonna de cet appel à l'aide
qui ne pouvait qu'affaiblir sa position. Peut-être était-ce pour Olivier
le commencement de la fin? «Ce serait tout à mon avantage», se dit
Jérôme, mais, curieusement, il n'en ressentit guère de satisfaction.

En arrivant au 27, Caledonia Road, il trouva un Olivier fébrile en
train de brasser un amoncellement de paperasses étalées sur son bureau
tandis qu'Alma, accroupie dans un coin, empilait des dossiers.

— Ah! te voilà enfin, soupira son collègue. À trois, je suis sûr
qu'on va y arriver.

Alma lui adressa un grand sourire:

— C'est chouette d'être venu, Jérôme.

Pour elle aussi, ce pépin semblait avoir chambardé sa journée. Alors
qu'il l'avait presque toujours vue en vêtements plutôt décontractés,
elle était en toilette, ce jour-là, avec une robe bleu nuit moulante et des
escarpins assortis.

— Qu'est-ce que je dois faire? demanda Jérôme d'une voix
maussade.

Olivier se lança dans des explications plutôt confuses. Séverin
Sicotte l'avait appelé au début de la matinée; il fallait retrouver à tout
prix un document – en fait, une sorte de contrat – qui provenait d'un
certain Robert Rémillard, un entrepreneur de Québec; ce dernier
l'avait signé et Sicotte devait y mettre sa griffe également, mais il en
avait été empêché Dieu sait pourquoi, et tant mieux, soit dit en passant,
car l'affaire aurait alors risqué de prendre une très mauvaise tournure.
Ce document, sur papier d'un bleu très pâle – ou peut-être était-il vert,
mais très pâle – était passé entre les mains de Francine – qui pourtant
n'avait rien à voir dans cette affaire – et voilà que ça compliquait tout,
vraiment tout. Francine l'avait égaré la semaine d'avant – ou peut-être
cela faisait-il deux semaines? – c'était l'avis en tout cas d'Alma, qui
l'avait vu traîner quelque temps sur son bureau, sans y prêter vraiment attention. Le patron, paniqué, avait téléphoné d'on ne sait trop

où pour lui demander de le trouver, et ça pressait en sacrament, et il n'avait pas l'air commode au bout du fil, même si personne ici dans la pièce n'avait quoi que ce soit à se reprocher.

— Bon, fit Jérôme, qui sentit l'atmosphère des vacances s'évaporer à la vitesse de la lumière pour ne devenir qu'un lointain souvenir. Et de quoi traite-t-il, ce contrat?

— Il n'a pas voulu le dire, répondit Alma de sa voix fluette, et elle enveloppa Jérôme d'un regard étrange.

— Alors, qu'est-ce que je dois faire? s'impatienta ce dernier. Si j'ai bien compris, on n'a que la couleur pour se guider, c'est ça?

— Bleue ou verte, mais pas nécessairement *toutes* les pages.

— Encore mieux! ricana Jérôme. Et combien de pages, s'il te plaît?

— Écoute, l'ami, si j'en savais plus, je t'en dirais plus… Une dizaine peut-être, poursuivit-il d'un ton radouci. Si t'avais vu son état, Jérôme… Il en bégayait.

— Et alors, je le demande une troisième fois: qu'est-ce que je dois faire?

Olivier indiqua une grosse boîte de carton bourrée de documents déposée dans un coin:

— Tu examines tout le contenu, *dossier par dossier, feuille par feuille*, et, dès que tu as un doute, tu mets le document de côté. J'y jetterai un coup d'œil ensuite. Il y a trois autres boîtes comme ça dans le bureau de *Madame*, ajouta-t-il d'un ton persifleur. Ça devait aller au déchiquetage…

Jérôme approcha une chaise en soupirant et se mit à l'œuvre. Pendant plusieurs minutes, on n'entendit que des froissements, des glissements et des mots marmonnés à voix basse par l'un ou l'autre des malheureux investigateurs.

— Quelqu'un veut du café? demanda alors Alma.

— Pas besoin de café, fit Olivier. Je suis déjà assez énervé comme ça.

— J'en prendrais un, moi, répondit Jérôme. Ma nuit a été courte.

Alma se dressa devant lui et le fixa avec un sourire espiègle; il ne l'avait jamais vue ainsi.

— On a fait le coquin, monsieur Lupien?

— J'aurais bien voulu.

Son insouciance en pareille situation l'étonnait, mais il avait toujours trouvé le comportement de la jeune femme étrange, pour ne pas dire incompréhensible. Quelle vie pouvait-elle bien mener? Il ne lui connaissait aucun ami. Ses patrons la logeaient chez eux comme si c'était leur fille, mais là s'arrêtait la comparaison.

Olivier leva la tête:

— Allez, Alma, bouge un peu, ma vieille, il faut le retrouver, ce maudit contrat, Séverin doit me rappeler d'une minute à l'autre.

Elle quitta la pièce d'un pas sautillant, puis revint quelques minutes plus tard avec un plateau portant deux tasses, des sachets de sucre et un berlingot de crème. Jérôme tendit la main pour prendre sa tasse et leurs regards se rencontrèrent; elle fit une grimace en levant le menton vers Olivier absorbé dans sa recherche, comme pour dire: «Quel emmerdeur!», puis retourna dans son coin.

De plus en plus étonné par son comportement, Jérôme se remit au travail. Une bonne demi-heure passa. Il avait le pied gauche et le mollet engourdis, et sa nuque commençait à élancer. Tout à coup, il s'écria:

— Je crois que je l'ai trouvé!

Et il exhiba une série de feuilles bleu pâle glissées dans une chemise qui était, elle, vert pâle.

— Donne, ordonna Olivier d'une voix rauque.

Il tournait fébrilement les pages, revenant parfois en arrière, la figure parcourue de tics, tandis que Jérôme et Alma attendaient le verdict.

— Eh ben, mon vieux, murmura-t-il avec un accent de profond soulagement, j'ai bien fait de t'appeler… tu l'as en effet trouvé! Youpi!

Les deux hommes se tapèrent victorieusement dans la main.

Au même instant, le téléphone sonna. Olivier saisit le combiné.

— Oui? On vient de le trouver, Séverin! Oui, tout juste! C'est bien ça… L'option de l'Hôtel-Dieu est bien indiquée… Parfait. J'arrive.

Il raccrocha et se tourna vers ses compagnons, triomphant:

— Mission accomplie! Merci, les amis. Un grand merci à toi, Jérôme. Je m'en vais le lui porter, son maudit contrat.

— Où est-il, le patron? demanda Jérôme, un peu agacé que le crédit de la découverte ne lui ait pas été accordé sur-le-champ.

— Dans un hôtel à l'aéroport. Merci encore une fois. Salut. Bonne fin de vacances.

Il quitta précipitamment la pièce et s'élança dans le corridor. On entendit bientôt le ronflement de son auto.

— *La commedia è finita*, murmura Jérôme avec un grand soupir.

Il alla s'assoir derrière le bureau de son collègue et, l'air avantageux, prit une gorgée de café, les jambes allongées.

— Ce n'était pas une comédie, se défendit Alma qui le fixait, appuyée contre un classeur.

Jérôme rit, étonné :

— J'utilisais une formule italienne classique, Alma. Je croyais que tu la connaissais.

Ils se regardèrent en silence. Une sorte de malaise envahit Jérôme :

— Tu t'es vraiment mise chic aujourd'hui, Alma. Ta robe te va à ravir... Une sortie ?

Elle secoua la tête :

— Pas vraiment. Mes sorties, je les fais toutes ici, ajouta-t-elle en riant.

Dehors, un geai bleu s'égosillait comme si sa vie en dépendait.

— Il reste du café. Tu en veux ?

— Non merci, c'est gentil, mais il faut que j'y aille, fit-il en se levant.

Elle eut un geste pour l'arrêter :

— Peux-tu attendre un peu ? Je voudrais te montrer quelque chose. Ce ne sera pas long, tu verras, ajouta-t-elle avec un sourire ambigu.

Et elle sortit, se retournant pour lui sourire de nouveau.

Jérôme se rassit et vida sa tasse. Le café, un peu tiède à présent, était délicieux. On buvait toujours du bon café ici. Mais que voulait donc lui montrer cette drôle de bonne femme ? Il la trouvait de plus en plus bizarre et troublante.

Il entendit alors sa voix à travers la cloison :

— Jérôme, pourrais-tu venir une seconde ?

Il sortit dans le corridor et entra dans la cuisinette. La pièce était vide.

— Je suis à côté, fit-elle d'une voix comme oppressée. Pousse la porte.

Il poussa la porte et se figea sur place, stupéfait. Elle lui faisait dos, à quatre pattes sur le plancher, balançant doucement son arrière-train :

— Prends-moi, s'il te plaît... J'ai besoin que tu me prennes... J'ai enlevé ma petite culotte.

Sur le coup, il faillit pouffer de rire. C'était tellement grotesque qu'il crut à une attrape, recula d'un pas et tourna la tête pour voir si quelqu'un n'était pas en train de les observer.

— Prends-moi, Jérôme, je te désire trop… Je vais mourir si tu ne me prends pas.

Et elle tira un peu sur sa robe; des fesses roses et délicieusement dodues apparurent au-dessus de la toison luxuriante du sexe.

Mais elle n'avait plus à insister. Haletant, avec des gestes affolés, il avait défait sa ceinture et enlevé son jean, passant près de trébucher, et se jeta sur elle, son slip encore accroché à un pied.

«Comme dans un film porno, comme dans un film porno», se répétait-il tandis qu'elle poussait de petits cris qu'il trouva ridicules.

Il jouit presque aussitôt, puis s'immobilisa. Un moment passa. Il restait en position de levrette.

— Désolé, murmura-t-il, un peu penaud. Tu m'as pris par surprise.

Tournant la tête de côté, elle lui jeta un regard en coin:

— C'était bon. Ne t'en fais pas. Merci.

— Je peux faire mieux.

— On verra, répondit-elle en se dégageant.

Elle lui caressa une joue et, toujours à quatre pattes, ils s'embrassèrent fougueusement.

— Tu m'as vraiment pris par surprise, répéta-t-il. Je n'ai rien vu venir.

— Je sais. Je suis comme ça… J'aime les surprises. Et les mises en scène.

Elle le regardait en souriant. Il sentit le besoin d'enfiler son slip. Ce n'était pas une scène intime. C'était autre chose. Il ne savait pas quoi.

— Tu fais des surprises comme ça à Olivier, des fois? Ou au patron, peut-être?

— Tu penses! pouffa-t-elle avec un petit rire dédaigneux. Je fais seulement les surprises qui m'amusent.

Elle se releva, arrangea ses cheveux et remit sa robe en place.

— Tu veux peut-être un autre café, à présent? Il y a aussi des mille-feuilles au frigo. Je les ai achetés ce matin. Vraiment délicieux… Après toutes ces feuilles qu'on vient de tripoter, on en mérite bien au moins un, non?

— Tiens, pourquoi pas? Ça donne faim finalement, toutes ces recherches, tu ne trouves pas? Dis donc, poursuivit-il en enfilant son jean, c'était préparé, ton affaire, hein? Ne va pas me dire le contraire...

Elle eut l'air étonnée et secoua la tête:

— Pas du tout. Mais quand j'ai appris que t'allais te pointer, je me suis promis de ne pas rater une si bonne occasion, tu penses...

— Donc c'était préparé.

— Bah, si c'est ce que t'appelles «préparé»...

— Alors moi, je n'ai rien vu venir, je te jure.

— Alors moi, je n'ai rien vu venir, je te jure, le singea Alma en lui donnant une pichenotte sur le nez. Les hommes sont tellement subtils, je n'en reviens pas...

Elle avait raison pour les mille-feuilles; jamais Jérôme n'en avait mangé d'aussi délicieux. Ils en dégustèrent deux chacun avec leur café, puis montèrent à l'étage faire l'amour dans la chambre de la jeune femme, le plancher leur paraissant un peu trop dur pour ce genre d'occupation et un retour subit d'Olivier étant toujours possible.

C'est avec un certain soulagement – sans trop pouvoir se l'expliquer – que Jérôme quitta le 27, Caledonia Road au milieu de l'après-midi. Alma et lui avaient convenu de garder leur aventure secrète. Quel avantage y avait-il, du reste, à la faire connaître?

— Ça ne peut apporter que des complications, observa la jeune femme, et dans notre boulot, il y en a déjà assez, pas vrai?

C'était donc l'accord parfait, chose si rare dans ce genre d'affaires, pensait Jérôme en filant vers son appartement. Alors, d'où venait ce soulagement au moment de partir, et pourquoi le sommeil le fuit-il quand il se mit au lit après avoir passé la soirée à naviguer sur Internet? Malgré tous ses efforts, la pensée d'Eugénie n'arrêtait pas de grignoter la satisfaction qu'il tirait de son aventure avec Alma. C'est qu'il avait succombé bien facilement... Mais qui ne l'aurait pas fait à la vue de ces jolies fesses offertes d'une façon si imprévue? L'effet de la surprise, quoi, comme une vague de fond qui emporte tout sur son passage... Mais il avait récidivé tout de suite après, et longuement! Comptait-il recommencer? Sans doute. Et pourquoi? Pour punir Eugénie de l'avoir mis sur la glace avant de filer en Europe une partie de l'été? Ou à cause de leur différend sur la vie de plus en plus ténébreuse qu'il menait?

Un sentiment de perte irréparable lui coupa tout à coup le souffle: il était en train de bazarder son amour pour des coucheries...

Vers 3 h du matin, sous le mauvais éclairage de sa lampe de chevet, il allait se lancer dans la lecture d'une sixième nouvelle de Tchekhov lorsqu'il sentit tout à coup cette bienheureuse lourdeur de paupières et ce doux relâchement de la conscience qui allait lui permettre de clore enfin l'étrange journée qu'il venait de vivre.

◆ ◆ ◆

Depuis six jours, le Québec cuisait sous une canicule féroce qui avait vidé Montréal de tous les citoyens pouvant la fuir. Le 23 juillet, une nouvelle éclata dans les médias. On apprenait par une fuite que le gouvernement Westwind avait conclu trois mois plus tôt une entente secrète avec les Sulpiciens pour la cession de leur terrain patrimonial dans le but d'y construire ce fameux Musée de la culture canadienne de langue française. La vénérable manufacture de prêtres fonctionnait depuis longtemps au ralenti, faute de matière première, et il fallait bien, après tout, voir aux dépenses courantes. Il ne manquait plus que l'aval du ministère québécois de la Culture, qu'on disait acquis. Les quelques esprits qui n'avaient pas encore sombré dans le coma estival se mirent à renâcler. Christian Rioux, le correspondant du *Devoir* à Paris, parla d'une trahison des clercs «où le dernier terme prenait son sens original». Yves Boisvert, chroniqueur à *La Presse*, conclut son texte en notant que «les concepteurs de ce projet injurieux pour le Québec montrent qu'on peut être à la fois corniaud et cynique». Un communiqué de la Société Saint-Jean-Baptiste clamait son indignation. Mais tout s'évaporait dans la fournaise de l'été. Du côté de l'opposition, c'était le silence radio; l'attention de son chef, Aline Letarte, était sans doute concentrée sur les crèmes solaires et les romans de plage, ou peut-être, l'oreille vissée à son téléphone intelligent, essayait-elle de mettre de l'ordre dans ses idées avec l'aide d'un conseiller.

Ce qui aurait été une bombe au début de l'automne produisait le bruit d'un criquet.

Le lendemain, Séverin Sicotte réapparaissait au bureau avec le teint basané des amateurs de croisières et une nouvelle réjouissante : un discret remaniement ministériel à Québec venait de porter la ministre Normande Juneau, responsable du financement du parti, à la tête du ministère de la Culture.

— Nos affaires vont comme sur des roulettes, les gars, jubilait Sicotte devant Jérôme et Olivier qui reprenaient le collier ce matin-là. Tout tombe en place. Normande Juneau est extrêmement parlable, comme vous le savez. En fait, je l'ai dans ma poche. Il suffira de suivre le sens du vent et d'éviter de poser ses bottines sur des crottes, et vous allez voir ce que vous allez voir ! Ce musée de la culture canado-franco-québéco-ce-que-vous-voulez va devenir pour nous le musée du fric ! Comme on avait convenu, Jérôme, tu vas t'occuper de ce dossier avec moi.

Puis, se tournant vers Olivier :

— Passé de bonnes vacances, mon champion ?

— Pas tellement. J'ai dû rencontrer les Afnali trois fois et le gendre du vieux Salem n'a pas arrêté de me téléphoner pour ses placements.

— Il fallait me le référer, comme je te l'avais dit.

— C'est ce que j'ai fait. Mais il n'arrivait pas à te joindre, ni par téléphone ni par courriel.

Séverin Sicotte baissa son regard, où la confusion se mêlait à la finauderie :

— J'ai eu des moments de faiblesse, je t'avoue. Tu m'excuseras, mon vieux. Nous sommes tous humains, pas vrai ?

Il semblait manifester autant de regret que le gagnant d'un gros lot de Loto-Québec.

— Certains plus que d'autres, répliqua son assistant d'un ton acide.

L'avocat éclata de rire et Olivier se joignit à lui. Sa remarque fut sa seule manifestation de mécontentement pour des vacances pulvérisées.

On frappa trois coups discrets à la porte. Alma apparut, un plateau à la main, apportant son pot de café fumant au patron, qui en consommait de grandes quantités. « Je ne suis pas Balzac, avait-il coutume de dire, mais quand je prends ma plume, de grandes choses se passent parfois… surtout quand il s'agit de chiffres. »

— Tu fais attention, hein, ma fille, la prévint Sicotte quand son employée déposa le plateau. L'autre fois, t'as fait un grand cerne sur mon bureau. Ça m'a coûté dans les trois chiffres pour le faire disparaître.

Elle répondit par une sorte de marmottement et passa près de Jérôme sans le regarder. Il retint un sourire. Dix heures plus tôt, à son appartement, elle avait un tout autre comportement...

— Un café, les gars? offrit Sicotte.

Olivier fit signe que non et quitta la pièce, sachant que son patron avait à parler à Jérôme.

— Et toi, ça va? s'informa Sicotte quand ils furent seuls.

Sur un hochement de tête du jeune homme, sans plus attendre, il passa aux choses importantes:

— J'ai l'air, comme ça, d'un flanc mou à faire une croisière dans les îles grecques, mon gars, mais sais-tu qui j'ai rencontré?

— Je sens que tu vas me le dire.

— Ernest Rouleau, le secrétaire de comté de Normande Juneau, nul autre que lui! Un type épatant! Le plus intéressant du groupe, et de loin. On a échangé des informations utiles, je t'en passe un papier. Ça explique en partie ma bonne humeur. Je n'ai pas voulu en parler devant Olivier; il a toute ma confiance, bien sûr – et comment! –, mais il y a des informations qu'on aime voir circuler le moins possible, question de ne pas mêler les cartes, tu comprends... Normande tient beaucoup à se faire réélire, mais elle a des petits problèmes dans son comté. Pas question pour elle, par contre, qu'elle s'en fasse donner un autre, on jaserait trop. Alors, je lui ai offert mon aide – par personne interposée, bien entendu. Je suis né comme ça, avec une nature généreuse, tu vois.

— Je vois.

— Westwind aussi veut se faire réélire; le goût du pouvoir l'empêche de dormir. Il s'est mis dans la tête de faire remonter sa cote au Québec. D'où ce projet de musée, beaucoup plus avancé qu'on pourrait le penser. C'est un petit malin, notre Westwind, ça fait longtemps qu'il ne croit plus au père Noël... En fait, les plans et devis sont presque terminés, et les appels d'offres vont probablement sortir en octobre. C'est à ce moment-là que la partie est censée se jouer, mon Jérôme. Comme il s'agit d'un projet conjoint Canada-Québec-*Canadian-Unity*-unité-canadienne, il va y avoir du *bacon* pour tout le monde – c'est-à-dire pour tous ceux qui se seront équipés d'une fourchette assez longue pour aller piquer dans la viande. La fourchette coûte cher, mais elle te permet de piquer des maudits beaux morceaux! Les plans et devis doivent être approuvés par Québec, qui en finance une partie. Mais ça, ce n'est pas notre problème, l'approbation s'en vient, tu peux en être sûr. Labrèche est un Canadien dans l'âme, et même plutôt *Canadian*, si tu veux mon avis. Voilà pourquoi Normande Juneau vient d'être nommée à la Culture. C'est une femme de confiance, et le premier ministre l'a bien en main – à moins que ce ne soit l'inverse... C'est avec elle qu'il va falloir travailler. Tu me suis?

— Tout à fait.

— Nous, en bons agents d'influences, on va servir d'intermédiaires entre les p'tits gars qui veulent des contrats et la ministre qui a besoin d'argent pour sa caisse électorale.

— Oui, oui, je vois.

— Ç'a l'air simple, mais ça ne l'est pas tant que ça. Il faut appliquer la règle TED.

Une interrogation apparut dans le regard de Jérôme.

— Je ne t'en ai pas encore parlé? Tu la connais sans le savoir, mon gars: Travail, Élégance, Discrétion. Répète-la-toi de temps à autre. C'est toujours bon de la garder en tête.

— Élégance? s'étonna Jérôme avec un sourire moqueur. Ce n'est pas le mot qui me vient spontanément à l'esprit quand je pense au Trépané.

— Il est de la vieille école, lui. Toi, tu représentes l'avenir.

Jérôme inclina la tête:

— Merci, patron.

Au nom du Trépané, pensa Jérôme, Sicotte aurait pu ajouter le sien malgré ses meubles Boulle, sa licence en droit et son langage un peu plus raffiné. Un vague écœurement commença de nouveau à se répandre en lui. Il se garda bien de le laisser paraître et continua d'écouter l'avocat avec attention. Il aurait bien le temps de réfléchir à tout cela plus tard.

— Tu vas avoir l'occasion de pratiquer la TED dès cet après-midi. On rencontre à 3 h Freddy Pettoza, le grand patron de Simo Construction.

— Mais n'as-tu pas dit que les appels d'offres ne sortaient qu'en octobre? s'étonna Jérôme.

Sicotte eut un sourire plein de commisération:

— Allons, Jérôme, il va vraiment falloir que je prenne ta formation en main, toi. On s'en fout, des appels d'offres, mon cher. C'est pour le public, ça. Les soumissionnaires se sont déjà entendus entre eux pour que Freddy s'occupe du gros œuvre du musée; c'est maintenant son tour. Et j'ai même réussi – en travaillant comme un nègre – à lui faire obtenir un état très avancé des plans, de façon à ce qu'on ne parle pas trop dans le vide tout à l'heure. C'est le genre de service qui ne s'oublie pas. Donc, à 3 h, cet après-midi, au Café Vicky, rue Stanley.

Allongeant alors la main vers le sol, il s'empara d'une serviette de cuir bourrée de documents et la déposa sur son bureau.

— Tiens, fit-il en tendant un épais dossier à Jérôme, en voici une copie, jettes-y un coup d'œil. Pas grave si tu ne comprends pas tout. Il faut commencer tout de suite à prévoir les dépassements de coûts. Avec tous les contrôles qu'on nous impose, c'est souvent la partie la plus juteuse des contrats.

◆ ◆ ◆

Freddy Pettoza était un individu difficile à classer au premier abord – ou plutôt, pour être plus précis, à sous-classer, étant entendu qu'il appartenait de toute évidence à la catégorie des entrepreneurs susceptibles de comparaître devant une commission d'enquête. Début cinquantaine, il était court, trapu, sans obésité, avec des arcades sourcilières proéminentes qui donnaient à sa physionomie un caractère un peu primitif, une chevelure poivre et sel très fournie qui empiétait presque sur le front et une barbe de trois jours, non pas de celles qui sont si à la mode depuis quelques années, mais plutôt la barbe d'un homme qui a trop à faire pour s'occuper assidûment de sa toilette. Dans une discussion animée, sa lèvre devenait facilement mauvaise; l'instant d'après, par contre, sous les sombres arcades, son regard pouvait tout à coup s'éclairer, prendre des lueurs presque tendres, et il souriait alors comme un enfant de cinq ans tombé sous le charme d'un chaton, sans paraître s'apercevoir du changement qui venait de se produire dans son visage. On le disait un homme dur mais sans rancune, excellent menteur mais détestant l'hypocrisie gratuite (quant à l'utile, c'était autre chose) et très à cheval sur la ponctualité, citant volontiers l'antique équation du temps et de l'argent, qui valait autant pour lui que pour les autres. Et c'est ainsi que Jérôme finit par réaliser qu'il était difficile de juger d'un bloc même les crapules les plus avérées.

Quand Séverin Sicotte et Jérôme se présentèrent au Café Vicky à 15 h 05, il était attablé dans un coin à l'écart devant un bock à moitié vide et un hamburger végétarien ; outre l'hypocrisie et le manque de ponctualité, un goût excessif pour la viande et l'intérêt pour la taxidermie figuraient parmi les objets de sa réprobation, car il adorait les animaux et faisait de généreuses donations à la SPCA (contre de généreux reçus d'impôts).

— Tu ne m'avais pas dit que tu serais accompagné, déclara-t-il tout de go à Sicotte après les habituelles poignées de main.

Il parlait avec l'accent légèrement huilé de certains Italo-Québécois de deuxième génération.

Sur le coup, l'avocat le prit de haut :

— Monsieur Pettoza…

— Appelle-moi Freddy, c'est mieux.

— Eh bien, Freddy, si je n'avais pas la confiance la plus *complète*, comprends-tu, dans le jeune homme qui est ici devant toi, eh bien… il ne serait pas ici devant toi.

Pettoza lui fit discrètement signe de parler moins fort ; le café avait beau lui appartenir, il ne filtrait pas la clientèle et tenait à une certaine confidentialité.

— J'aurais quand même aimé que tu m'avertisses, Séverin. On se rencontre pas ici pour jouer aux cartes.

« Ayoye ! s'exclama intérieurement Jérôme, j'ai l'impression que je suis devant un fameux casse-couilles ! »

Il n'en fut rien. Dans la conversation *sotto voce* qui suivit, Pettoza remercia de nouveau avec effusion l'agent d'influences pour les plans du musée ; ils allaient lui permettre d'engranger encore plus de fric et lui éviter quantité de maux de tête.

— Je te revaudrai ça, mon ami.

Puis, d'un claquement de doigts, il fit venir le garçon et demanda une bouteille de Salice Salentino 1988 que Séverin Sicotte qualifia d'*élixir de Vénus*. Après quoi, on se mit sérieusement au travail. Le choix et l'évaluation de faux dépassements de coûts pour un projet qui n'avait pas encore débuté relevait forcément d'une certaine fantaisie, mais il fallait donner à cette fantaisie un aspect de sérieux technique qui exigeait parfois une longue préparation.

— Plus tu vois venir de loin les questions délicates, moins t'as de chances de t'enfarger dans tes réponses, avait expliqué Séverin Sicotte à Jérôme.

Celui-ci, dans le peu de temps qu'il avait eu à sa disposition, s'était préparé avec ardeur, car – fierté ou goût du défi – il tenait à faire bonne figure. Les plans étalés devant lui, il les avait étudiés avec attention, consultant de temps à autre un dictionnaire des termes de la construction et de l'architecture qu'il avait découvert aux Archives durant les premiers jours de son travail ; puis, surmontant son antipathie pour Olivier, il était allé le trouver pour connaître le sens de certains symboles graphiques. Aussi, pendant la rencontre au Café Vicky, put-il poser deux ou trois questions pertinentes sur les analyses préparatoires du terrain, sur le temps de prise du béton par basses températures et son effet sur le rythme des travaux, et il releva même une incohérence entre deux dessins. Bref, tout en ne cachant pas son manque d'expérience, il se montra un observateur futé, animé par un profond désir d'apprendre. Cela plut à Pettoza et réjouit Sicotte, qui se rengorgea d'avoir déniché un si brillant collaborateur.

Une heure et quelques verres de vin plus tard, ils avaient déterminé d'une façon très satisfaisante les « zones » où de malheureux imprévus obligeraient les contribuables à dépenser un peu plus de leur argent durement gagné ; il suffirait ensuite d'établir quelques connivences avec des inspecteurs – quand elles n'étaient pas déjà acquises – pour que la corne d'abondance déverse ses flots de dollars. Pettoza, évidemment, n'avait nul besoin de Sicotte pour dresser cette liste, mais comme l'avocat travaillait à commission, il tenait à suivre l'opération dans ses moindres détails.

Le moment de se quitter était venu. Freddy Pettoza qui, décidément, s'était montré d'une humeur charmante, donna une tape amicale sur l'épaule de Jérôme tout en lançant un clin d'œil de satisfaction à Séverin Sicotte :

— Ça s'annonce bien. Je pense qu'on a de maudites bonnes chances de faire *bull's-eye* avec ce musée. Je t'en devrai toute une, Sev. Crains pas, j'oublie jamais les services rendus.

Puis, se tournant vers Jérôme :

— Content de te connaître, mon ami. Continue comme ça, tu vas réussir dans la vie.

Et, mine de rien, il ajouta :

— Je te verrais bien dans le *business* des cafés, toi. T'as le style pour ça… Et puis rien t'empêcherait de t'occuper d'autres affaires… C'est une farce, se hâta-t-il d'ajouter à l'intention de Séverin Sicotte.

Il avait été bien inspiré de faire cette précision. L'avocat n'avait pas apprécié la farce.

◆ ◆ ◆

En arrivant chez lui à la fin de la journée, Jérôme se sentait si content de lui-même qu'il décida de se récompenser par un bon souper au restaurant, chose qu'il faisait rarement, car les repas solitaires dans un lieu public lui fichaient le cafard. Les mains dans les poches, il se dirigea en sifflotant vers le chemin de la Côte-des-Neiges. Une odeur sucrée flottait dans l'air, comme un parfum de lilas, et pourtant le temps des lilas était passé. Les piétons qu'il croisait en ce début de soirée avaient tous l'air sympathiques et la plupart des femmes, jusqu'aux quinquagénaires, lui paraissaient attrayantes, certaines franchement désirables. Il se mit à penser à Charlie avec indulgence, se disant que celui-ci, de son côté, devait faire la même chose à son sujet. En somme, il se trouvait dans d'excellentes dispositions.

Avant de quitter l'auto, il avait pris quelques messages sur son cellulaire et deux textos lui avaient fait monter un grand sourire aux lèvres. Le premier était d'Alma.

« Tu m'accordes l'hospitalité pour ce soir ? J'ai besoin de soigner mon insomnie. Je pourrais être chez toi vers 9 h 30. » Il lui avait répondu : « Viens, ma belle, j'ai hâte de te voir. Mais ne compte pas sur moi pour guérir tes insomnies. »

Drôle d'aventure qu'il avait avec cette drôle de fille, violemment sensuelle mais, quant au reste, froide comme un glacier. Après la baise, un vague malaise s'installait chaque fois entre eux, malgré l'alcool et les plaisanteries, et lui faisait regretter Eugénie. Si elle rappliquait chez lui ce soir, c'est qu'il n'y avait personne à Caledonia Road. Dieu sait où Sicotte était allé se fourrer...

Le deuxième texto provenait... de Charlie, et c'est avec un sourire de revanche qu'il avait lu les quelques mots qui le constituaient.

« T'existes toujours ? Appelle-moi, si t'en as encore la force. »

Ainsi donc, Charlie pouvait s'ennuyer même de gens de son espèce ? Curieux, pour un homme se targuant d'être aussi honnête. Les âmes pures sentiraient-elles le besoin de se tremper de temps à autre dans la boue ? Il le rappellerait le lendemain.

Il arrivait au coin d'Édouard-Montpetit et de Côte-des-Neiges, et la faim lui donnait tout à coup l'impression que son corps allait se séparer en deux à la hauteur du nombril. Après une courte hésitation, il obliqua à gauche sur Côte-des-Neiges ; en face de la librairie Renaud-Bray, ou à peu près, se trouvait un excellent restaurant thaïlandais. Avantage capital : le service y était rapide. Ce soir, c'était vital.

Quatre minutes et quarante secondes plus tard, il était en train d'engloutir une soupe Tom Yum en attendant qu'on lui serve un pad thaï et un plat de riz aux champignons.

Ce repas pris en tête-à-tête avec lui-même n'avait aucunement entamé sa bonne humeur (la perspective d'une nuit avec Alma y aidait puissamment) jusqu'à ce qu'une voix familière lui fasse tourner la tête. À sa gauche au milieu de la salle, l'ancien premier ministre Jacques Parizeau était attablé avec un homme dans la quarantaine en tenue décontractée. Il en ressentit comme un choc ; pourtant, durant ses années à l'université, Jérôme avait aperçu à quelques reprises le célèbre politicien dans un restaurant du quartier à l'heure du midi, dont une fois, seul à table, simple citoyen en train de lire son journal.

Parizeau était l'idole de son père. « Lui, c'est un vrai de vrai ! avait coutume de lancer Claude-Oscar sur un ton enflammé. Lui, contrairement à tant d'autres qui ne pensent qu'à leurs petites carrières et à nous crosser à qui mieux mieux en nous faisant des grands sourires, il a *vraiment* travaillé pour le Québec. On serait un pays aujourd'hui si ça n'avait été de ces tricheurs qui nous ont volé le référendum en 1995. » Jérôme se rappelait que son père avait fermé son atelier de prothèses pendant trois semaines, cette année-là, pour aller faire du porte-à-porte et distribuer des circulaires dans le comté de L'Assomption où son idole se présentait.

Tout en mangeant, il se mit à l'observer discrètement. L'homme avait vieilli et se voûtait, ses cheveux gris étaient passés au blanc ; mais de son regard, de son visage et de ses moindres gestes émanaient la même énergie intelligente et une prestance aristocratique qui lui avait valu le surnom ironique de *Monsieur* chez les journalistes. Le simple fait de le voir faisait oublier les saletés de la nature humaine. Alors pourquoi, se demanda Jérôme, ce cafard graisseux qui l'envahissait et lui coupait tout à coup l'appétit ?

Il demanda l'addition et sortit. Alma, toujours ponctuelle, serait chez lui dans trois quarts d'heure très exactement et on passerait aux choses importantes.

Du moins essayait-il de s'en persuader.

À 9 h 30 pile, elle se présenta chez lui, toute souriante, légèrement maquillée, en jean moulant qui lui faisait des fesses irrésistibles et avec une forte envie de se faire peloter subito pour terminer l'affaire au lit le plus vite possible. Jérôme s'exécuta. C'était, en somme, la chaude lapine rêvée des ados et des jeunes hommes salaces, à deux doigts des tâcheronnes de la porno, et apparemment inassouvissable. Au troisième coït, Jérôme, un peu essoufflé, suggéra gentiment qu'ils dorment, étant donné qu'elle était venue, justement, pour soigner son insomnie. Elle accepta sans se faire prier. Cela les mena jusqu'à 4 h 10 du matin, moment où Jérôme fut tiré d'un rêve abracadabrant par une pipe qui aurait fait fondre le Groenland. Il mit longtemps avant de se rendormir, essayant vainement de réconcilier dans son esprit l'Alma évanescente et silencieuse qu'il avait toujours connue avec la torride amazone pelotonnée contre lui.

Au petit matin, ils déjeunaient en silence de gruau à la cannelle, de rôties et de confitures, buvant café sur café. D'une voix impassible et bien articulée, un lecteur de nouvelles annonçait à la radio les dernières tragédies importantes survenues sur la planète. Alma avait déjà pris sa douche et enfilé ses vêtements. Elle se mit à composer un numéro sur son cellulaire.

— Qui t'appelles ?

— Un taxi.

— Déjà?

— Je veux être sûre d'être au bureau avant qu'il arrive.

— Sicotte? Il est sans doute rentré chez lui à la fin de la soirée.

— Non. J'ai téléphoné cette nuit. Il n'y avait personne.

Jérôme la regardait, stupéfait.

— Tu dormais, chéri. C'était juste avant la petite pipe…

Puis elle ajouta :

— Je tiens absolument à ce qu'on ne sache rien au bureau sur nous deux. Toi aussi, j'en suis sûre, fit-elle avec un petit rire acide.

— Que vas-tu faire quand Francine sera revenue de Cuba?

Elle haussa les épaules :

— Ta blonde aussi sera de retour, chéri…

Puis, repoussant cette perspective, elle poursuivit :

— Je ne sais pas… Faudra attendre les occasions de se retrouver seuls. Ça pourrait prendre du temps… Je ne sais vraiment pas.

Un mouvement de dépit s'empara de Jérôme :

— Dis donc, t'as l'air de t'en foutre pas mal, finalement. T'aimes baiser avec moi ou t'aimes pas? Qu'est-ce que tu prévois, alors? Te faire congeler la chatte en attendant le beau temps?

— C'est ça.

— Mais peut-être que quelqu'un s'occupe de tes jolies fesses au bureau? ricana-t-il.

— Connerie.

Son air calme et détaché le mettait hors de lui.

— Mais j'y pense tout à coup, Alma : on t'a peut-être payée pour coucher avec moi, non? Ça serait dans les habitudes de la patronne, ça.

— Deuxième connerie.

— T'es sûre?

— Je ne loue pas mon cul, chéri.

Elle se leva, se dirigea d'un pas souple et léger vers la sortie, attrapant au passage son sac à main sur une chaise, et jeta un coup d'œil par la vitre :

— Le taxi est arrivé, fit-elle joyeusement. Eh bien, à tout à l'heure, Jérôme… et merci pour ton hospitalité.

Il se tenait à quelques pas derrière elle, les lèvres serrées, avec une forte envie de lui allonger une gifle.

◆ ◆ ◆

Cette journée-là, il se sentit comme si tous les camions de Montréal lui étaient passés dessus au ralenti; on devait lui poser deux fois une question pour qu'il y réponde; si on lui parlait pendant plus de deux minutes, il devait faire un effort surhumain pour ne pas dormir au nez de son interlocuteur; un escalier de quatre marches en comptait maintenant quarante. Il croisa deux fois Alma; comme prévu, elle avait adopté l'habituelle attitude «collègue de bureau sans plus», avait l'air fraîche comme une tulipe du printemps et s'amusa même en présence de Séverin Sicotte et d'Olivier à s'étonner de son air fatigué, lui demandant d'un ton pince-sans-rire s'il ne couvait pas une grippe. Il la regarda sans dire un mot. «Toi, ma belle, tu m'as l'air d'une fameuse vache. J'en prends bonne note.»

Vers midi, sautant le dîner, il s'enferma à clé dans son bureau pour faire une sieste sur le plancher. Son état commençait à l'inquiéter. «Oui, j'ai baisé cinq fois et j'ai dormi quatre heures. Mais après tout, j'ai 25 ans! Qu'est-ce que ça va être dans dix ans, bout de crisse!»

À 13 h, le patron frappait à sa porte. Jérôme bondit sur ses pieds, se frictionna le visage pour effacer les traces de sommeil et ouvrit.

— Les choses déboulent plus vite que prévu, Jérôme, annonça Sicotte, l'air plein d'allant mais quelque peu crispé. Rouleau, le secrétaire de comté de la ministre Juneau, veut nous rencontrer tout de suite. Turmel, son chef de cabinet, sera peut-être là aussi. J'ai l'impression que Pettoza leur a envoyé des signaux. Il est trop pressé, lui… Il n'aurait pas dû. Il veut leur donner du fric tout de suite, paraît-il, pour être sûr d'avoir sa part du gâteau dans le projet du musée. Le fric doit passer *par moi*, et sous forme de chèques signés par différentes personnes. Il le sait, pourtant. J'ai essayé de le joindre au téléphone, je n'ai pas réussi. Il s'est passé quelque chose que je ne comprends pas. On va aller mettre ça au clair avec Rouleau. Amène-toi. Il nous attend.

Le bureau de comté de la ministre Juneau se trouvait rue Vaillancourt à Laval. Bien qu'on ne fût qu'au début de l'après-midi, les rues étaient engorgées comme à l'heure de pointe. Il leur fallut presque une heure pour se rendre à destination. Jérôme en profita pour somnoler et continuer de reprendre des forces. Séverin Sicotte, perdu dans ses pensées, ne lui parla presque pas.

Ernest Rouleau, guilleret mais nerveux, les reçut avec force « Ravi de vous voir », « Tout le plaisir est pour moi », etc., et les commentaires *ad hoc* sur la chaleur accablante et le manque de pluie depuis le début de l'été. C'était un homme dans la trentaine, long et mince, un peu guindé, avec un visage également long et mince, aux joues creuses et marquées d'une longue strie verticale qui lui donnaient un air ascétique ; il parlait beaucoup, sans quitter son interlocuteur du regard, attentif à chacune de ses réactions et le couvrant de gentillesses ; il poussa la prévenance jusqu'à déplacer lui-même le fauteuil de Séverin Sicotte qui recevait de plein fouet le jet d'air froid d'un climatiseur, ce qui risquait, craignit le secrétaire, de lui faire attraper un torticolis.

— Je préfère d'autres colis, en effet, répondit Sicotte, tout fier de sa blague que Jérôme trouva inepte mais qui fit longuement glousser le secrétaire.

— Monsieur Turmel ne pourra malheureusement pas se joindre à nous, annonça Rouleau en guise de préliminaires, une urgence le retient à Québec. Mais nous pourrons communiquer avec lui tout à l'heure.

— Et alors, qu'est-ce qui se passe avec notre ami Pettoza ? demanda Sicotte d'un ton inquiet.

Des informations supplémentaires étaient parvenues au secrétaire de comté et ce qui paraissait confus ou invraisemblable au téléphone acquit soudain une clarté navrante.

— Freddy Pettoza, contrairement à ce que je vous ai laissé entendre, n'a jamais voulu faire un… don global à l'organisation de comté de madame Juneau, annonça Rouleau en croisant et décroisant ses doigts. Il connaît les inconvénients d'un tel procédé.

— Il me semblait bien, fit Sicotte. Ce n'est pas un idiot, tout de même.

— Il veut verser sa contribution sous forme de 147 chèques émis par ses employés et certaines de ses connaissances – qu'il remboursera, comme il se doit –, mais nous avons trouvé que le procédé comportait encore trop de risques ; 147 donateurs qui travaillent tous pour la même compagnie, vous comprenez…

— Évidemment ! Il le sait, pourtant. La chasse aux prête-noms n'a pas commencé hier.

— Monsieur Turmel lui a proposé alors une autre liste, plus sûre, celle-là, mais il l'a refusée.

— D'où vient-elle?

— D'Arthur Boniface, l'organisateur d'élections de madame Juneau.

— Il vous a donné une raison?

Le secrétaire fit signe que non.

Séverin Sicotte se mit à toussoter d'un air mécontent, serrant et relâchant les accoudoirs de son fauteuil.

— Ils sont peut-être en brouille, suggéra alors Jérôme.

C'était sa première intervention depuis le début de la rencontre et il commençait à sentir le besoin d'en faire une.

— C'est ce que je pense, fit Sicotte. Malheureusement, je n'ai pas encore réussi à joindre ce maudit Freddy. Il faut qu'il le haïsse à vouloir lui faire manger ses couilles (le secrétaire de comté eut un léger mouvement de recul) pour agir comme ça! Il risque de perdre le contrat, l'animal!

«Et du même coup toi aussi», compléta mentalement Jérôme.

— Nous ne pouvons malheureusement pas accepter la liste de monsieur Pettoza, réaffirma très courtoisement Ernest Rouleau.

Le téléphone sonna. C'était Adrien Turmel, le chef de cabinet de la ministre Juneau. Le secrétaire de comté écoutait, émettant de temps à autre un monosyllabe d'un ton de plus en plus déférent, puis tendit l'appareil à Sicotte:

— Monsieur Turmel désire vous parler.

— On ne peut pas accepter la liste de Pettoza, lança une voix forte et grave aux accents rêches. Trop risqué, vous le savez bien.

— Vous avez tout à fait raison, monsieur Turmel. Je vais lui parler cet après-midi.

— Je ne comprends pas pourquoi il refuse notre liste. Vous comprenez, vous? Non, hein… Les gens qui s'amusent à tout compliquer inutilement finissent par se retrouver le bec à l'eau. Dites-lui donc ça de ma part, au cas où il l'aurait oublié. Et rappelez-moi dès que ça sera réglé. Bon après-midi.

Le retour se fit dans le même silence que l'aller. De temps à autre, Jérôme, un peu remis de ses fatigues de la veille, jetait un regard en coin sur Sicotte; mais l'expression maussade de son patron l'incitait à attendre qu'il lui adresse lui-même la parole. Ils venaient d'emprunter l'avenue Papineau et un embouteillage les obligeait à adopter une allure de corbillard. Au troisième bouchon, Sicotte explosa :

— Mais est-ce qu'on va arriver un jour, bout de cadavre ! Il faut que je lui parle, à cet abruti ! Il est en train de saccager notre plan !

D'un coup de volant, il obliqua vers la droite, s'immobilisa devant une station-service et s'empara de son cellulaire.

— Ah ! je t'attrape enfin, toi ! Qu'est-ce qui se passe, Freddy ? Réalises-tu que t'es en train de faire foirer toute notre affaire ?

Jérôme entendit dans le récepteur un fort grésillement dont il put saisir un fragment très expressif :

— … me parle pas sur ce ton, O.K. là ?

Cela fut suivi d'une longue vocifération où surnageaient quelques syllabes stridentes et qui eut pour effet de radoucir considérablement Sicotte.

Glissant le cellulaire dans sa poche, il se tourna vers Jérôme :

— On s'en va le rejoindre.

— T'es sûr que je dois t'accompagner ?

— Oui, je suis sûr.

Faisant demi-tour, l'auto remonta l'avenue Papineau vers le nord. De pâteuse, la circulation avait pris la consistance de la tarte aux pommes caramélisées. Trois autres quarts d'heure plus tard, ils pénétraient dans le garage souterrain d'un édifice qui élevait ses 34 étages au-dessus des émanations de l'autoroute Métropolitaine ; un ascenseur les amena au 28e étage, que Simo Construction occupait en entier.

Une brunette qui aurait pu être *cover-girl* (peut-être l'était-elle en effet ?) les introduisit alors dans le bureau de Freddy Pettoza. Dans la pose classique du parvenu inculte, il les attendait renversé dans son fauteuil, les deux pieds sur son bureau et fumant un cigare qui répandait un arôme de vanille et de miel. Entre-temps, sa colère semblait avoir refroidi.

Il se leva et vint leur serrer la main :

— Terrible, le trafic, hein ? Je pense qu'un jour, j'vas m'installer au Yukon.

Il ne fit aucune remarque, cette fois, sur la présence de Jérôme, les invita d'un geste à s'assoir et alla reprendre sa place derrière le bureau :

— On va aller droit au but, Séverin. Ça donne rien de niaiser avec le *puck*.

— Tout à fait d'accord, fit l'avocat sur un ton presque obséquieux.

— Sais-tu comment s'appelait le père d'Arthur Boniface, l'organisateur de Juneau?

D'un mouvement de sourcils, Sicotte fit entendre qu'il l'ignorait.

— Arturo Benedetto Bonifaccio.

Un court silence suivit.

«Est-ce que c'est censé me faire quelque chose?» eut envie de répliquer l'agent d'influences.

— Et alors? choisit-il plutôt de répondre.

— Cet enfant de chienne d'étron pourri, quand j'étais p'tit gars, *a ruiné la vie de mon père!* En fait, on pourrait dire qu'il l'a tué. Je te passe les détails. Arturo Bonifaccio, qui se fait maintenant appeler Boniface, c'est le plus vieux de ses quatre garçons. Dans toute ma vie, je l'ai peut-être vu une demi-heure – et ça fait longtemps –, mais assez pour me rendre compte que le même sang de rat coule dans ses veines... C'est la copie de son père, en pire si ça se peut! Il est pas question, m'entends-tu, que je travaille avec lui, même indirectement. Perds pas ton temps à essayer de me faire changer d'idée, c'est NON, N-O-N, point final!

Séverin Sicotte commença à s'agiter et tenta de *relativiser l'affaire*. Mais plus il déployait son argumentation, plus il s'affolait et perdait pied, tandis que le visage de l'entrepreneur se fermait et se durcissait et que son regard sous les sombres arcades sourcilières émettait des lueurs de plus en plus farouches. Jérôme, interdit, observait la scène en silence. Le bon sens le plus élémentaire semblait avoir abandonné les deux hommes, qui en oubliaient leurs intérêts les plus essentiels; ils allaient entrer en collision, et tout serait dit. Une solution toute simple, qu'un enfant de cinq ans aurait trouvée en 30 secondes, ne semblait même pas avoir effleuré leur esprit.

Alors, posant la main sur l'épaule de son patron, Jérôme lança d'un ton léger et insouciant, comme s'il avait pris toute cette discussion pour une plaisanterie:

— Mais, voyons, on n'a qu'à proposer une autre liste de donateurs, bon sang! Pas besoin d'avoir gagné un prix Nobel pour penser à ça!

Il y eut un silence.

Sicotte contemplait ses genoux d'un air accablé. Jamais Jérôme ne l'avait vu dans un pareil état. Appartenait-il à cette catégorie d'hommes qui ne sont efficaces que lorsque tout va bien? Il n'avait pas choisi le bon métier, alors.

— Évidemment, répondit l'agent d'influences, mais ce n'est pas aussi facile que ça en a l'air. On ne peut pas prendre n'importe qui. Il pourrait y avoir du coulage. L'organisateur de Juneau (il n'osait plus prononcer son nom) avait déjà sa liste toute prête. On ne monte pas ça en deux jours. Et ils ont l'air pressés à Québec.

Il releva la tête, soudain ragaillardi :

— Est-ce qu'on s'essaie quand même, Freddy? Tu dois bien avoir quelques noms de tout repos dans ta liste?

— Heu… je pourrais jeter un coup d'œil, répondit l'entrepreneur, calmé, en écrasant son cigare dans un énorme cendrier de marbre.

— De mon côté, je peux tout de suite en trouver une bonne quinzaine… Au besoin, je pourrais contacter Dozois.

— Le Trépané?

— Ouais.

— Pas touche, mon ami… Comment? T'es pas au courant? Ça sent le brûlé autour de lui depuis la semaine passée. J'ai entendu dire que la police l'aurait dans sa mire… Dis donc, t'as l'air fatigué, Sev, lança-t-il soudain d'un ton cordial. Un bon whisky, ça ferait du bien à tout le monde, non?

Et, sans attendre de réponse, il pressa le bouton d'un interphone :

— Jennifer, apporte-nous donc trois whiskys avec de la glace… C'est ça, la glace à part.

◆ ◆ ◆

En arrivant au stationnement souterrain, Séverin Sicotte se tourna vers Jérôme et lui tendit les clés de l'auto :

— Ça te dérangerait de conduire? Je ne me sens pas dans ma meilleure forme cet après-midi… comme t'as pu t'en rendre compte, d'ailleurs.

Jérôme le regarda, surpris et un peu inquiet :

— T'es sûr ? Je n'ai jamais conduit une grosse bagnole comme ça, moi. Je ne voudrais pas faire un accrochage.

— Ça se conduit comme n'importe quelle autre auto, mon ami.

L'aisselle suante, l'œil écarquillé, Jérôme, déployant d'infinies précautions, pilota l'imposante BMW à travers le lacis du stationnement, tandis que son patron, à demi assoupi et poussant de temps à autre de profonds soupirs, ne semblait même plus se rendre compte où ils se trouvaient. Pourtant, il n'avait bu qu'un seul whisky, sans même finir son verre.

Une fois dans la rue, le jeune homme reprit de l'assurance, et la tenue souple et précise du luxueux véhicule lui amena bientôt un sourire d'aise aux lèvres. Ils roulèrent ainsi pendant quelques minutes.

— La vie n'est pas toujours facile, émit tout à coup Sicotte d'une voix lasse.

À cette évidence irréfutable, Jérôme répondit par le « Eh non ! » le plus convaincu qu'il put trouver.

— C'est mon garçon qui me magane les nerfs, poursuivit l'avocat sur le même ton.

— Ah bon, fit Jérôme, surpris.

Séverin Sicotte n'avait jamais été jusque-là un homme à confidences.

— Il quitte Portage dans une semaine... Ça s'est passé comme ci comme ça... Je n'en dors plus depuis trois jours... Ce qu'il nous en a fait baver, le sacripant... J'ai hâte que Francine revienne... Elle a plus le tour que moi avec lui...

À chaque phrase, il s'arrêtait et poussait un soupir accablé ; Jérôme remplissait alors le silence par un « Ah bon », « Ah oui ? » ou un « Ouais » le plus approprié possible, le regard braqué devant lui, taraudé par la crainte de faire une fausse manœuvre.

— Ah, j'avais mis bien des espoirs en lui, le fils unique ! poursuivit Sicotte avec un sourire désabusé. Et où est-ce qu'ils sont à présent ? Au dépotoir !

Jérôme, étonné, sentit monter en lui un mouvement de compassion pour l'avocat ; c'était bien la première fois.

— Allons, allons, il va se reprendre en main, ton Félix, tu verras... C'est sans doute déjà fait, d'ailleurs.

L'apparition d'un semi-remorque au comportement quelque peu erratique l'obligea à se concentrer sur la conduite. Un léger ronflement s'éleva bientôt dans la BMW.

◆ ◆ ◆

Les jours qui suivirent portèrent Jérôme à ressentir de la compassion plutôt pour lui-même.

Dès le lendemain matin, Séverin Sicotte, pris par une foule de tâches, lui confiait la responsabilité d'établir de toute urgence la nouvelle liste des prête-noms. Comme matériau de base, il lui remit une liste de 17 noms qu'il avait soigneusement vérifiés lui-même, plus une autre de 28 noms provenant de Freddy Pettoza et garantis sans problèmes, et enfin une page de calepin contenant 5 noms de sous-contractants – où le nom du Trépané avait été biffé. Il s'agissait de personnes dites fiables et susceptibles de lui fournir, moyennant rémunération, la centaine de noms qui manquaient pour atteindre le chiffre magique de 147.

Durant les trois jours qui suivirent, Jérôme fut au téléphone ou devant son ordinateur de 8 h à 22 h (après 22 h, le taux de réactions déplaisantes ou franchement hostiles grimpait de façon alarmante). Il se couchait et se levait comme un automate, défoncé de fatigue. Le troisième jour, il dormit au bureau, n'ayant même pas le cœur d'appeler un taxi pour se faire ramener chez lui. De temps à autre, Alma lui apportait du café et des sandwichs. Une ou deux fois, elle lui tapota amicalement l'épaule pour l'encourager ; une autre fois, sa caresse se fit pas mal plus familière. C'est à peine s'il s'en aperçut.

La liste fut complétée un jeudi, approuvée en fin de journée par le chef de cabinet de la ministre Juneau et la tournée des signataires de chèques – remboursés comptant, séance tenante, à même une caisse fournie par Freddy Pettoza – se termina le mardi 5 août au milieu de l'après-midi. La plupart d'entre eux avaient semblé à Jérôme des gens tout à fait ordinaires, insouciants ou ignorants du stratagème auquel ils se prêtaient. Il s'était comporté avec eux comme un facteur, leur parlant le moins possible, éludant leurs questions lorsque d'aventure on lui en posait.

Quand, sa mission accomplie, il revint au bureau, les yeux marqués d'un cerne bleuâtre, Séverin Sicotte, qui semblait avoir retrouvé le moral, le prit à part pour lui remettre une gratification de 2000 $ en coupures de 20 $, à laquelle avait participé Freddy Pettoza.

— Allez, fous le camp, mon gars! Je ne veux pas te revoir avant deux jours. Tu l'as bien mérité.

C'est avec la ferme intention de consacrer son congé à dormir qu'il retourna chez lui, cognant des clous derrière son volant et roulant avec une fantaisie tellement imprévisible qu'il s'attira des coups de klaxon rageurs.

Un courriel d'Eugénie et un message téléphonique de Charlie allaient faire exploser son projet de repos.

«Je parcours les avis de décès depuis trois ou quatre jours, disait Charlie d'un ton un peu crispé, pour vérifier si ton nom n'y apparaîtrait pas. Je ne le vois nulle part. T'es donc vivant. J'en déduis que si tu n'as pas encore réagi à mon appel, c'est que tu ne veux pas me voir. Si je me trompe, détrompe-moi. Salut.»

Le courriel d'Eugénie le mit dans tous ses états; il se lisait comme suit:

J'espère que tu vas bien, Géronimo. Quant à moi, il m'arrive un pépin, mais rassure-toi, rien de trop grave. Je t'envoie ce courriel de la salle d'urgence de l'hôpital Plato à Barcelone où Lucie m'a amenée. Depuis deux jours, fièvre, tremblements, nausées, maux de tête, douleurs musculaires, etc. Sans doute un virus, mais tout un. Aussi je serai brève. Mon retour sera peut-être retardé. Impensable de voyager dans cet état. Je peux te demander un service? Andrée-Anne s'ennuie beaucoup chez maman qui, à 70 ans, fait tout ce qu'elle peut pour me remplacer. Avant-hier, ma petite, après une crise de larmes au téléphone, m'a demandé où tu étais. Peux-tu aller la voir? Ça lui ferait tellement plaisir! Ne lui dis surtout pas que je suis malade (ni à ma mère pour l'instant). Malgré tout ce qu'on s'est dit avant mon départ, je pense souvent à toi, Jérôme, et j'ai hâte de te revoir.

Eugénie

Suivaient les coordonnées de madame veuve Yvonne Lacerte demeurant boulevard Gouin près de la rivière des Prairies ; il ne l'avait encore jamais rencontrée.

Le ton du courriel et la demande inattendue qu'il contenait lui amenèrent les larmes aux yeux. Il y avait donc une chance, malgré tout, que leur relation survive ? Sa demande laissait supposer, en tout cas, qu'un arrangement pourrait intervenir entre eux. De quelle nature serait-il ? Il n'en avait pas la moindre idée ; mais, pour l'instant, cela n'avait aucune importance, aucune.

— Pourvu qu'elle revienne, dit-il à voix haute, et je m'occupe du reste !

Il répondit aussitôt à son courriel, puis téléphona à sa mère. Une voix de femme un peu sèche et cassée lui répondit, mais prit aussitôt des accents chaleureux quand il se fut nommé. Cela augurait bien. Un rendez-vous fut fixé pour le lendemain après-midi. Andrée-Anne aurait sûrement été ravie de lui parler tout de suite, poursuivit la vieille dame, mais elle était en ce moment chez une petite voisine.

Alors, rempli d'une soudaine allégresse, il poursuivit sur son élan malgré la fatigue qui lui faisait parfois chercher ses mots, et téléphona à Charlie. Charlie était « dans le jus » – comme chaque fois que Jérôme l'appelait au travail, à croire qu'il faisait fonctionner un pressoir –, mais cela ne l'empêcha pas d'avoir avec son ami la conversation suivante :

— Eh ben ! t'es pas décédé, en fin de compte ?

— Je suis tout à fait vivant, mon vieux, mais moi aussi, figure-toi donc, j'étais débordé de travail. En trois jours, j'ai eu tellement d'appels à faire qu'un peu plus il me poussait une oreille d'éléphant.

— Comment vas-tu ?

— Crevé comme c'est pas possible, mais je suis content de te parler, Charlie.

— Moi aussi. Serais-tu libre ce soir ?

— Pitié pour moi, chum. Depuis trois jours, si j'ai dormi huit heures, c'est beau. J'aurais peur de tomber à terre et de me casser le nez. Demain, ça t'irait ?

— Ouais, ça me va… Où ?

— Je t'invite à souper chez moi. Ça va être très simple et garanti non toxique… Charlie?

Une trace d'appréhension venait d'assombrir sa voix.

— Oui?

— On ne va pas répéter la scène de l'autre soir, hein?

Charlie eut une sorte de ricanement, difficile à décoder, puis:

— Ah ça… ça ne dépend pas seulement de moi, Jérôme… Mais disons que depuis que je pratique les 4B avec Martine, je contrôle un tout petit peu mieux mes nerfs.

◆ ◆ ◆

Jérôme s'attendait à voir une vieille maison cossue au 1992 boulevard Gouin Est, le coin étant réputé pour son patrimoine architectural, mais il s'agissait plutôt d'un duplex tout à fait ordinaire, bien entretenu, au revêtement à clins d'aluminium d'un blanc un peu terni, qui s'élevait légèrement en retrait de la rue et dont l'arrière donnait sur un assez grand jardin bordé sur trois de ses côtés par une haie de cèdres très fournie. Madame Lacerte occupait le rez-de-chaussée, l'étage étant loué.

En sortant de l'auto, il perçut des cris d'enfants dans le jardin, suivis du bruit de deux plongeons. L'une des voix était indubitablement celle d'Andrée-Anne et, sans trop savoir pourquoi, il fut tout content de l'entendre.

Il poussa une petite barrière de bois, s'avança dans une allée de pierres plates, grimpa les deux marches d'un perron qui semblait avoir été fraîchement peinturé et sonna à la porte. À la troisième sonnerie sans réponse, il déduisit que madame Lacerte devait se trouver dehors avec les enfants. Longeant le côté droit de la maison, il déboucha dans le jardin où on avait installé une piscine gonflable qui tenait presque de la pataugeoire. Une vieille dame en longue robe de coton fleurie sur fond mauve, coiffée d'un chapeau de paille à larges bords, était installée sur une chaise pliante, un livre ouvert sur les genoux, et surveillait les ébats nautiques de deux petites filles. Allongées dans l'eau, les enfants battaient des jambes dans un grand bruit d'éclaboussements et ne l'avaient pas vu arriver.

La dame tourna la tête et l'aperçut:

— Ah! c'est vous.

Elle se leva avec une prestesse à peine touchée par un léger vacillement. Longue, maigre, élégante, elle faisait penser à une ancienne diva luttant contre la fossilisation.

— Vous avez sonné, je suppose? J'aurais dû laisser un mot à la porte pour vous dire de venir directement à l'arrière.

— Jérôme! lança une voix stridente.

Bondissant de la piscine, Andrée-Anne, toute ruisselante, se jeta contre lui et l'entoura de ses bras, tandis que sa grand-mère pestait, horrifiée. Jérôme riait à gorge déployée, étonné et ravi par l'accueil de l'enfant.

— Mais, voyons, Andrée-Anne, tu es toute mouillée! Regarde ses pantalons à présent! Est-ce que c'est Dieu possible?

Elle attrapa l'enfant par un bras et la plaqua contre elle, devenant du coup sa deuxième victime.

— Ce n'est pas grave, madame, fit Jérôme, riant toujours. Avec cette chaleur, ça va me rafraîchir.

Il se pencha vers Andrée-Anne et lui caressa la tête:

— T'as l'air de t'amuser en diable avec ta petite amie. Je suis content de te voir.

La petite amie, toujours allongée dans l'eau, le menton appuyé sur le rebord de la piscine, observait la scène avec attention.

— Moi aussi, je suis contente de te voir, répondit Andrée-Anne en levant vers lui un regard rempli de gravité.

Puis elle ajouta:

— Est-ce que t'as vu maman?

— Je n'ai pas pu la voir, Andrée-Anne, elle est en voyage. Et moi, je travaille ici à Montréal, comme tu sais. Mais j'ai hâte de la voir. Comme toi.

— Elle arrive dans une semaine, mon chou, c'est vite passé, tu verras, l'interrompit madame Lacerte, faisant signe à Jérôme qu'un changement de sujet serait fort bienvenu.

— Comment s'appelle ton amie, Andrée-Anne?

Et il se tourna vers la petite fille qui, intimidée, s'éloigna aussitôt en rampant dans l'eau.

— Jacinthe. Elle demeure dans la maison avec un toit rouge, là-bas, où il y a un chien qui jappe.

— Que diriez-vous de prendre un thé glacé dans la véranda? proposa madame Lacerte à Jérôme. Le soleil tape vraiment fort cet après-midi. Avec tous ces rayons UV, il faut faire attention... Et puis il y aura des *popsicles* à l'orange ou à la framboise pour ces demoiselles.

— Oui! oui! lança Andrée-Anne, moi, j'en veux un à la framboise, grand-maman. Viens, Jacinthe, dépêche-toi.

L'enfant, une petite boulotte au nez rond et à la peau mate avec de magnifiques yeux bruns aux longs cils, sortit de la piscine, le regard baissé, et s'avança lentement; il semblait se dérouler en elle un combat entre sa timidité et son goût des *popsicles*; la timidité perdit de justesse.

Madame Lacerte tendit une serviette de plage à chacune des petites filles:

— Essuyez-vous comme il faut, hein? Je ne veux pas une goutte d'eau dans la maison.

Elles s'exécutèrent, soignant particulièrement les pieds, ennemis jurés des planchers et des tapis, puis tout le monde se dirigea vers la véranda. Andrée-Anne prit subitement la main de Jérôme, qui se pencha vers elle et lui sourit, surpris par ce geste de tendre complicité. Qu'avait-il donc fait pour la mériter?

— Et alors, fit-il, t'aimes ça, passer des vacances chez ta grand-mère?

— Oui, mais j'ai hâte que maman revienne.

— Moi aussi, je m'ennuie d'elle, tu sais.

— J'sais.

Et elle lui serra la main. Jérôme, de plus en plus ému, lui fit un clin d'œil. Qu'arriverait-il si Eugénie était gravement malade? Si elle mourait? Bon sang, il ne fallait surtout pas penser à ça! Mais on a beau s'efforcer de ne pas y penser, parfois ces choses arrivent quand même. Si jeune, ce bout de chou, et si avancée en âge, la grand-mère...

Le thé fut servi, accompagné de biscuits au gingembre, et les baigneuses eurent droit à deux *popsicles* chacune. Jérôme crut sentir que c'était une largesse due à sa visite. Vive, énergique, voyant à tout, madame Lacerte allait et venait avec un léger boitillement. Jacinthe, qui n'avait pas encore dit un mot, se pencha alors à l'oreille de son amie.

— On retourne à la piscine, grand-maman! annonça Andrée-Anne.

— Un quart d'heure, pas plus, Andrée-Anne, tu commences à avoir la peau un peu rouge.

En sautant en bas de sa chaise, Andrée-Anne s'aperçut qu'une des bretelles de son maillot de bain s'était détachée. S'approchant de Jérôme, elle lui tourna le dos et, comme s'il s'agissait de la chose la plus naturelle du monde, lui demanda de la rattacher.

— Elle vous aime beaucoup, remarqua madame Lacerte quand les petites filles furent dans la piscine.

Il se tourna vers elle avec un sourire un peu effaré, les pommettes roses, essayant de cacher l'étrange émotion qui l'avait envahi :

— Oui, on dirait… Ça me touche vraiment.

— Les enfants ne donnent jamais leur amour par calcul, poursuivit la vieille dame, pichet en main et remplissant de nouveau les verres. Seulement quand on le mérite… Et parfois on ne s'aperçoit même pas qu'on a fait leur conquête. C'est bizarre, vous ne trouvez pas ?

En retournant chez lui vers la fin de l'après-midi, Jérôme ne savait plus tout à fait s'il était content ou pas de sa visite.

◆ ◆ ◆

Un coup de sonnette le réveilla. Il sauta à bas de son lit et se dirigea d'un pas vacillant vers la porte.

— Merde, 18 h 30, marmonna-t-il en consultant sa montre. Je suis passé tout droit.

— Heureusement que j'ai vu ton auto stationnée de l'autre côté de la rue, fit Charlie avec un grand sourire crispé, autrement j'aurais cru que tu t'étais envolé. Ça fait quatre fois que je sonne !

— Entre, entre. Excuse-moi, vieux.

Ils échangèrent une poignée de main. Jérôme remarqua que l'acné de son ami avait presque disparu.

— Quand je te disais que j'étais crevé, fit Jérôme en se dirigeant vers la cuisine. J'arrive de chez la mère d'Eugénie qui garde la petite…

Charlie ouvrit des yeux étonnés :

— T'es allé voir sa fille ?

Jérôme, dissimulant son inquiétude, lui résuma les derniers événements en deux mots, minimisant leur gravité. Il n'avait pas envie pour le moment d'étaler ses états d'âme.

— Donc, poursuivit-il, en arrivant ici, j'ouvre la porte – et la fatigue me tombe dessus comme une tonne de pitounes. Je me suis traîné jusqu'à mon lit et, pouf! j'ai perdu conscience.

— Alors si je comprends bien, on ne soupera pas ici, conclut Charlie en reniflant pour détecter une odeur de cuisson. J'ai faim.

— Non, non, non! Mon invitation tient toujours. J'ai deux excellentes pizzas dans le congélateur.

— À croûte mince?

— Oui, *Monseigneur*, à croûte mince. Nous ne pensons qu'à votre plaisir, vous le savez bien. Je les mets au four à 220 °C et dans une douzaine de minutes, on mange. En attendant, tu pourras tromper ta faim avec une bière. J'ai de la Belle Gueule et de la Tremblay. Et, dans la Belle Gueule, j'ai de la blanche sur fond de lie, ta favorite. Ça te va?

Charlie, avec un sourire satisfait, approuva d'un grand signe de tête, puis, s'affalant sur une chaise, allongea les jambes et promena autour de lui un regard soucieux, tandis que Jérôme, après avoir allumé le four, décapsulait deux bouteilles et lui en présentait une avec un bock (Charlie ne buvait sa bière que dans un bock ou une flûte, persuadé que cela en améliorait le goût).

— Je ne boirai pas beaucoup ce soir, dit-il.

— Ah non? fit Jérôme, penché au-dessus de la cuisinière. T'avais d'abord pensé à te soûler?

— Pas vraiment.

Il prit une gorgée, puis:

— Après une certaine quantité d'alcool, on dirait que je change de caractère, et je n'aime pas ça… Ça me porte parfois à gaffer, comme tu sais… Et puis Martine m'a fait remarquer l'autre jour que je commençais à prendre du ventre.

— Ç'a l'air vraiment sérieux, Martine et toi.

— Ouais… c'est une chouette fille.

— Psychologue, peut-être?

Il y avait une trace d'ironie dans sa voix.

— Pas du tout. Elle travaille comme responsable de la régie à l'École nationale de l'humour.

— Ah bon, fit Jérôme en s'attablant devant lui. Excellent pour ton caractère, ça.

Les lèvres de Charlie se plissèrent en cul de poule et ses yeux lancèrent des éclairs de coq à l'attaque :

— Dis donc, est-ce que toutes tes farces plates sont faites pour la soirée, qu'on passe aux choses sérieuses ?

— Excuse-moi, Charlie, c'est con, je ne voulais pas te blesser.

Il prit une longue gorgée de bière, s'essuya les lèvres du revers de la main, puis :

— Quelles choses sérieuses ?

— Tu sais bien de quoi je veux parler, fit l'autre d'une voix un peu lasse.

Ses doigts pianotèrent un instant sur la table, puis il leva la tête :

— Bah ! laisse tomber. Je n'ai pas la tête à discuter lourd ce soir… Et puis, j'ai faim. Je pourrais digérer un baril de clous !

Jérôme se leva, vérifia la température du four et y glissa les deux pizzas.

— Dans douze petites minutes, *Monseigneur* pourra assouvir son auguste faim. Du moins nous l'espérons.

— Hum… On voit un peu trop que t'as fait tes Lettres, toi… Elles sont à quoi, ces pizzas ?

— Aux trois fromages et champignons.

— Menoum ! Menoum ! fit Charlie en battant du tambour avec ses mains sur la table. Finalement, oublie ce que j'ai dit tout à l'heure, je prendrais une autre bière – si tu veux toujours m'en offrir une.

— Je n'ai jamais rien pu te refuser, tu le sais bien, vieille charrue.

Deux autres bouteilles perdirent leur virginité. Ils trinquèrent, échangèrent des banalités, puis se lancèrent dans un concours de bouffonneries. Charlie manifestait un entrain inhabituel, un peu forcé, la sorte d'entrain qu'on déploie pour cacher un malaise, et comme si le principe des vases communicants s'appliquait, Jérôme sentait ce malaise le gagner.

Une délicieuse odeur de fromage fondu se répandit peu à peu dans l'air, de plus en plus insistante.

— Pizza ! Pizza ! lança Charlie, fourchette et couteau en main.

Les pizzas apparurent enfin, toutes boursouflées de bulles frémissantes qui cherchaient à noyer de petits archipels de champignons délicatement brunis. Ils s'y attaquèrent avec un enthousiasme un peu théâtral, dans le vague espoir que la boustifaille puisse servir de voie d'évitement à une discussion qui semblait vouloir s'imposer malgré eux.

Jérôme raconta alors la visite qu'il venait de faire chez madame Lacerte à la demande d'Eugénie et l'accueil étonnant que lui avait réservé l'enfant.

— Je me sentais comme son père. Ça m'a soufflé, je te dis.

— Eh ben, ricana Charlie, vous faites déjà une petite famille!

— Mais pas la Sainte Famille, ça, tu peux me croire.

— Je ne peux pas croire ce que j'ignore, observa finement Charlie. Il me manque des détails.

Il y eut un court silence.

— Laisse tomber, répondit alors Jérôme. Il faut se garder des sujets pour plus tard, non?

Mais un prurit de curiosité venait de s'emparer du technicien:

— Comme ça, tu travailles fort de ce temps-ci?

— Et comment! À me faire sauter la bouilloire.

— Et sur quoi au juste, si je peux me permettre?

Ils venaient d'arriver tous deux au fond de leur bouteille.

— Que dirais-tu de passer au vin rouge? proposa Jérôme. Avec de la pizza, il me semble que ça conviendrait mieux. J'ai un très bon Juan Gil, un monastrell d'Espagne, ma découverte de l'été.

— Monastrell? Wow! railla Charlie. On devient connaisseur avec l'arrivée de la fortune!

— Le prix est très abordable. Même toi, tu pourrais en acheter.

Charlie, qui semblait bel et bien avoir oublié ses promesses de tempérance, leva un bras:

— Va pour le Juan Gil. Et que ça saute!

Mais un léger frémissement dans sa voix pouvait laisser croire qu'il suivait une stratégie.

— Et alors, reprit-il quand le vin fut servi, puis vivement apprécié, tu te décarcasses sur quoi, cher ami?

— Sur un dossier qui me dégoûte, mais qu'on m'a... imposé, disons.

— C'est quoi?

— Je te le donne en mille... Non, tu ne devineras pas... Cette merdouille de Musée de la culture canadienne de langue française.

Charlie devint écarlate:

— Tu travailles sur ça, toi, le séparatiste ?

— Oh, je fais des bricoles, rien de plus, se défendit Jérôme. D'ailleurs, je vais demander qu'on m'affecte à autre chose.

« Cause toujours, mon ami, pensa Charlie, quand on travaille pour des salauds, peu importe ce qu'on fait, on se salit. »

Mais il se contenta d'observer :

— Jamais un pareil projet n'aurait passé sous Parizeau, ça, c'est clair. Il savait se tenir debout, lui !

— Justement, figure-toi donc, lança Jérôme, pressé de changer de sujet, je l'ai aperçu l'autre jour au restaurant. Je l'ai trouvé un peu vieilli, mais l'air toujours aussi vif et grand monsieur.

— T'aurais dû profiter de l'occasion pour lui demander conseil, suggéra sournoisement Charlie en s'affairant sur une pointe de pizza.

— Ah oui ? À quel sujet ? demanda Jérôme.

Troublé, il attendait la réponse.

— Sur ton dossier du musée, sur ta carrière, sur tes employeurs, je ne sais pas, moi… C'est un homme au jugement sûr – enfin, la plupart du temps… Mais je pense que tu sais ce qu'il t'aurait répondu.

Jérôme continuait de le fixer, sans dire un mot ; sa lèvre inférieure s'était mise à trembler. Il s'empara de son verre et prit une grande rasade.

— Il t'aurait répondu – dans ses mots à lui, et très poliment, car c'est quelqu'un de bien élevé, n'est-ce pas, et qui en a vu d'autres –, il t'aurait répondu que tes patrons sont des crapules. Il n'aurait pas été plus loin, je pense. Mais il aurait pu ajouter qu'en travaillant pour des crapules, on finit nécessairement par en devenir une soi-même. Il ne l'aurait pas dit, mais il l'aurait pensé. Tu ne crois pas ?

Jérôme le fixait, éperdu. De petites plaques rosâtres venaient d'apparaître sur son visage, du plus curieux effet. Les mains agrippées à la table, il respirait d'une façon étrange et sentait en lui comme un grondement d'avalanche, une avalanche aveugle, impitoyable, qui arrachait tout sur son passage.

— Mais je ne veux pas devenir une crapule, moi !… Je veux seulement réussir, avoir du bon temps… Mais ils me tiennent, Charlie, ah ! tu ne peux pas savoir comment ils me tiennent !

Et il éclata en sanglots.

Charlie s'était levé d'un bond, passant près de renverser son verre, qu'il avait rattrapé de justesse, et regardait son ami qui se mouchait à présent dans sa serviette de table. Il ne savait trop quoi faire, mais savait fort bien ce qu'il fallait *éviter de faire* : aller tapoter son épaule ou le serrer dans ses bras. Jérôme lui aurait alors flanqué son poing dans le visage, et tout aurait été dit.

Il se contenta de toussoter, puis poussa un grand soupir.

— Est-ce que je peux t'aider ? se risqua-t-il enfin à murmurer.

— Fous le camp, Charlie... s'il te plaît, répondit Jérôme en s'essuyant le visage avec la serviette. Je voudrais être seul. On se verra une autre fois... J'ai tellement besoin de dormir, si tu savais...

— Bon... puisque tu le demandes... Mais tu m'inquiètes quand même, là... Je ne voulais pas...

Jérôme, un peu calmé, le poussa doucement vers la porte ; mais au moment où son ami allait partir, il le retint tout à coup par l'épaule et le força à se retourner :

— Est-ce que ce serait Eugénie, par hasard, qui t'aurait demandé de venir me voir ?

Charlie se raidit et, d'un ton sec :

— Je n'ai pas besoin d'un signe d'Eugénie pour venir te voir, Jérôme, je suis capable de prendre mes décisions tout seul. Depuis notre rencontre dans ce café de la rue Van Horne, je ne lui ai pas reparlé.

Jérôme le regarda dévaler l'escalier, puis referma la porte.

Il se dirigeait vers la salle de bains pour se doucher lorsque le téléphone sonna. À sa grande surprise, c'était Alma.

Toute en minauderies, elle prit de ses nouvelles, parla de ci et de ça, puis en vint au fait :

— Le patron s'apprête à partir et on ne le reverra pas avant demain après-midi. As-tu le goût qu'on se voie ?

— Franchement, Alma, ça me ferait plaisir, mais je suis complètement crevé. J'allais me mettre au lit.

— Dommage, répondit-elle avec un petit rire, j'aurais voulu que tu *me* mettes au lit. Ha, ha. Eh bien... bonne nuit.

Et elle raccrocha.

Il haussa les épaules avec une moue dédaigneuse, se déshabilla et resta sous la douche un bon quart d'heure, sans penser à rien, plongé dans une espèce de torpeur animale.

Puis il se coucha.

Une demi-heure plus tard, il n'avait pas encore fermé l'œil. Des idées bizarres, cruelles, angoissantes l'assaillaient, et toutes alimentaient le désir qui s'était mis à le tourmenter depuis l'appel de cette diabolique Alma.

Il n'avait pas vu Eugénie depuis la fin du mois de juin, on entamait la deuxième semaine d'août, et voilà que la maladie la forçait à reporter son retour à Dieu sait quand. Et si tout ça n'était que tromperies et ruses pour gagner du temps? Qui sait? Elle avait peut-être renoué avec son Belge? Ou s'était fait un autre amant? Et pendant ce temps-là, lui, le dindon, devrait s'occuper de sa petite fille et se morfondre tout seul dans son coin en attendant que *madame* revienne pour lui annoncer leur rupture définitive?

Il eut honte d'avoir de telles pensées, mais l'instant d'après l'inquiétude et les soupçons l'envahissaient de nouveau pour céder la place encore une fois aux remords.

Alors il se leva et, après avoir erré quelques minutes dans l'appartement, changeant de décision chaque fois qu'il changeait de pièce, il téléphona à Alma.

— Allez, amène-toi, ma belle, je n'arrive pas à dormir, je ne fais que penser à toi, petite salope…

Un cri de victoire résonna au bout du fil.

En attendant son arrivée, il enfila sa robe de chambre, sortit et alla s'assoir dans les marches de l'escalier qui donnait sur la rue. Minuit approchait. Une brise chaude et humide apportait les rumeurs assourdies du chemin de la Côte-des-Neiges. S'il avait été fumeur, il aurait bien grillé quelques cigarettes en méditant sur les aléas et turpitudes de la vie. Un morne abattement l'engourdissait peu à peu. Il avait absolument besoin d'une bonne nouvelle, de n'importe quelle sorte de bonne nouvelle, mais ne voyait pas d'où elle aurait pu venir.

Soudain, malgré l'heure tardive, un vieil homme apparut sur le trottoir avec un petit chien en laisse; la bête trottinait, affairée, le nez au sol, ravie de l'expédition inattendue qu'on lui offrait, tandis que son maître, le corps droit, le regard fixe, les lèvres serrées, avançait à pas lents et calculés, comme s'il était en train de franchir un précipice sur un fil de fer.

En dépit de leur différence d'âge, Jérôme vit en lui un frère.

◆ ◆ ◆

Trois jours plus tard, Francine Desjarlais arrivait de Cuba avec un teint de mulâtre, quatre kilos en sus, les doigts et les poignets chargés de bagues et de bracelets en argent *achetés pour deux fois rien* et remplie d'un entrain qui tournait à tout moment en fébrilité ; il y avait de quoi : Félix revenait à la maison ! Elle fit repeindre la chambre de son fils pour éliminer les derniers relents de l'herbe maudite qui avait menacé de détruire sa vie, remplit le frigo de ses mets préférés (il raffolait des fruits de mer et de la crème glacée au sucre d'érable) et – cadeau-surprise – lui acheta le *nec plus ultra* des télés avec grand écran plat à diodes.

Et ce mercredi 12 août, vers la fin de l'après-midi, Félix apparut au volant de sa Corolla vert avocat qui l'avait attendu tout au long de sa cure dans un stationnement de Portage ; il avait refusé qu'on vienne le chercher, refusant par le fait même qu'on assiste à la cérémonie tenue traditionnellement pour marquer le départ des pensionnaires qui avaient réussi à parcourir le dur et long chemin de la désintoxication.

Il venait à peine de mettre pied à terre que sa mère surgissait par une porte de service en poussant un cri strident et se précipitait vers lui pour le serrer dans ses bras.

— Comment vas-tu, mon coco ? Comment vas-tu ? T'as l'air bien !

— Oui, je vais bien, maman, je vais bien.

Et, avec un sourire embarrassé, il essayait gentiment de se libérer de son étreinte.

— Papa, fit-il en apercevant Séverin Sicotte debout devant la porte, pâle, les joues comme creusées, les mains jointes à la hauteur du sternum dans une pose étrange qui lui donnait l'air d'un chanoine. Eh bien, oui, papa, me revoilà enfin.

Sicotte s'avança, lui serra longuement la main, puis le prenant à bout de bras par les épaules, réussit à articuler d'une voix enrouée par l'émotion :

— Eh bien, je suis… content de te revoir, mon gars… T'as pris un peu de poids, je crois… Comment vas-tu ?

— Je vais bien, papa… Maman, arrête de pleurer comme ça, voyons, c'est ridicule.

— Ridicule, ridicule, balbutia Francine Desjarlais, je voudrais bien te voir à ma place, toi…

Et elle continua de plus belle.

— Bon, suffit, on entre, ordonna Sicotte d'un ton martial. Il a raison : on est en train de se donner en spectacle, là, ce n'est vraiment pas nécessaire. Qu'est-ce que les voisins vont penser ?

— Ils penseront bien ce qu'ils voudront, et ceux qui pensent à mal, je leur souhaite une jambe de bois !

Et, tout en se dirigeant vers la maison, elle se pressa tendrement contre son fils adoré.

Jérôme, Olivier et Alma avaient suivi la scène par une fenêtre et retournèrent vitement à leurs occupations quand les parents et leur fils entrèrent dans la maison pour passer à leurs appartements.

Jérôme avait eu le temps d'observer le jeune homme ; il l'avait trouvé légèrement forci, devenu quasiment costaud, avec un visage curieusement inexpressif ; mais peut-être ne faisait-il qu'imaginer ce dernier trait, s'attendant à voir en Félix un changement extraordinaire qui n'apparaissait tout simplement pas.

Du reste, dix minutes plus tard, repris par son travail, il avait presque oublié le retour de l'enfant prodigue. Vers 18 h, un appel en provenance de Barcelone le lui fit oublier tout à fait.

— Est-ce que je parle bien à monsieur Jérôme Lupien ? fit une voix de femme qui enduisait chaque syllabe d'huile d'olive pour les faire ensuite sonner comme des clochettes.

Il sentit comme un grand coup dans le creux de l'estomac et sa bouche se remplit d'une salive acide.

— Oui, c'est moi.

— Bonjour, monsieur, je suis Laura Esteve, poursuivit la voix. Je vous appelle au sujet d'Eugénie. Je suis une amie. C'est elle qui m'a demandé de vous appeler, monsieur.

— Bien, bien. Et alors, qu'est-ce qui se passe, madame ?

— Eugénie doit rester à l'hôpital pour des examens, voilà. Elle fait beaucoup de fièvre, elle vomit, elle a des crampes, et tout le reste, vous voyez? Les médecins ne connaissent pas encore la nature de sa maladie et elle doit passer beaucoup de tests, alors son retour au Québec sera retardé, voyez-vous. Voilà pourquoi elle m'a demandé de vous téléphoner.

— Bon, fit Jérôme.

Un vide se fit brusquement dans sa tête et il se mit à respirer par petites saccades, fixant sur son bureau une tasse de porcelaine marquée par un cerne de café.

— Allô? Allô? fit Laura Esteve. Est-ce que vous êtes toujours là?

— Ex... Excusez-moi, bredouilla-t-il d'une voix éteinte. Est-ce qu'elle... souffre beaucoup, madame?

— Appelez-moi Laura, c'est plus simple, non? fit la femme que le statut d'amie intime d'Eugénie semblait pousser à la familiarité. Oui, elle souffre comme lorsqu'on a une très vilaine grippe, vous voyez? Et aussi, elle est inquiète pour Andrée-Anne. Elle se demande si vous pourriez aller la voir une autre fois. Vous pouvez aller la voir encore, oui?

— Bien sûr, bien sûr, avec plaisir. Elle peut compter sur moi. Où êtes-vous, madame? Est-ce que vous me téléphonez d'un hôpital?

— Oui, je vous téléphone de l'hôpital Plato. Mais appelez-moi Laura, reprit-elle, c'est plus simple, voulez-vous? Maintenant, je dois partir, excusez-moi, quelqu'un m'attend. Je vais vous laisser mon numéro de téléphone et, de cette façon, vous pourrez me parler quand vous voudrez. Il ne faut pas trop vous inquiéter, Jérôme – je peux vous appeler Jérôme, oui? Merci. Les médecins de l'hôpital Plato sont de très bons médecins et ils vont trouver le remède pour sa maladie, je suis certaine.

— Oui, bien sûr, répondit-il après avoir dégluti avec peine. On n'est plus au Moyen Âge, après tout, ajouta-t-il en mettant tout l'optimisme possible dans sa voix.

Il lui fit répéter deux ou trois fois son numéro de téléphone – un réflexe la faisait passer à tout moment du français au catalan – et lui demanda de l'embrasser un million de fois pour lui.

— Oh, c'est beaucoup, répondit Laura en riant, je ne sais pas si j'aurai le temps, et puis, elle est peut-être contagieuse, on ne sait jamais, mais je ferai tout ce que je pourrai, c'est promis.

— Je compte sur vous, répondit Jérôme en s'efforçant de prendre un ton badin.

Il raccrocha, anéanti. Le regard de nouveau fixé sur la tasse de porcelaine, il se laissa couler dans un marécage de pensées étouffantes et nauséabondes. Ses coucheries avec Alma revenaient le hanter et lui donnaient des haut-le-cœur. Quel type ignoble il était au fond... Eurk! L'homme qu'on souhaiterait ne jamais être, c'était lui! Indigne, mille fois indigne de cette pauvre Eugénie qu'il rendait malheureuse, mais qui lui donnait malgré tout de si touchantes preuves de confiance en dépit du merdier dans lequel il s'enfonçait chaque jour un peu plus. Et voilà qu'elle allait peut-être mourir, c'était en effet une possibilité qu'on ne pouvait pas envoyer promener d'un coup de pied... Tiens, il devrait adopter alors Andrée-Anne pour lui montrer le chemin de la vertu, comme ces mafiosi qui plaçaient leurs filles dans des couvents huppés. Tout s'achète, après tout, même la respectabilité.

— Tu pues le caca, Jérôme, murmura-t-il en se mordant les lèvres, une joue appuyée sur son poing. Qui aurait jamais pensé que tu puerais comme ça?

Il décida d'aller prendre l'air dans le jardin derrière la maison, ce qu'il faisait parfois pour s'éclaircir les idées après un travail assommant ou une discussion pénible au téléphone. En sortant dans le corridor, il croisa Olivier qui s'arrêta et posa sur lui cet étrange regard en biais qui semblait fixer deux choses en même temps. Une nouvelle habitude, adoptée depuis quelque temps quand ils se parlaient.

— Ça ne va pas? demanda Olivier d'une voix doucereuse.

— Au contraire, ça va très bien, répliqua Jérôme en continuant son chemin.

Ce jardin était un joli coin de verdure ombragé par de vieux lilas et un frêne magnifique; une fontaine à vasque de marbre rose installée à grands frais au début de l'été par Francine Desjarlais glougloutait au milieu de la pelouse. Il s'assit devant sur un banc de pierre, allongea les jambes, se gonfla les poumons d'air frais, ferma les yeux. En les rouvrant, il aperçut la tête d'Alma qui l'observait par une fenêtre du rez-de-chaussée; elle disparut aussitôt.

— Ils doivent être de connivence, ces deux-là, murmura-t-il avec une grimace fielleuse.

Il revint au bout d'une vingtaine de minutes, guère apaisé; il n'avait pris aucune décision mais sentait au fond de lui-même un obscur remue-ménage. Il allait se remettre à la lecture d'un rapport technique indigeste sur les fondations du futur Musée de la culture canadienne de langue française, obtenu grâce à une fuite machinée par Séverin Sicotte, lorsque ce dernier apparut sur le seuil de la porte, rayonnant:

— Ça augure bien, annonça-t-il. Je crois qu'ils ont fait du bon travail à Portage... C'est-à-dire... qu'*il* a fait du bon travail... En fait, je ne sais plus trop, mais ce n'est pas important... Il a décidé de terminer son cégep et d'aller ensuite à l'École des hautes études commerciales, à moins qu'il choisisse plutôt... mais, pour l'instant, ce n'est pas important.

— Bien sûr. Il a tout le temps d'y penser, répondit Jérôme, s'efforçant à la gentillesse. Je suis bien content pour lui. J'aimerais lui serrer la patte, à notre Félix. On ne s'est pas vus depuis une mèche!

— Il vient de partir prendre l'air en ville. Ça va lui faire du bien. C'était comme dans l'armée là-bas, mon ami, une discipline de fer, des corvées sans arrêt, chaque jour de l'entraînement physique, et puis les études, les lectures imposées, les groupes de discussion, personne n'avait le temps de se pogner le beigne, je t'en passe un papier! Au début, il nous téléphonait chaque soir en braillant comme un veau.

L'air soudain affairé, il pointa l'index vers Jérôme:

— Ah oui, j'oubliais... Inscris ça dans ton agenda: jeudi soir, 5 septembre à 17 h, souper-bénéfice pour la ministre Juneau au restaurant Le Grand Palais, rue de la Montagne. Tu vas nous accompagner, Francine et moi. C'est très important. Je paie les billets, bien sûr.

Jérôme répondit par un vague signe de tête.

— Bon. Il faut que je file. Et ce rapport, fit-il en posant la main sur l'épais cahier, ça va? Je n'ai pas encore eu le temps d'en prendre connaissance.

— Un peu ardu pour un néophyte, mais j'avance.

Il s'y plongea de nouveau, stylo en main, et, pendant une bonne heure et demie, le couvrit de notes, de points d'interrogation et de renvois. Mais à tout moment d'énormes bâillements lui tordaient la mâchoire et lui remplissaient les yeux de larmes. Alors, poussant le cahier de côté, il se mit à écrire un long courriel à Eugénie, lui prodiguant mots d'amour et encouragements et l'assurant qu'il s'occuperait d'Andrée-Anne comme de sa propre fille. « Pour ne rien te cacher, c'est comme si elle l'était déjà un peu. » Il approchait 17 h. Il régla quelques affaires pressantes au téléphone, puis, affamé et heureux de quitter les lieux, sortit et se dirigea vers son auto. Il s'apprêtait à y monter lorsque l'irruption bruyante d'une Cadillac émeraude le fit se retourner.

— Hé! Va-t'en pas! Faut que je te parle, toi! lança le Trépané tandis que l'auto freinait à ses côtés en dérapant sur le gravier.

La portière s'ouvrit violemment et, mettant pied à terre, le collecteur de fonds se planta devant lui, haletant:

— Veux-tu bien me dire ce qui se passe, chose? Ça fait trois jours que j'essaie de parler à ton *boss*, et jamais moyen! Pourtant, je suis sûr qu'il est ici, le torrieu!

Jérôme avait devant lui un vieil homme aux abois, la figure livide, la respiration sifflante, sa chevelure en désordre montrant les ravages de la calvitie.

— Je ne suis au courant de rien, monsieur Dozois. Il faudrait vous adresser à lui... mais il n'est pas ici pour le moment, ajouta Jérôme en se rappelant la consigne qu'on lui avait donnée.

— Il est pas ici, mais son auto l'est, railla l'autre en pointant le doigt vers la BMW. Tu me prends pour un cave, ou quoi?

— Il est parti... dans l'auto de son garçon, monsieur Dozois, répondit Jérôme en se troublant légèrement. Félix est arrivé aujourd'hui, figurez-vous.

— Ah oui? marmonna le Trépané en promenant un œil hagard autour de lui, et il s'appuya d'une main sur le capot de sa voiture.

« Est-ce qu'il va me faire un infarctus, le sacripant? » se demanda soudain Jérôme.

— Ça va, monsieur Dozois? Ça va?

Celui-ci hocha la tête sans le regarder, la bouche entrouverte, son œil morne fixé sur la maison de l'avocat.

— Je l'avertirai que vous êtes venu dès que je le verrai demain matin. Promis.

L'homme agita mollement la main comme pour dire : « Allons donc, gaspille pas ta salive, t'en feras rien… »

— Ils m'ont tous laissé tomber, les tabarnacs, murmura-t-il en inclinant la tête, lui comme les autres…

Puis, se retournant brusquement vers Jérôme, l'œil furibond :

— Toi aussi, le jeune, tu vas passer par là un jour… Je te le souhaite ! Tu vas voir comme on s'amuse ! ricana-t-il.

Il y eut un moment de silence. Le collecteur s'était remis à fixer la maison.

— Pouvez-vous déplacer votre auto, s'il vous plaît ? demanda alors Jérôme, trouvant que l'entretien avait assez duré. Vous bloquez l'entrée et il faut que je parte.

— Déplacer mon auto ? Cert'n'ment, mon grand ! nasilla l'autre avec dérision.

Et, l'instant d'après, il démarrait dans un bruit effroyable, tirant un cri strident d'une dame sur le trottoir dont le poméranien en laisse venait de passer à deux poils d'être transformé en crêpe. Jérôme accourut, craignant le pire.

— *This man is crazy ! Utterly crazy ! Who is he ? Call the police ! What are you waiting for ? I'll call the police*[16] !

Trop, c'était trop. Est-ce que Satan venait de l'abonner à tous les emmerdements de la planète ? Il adressa un vague geste d'apaisement à la quinquagénaire devenue aussi hystérique que son petit chien et, les jambes soudain comme de la guenille sous l'effet d'une faim de carnassier, il se glissa dans son auto et quitta les lieux, se gardant toutefois d'y mettre la moindre précipitation, l'Anglaise continuant de pester et son chien d'aboyer.

La faim venait de changer le programme de sa soirée et il filait à présent sur l'avenue du Mont-Royal, l'artère nourricière du chic

---

16. Il est fou, cet homme ! Complètement fou ! Qui est-il ? Appelez la police ! Mais qu'est-ce que vous attendez ? *Moi*, je vais l'appeler !

Plateau, où il cherchait un espace de stationnement pas trop éloigné de L'Avenue, un resto sympa réputé pour ses portions généreuses que Charlie lui avait fait découvrir l'année précédente. Tout à coup, son cellulaire se mit à chanter dans une poche de sa veste.

— Au diable! lança-t-il. Moi, je mange!

Il n'avait pas fini sa phrase que, juste devant lui, à sa droite, un cabriolet jaune stationné à trois sauts de puce de L'Avenue se mettait en branle; il se glissa à sa place, éteignit le moteur et, redevenu aimable, s'empara du cellulaire qui chantait toujours.

— Je te dérange? fit une voix qu'il ne reconnut pas. C'est Félix.

— Pas du tout, mon vieux. Comment vas-tu? Je suis content de te parler, depuis le temps… On t'a vu arriver cet après-midi, mais on a cru bon, sur le coup, de te laisser avec tes…

— Ouais, coupa l'autre, quatre mois, c'est toute une parenthèse.

— Où es-tu?

— Sur la rue Saint-Denis, quelque part entre Marie-Anne et Rachel.

— Ah bon. Je suis à deux pas, moi, sur Mont-Royal. As-tu soupé? Non? Je m'apprête à bouffer à L'Avenue. Tu connais?

Il lui donna l'adresse et, dix minutes plus tard, Félix, après une vigoureuse poignée de main, s'attablait devant lui et posait un regard étonné sur la petite montagne de spaghetti sauce bolognaise que Jérôme venait d'attaquer.

— Excuse-moi, fit ce dernier, un peu confus, mais je ne pouvais plus attendre: je mourais de faim depuis des heures, j'allais tomber en hypoglycémie; ça m'arrive parfois maintenant.

— Pas d'offense, je comprends ça. Il est bon, le spaghette?

Et, sur un signe affirmatif de son compagnon qui, les joues arrondies, venait de porter un coup mortel à sa fringale, il leva la tête vers le serveur arrivé près de lui, un menu à la main:

— Même chose, s'il vous plaît.

Dès le début du repas, l'impression se confirma chez Jérôme qu'il ne parlait plus tout à fait au même jeune homme qu'il avait brièvement connu à Cuba, et cela ne paraissait pas seulement sur le plan physique; le beau blond un peu frêle et folichon qu'il avait tiré du pétrin en s'y jetant lui-même non seulement avait pris de la vigueur, mais semblait à présent comme assagi, réservé, avec un quant-à-soi qu'il ne lui avait pas connu, celui du voyageur qui revient d'un périple hasardeux dont il préfère pour le moment ne pas trop parler ; la voix avait baissé d'un ton, le regard avait pris une gravité souriante, il écoutait plus qu'il ne parlait et une légère flétrissure au coin des yeux annonçant une patte d'oie révélait que la vie s'était montrée difficile. Est-ce que l'effet « nouveau départ », souhaité par tant de parents pour leur enfant à la dérive, s'était cette fois réalisé ?

— Comment vont les choses, toi ? demanda Félix en attaquant le spaghetti qui venait d'atterrir devant lui. Mes parents ne te massacrent pas trop ?

— Oh moi, ça va toujours, mais je ne peux pas en dire autant de ma copine qui est retenue en Espagne par une saloperie de maladie. On a dû l'hospitaliser ; ça semble assez grave.

Félix hochait la tête en plissant les lèvres :

— Elle va s'en tirer, tu vas voir... Touchons du bois, fit-il en tapotant la table.

— Ton père vient de m'apprendre que tu retournes aux études ? poursuivit Jérôme pour changer de sujet.

— Ouais. Je finis mon cégep et ensuite je veux m'inscrire à l'université. Je n'ai pas encore tout à fait fixé mon choix sur la branche que je prendrais mais, comme on dit, j'ai le temps...

Jérôme commençait à voir le fond de son assiette et s'arrêta : continuer, ç'aurait été s'empiffrer. Son compagnon, lui, mangeait lentement et avec appétit. Pourquoi l'avait-il appelé ? Par besoin de se confier ? Ou tout simplement comme ça, pour reprendre contact avec un type qui lui avait rendu un fier service et se glisser dans le flux du quotidien ?

— La bouffe, c'était comment, là-bas ?

— Correct.

Puis il ajouta :

— Évidemment, on n'était pas dans un Relais & Châteaux.

— Ç'a été dur ?

Félix leva la tête et promena son regard quelques instants dans le restaurant bondé et rempli de tapage, où les assiettes tenues par des serveurs au galop filaient comme des soucoupes volantes. Un léger sourire apparut sur ses lèvres. Il semblait ravi de se trouver là.

— Dur? fit-il en revenant à Jérôme. J'en ai bavé un coup... Les premières semaines, j'ai téléphoné à ma mère je ne sais plus combien de fois pour la supplier de venir me chercher. Elle a bien fait de ne pas m'écouter. On a un désert à traverser. On marche nu-pieds dans le sable brûlant, c'est dans le contrat. Ceux qui refusent prennent la porte. C'est aussi simple que ça.

Il enroula une dernière portion de spaghetti autour de sa fourchette, la porta à sa bouche, puis :

— Je viens d'annoncer à mes parents que je veux quitter la maison pour aller en appartement. Ils ne l'ont pas aimée, celle-là. Tant pis, ma décision est prise... Les odeurs de magouille, j'en respire depuis que je suis p'tit gars, je veux me nettoyer un peu les poumons... Excuse ma franchise, ajouta-t-il en voyant Jérôme se rembrunir, je ne voulais pas te blesser... Tu m'en veux ?

— Pas du tout ! répondit son compagnon de table, avec un sourire qui essayait de cacher son dépit. Eh ben !... Je parle à *l'homme nouveau*, quoi ! Même plus question de cigarettes électroniques, si je comprends bien... Viens-tu d'entrer dans la secte des Témoins de Jésus-Christ de la Fin des Temps ou quelque chose du genre ? On dirait une conversion, avec apparition de la Sainte Vierge en train de changer la couche du p'tit Jésus tandis que saint Joseph agite son bâton fleuri !

Félix haussa les épaules :

— J'en ai rien à foutre, de la religion... En quatre mois, t'as le temps de réfléchir à pas mal de choses... Je m'en allais nulle part, moi, comme j'étais parti. Et mon père, à sa façon, c'est la même chose... C'est cher, les apparts dans ton coin ?

— Plutôt, oui... Mais tes parents vont te payer ça haut la main, non ?

— Faudrait bien, soupira l'autre.

— Dis donc, reprit Jérôme qui sentait de nouveau le besoin de changer de sujet, qui t'a donné mon numéro de cellulaire ?

— C'est Alma. Ça te surprend ?

Il y avait dans sa voix une inflexion ironique pleine de sous-entendus. Jérôme craignit de rougir et, pour garder contenance, s'empara du verre d'eau près de son assiette et prit deux longues gorgées.

Félix se mit à rire silencieusement :

— Elle m'a tout raconté, Jérôme… Faut pas t'en faire… J'ai couché avec elle autant comme autant. Méfie-toi d'elle, c'est une petite garce. Je n'ai jamais pu comprendre son jeu. Ma mère l'a engagée il y a quatre ans ; elle s'en est toujours dite satisfaite, mais, en même temps, on ne peut pas dire qu'elle la chouchoute, ça non ! Sacrée Alma ! Elle nous serait arrivée du Chili la couche aux fesses avec ses parents réfugiés politiques, des parents qu'on n'a jamais vus… J'ai toujours eu du mal à avaler cette histoire, moi, comme à peu près tout ce qui sort de sa bouche. Par contre, pour la baise, elle ne donne pas sa place, hein ? Quand elle se met à jouir, wow ! Tout un spectacle ! Avec moi, en tout cas.

— Avec moi aussi, confirma Jérôme un peu sèchement.

Félix, les yeux à demi fermés, souriait, perdu sans doute dans de voluptueux souvenirs, mais ramenant presque aussitôt son regard sur Jérôme :

— Quoique… pour ne rien te cacher, je me suis demandé parfois si elle ne jouait pas la comédie. Menteuse comme elle est, elle ment peut-être au lit. Qu'est-ce que t'en penses ?

— Hum… Je ne sais pas… Il faudrait être dans sa tête.

Ce repas finissait d'une façon quelque peu désagréable. Jérôme leva la main et demanda l'addition.

— Non, non, dit-il à Félix qui venait de glisser la main dans sa poche, c'est moi qui t'invite, ça me fait plaisir.

Et il réussit à accompagner ces derniers mots d'un sourire cordial.

◆ ◆ ◆

Il eut beaucoup de mal à trouver le sommeil cette nuit-là. La révélation de Félix le tourmentait. Cette bizarre d'Alma avait la confidence bien facile. Leur aventure n'avait été que des coucheries sans lendemain, mais qu'Eugénie l'apprenne, et c'était la fin de leur relation. Et si la *petite garce*, comme l'appelait Félix, lui avait tendu un piège ? L'idée pouvait venir d'elle-même comme de quelqu'un d'autre qui la lui aurait soufflée. De tout temps, le chantage s'était avéré un des meilleurs moyens de transformer quelqu'un en marionnette. Il avait l'impression d'avancer sur une banquise traversée de sourds craquements ; à tout moment, une fissure pouvait s'ouvrir sous ses pieds et l'engouffrer. Comment quitter cet emploi maudit devenu un piège ? Mais il fallait d'abord parer au plus pressé. «Je vais mettre cette histoire au clair avec elle demain matin», se dit-il pour la dixième fois.

Les moineaux du quartier Côte-des-Neiges avaient recommencé à pépier quand il réussit enfin à s'endormir.

À 8 h 20, il arrivait au bureau l'œil cerné, mais l'esprit limpide et froidement résolu à éliminer l'étrange secrétaire du champ des emmerdements possibles. Les astres, ce matin-là, semblaient correctement alignés: en ouvrant la porte, il aperçut Alma qui allait porter une brassée de dossiers aux Archives. Il la salua comme si de rien n'était, la suivit dans la petite pièce aux murs couverts de tablettes surchargées et referma la porte derrière eux.

— Qu'est-ce qui se passe? demanda-t-elle, surprise.

— On se parle à voix basse, O.K.?

Et il se planta devant elle.

— T'as eu une jasette avec Félix, hier?

Elle grimaça un début de sourire, puis détourna le regard.

— Ouais… et puis quoi? Je n'ai pas le droit de lui parler?

— Parle-lui tant que tu veux, je m'en contrecrisse… Je n'ai aucun droit sur ton cul, Alma, tu peux bien aller te faire lécher par une girafe si le cœur t'en dit, mais qu'il te prenne jamais l'envie d'aller raconter nos baises à Eugénie, compris?

Il posa les mains sur ses épaules et les serra si fortement qu'elle ne put réprimer un cri.

— Si jamais tu fais ça, je t'arrache la tête.

Il la repoussa contre un rayonnage et sortit.

Elle s'était laissée tomber sur une chaise et pleurait. Une minute ou deux s'écoula. Puis la porte s'entrebâilla et Olivier s'avança sans bruit:

— Ça ne va pas, Alma? Un problème?

Mais son expression doucereuse et satisfaite montrait qu'il était au courant de tout.

◆ ◆ ◆

Une semaine passa. Jérôme et Laura Esteve se téléphonaient chaque jour. Eugénie avait sombré dans une sorte de demi-conscience, mais son état semblait stable. La fièvre avait diminué, les nausées avaient disparu. Les examens avaient révélé la présence d'un virus rare qui, d'après les médecins, s'était sans doute propagé dans son organisme à la suite d'une intoxication alimentaire. «Mais elle n'a été empoisonnée par aucun aliment, Jérôme, se récriait Laura, nous mangions presque toujours chez moi, car je n'aime pas beaucoup les restaurants, je les trouve bruyants et cela me tombe sur les nerfs. Alors, je devrais être malade moi aussi, non? Mais je suis en parfaite santé, voilà! Nerveuse, oui, inquiète, bien sûr, fatiguée, oh comment! mais en parfaite santé!»

La médecine avait encore beaucoup à apprendre sur les virus, comme sur bien des choses.

Laura avait lu à Eugénie le courriel de Jérôme; il lui avait tiré un faible sourire. La malade ne parlait presque pas, mais avait trouvé la force un après-midi de demander à son amie si sa fille allait bien et si Jérôme la voyait. «Oui, bien sûr, il la voit presque chaque jour, et elle va très bien, ne t'inquiète pas pour elle, va!»

Les grands malades ont besoin parfois qu'on leur embellisse la réalité.

Jérôme, en fait, n'avait revu Andrée-Anne que trois autres fois – avec sa charge de travail, c'était quand même un effort remarquable – et Andrée-Anne, à vrai dire, n'allait pas bien du tout, et madame Lacerte guère mieux; le syndrome de l'enfant abandonné avait transformé la fillette en un petit être anxieux, irritable, capricieux et pleurnichard, et les 20 heures quotidiennes de somnolence de la maman semblaient avoir été prises sur le sommeil de sa fille, qui passait souvent des nuits blanches – et sa grand-mère aussi.

— Je suis épuisée, mon garçon, avait avoué un soir madame Lacerte à Jérôme. Je ne sais pas combien de temps je vais pouvoir encore tenir. Ah! si ce vaurien de Bénédict (c'était l'ex-mari d'Eugénie) ne s'était pas sauvé comme un sans-cœur en Belgique, j'irais tout de suite lui porter cette pauvre enfant, le temps que je me repose un peu, en tout cas.

Dans la soirée du 22 août, Laura Esteve eut enfin des nouvelles encourageantes à donner à Jérôme. Pour la première fois depuis son hospitalisation, Eugénie avait commencé à remonter la côte: la fièvre avait diminué, puis disparu, l'appétit revenait; la veille, elle avait pu soutenir une conversation d'une dizaine de minutes avec son amie et semblait reprendre intérêt à la vie. Si le mieux se maintenait, on pouvait espérer qu'elle obtienne son congé dans quatre ou cinq jours.

Le 27 août, Eugénie quittait enfin l'hôpital, amaigrie, très affaiblie, mais dans un état de jubilation qui la faisait jacasser comme une pie. Son médecin lui avait ordonné trois semaines de repos complet suivies d'une reprise graduelle de ses activités, et il fallut toute la ténacité de son amie et une explosion de colère sèche qui faillit les brouiller pour convaincre Eugénie, qui tenait à peine sur ses jambes, de rester encore trois jours à Barcelone, car elle voulait s'envoler pour Montréal dès le lendemain matin. Le jour de sa sortie, Jérôme lui parla au téléphone une vingtaine de minutes et la trouva fébrile, autoritaire, facilement irritable.

— C'est la cortisone, mon chéri. Je me demande pourquoi on m'en a prescrit de pareilles doses, mais je dois les prendre, que veux-tu? Moi qui ai passé tout ce temps à dormir, je n'arrive même plus à faire une sieste. Tu vas m'excuser, Géronimo, je dois téléphoner à Andrée-Anne à présent; je lui ai promis qu'on se parlerait trois fois par jour. La pauvre petite, elle s'est tellement ennuyée! Et moi d'elle, dis donc! Ah! quand je l'ai appelée ce matin, je pouvais à peine placer deux mots! Elle pleurait, pleurait... Si les larmes pouvaient voyager par téléphone, j'aurais été inondée! Allons, il faut que je te quitte... Je t'aime et j'ai hâte de te voir. Est-ce que tu m'aimes encore, chéri?

— Comme jamais, répondit-il tendrement.

Puis il grimaça.

— Tu me le jures?

Un claquement de lèvres assourdissant la fit rire aux éclats.

Attablé dans la cuisine devant sa deuxième tasse de café matinale qui refroidissait, il était content de l'avoir appelée de chez lui. Au bureau, la rougeur qui s'était répandue sur son visage aurait pu être surprise par des yeux malveillants.

◆ ◆ ◆

— Écoute, Jérôme, fit Séverin Sicotte dans un mouvement d'humeur, tout ce que je te demande, c'est un peu de ton temps – deux ou trois heures au maximum. Arrête de me faire la gueule! Il y a pires épreuves dans la vie, sacrament ! Au salaire que je te donne, tu devrais montrer un peu plus de souplesse, mon ami.

Ils filaient dans la BMW de l'avocat vers Le Grand Palais, rue de la Montagne, le chic resto-bar où allait se tenir le souper-bénéfice de la ministre Normande Juneau. Francine Desjarlais avait décidé cette fois de passer son tour pour s'occuper de son fils, dont l'humeur l'inquiétait.

— C'est juste que ça ne pouvait pas tomber plus mal, ce maudit souper-bénéfice.

Puis il ajouta :

— On ne s'est pas vus de l'été, Séverin.

— Vous aurez toute la vie pour vous voir. Avec la ministre, les occasions risquent d'être plus rares, n'est-ce pas ? Je tiens absolument à ce que vous fassiez connaissance, car tu vas être en rapport avec elle, si ce n'est pas directement, du moins par l'entremise de quelqu'un de son entourage… Écoute, poursuivit-il devant l'expression butée de son assistant, je comprends que ça puisse être frustrant, mais c'est ce soir ou jamais que t'as l'occasion de me montrer que tu prends les intérêts du bureau à cœur. Capiche ?

— Bon, bon, ça va, grogna Jérôme. Je suis avec toi dans l'auto, non ? Et je n'ai pas l'intention de sauter par la fenêtre, quand même.

Il leva les bras et s'étira en prenant une grande inspiration, puis répéta :

— Ça va.

Deux jours plus tôt, il était allé accueillir son amoureuse à l'aéroport ; c'est une convalescente encore affaiblie par la maladie qu'il avait longuement serrée dans ses bras ; ils avaient aussitôt filé chez madame mère, boulevard Gouin, où on les attendait avec une impatience fébrile. Durant le trajet, Eugénie avait longuement raconté sa mésaventure de Barcelone, puis la conversation avait fait du rase-mottes ; aucun des deux ne se sentait le goût ni le courage d'aborder si vite des sujets douloureux. Les retrouvailles d'Eugénie avec sa fille avaient étonné Jérôme. En la voyant, Andrée-Anne, au lieu de se jeter dans ses bras avec des cris de joie, s'était congelée sur place, le visage fermé, puis, sans dire un mot, avait couru se cacher au fond d'une garde-robe et il avait fallu tous les talents de négociateurs de trois adultes pour l'en faire sortir.

Manifestement, Andrée-Anne n'était pas près d'oublier son été. Ni madame Lacerte, que son rôle de grand-mère-gardienne avait poussée à la limite de ses forces; mais elle exigea quand même que sa fille demeure chez elle jusqu'à son complet rétablissement. C'était d'ailleurs une décision pleine de bon sens. Du reste, au bout de quelques heures, Andrée-Anne s'était transformée en chaton; pelotonnée contre sa mère, le pouce dans la bouche, elle se laissait couler avec délices dans les profondeurs de la petite enfance. La révolte venait de cesser.

La mère et la fille restèrent donc quatre jours chez madame Lacerte, qui dorlota la voyageuse de sa manière un peu sèche mais efficace. Jérôme passait la voir chaque soir après son travail et se faisait raconter son long séjour en Europe, heureux, au fond, que la présence de madame Lacerte empêche la conversation de prendre un tour plus intime. Mais il savait bien que cela lui pendait au nez. Parfois, en l'écoutant, il ne pouvait s'empêcher de poser le regard sur ses cuisses, qu'elle avait fort belles.

Le 4 septembre, Eugénie, qui reprenait rapidement des forces, décida de rentrer chez elle.

— Que dirais-tu de venir manger demain soir à la maison? proposa-t-elle à Jérôme ce jour-là au téléphone.

— J'allais justement m'inviter, figure-toi donc.

Le «demain soir» en question tombait le 5 septembre en plein dans le souper-bénéfice de la ministre Juneau. Jérôme était allé trouver Séverin Sicotte pour se faire libérer. L'agent d'influences avait refusé. Il y avait eu discussion. Le ton avait monté. Sicotte n'avait pas cédé. La discussion venait de reprendre dans l'auto, sans autre résultat. Jérôme, toujours renfrogné, marinait dans sa frustration en bougeant doucement les pieds.

L'avocat lui jeta un coup d'œil en biais, plissa le nez, puis:

— Écoute, si au bout de deux heures, deux heures et demie, disons, je vois que tu peux partir, je te fais un petit signe, tu salues la compagnie en prétextant n'importe quoi, et tu sautes dans un taxi pour aller retrouver ton amour. Demande un reçu, je te rembourse demain matin.

— Quand même! bougonna le jeune homme, je n'en suis pas rendu à faire payer mes taxis.

Mais son visage avait commencé à s'éclairer.

Le silence s'établit de nouveau, mais il avait changé de densité. Une paix négociée semblait avoir été conclue de justesse. L'avocat ne voulait pas présenter un Jérôme grognon ou mal disposé à la ministre Juneau, célèbre pour sa susceptibilité à fleur de peau et sa façon inimitable de rembarrer ceux qui ne semblaient pas jouir du parfum de sa présence. À se demander ce qu'elle faisait en politique, celle-là… Bien sûr, journalistes et gens du milieu la disaient fine renarde, et même douée d'une intelligence supérieure, en ajoutant toutefois qu'elle n'avait pas toujours envie de la montrer. Mais son plus grand atout, et de loin, poursuivaient-ils sur un ton confidentiel, étaient les rapports privilégiés qu'elle entretenait avec le premier ministre Labrèche, dont elle avait notoirement la bonne oreille ; et là, l'imagination des ragoteurs s'emballait : ancienne maîtresse ? maîtresse en titre ? séductrice à l'assaut ? gibier convoité ? Les flèches de Cupidon volaient dans tous les sens, au gré de l'imagination de chacun. Sicotte avait même entendu un journaliste affirmer, très sûr de lui, qu'elle était la fille naturelle du premier ministre, qui avait toujours caché la chose mais qui chérissait son enfant comme le père Noël chérit ses lutins, et qui avait veillé avec une sollicitude toute paternelle sur les débuts de sa carrière politique. Mais là, bien sûr, on était en plein jaunisme, personne ne pouvant imaginer une telle bonté chez un être aussi sec et calculateur que Jean-Philippe Labrèche.

Et pour meubler le silence qui, vraiment, s'étirait un peu trop, Sicotte fit part à Jérôme de tous ces bruits sur la ministre. Jérôme sembla s'en amuser.

Ils s'arrêtèrent devant Le Grand Palais ; un voiturier s'approcha aussitôt pour garer l'auto.

Sicotte se pencha à l'oreille de son assistant :

— Eh ben, là, mon gars, c'est le temps de t'accrocher un sourire dans la face, la partie commence.

Le Grand Palais était un restaurant tellement chic qu'il était impossible pour un esprit normal d'en imaginer un qui le soit davantage. Mais comme la jalousie et la malveillance règnent partout, certains disaient à voix basse que la blancheur de ses colonnes de marbre était un rappel involontaire de la couleur de l'argent qui avait servi à le construire. La direction, avec un sens exquis de la formule, avait choisi comme slogan :

Le Grand Palais,
le rendez-vous des grands palais

Un colosse chauve en tenue de soirée s'inclina avec un large sourire en leur ouvrant la porte dont un énorme GP de cuivre rutilant servait de poignée et ils pénétrèrent dans un vestibule qui, malgré son exiguïté relative, essayait vaillamment de rivaliser avec la galerie des Glaces de Versailles. Deux adorables hôtesses les y attendaient et, au sourire qu'elles adressèrent à l'agent d'influences et à son assistant, on aurait cru qu'elles venaient toutes deux de trouver enfin l'Âme élue depuis si longtemps recherchée. Séverin Sicotte, toute amabilité déployée, leur présenta deux cartes à bordure dorée qui se retrouvèrent entre les mains d'une sorte de jeune groom à tricorne noir orné d'une grande plume rouge.

— Veuillez me suivre, s'il vous plaît, fit le groom en s'inclinant bien bas.

Et, tandis que d'autres invités se présentaient et que les hôtesses semblaient faire une nouvelle rencontre marquée par le destin, ils passèrent dans la salle aux fameuses colonnes de marbre où bourdonnaient les conversations d'une centaine de personnes; plusieurs circulaient d'une table à l'autre, une flûte de champagne à la main, ou s'agglutinaient en petits groupes ici et là. Quatre imposantes statues de marbre, copies d'œuvres du grand Michel-Ange, installées à chacun des coins de la salle, observaient d'un œil impassible cette effervescence: le *Moïse*, le *David*, *L'Esclave rebelle* et *Jules II en prière*. À gauche, un bar fortement achalandé diffusait son chatoiement de bouteilles et de flacons. À l'autre extrémité, on avait aménagé une petite scène surmontée d'un écran.

Séverin Sicotte devait s'arrêter tous les trois pas, accosté par l'un, saluant l'autre et présentant Jérôme aussi souvent que l'occasion le permettait, et le pauvre groom chargé de les amener à la table qu'on leur avait assignée attendait patiemment que s'épanchent toutes ces pressantes manifestations d'amitié.

Comme il arrive dans ce genre de mondanités, la tenue vestimentaire des hommes – en majorité ce soir-là – allait, selon l'âge de chacun, du style « grand notable bourgeois » au chic « dans l'vent façon décontractée ». Les femmes, elles, suivaient une ligne plutôt classique, leur toilette et leur maquillage servant généralement à mettre en valeur les appâts de leur jeunesse ou à masquer le plus habilement possible les effets de l'usure biologique.

Jérôme, sur les talons de son patron, saluait, souriait, serrait des mains, passant à tout moment du français à l'anglais (on était dans un rassemblement libéral), un peu étourdi par tous ces visages dont il ne reconnaissait vaguement que quelques-uns. Ils arrivaient enfin à leur table, au-dessus de laquelle trônait le *David* de Michel-Ange dans toute sa virilité triomphante, lorsqu'une voix de femme se fit entendre à sa gauche qui disait :

— Non, je ne pense pas avoir eu le plaisir de faire sa connaissance, monsieur Brébeuf, mais je ne demande pas mieux que de le rencontrer, vous savez.

Séverin Sicotte donna une bourrade dans les côtes de Jérôme et, le tirant vivement par la manche, se fraya un chemin vers la voix et passa près de bousculer une dame en tailleur rose et aux très larges fesses.

Jérôme avait deviné qu'il s'agissait de la ministre Juneau. Une quinzaine de personnes l'entouraient, toutes voulant se faire remarquer.

— On va s'approcher tranquillement comme si de rien n'était, glissa l'agent d'influences à l'oreille du jeune homme. Si j'ai déboursé 2000 piastres ce soir, mon gars, c'est pour la chance d'avoir ces deux minutes de jasette que vient d'obtenir Gino Brébeuf. Quand on sera près d'elle, essaie de faire bonne impression, hein ?

De l'endroit où il se trouvait, Jérôme voyait la ministre de trois quarts. C'était une assez belle femme, aux traits un peu anguleux mais racés, à la peau veloutée couleur de miel (effet d'un séjour sous les tropiques ?). L'expression de son visage le frappa ; elle écoutait son interlocuteur en souriant, l'enveloppant d'un regard attentif et froid, et hochant la tête à petits coups comme pour dire : « Oui, oui, je sais, j'ai compris, venons-en au fait. » Jérôme se dit qu'il fallait un certain culot pour vouloir l'accaparer pendant plus de quelques minutes.

Soudain, une sorte de flottement se fit dans le groupe qui entourait la ministre, une brèche étroite s'ouvrit devant eux, et Séverin Sicotte s'y engagea en tirant de nouveau son assistant par la manche.

— Madame la ministre, mes hommages ! lança-t-il, la main tendue, coupant la parole à un petit homme rabougri au front creusé de rides et qu'il avait tout de suite classé comme menu fretin. Quel plaisir de vous revoir !

— Bonsoir, Séverin, répondit Normande Juneau, faisant rougir de plaisir l'agent d'influences par cette marque de familiarité. Je pensais justement à vous, hier.

— Si je ne me retenais pas, madame, je vous répondrais que je pense *toujours* à vous – mais ce serait manquer aux convenances, bien sûr.

Des rires polis fusèrent autour d'eux. La ministre sourit à peine.

— Si vous pensiez à moi, reprit Sicotte craignant d'avoir commis un impair, c'est que j'ai peut-être la chance de vous être utile ? Parlez, et vous serez obéie, madame.

— Nous aurons d'autres occasions pour cela... Vous ne me présentez pas monsieur ? Il s'agit d'un de vos employés, sans doute ?

— Mais oui, mais oui, j'allais oublier... Quel imbécile je suis... Vous me faites perdre mes moyens, madame.

Et Sicotte présenta Jérôme en essayant de dire de lui le plus de bien possible en 30 secondes.

— Très honoré, madame la ministre, fit Jérôme en s'inclinant, et il serra rapidement la main qu'elle lui tendait en souriant.

— Il me semble que votre nom m'est familier, monsieur Lupien, fit Normande Juneau en posant sur lui un regard singulier.

— J'ai rencontré il n'y a pas longtemps votre secrétaire de comté, madame, et puis j'ai parlé deux ou trois fois à votre chef de cabinet. Ils ont peut-être prononcé mon nom devant vous.

— Ah bon, je vois... C'est de vous qu'on m'a dit tant de bien. J'espère que nous aurons l'occasion de nous revoir, monsieur Lupien. Merci de votre présence, et bonne soirée.

Et elle lui tendit la main, le fixant de nouveau avec insistance.

Séverin Sicotte entraîna Jérôme vers la table qu'on leur avait assignée. Il jubilait.

— Tu lui as fait un effet du tonnerre, Jérôme, lui glissa-t-il à l'oreille. Je ne l'ai jamais vue aussi aimable... Tu t'es bien débrouillé dans cette affaire de liste et ça nous a donné la cote ! Demande-moi ce que tu veux, je te le donne !

— Je veux m'en aller, répondit Jérôme, taquin.

— Tout à l'heure, mon gars, tout à l'heure. Je te ferai signe quand le moment sera venu. Gino! s'exclama-t-il en se tournant vers un grand rougeaud qui s'approchait de la table avec un léger déhanchement. Comment vas-tu? Quand es-tu sorti de l'hôpital? T'as l'air en pleine forme, mon vieux!

— Ouais, ça va pas si mal depuis une semaine… On m'a donné mon congé au début du mois. Mais tu m'aurais pas complimenté le soir de l'accident! L'autre jour, j'ai rencontré par hasard un des ambulanciers qui m'avait sorti de ma Jaguar. Il paraît que je ressemblais à un trognon de pomme.

Même amoché, l'homme donnait l'impression de pouvoir étrangler un bœuf à mains nues.

Son aspect des plus communs jurait quelque peu dans l'assemblée, mais la veste de cuir Chevignon pleine fleur qu'il portait et que n'aurait pas dédaignée un prince consort en mission semblait expliquer en partie sa présence.

L'afflux des consommations offertes par les serveurs qui circulaient parmi la foule, plateau en main, ne cessait de faire monter la rumeur des conversations. Sicotte, après avoir présenté presque à tue-tête Jérôme à Gino Brébeuf, lui donna une tape sur l'épaule :

— Eh bien, bonne chance, mon vieux! Essaie d'être un peu plus sage, quand même! On n'a qu'une vie, après tout!

— Parle pour toi. Moi, quand je suis né, ma mère m'a enroulé autour de la queue un chapelet béni par le Frère André et ça m'en a donné neuf, comme les chats.

Et il s'éloigna en boitillant avec énergie.

Des toussotements résonnèrent dans les haut-parleurs; un grand homme joufflu en queue-de-pie, l'air distingué et comme somnolent, venait d'apparaître sur la scène et invita les gens à s'attabler. Cinq musiciens le suivirent aussitôt et, tandis que chacun allait s'assoir, une musique oscillant entre le *semi-classique* et le *jazz mondain* se répandit dans la salle, surnageant avec peine au-dessus du brouhaha.

Les tables circulaires étaient dressées pour dix convives. Jérôme avait à sa droite Séverin Sicotte et à sa gauche une dame qui se présenta à lui sous le nom de Betty Watson, sénatrice libérale, fille d'un sénateur, hélas, décédé, parlant convenablement le français, mais

avec une préférence marquée, semblait-il, pour sa langue maternelle ;
Francine Desjarlais étant absente, sa place demeurait inoccupée.
Jérôme ne connaissait aucun des six autres convives, deux femmes et
quatre hommes. Séverin Sicotte en connaissait trois, et deux autres de
réputation. De toute façon, il était presque impossible d'avoir une conversation avec une personne le moindrement éloignée, de sorte que les
échanges de Jérôme se déroulèrent au début quasi toujours avec son
patron et la sénatrice Watson. C'était une sexagénaire joviale, très parfumée, aux traits lourds et masculins, qui étrennait ce soir-là un visage
fraîchement remonté (ses compagnons de table en eurent la primeur
à son quatrième verre de vin) ; Jérôme la trouvait plutôt rigolote ; au
cinquième verre, elle se lança dans le récit des exploits qu'elle avait
accomplis pour Unité Canada lors du référendum sur l'indépendance
du Québec en 1995. Jérôme fut le seul à ne pas rire aux éclats. Par la
suite, tout en restant très poli avec elle, il parla surtout avec son patron
et avec le voisin de ce dernier, un certain Gérard Jolivet, ingénieur
chez SNC-Lavalin et grand amateur de safaris.

Au bout d'une heure, il s'ennuyait tellement qu'il en avait presque
les larmes aux yeux.

— Je peux ? souffla-t-il à l'oreille de Sicotte.

— Après les discours.

— Il y en a combien ?

— Mais tu ne penses qu'au cul, ma foi… Est-ce qu'il va falloir te
mettre une culotte de fer ? D'habitude trois.

Jérôme regarda sa montre et poussa un soupir de désespoir.

— *Having trouble ?* les interrrompit Betty Watson, maintenant à
son sixième verre. *Can I be of some help in any way*[17] ?

Sicotte l'assura dans l'anglais impeccable qu'il avait appris à Farnham
et perfectionné à Montréal que tout allait pour le mieux.

— *Really ?* insista-t-elle, le ton badin. *This young man looks
miserable*[18] !

---

17. Vous avez des problèmes ? […] Je peux vous aider ?

18. Vraiment ? […] Ce jeune homme a l'air au désespoir !

Jérôme, espérant l'avoir comme alliée, lui annonça que sa petite amie arrivait d'un séjour de deux mois en Europe.

— *No kidding? What are you doing here? She needs you! You need her*[19] ! lança-t-elle avec la chaude et subite familiarité des personnes pompettes. *Alléé, parthez thoutt sweet, mon ami, for God's sake!* poursuivit-elle dans un touchant accès de bilinguisme.

Jérôme et son patron échangèrent un regard embarrassé, mais le jeune homme n'en resta pas moins à sa place.

On servait à présent desserts et cafés. Sous l'effet sans doute de la fatigue ou de l'ennui, la rumeur des conversations avait commencé à fléchir. Soudain la musique s'interrompit, et on entendit de nouveau des toussotements dans les haut-parleurs et le maître de cérémonie, de sa voix onctueuse et légèrement endormie, remercia encore une fois les participants pour le succès de cette soirée qui allait permettre à une des plus extraordinaires ministres qu'ait jamais connus le Québec de poursuivre son extraordinaire travail pour le plus grand bien, blablabla.

— Mesdames et messieurs, *ladies and gentlemen*, lança-t-il alors d'une voix tonnante, j'ai maintenant le plaisir et l'honneur de vous présenter une citoyenne dévouée aux intérêts de la population, une femme exceptionnelle, une ministre irremplaçable... et j'ai parlé de MADAME NORMANDE JUNEAU !

Le tonnerre d'applaudissements qui suivit provoqua de petites craquelures, par bonheur quasi indiscernables, sur toute la surface peinte de la salle.

La ministre Juneau ne s'était jamais fait d'illusions sur ses talents oratoires et avait décidé de ne pas alourdir outre mesure le pensum que ses supporters avaient enduré jusqu'ici avec tant d'obligeance. De toute façon, le but de la soirée, essentiellement pécuniaire, avait été atteint et même dépassé au-delà de toutes les espérances, et il aurait été contreproductif de s'étendre sur des considérations idéologiques ou sociales dont personne ne voulait entendre parler. Papineau, Jaurès, de Gaulle, Bourgault et Lévesque enterrés, Fidel Castro presque éteint,

---

19. Sans blague ? Mais qu'est-ce que vous faites ici ? Elle a besoin de vous !
Vous avez besoin d'elle !

on était arrivés à l'époque du *short and sweet*. Après la plaisanterie obligatoire qui déride la foule et stimule ses bonnes dispositions, Normande Juneau fit un court survol de l'actualité, accablant l'opposition, ce parti qui n'avait jamais compris rien à rien, puis, avec modestie mais d'un ton pénétré, fit une description succincte de ses réalisations passées et de celles qu'elle projetait d'accomplir au ministère de la Culture, animée par le souci constant de servir les intérêts du Québec. Elle remercia enfin les donateurs pour leur générosité et quitta gracieusement le micro.

Les craquelures ramifièrent encore un peu plus leurs réseaux.

Venait ensuite l'inévitable discours de remerciement, confié ce soir-là au ministre de la Santé Laurent Lirette, gros homme tyrannique et fort en gueule, d'une vulgarité de videur de cabaret, mais futé comme une vieille corneille. Monter ne serait-ce que cinq marches le mettait hors d'haleine pour de longs moments ; aussi l'avait-on fait venir dans les coulisses quelques instants plus tôt, de sorte qu'il pût commencer son discours sans ces sifflements asthmatiques que les systèmes de sonorisation rendent si désagréables.

En le voyant apparaître, rouge et suant, les bajoues pendantes, débordant de partout malgré l'habit de bonne coupe qui essayait désespérément de l'amincir, Jérôme se rappela ce commentaire cruel du moraliste Chamfort qui l'avait bien amusé : « On disait de l'avant-dernier évêque d'Autun, monstrueusement gros, qu'il avait été créé et mis au monde pour faire voir jusqu'où pouvait aller la peau humaine. »

— Mes chers amis, *dear friends*, lança le ministre Lirette d'une voix forte et viandeuse qui aspira aussitôt l'attention de chaque convive, merci d'être venus ce soir au Grand Palais – un endroit qui, soit dit en passant, ne m'aide pas du tout à perdre du poids, croyez-moi ! (*rires prolongés de l'assistance*) –, merci d'avoir apporté en si grand nombre votre soutien à madame Normande Juneau...

Il prit une grande inspiration, puis hurla :

— ... UNE DES MEILLEURES MINISTRES QUE LE QUÉBEC A [*sic*] JAMAIS CONNUS ! (*applaudissements nourris*). C'est grâce à votre aide, mes chers amis, et à celle de tous les militants du Parti libéral du Québec, qu'on a pu envoyer dans l'opposition Aline Letarte et sa *gang* de *séparatisses*, en attendant le jour – qui viendra bientôt, je vous le promets – où on les foutra tous en dehors de l'Assemblée nationale une fois pour toutes (*applaudissements prolongés et quelques bravos*). JAMAIS, tant que nous serons au pouvoir, JAMAIS, vous entendez, le Québec ne quittera ce beau Canada, berceau de notre nation, que les *séparatisses* veulent détruire en nous mettant tous le cul sur la paille !

Jérôme adressa alors un regard implorant à Séverin Sicotte qui, d'un signe discret, lui permit de partir. Il se leva sans bruit et salua ses voisins de table d'une inclinaison de la tête. Betty Watson lui lança un clin d'œil complice. Les autres, tournés vers l'orateur, s'aperçurent à peine de son départ.

Il quittait la salle lorsqu'un homme à la chevelure poivre et sel et d'allure distinguée l'arrêta au passage.

— Monsieur Lupien, dit-il à voix basse en s'inclinant, madame la ministre Juneau m'a demandé de vous remettre ceci.

Il lui tendit une petite carte, le salua de nouveau et s'éloigna rapidement. Jérôme, étonné, contemplait la carte professionnelle de la ministre sur laquelle on avait griffonné en caractères minuscules un numéro de téléphone. Il haussa les épaules avec un petit sourire vaniteux, glissa la carte dans sa poche et quitta le restaurant.

◆ ◆ ◆

Dans l'air tiède de la nuit, elle se tenait sur le seuil de la porte, ravie et craintive :

— Tu as pu t'échapper, finalement… J'avais presque perdu espoir, mon chéri.

Il avait souri en la voyant apparaître dans un affriolant déshabillé orangé. Le message était clair, et Jérôme était à la fois réjoui et soulagé que ce soit elle qui l'ait lancé : leur premier tête-à-tête serait consacré à l'amour ; les problèmes pouvaient bien attendre encore un peu. Ils s'enlacèrent longuement, puis elle se dégagea de ses étreintes de plus en plus passionnées :

— Ne restons pas ici, Jérôme, souffla-t-elle, on peut nous voir.

— Je ne vois personne, moi, dit-il en riant, la rue est déserte. Je ne vois que toi.

Il entra et referma la porte derrière lui.

Elle s'était dirigée vers le salon qui baignait dans un éclairage tamisé, belle proie aux traits encore un peu tirés sur laquelle la mort aurait cherché à mettre brutalement la patte. «Dans un mois, il n'y paraîtra plus», se dit-il.

Elle se tourna vers lui:

— Tu dois me trouver changée, non?

Il secoua la tête:

— J'ai toujours devant moi le bel oiseau que j'ai aperçu un matin au bord d'une piscine à Varadero... Ne t'inquiète pas. Dans deux semaines, tu seras entièrement rétablie... Et puis je connais un traitement très efficace qui va raccourcir ta convalescence.

Et il se mit à la lutiner avec une ardeur fiévreuse. Elle reculait, la tête rejetée en arrière, riant tout bas, et ils se retrouvèrent bientôt étendus sur le canapé; il lui chuchotait des mots ardents et, tout à son œuvre, trouva le moyen de se dévêtir à moitié. Leurs enlacements prirent une frénésie animale. Elle jouit bientôt, les cuisses soulevées, en poussant un gémissement étouffé. Il eut son plaisir aussitôt après, puis se laissa tomber sur elle, hors d'haleine.

Un moment passa.

— J'avais presque oublié combien c'était bon, murmura-t-elle en lui caressant la tête.

Le visage appuyé sur son épaule, il garda le silence, couvrant son cou de petits baisers.

— Je me suis beaucoup ennuyé de toi, dit-il enfin. J'ai trouvé l'été interminable. Mais enfin, te voilà revenue. Je vais te ramener à la santé, tu vas voir.

Elle ne répondait rien. Son silence finit par l'inquiéter.

— Ça va?

— Oui, ça va, répondit-elle d'une voix alanguie. Et alors, comment as-tu réussi à te passer de moi tout ce temps, beau baiseur?

— En fréquentant la veuve Poignet, chère amie.

Elle rit, mais il crut entendre une nuance de scepticisme dans ce rire. Alors, la tête toujours appuyée contre son épaule et soulagé qu'elle ne puisse scruter son visage, il chercha une diversion:

— Chanceux qu'Andrée-Anne ne se soit pas réveillée...

— Depuis qu'on est revenues à la maison, elle dort comme une roche, ma Minouchette. Elle est épuisée, la pauvre petite… Au souper, elle dormait dans son assiette. Je pourrais changer son lit de pièce qu'elle ne se réveillerait pas, je crois… Et maman, donc, qui l'a gardée tout ce temps ! Elles ont passé tant de nuits blanches depuis un mois… Les crises, les cauchemars, ça n'arrêtait pas. Il était temps que je revienne.

— Oui, il était temps.

Ils demeuraient enlacés sur le canapé trop étroit et, malgré l'inconfort de leur position, somnolèrent un long moment. Soudain, Jérôme ouvrit les yeux :

— Oui, il était temps que tu reviennes, murmura-t-il de nouveau.

Et il posa sur la bouche d'Eugénie un baiser humide, impérieux, envahissant, qui donna un tout autre sens à sa phrase.

— Non, non, attends, mon chéri, implora-t-elle en se dégageant. Allons dans la chambre plutôt, on sera plus à l'aise. Andrée-Anne pourrait se réveiller, quand même… Et puis, il faut que j'aille me rafraîchir, tu comprends, et toi aussi, non ? Viens prendre ta douche avec moi.

Il s'avéra que le reste de la nuit s'écoula bien paisiblement. Ce fut la faim qui réveilla Jérôme au petit matin et avec la faim un afflux de pensées lumineuses et sombres, tout emmêlées ; appuyé sur un coude, il contemplait tendrement Eugénie qui continuait de dormir ; son visage un peu amaigri lui rappela l'expression de détresse qui l'avait tant frappé la première fois qu'il l'avait aperçue au bord de la piscine. Mais, cette fois, il en connaissait la cause. Elle poussa un long soupir quand il quitta le lit avec mille précautions, mais n'ouvrit pas les yeux. Il devait se rendre chez lui pour changer de vêtements avant de retourner au travail et déjeunerait en chemin.

Il s'apprêtait à partir lorsque de petits pas le firent se retourner.

Andrée-Anne s'était arrêtée au milieu du salon et le fixait avec cet air ensommeillé et maussade qu'on voit souvent aux jeunes enfants à leur réveil.

— Tiens, déjà levée, toi ? Comment ça va ? Viens me voir.

Et il s'accroupit sur les talons, les bras entrouverts.

Elle continuait de le fixer, sans réagir, comme si elle ne l'avait pas entendu. Puis un déclic se produisit en elle et la seconde d'après elle se blottissait contre lui.

— Tu t'en vas?

— Oui, ma chouette. Il faut que j'aille travailler.

— T'as dormi avec maman?

— Oui.

— Tu vas revenir bientôt?

— Bien sûr.

Et il lui caressa les cheveux.

— J'ai faim, dit-elle en se dégageant. Je vais aller manger des céréales.

— Tu veux que je te les prépare?

— Je sais comment.

Elle lui fit une moue qui, à la rigueur, pouvait passer pour un sourire et fila vers la cuisine.

En se dirigeant vers le quartier Côte-des-Neiges, pris dans une circulation qui s'épaississait de minute en minute, il repassait les événements de la veille. Ses retrouvailles avec Eugénie avaient, somme toute, dépassé ses espérances; mais elles ne faisaient pas oublier la querelle larvée qui avait précédé son départ en Europe ni le fait qu'elle avait choisi de prendre ses vacances en mettant 2000 kilomètres entre eux. À quoi pouvait-il s'attendre? Tôt ou tard à une rupture sans doute, car le différend qui les opposait ne pouvait que s'approfondir. À moins que... Mais on n'allait jamais loin dans la vie avec ces «À moins que» d'éternel indécis. Il fallait donner un grand coup – et cela demandait du courage. Beaucoup de courage. En avait-il? En aurait-il? Son aventure avec cette bizarroïde d'Alma ne faisait, en somme, que le préparer à l'inévitable.

— Tant pis, c'est la vie, soupira-t-il.

Mais son aphorisme caoutchouteux, loin de le consoler, lui donnait la nausée.

◆ ◆ ◆

Une cascade d'événements allait changer son état d'esprit.

L'après-midi de ce même jour, Séverin Sicotte l'avait appelé dans son bureau pour lui montrer une nouvelle mouture des plans du Musée de la culture canadienne de langue française et ils avaient eu une vive discussion sur le sens à donner à certaines indications de l'architecte, tant et si bien que l'agent d'influences avait demandé à Freddy Pettoza de leur envoyer un technicien pour trancher le débat. Assis côte à côte derrière le somptueux bureau plat conçu par l'illustre Boulle, ils continuaient de discuter de plus belle en attendant l'arrivée de l'homme lorsque Jérôme crut deviner, à un léger mouvement de recul de son patron, que le souper-bénéfice de la veille lui avait peut-être laissé une haleine un peu lourde ; il plongea la main dans une poche de sa veste pour attraper un paquet de gomme à mâcher et ses doigts frôlèrent la carte professionnelle que lui avait fait remettre la ministre Juneau.

Alors, dans un mouvement de vanité, il la déposa devant Sicotte et lui raconta l'incident avec l'étonnement un peu fanfaron du coureur qui vient de lever malgré lui un gros gibier.

— J'avais les yeux comme des assiettes, Séverin. Pourquoi penses-tu qu'elle veut me voir ?

Sicotte examina attentivement la carte, puis, avec un demi-sourire :

— Elle t'a laissé son numéro personnel, Jérôme. Ne fais pas l'innocent. Tu sais autant que moi pourquoi elle veut te voir, voyons… *Madame la ministre* a la réputation d'être une grande dévoreuse d'hommes. Si tu ne le savais pas, eh bien, maintenant tu le sais.

Il se tapota la cuisse avec un petit rire satisfait :

— Hum… j'ai bien fait d'insister pour que tu viennes au souper-bénéfice, tu vois.

— Et si je n'ai pas envie de coucher avec elle, moi ? se rebiffa Jérôme devenu tout rouge.

— Mon ami, répondit l'agent d'influences, l'œil allumé d'un scintillement égrillard, dans notre métier, il faut profiter *de toutes les ouvertures*… Tu conviendras avec moi que ce n'est pas la partie la plus désagréable de notre travail, non ? Allons, je t'en prie, rappelle-la, bon sang ! Ça serait niaiseux de ne pas le faire ! C'est une belle femme, après tout… À ton âge, tu n'en es quand même pas à tes débuts ! Quel mal y a-t-il à faire plaisir à une ministre qui a envie de se détendre un peu ? Ça ne peut que nous aider. Et puis, ça ne sortira pas dans les journaux, quand même !

— Elle ne m'a peut-être pas laissé sa carte pour la raison que tu penses, Séverin.

— Raison de plus pour chercher à en avoir le cœur net, mon ami ! Ça fait partie de ta tâche.

L'arrivée du technicien interrompit leur discussion. Jérôme remit la carte dans sa poche et n'en reparla plus.

Deux jours passèrent. Séverin Sicotte semblait avoir oublié leur conversation. Jérôme en fut soulagé. L'agent d'influences était peut-être allé aux renseignements pour s'apercevoir, en fin de compte, qu'il était dans les patates. Il voulut quand même s'en assurer et lui posa la question vers la fin de l'après-midi.

— Ouais, mine de rien, je suis allé aux nouvelles hier, lui répondit négligemment Sicotte, mais je n'ai pas appris grand-chose. Elle a un amant en titre à Québec, ce qui ne veut rien dire évidemment. Enfin, c'est à toi de prendre une décision, Jérôme... Je ne peux quand même pas lui téléphoner à ta place.

Jérôme se contenta de hausser les épaules. À d'autres le privilège de monter dans le convoyeur à mâles qui alimentait l'entrecuisse ardent de madame la ministre ! De toute façon, il vivait comme une seconde lune de miel avec Eugénie. Pas une fois depuis son retour, elle n'avait fait allusion au métier nébuleux qu'il exerçait, à croire qu'elle l'avait oublié. Les expériences de la vie et ses lectures – mais surtout, faut-il ajouter, ces dernières – lui avaient montré que l'amour, quand il n'était pas aveugle, avait le pardon facile. Aussi bien en profiter, s'était-il dit. Cela ne le faisait pas revenir sur sa décision de quitter un emploi qu'il méprisait, mais lui permettait de la reporter.

Il avait vu pour la dernière fois Eugénie le mercredi. Le vendredi, vers 18 h, il se présenta chez elle comme d'habitude, sans avoir téléphoné, pour amorcer une autre glorieuse fin de semaine. Elle était absente. Il trouva dans sa boîte à lettres un mot griffonné à la hâte sur un bout de papier qui lui annonçait qu'elle se trouvait chez sa mère qui ne se sentait pas bien ; elle y resterait jusqu'au lundi matin. Qu'elle ne l'ait pas appelé dans l'après-midi pour l'avertir l'étonna et le contraria au plus haut point. Debout devant la porte, il téléphona aussitôt chez madame Lacerte ; ce fut elle-même qui répondit pour lui annoncer un peu sèchement que sa fille était partie faire des courses et qu'elle ignorait l'heure de son retour ; sa voix n'avait rien de celle d'une grande malade. Il n'osa pas la questionner davantage et raccrocha.

— Qu'est-ce qui se passe? Je ne comprends plus rien, marmonna-t-il, sa contrariété transformée en inquiétude, puis en abattement. Quelqu'un m'a joué un sale tour, j'en suis sûr.

Il retourna chez lui, soupa d'une bière et d'un sac d'arachides, puis s'affala devant la télé. Mais au bout de dix minutes, comme il n'arrivait pas à se faire une idée précise de ce qui se déroulait à l'écran, il ferma rageusement l'appareil et se servit une deuxième bière.

Vers 21 h, il téléphona de nouveau chez madame Lacerte. Cette fois, personne ne répondit. Alors, une troisième bouteille de bière à la main, il se mit à faire les cent pas dans l'appartement. Trois scénarios de trahison s'étaient élaborés dans sa tête. Le premier avait comme maître d'œuvre Alma, le second, Olivier, et le troisième, ce grand dadais de Charlie encore empêtré dans son idéalisme scout.

La veille, il lui avait demandé de l'accompagner après le travail chez Mariette Clermont, une boutique de meubles haut de gamme rue Saint-Hubert, car il avait décidé de changer son mobilier de salon et de chambre à coucher, et, dans ce domaine, Charlie, feuilleteur infatigable de magazines et de catalogues, sur papier comme sur Internet, était de bon conseil. Jérôme avait beau repasser dans sa tête chaque moment de la soirée passée avec son ami, rien ne pouvait laisser croire qu'il fût à l'origine d'une pareille couillonnerie, mais rien, par contre, n'était impossible avec ce curieux de bonhomme, et mieux valait vérifier avant de mettre la ville sens dessus dessous.

Il téléphona à Charlie – qui lui rit au nez.

— J'ai eu ma leçon l'autre fois, chum, et je me suis bien promis de ne plus me mêler de ta vie sentimentale. Pour l'instant, la mienne me suffit amplement!

La simple amitié aurait dû pousser Jérôme à lui demander si cet *amplement* devait être entendu dans un sens positif ou négatif, mais il n'y pensa pas une seconde, taraudé qu'il était par le besoin de savoir ce qui était arrivé.

Quittant l'appartement, il fila vers Caledonia Road. Alma s'y trouvait sans doute. Il avait d'abord pensé téléphoner à Félix pour s'en assurer, mais elle était peut-être en train de baiser avec lui et rien ne valait l'effet de surprise. Quant à Olivier, qui venait de déménager, Jérôme ignorait où il nichait. C'était, de loin, l'adversaire le plus redoutable – sans compter qu'il pouvait être de mèche avec Alma.

— Si jamais je découvre que c'est toi, mon espèce de rat, marmonna-t-il avec un sourire mauvais, je vais te revirer la peau de bord tellement vite que tu vas t'étouffer avec ta queue.

La rage se répandait en lui comme un torrent de feu.

Il laissa sa voiture à quelques portes de la maison de ses patrons et fit le reste du trajet à pied. Le stationnement était vide. Félix était donc parti, seul ou avec quelqu'un, Séverin ou Francine également. Il y avait de la lumière à l'étage. Deux mois plus tôt, Sicotte lui avait remis la clé des lieux avec le code du système de sécurité, une preuve de confiance sur laquelle il avait surfé durant quelques minutes avec des accents pénétrés ; il faut ajouter que cela permettait également à son employé de faire des heures supplémentaires quand tout le monde était absent.

Il entra sans bruit et s'arrêta un instant dans le hall au lustre si grotesque et prétentieux. On n'entendait aucun bruit au rez-de-chaussée, qui semblait désert. Une vague musique aux accents orientaux provenait de l'étage. L'oreille aux aguets, il s'engagea doucement dans l'escalier aux marches recouvertes d'un épais tapis rose ; sa rage se mêlait à présent à une certaine appréhension, car ses patrons n'auraient pas apprécié une telle intrusion dans cette partie de la demeure, où on ne l'avait d'ailleurs que rarement invité.

Mais il lui fallait savoir.

L'escalier donnait sur un large corridor qui desservait plusieurs chambres ; une lampe potiche posée sur un guéridon à plateau de marbre répandait une lumière tamisée ; la chambre d'Alma se trouvait tout au bout, au-dessus des bureaux de la compagnie. Mais la musique ne provenait pas de là. Il s'avança, intrigué ; la maison possédait une structure de béton qui rendait les planchers de bois franc tout à fait silencieux. Par la porte entrouverte d'un boudoir, un spectacle s'offrit à ses yeux qui le remplit d'étonnement. Alma, vêtue seulement d'un slip et les seins nus, s'adonnait avec énergie à une sorte de baladi solitaire qui s'apparentait à de la gymnastique. Elle tourna soudain la tête vers la porte et poussa un cri.

— Désolé, dit-il avec un sourire en coin. J'aurais dû prévenir. Mais j'adore les visites-surprises, c'est plus fort que moi.

Elle le fixait sans dire un mot, les lèvres serrées, le visage durci par la peur, les avant-bras ramenés sur la poitrine. Il trouva cette dernière réaction comique.

— Qu'est-ce que tu veux? demanda-t-elle d'une voix creuse.

La musique techno-orientale donnait à la scène un caractère étrange, presque irréel.

— Est-ce qu'il y a quelqu'un dans la cabane à part toi et moi?

Elle fit signe que non.

— Bien.

Puis il ajouta:

— T'as intérêt à ne pas me mentir, Alma.

— Ils sont tous partis au début de la soirée... Est-ce que tu me permets d'enfiler un t-shirt?

Sa voix, encore frémissante, avait pris un peu d'assurance.

— Je t'ai connue moins pudique, railla-t-il. Où il est, ce t-shirt?

Elle pointa l'index vers un fauteuil au fond de la pièce. Il lui répondit d'un hochement de tête.

Il s'étonnait à présent qu'elle lui soit devenue aussi indifférente. Pourtant, c'était une bonne baiseuse et, dans le genre, elle était plutôt bien tournée.

La musique s'arrêta. Son t-shirt enfilé, elle revint auprès de lui avec un léger balancement des hanches, l'enveloppant d'un regard qu'elle essayait de rendre langoureux. «Pauvre conne, se dit-il. Penses-tu t'en tirer avec une partie de fesses?»

Il la dépassait d'une bonne vingtaine de centimètres, car elle était assez petite et plutôt gracile. Il fit un pas vers elle, pencha la tête au-dessus de son visage, au point que leurs haleines se mêlaient, et, la regardant droit dans les yeux:

— Dis donc, Alma, m'aurais-tu fait une petite saloperie, par hasard?

— Une saloperie? De quoi parles-tu? bafouilla-t-elle en reculant.

— Je t'avais pourtant bien avertie.

— Avertie de quoi? Je n'ai rien fait.

— Ils disent tous ça quand on les attrape.

— Je n'ai rien fait, je te dis... Tu parles de... nos baises?

— De quoi d'autre je pourrais parler?

— Et qui j'aurais averti, hein?

— Bonne question, ça… Sûrement pas le maire de Montréal, en tout cas.

— Je ne la connais pas, ta bonne femme, j'ignore même son nom. Pourquoi j'aurais mouchardé, hein ? Pourquoi ?

Il constatait avec plaisir que l'affolement la gagnait de nouveau.

— Ah ça, je ne sais pas, moi… Pour bien des raisons… Pour te venger, pour aider quelqu'un à se venger – ou tout simplement pour le plaisir de la chose, quoi.

Et il se mit à lui serrer un bras en souriant.

— Laisse-moi ! cria-t-elle en se dégageant. Tu me fais mal !

Il y eut un moment de silence. Debout devant lui, elle haletait, la tête penchée, se frottant convulsivement le bras. Un sentiment de honte commença à envahir Jérôme.

— Écoute, Alma, je t'explique, ce n'est pas compliqué : ma blonde revient d'un long voyage, on ne s'est pas vus de tout l'été, alors c'est les retrouvailles, on nage dans le bonheur, les quatre fers en l'air, et puis tout à coup, pouf ! je ne peux même plus lui parler, c'est comme si j'étais devenu un étranger – ou pire : un ennemi. Alors je me questionne. Qu'est-ce que je peux me reprocher ? Une seule chose : d'avoir couché avec toi. Et qui le sait, à part nous deux ? Personne. Oh ! pardon. Il y a aussi Félix. Mais jamais Félix ne me ferait un coup pareil, ça, j'en suis sûr. Alors, il ne reste plus que toi, Alma. Qu'est-ce que tu dis de ça, chérie ?

Elle se mit à sangloter, puis leva vers lui un visage écarlate et ruisselant de larmes tandis qu'un filet de morve coulait de son nez :

— Je n'y suis pour rien ! vociféra-t-elle. Pour rien, comprends-tu ? Rien du tout ! Jamais je n'aurais osé ! Même si ça m'avait tentée ! Et sais-tu pourquoi ? Parce que j'ai peur de toi ! Voilà ! Es-tu satisfait ? Fous le camp ! Sinon j'avertis Francine !

Et, quittant la pièce, elle s'enfuit dans le corridor, puis une porte claqua derrière elle.

◆ ◆ ◆

Une heure plus tard et un peu calmé, Jérôme réfléchissait, assis dans l'escalier extérieur qui menait à son appartement. Une vaste fraîcheur descendait du ciel obscurci, la fraîcheur bénie qui suivait une torride journée de septembre et apaisait peu à peu la ville surchauffée. Plus loin, la rumeur de la circulation, piquée de temps à autre de coups de klaxon, continuait de ronfler doucement sur Côte-des-Neiges, mais les rues avoisinantes étaient en train de s'endormir.

Depuis le début de la soirée, Jérôme avait fait parvenir trois courriels à Eugénie. Tous étaient restés sans réponse. Elle avait coupé les ponts. Une bouteille de bière à la main, il essayait de percer le mystère de la trahison qu'il avait subie. Il essayait de réfléchir le plus froidement possible, s'inspirant du célèbre Sherlock Holmes, pour qui l'excès d'émotion dans une enquête ne pouvait favoriser que le criminel. Sentant que l'alcool, combiné à la fatigue, était en train d'émousser sa faculté d'analyse, il allongea le bras entre les montants de la rampe et un long filet de bière mousseuse alla se perdre dans la pelouse.

Il y a des menteurs virtuoses, se dit Jérôme, qui poussent l'art du mensonge à un étonnant degré de perfection et finissent même par croire à leurs mensonges. On les retrouve partout, chez les escrocs et les charlatans de haut vol, mais aussi, bien sûr, chez les politiciens, les gens d'Église, les hommes d'affaires – comme chez les individus les plus ordinaires. Tôt ou tard, on finit par en croiser un. Alma faisait-elle partie de ces professionnels de la tromperie? Maintenant, il en doutait. Sa réaction de détresse l'avait ébranlé. D'ailleurs, quel motif aurait pu la pousser à se comporter ainsi? Le dépit amoureux? Jamais il n'avait senti qu'elle l'aimait. Ils s'étaient fréquentés pour un seul et même motif: la baise. Leur première coucherie l'avait montré assez crûment.

Charlie éliminé, il ne restait plus donc qu'Olivier. Il était facile de deviner les motifs qui l'auraient inspiré. Voilà un certain temps déjà que Jérôme l'avait supplanté dans l'estime de leur patron; sa jalousie, d'ailleurs, devenait de plus en plus visible. Olivier avait eu une réaction d'impuissant: à défaut de l'emporter sur un concurrent, on se donne à tout le moins la satisfaction de lui faire du mal – en espérant que ses déboires lui nuisent jusque dans son travail et permettent un jour de l'évincer.

Mais avant de s'attaquer à lui, il fallait obtenir la preuve certaine qu'il était bien l'auteur du coup, et seule Eugénie pouvait la lui donner. Il décida d'aller l'attendre le lendemain à la sortie de son bureau et de lui arracher la vérité.

Cette résolution le calma un peu et il se prit même à espérer pouvoir sortir du gâchis dans lequel il se trouvait empêtré. La fatigue lui tomba alors dessus et il alla se coucher.

Mais 4 h sonnèrent à l'Oratoire Saint-Joseph et il n'avait pas encore fermé l'œil.

◆ ◆ ◆

À 16 h, le lendemain, il se présentait au siège social de la chaîne d'épiceries Metro, boulevard Maurice-Duplessis à Rivière-des-Prairies dans le nord de la ville. Eugénie, qui venait de reprendre son travail, ne quittait jamais le bureau avant 17 h, mais il voulait être sûr de l'attraper au vol. Retiré dans un coin discret du hall, son cellulaire contre une oreille, il faisait semblant d'être absorbé dans une conversation avec un intarissable bavard tout en surveillant le va-et-vient autour de lui et en adressant de temps à autre un sourire à l'agent de sécurité qui régentait les lieux.

Au bout de trois quarts d'heure, malgré l'allure distinguée du jeune monsieur et ses nombreux sourires, le brave agent commença à s'étonner, puis à s'inquiéter, et, les mains derrière le dos, il s'approcha de Jérôme :

— Est-ce que je peux vous aider, monsieur ?

— Non, non, ça va très bien, répondit aimablement Jérôme.

— Est-ce que je peux alors vous demander qui vous attendez ?

— Vous le pouvez certainement, monsieur, mais comme il s'agit d'une surprise, me permettez-vous de…

Une expression de rugueuse sévérité chiffonna le visage de l'agent qui sembla grandir de quatre ou cinq centimètres, les moments de tension le portant à se tenir sur la pointe des pieds :

— Le règlement ne permet pas les surprises ici, monsieur, c'est même interdit.

Et il allait demander courtoisement à Jérôme de quitter les lieux lorsque ce dernier poussa un cri étouffé et s'élança vers Eugénie, qui venait d'apparaître au fond du hall et ne l'avait pas encore aperçu.

Alors tout se déroula très vite et pas du tout comme il l'avait prévu.

— Eugénie, qu'est-ce qui se passe ? Pourquoi me fuis-tu ? Il faut se parler, je ne comprends plus rien !

L'espace d'une seconde, elle s'était figée sur place en pâlissant, puis s'était remise en marche, le regard droit devant elle :

— Je ne veux pas te parler.

— Mais ce n'est pas possible, il y a de quoi devenir fou ! se lamenta Jérôme en la suivant. Dis-moi au moins qui...

Des regards se tournaient vers eux. Un quinquagénaire à demi chauve, plutôt corpulent mais d'aspect vigoureux, s'était immobilisé et les fixait, l'air indécis. L'agent de sécurité, pénétré plus que jamais de son rôle social et stratégique, s'avança, prêt à se porter à l'aide.

Eugénie s'était de nouveau arrêtée et retint l'homme d'un geste. Puis, se tournant vers Jérôme (jamais il ne lui avait vu un visage aussi dur) :

— Cesse ton spectacle, tu me fais honte, martela-t-elle à voix basse. Je n'ai plus rien à te dire. Tu sais mieux que moi ce que tu vaux, et ce n'est pas grand-chose, crois-moi. J'ai déjà vécu avec un faux jeton, deux, c'est trop. Va faire tes affaires comme tu l'entends et ne reviens plus me voir, j'aurais peur d'attraper des maladies.

Sidéré, il la regarda franchir la porte, puis disparaître. Son cœur battait tellement fort que les choses se mirent à onduler autour de lui comme une toile sous l'effet du vent. Mais cela ne dura qu'un instant. Il s'élança derrière elle, dégringola les marches de l'entrée principale et se mit à la chercher du regard dans le stationnement. Le quinquagénaire corpulent l'avait suivi dehors et observait la scène avec intérêt en se frottant doucement le dessus du crâne.

Soudain Jérôme vit apparaître sa Prius gris perle au bout d'une allée. Ne faisant ni une ni deux, il se précipita devant ; l'auto s'arrêta avec un soubresaut, une glace s'abaissa et Eugénie, penchant la tête vers l'extérieur, le supplia d'une voix blanche :

— Enlève-toi. Tu perds ton temps... et tu nous couvres de ridicule. Enlève-toi, ou je vais te frapper.

Sachant qu'elle n'en ferait rien, il profita, dans une tentative désespérée, des quelques secondes qui lui restaient :

— On m'a calomnié, Eugénie ! Je ne sais pas ce qu'on t'a dit, mais j'ai le droit de donner ma version ! Je te demande juste de m'écouter ! J'ai beau avoir des défauts, ce n'est pas ce que tu penses !

— Je ne pense plus rien. Va-t'en.

Et, relâchant le frein, elle le força à faire un saut de côté.

— Je saurai me racheter! cria-t-il à pleins poumons. Et c'est toi qui vas venir t'excuser… en pleurant!

Mais elle se trouvait déjà trop loin pour l'entendre.

◆ ◆ ◆

Il fallait frapper fort et et juste. Car cette ordure d'Olivier était évidemment sur ses gardes. D'abord, mine de rien, accumuler le plus d'indices possible – puis le dénoncer à Séverin Sicotte et exiger son renvoi. La place nette, on verrait ensuite pour le reste. Car ce ne serait qu'un début. Jérôme avait décidé de faire sauter cette baraque maudite où il était en train de perdre sa réputation et ce qui lui restait d'estime de soi. Ses déboires sentimentaux lui en fournissaient l'occasion et la volonté nécessaire.

Cela impliquait évidemment des risques personnels très élevés, car dénoncer une entreprise de magouilles où il avait magouillé lui-même pendant plusieurs mois, c'était courir après les complications. Mais il voulait se racheter et si c'était le prix à payer, il le paierait.

Épier Olivier n'était pas facile, car ils ne travaillaient plus ensemble et, sans être en brouille ouverte, ils s'évitaient le plus possible. Il rencontra Charlie et lui demanda son aide. Pouvait-il mettre les lignes téléphoniques de son collègue sur écoute?

— Ouille! tu m'en demandes toute une, là! J'ai beau me débrouiller en informatique, ça ne fait pas de moi un agent de la CIA!

— Allons, Charlie, pour un bollé comme toi, il y a sûrement moyen… Je peux te fournir tout de suite ses numéros.

— Laisse-moi y réfléchir, répondit l'autre avec une mauvaise grâce évidente, je verrai ce que je peux faire.

— Réfléchis vite, car j'ai le cul sur la braise, moi.

Charlie eut un haussement d'épaules, mais c'est avec un accent de compassion qu'il répondit:

— C't'idée de s'envoyer en l'air avec sa secrétaire… Qu'est-ce que tu pensais, Jérôme?

— D'abord, ce n'est pas *ma* secrétaire, et ensuite dois-je te raconter encore une fois comment ça s'est produit? J'aurais bien voulu te voir à ma place, toi… N'importe qui aurait craqué!

Deux jours passèrent. Jérôme travaillait fort, simulant un zèle joyeux, l'œil aux aguets. Deux ou trois fois, il inventa des prétextes pour aller trouver Olivier dans son bureau, mais ne récolta rien d'autre que des crampes dans les joues à force de feindre la bonne humeur. Ses nuits étaient mauvaises, mais au moins il dormait un peu. De temps à autre, il croisait Alma dans un corridor ; elle le saluait machinalement, comme si de rien n'était.

— Je te trouve l'air un peu tendu depuis quelque temps, Jérôme, s'inquiéta Francine Desjarlais un matin qu'il passait devant son bureau. Entre donc un peu. Des problèmes ?

— Oh, ça pourrait être pire.

— Qu'est-ce qui ne va pas ? Je suis indiscrète ?

— Rien de particulier, je t'assure. C'est la vie, tout simplement, la bonne vieille vie ordinaire. Comment va Félix ? ajouta-t-il pour changer de sujet. Je ne l'ai pas vu depuis quelque temps.

Le visage de sa patronne s'assombrit :

— Il veut aller vivre en appartement. Tu ne savais pas ?

— Bah, il m'en avait parlé vaguement l'autre fois. Ça t'inquiète ?

— Un peu, quand même.

— Pourquoi ? À mon avis, ça ne peut que lui faire du bien. Tout le monde, à un moment donné, a besoin d'indépendance, non ?

— Bon, fit-elle avec un soupir. J'allais te demander d'essayer de le convaincre de remettre ça à plus tard – car il a beaucoup d'estime pour toi, Jérôme. Enfin… disons que je n'ai rien dit.

— Désolé, Francine, mais je ne serais pas un bon avocat.

Et il se hâta de quitter la pièce.

Vers la fin de l'avant-midi, ayant bu café sur café, il tomba sur la carte professionnelle de la ministre Juneau en fouillant dans un tiroir. Après l'avoir contemplée un moment, l'envie le prit tout à coup de lui téléphoner. Il tournait la carte entre ses doigts, fronçant le nez, toussotant, tiraillé entre la curiosité et les remords : en agissant ainsi, ne prêtait-il pas le flanc, en effet, aux accusations d'Eugénie ? Mais une voix impérieuse lui soufflait que, dans les circonstances, c'était la seule chose à faire.

« Bah ! Qu'est-ce que je risque ? se dit-il enfin. J'aurais dû l'appeler depuis longtemps, ne serait-ce que par courtoisie. »

À sa profonde stupéfaction, 30 secondes après s'être annoncé, il avait la ministre au bout du fil.

— Quelle belle surprise, monsieur Lupien! fit Normande Juneau, un tantinet ironique. Vous êtes toujours de ce monde?

— Je vous prie de m'excuser, madame la ministre, bafouilla-t-il en rougissant, mais... ces derniers temps j'ai eu... quelques petits problèmes.

— Alors, il ne faut pas vous lancer en politique, lança la ministre d'un ton plaisant, c'est notre pain quotidien ici, les petits et les grands problèmes... Je suis ravie de vous parler ce matin, croyez-moi... Mais je devrai faire court, car on m'attend à une réunion. Monsieur Lupien, j'aimerais vous rencontrer pour discuter d'un dossier très important. Vous avez des dates à me proposer?

Il déglutit avec peine, puis:

— Je suis à votre disposition, madame.

— Parfait... Laissez-moi voir un peu...

Il y eut un silence; le murmure étouffé d'une conversation entre deux femmes lui parvint par le récepteur.

— Me revoici, monsieur Lupien. Le 22 de ce mois à 16 h, pourriez-vous venir à mon bureau? Je vous parle, bien sûr, de celui de Montréal, au 480, boulevard Saint-Laurent.

— Avec le plus grand plaisir, madame.

— Bien. Je dois vous quitter. Bonne journée, monsieur. À bientôt.

Il déposa l'appareil et se renversa dans son fauteuil.

— *Avec le plus grand plaisir, madame*, marmonna-t-il. J'en ai un peu trop mis, je crois. J'ai l'air d'un lèche-bottes...

C'est alors qu'il s'aperçut que le dos de sa chemise était trempé d'une sueur qui le glaça. Pendant plusieurs minutes, l'esprit comme anéanti, les bras ballants, il fixa le plafonnier en respirant par profondes saccades. Il avait le sentiment qu'un événement majeur venait de se produire et que s'il se montrait à la hauteur des circonstances, de grandes choses s'accompliraient.

◆ ◆ ◆

Cet après-midi-là, vers 17 h, Olivier, dans tous ses états, dut quitter le bureau à l'épouvante pour se rendre à Saint-Lambert après une engueulade au téléphone avec Ahmed Afnali, l'aîné de la richissime famille d'investisseurs algériens qui l'accusait ni plus ni moins de les avoir floués et l'avait même traité de *ventriloque*, une insulte dont Olivier n'arrivait pas à saisir le sens précis – et qui l'offensait d'autant plus.

— Ventriloque! Je vais lui en mettre plein la gorge, moi, des ventriloques, et jusqu'au cul encore! Espèce de bédouin dégénéré! Et Séverin qui est parti Dieu sait où avec Francine et que je n'arrive pas à joindre! Maudite boîte de fous!

Jérôme l'avait écouté sans dire un mot, hochant la tête avec un air faussement apitoyé, et il avait remarqué que son collègue, dans sa hâte et son énervement, était parti en oubliant de verrouiller la porte de son bureau.

Deux minutes plus tard, il entendit Alma monter à sa chambre; elle ne réapparaîtrait sûrement pas avant le lendemain matin.

Il se trouvait donc seul.

Une chance inespérée s'offrait à lui de fouiller tout à loisir dans les affaires de son collègue. Qui sait? Peut-être découvrirait-il des preuves ou des indices de sa félonie?

Il entra sans bruit dans la pièce, referma doucement la porte derrière lui et tendit l'oreille. Un bruissement dans la tuyauterie à l'étage supérieur lui laissa supposer qu'Alma était sous la douche. Satisfait, il alla s'assoir derrière le bureau d'Olivier pour constater avec plaisir qu'aucun tiroir n'était verrouillé. Il devait faire vite, car Séverin et sa femme pouvaient réapparaître d'un instant à l'autre, et il devait travailler avec soin pour qu'Olivier ne s'aperçoive de rien. *Festina lente*, disaient les Romains. *Hâte-toi lentement.* Il ouvrit d'abord le tiroir central, prit une photographie mentale de la disposition des objets qui s'y trouvaient (stylos, crayons-feutres, papeterie, etc.) afin de les remettre à leur place, inspecta le contenu d'une petite boîte de carton, puis d'une autre, promena ses doigts un peu partout, puis referma le tiroir. Rien. Le tiroir de droite, large et profond, était plein à craquer de dossiers suspendus.

«Je serais bien étonné de trouver quelque chose d'intéressant là-dedans, se dit-il, mais sait-on jamais?»

Il avait feuilleté une demi-douzaine de dossiers, sans tomber sur rien qui vaille, et allait en attaquer un dernier lorsqu'un léger toussotement lui fit lever la tête.

Planté dans l'embrasure, Félix l'observait avec un grand sourire.

Jérôme, médusé, le fixa pendant quelques secondes, avec le sentiment que l'irréparable venait de se produire. Puis une plaisanterie idiote lui monta aux lèvres :

— Salut. La femme de ménage est malade, je la remplace aujourd'hui.

— Je vois. C'est gentil de commencer par le bureau de ton meilleur ami. Il va en être touché.

— T'as tout à fait raison, répondit Jérôme en rangeant le dossier qu'il avait en main, c'est mon *meilleur* ami. Je donnerais ma vie pour lui, poursuivit-il en se levant pour quitter la pièce, et si j'en avais neuf, je les donnerais toutes. Et alors, fit-il en s'arrêtant devant le jeune homme, toujours debout dans la porte, je suppose que tu vas aller me dénoncer à ton papa ? Ça tombe bien, je m'apprêtais justement à crisser le camp d'ici.

Félix fronça les sourcils :

— Pour qui tu me prends, chose ? Pour un panier percé ? Amène-toi, fit-il à voix basse. J'ai à te parler, mais pas ici.

Jérôme, encore sous le coup du choc et se demandant ce qui l'attendait, prit quand même le temps d'inspecter la pièce afin de s'assurer qu'il ne laissait aucune trace de sa visite, puis suivit son compagnon qui se dirigeait à grands pas vers la sortie.

— Qu'est-ce qui se passe, Félix ?

— J'ai le goût d'aller prendre une bière. Toi ? se contenta de répondre l'autre quand ils furent à l'extérieur.

— Pourquoi pas ?

Il sentit que, de toute façon, il n'avait pas le choix.

Une demi-heure plus tard, ils se retrouvaient dans une brasserie de la rue Jean-Talon.

— C'est moi qui paie, annonça Jérôme en se laissant tomber dans un fauteuil de cuirette qui avait reçu tellement de gros fessiers au cours de sa carrière qu'il avait fini par crever sous l'effort.

Malgré l'animation qui régnait dans la salle, *dynamisée* par un éclairage stroboscopique et un mélange de blues et de chansons western et grecques, l'endroit, avec son éclairage tamisé, lui paraissait lugubre et mal aéré.

— Quand tu sauras ce que je m'apprête à te dire, répondit Félix d'un air un peu faraud, c'est pas une bière que tu vas vouloir m'offrir, Jérôme, mais une bonne douzaine de caisses… au moins !

Une serveuse en minijupe de cuir, décolleté plongeant à frange de cuir et chapeau de cow-girl orné d'un ruban rose, s'approcha en battant voluptueusement des cils et prit leur commande.

— Pas mal, hein, la fille ? remarqua Félix. Ça donne le goût de chevaucher.

— Et alors ? fit Jérôme, impatient, qu'est-ce que t'as à me dire, Félix ? J'écoute.

— La nuit dernière, Jérôme, répondit l'autre avec une soudaine gravité, vers 1 h du matin, j'étais couché bien sagement dans mon lit, les lumières éteintes, lorsque mes parents sont arrivés à la maison de je ne sais plus trop quelle réception et sont montés à leur chambre, qui n'est pas très loin de la mienne. Ils étaient chaudasses, en grande discussion et pas loin de s'engueuler. J'ai l'habitude. Tout à coup, j'ai entendu ton nom et je me suis mis à écouter. La porte de leur chambre était restée entrouverte et ma mère est allée la fermer. Alors je me suis levé sans faire de bruit, j'ai tendu l'oreille… et j'en ai appris toute une, mon vieux !

La cow-girl réapparut, tenant son plateau d'une main à la hauteur des épaules, la poitrine bombée, personnification même du Far West érotique.

— Qu'est-ce que t'as appris ? demanda Jérôme d'une voix rauque après qu'elle se fut éloignée.

— Tu me promets de garder ça pour toi, hein ? Si jamais les vieux venaient à savoir que c'est moi qui t'ai mis au courant, je suis fait au cube, bonhomme !

— Chienne de chienne ! Qu'est-ce que t'as appris, Félix ? Accouche, bon sang !

Félix se pencha au-dessus de la table et, regardant son compagnon droit dans les yeux avec une expression de fierté mêlée de crainte, il poursuivit à voix basse :

— Le type que t'as assommé à Varadero en venant me porter secours…

— Oui, ce type?

Les yeux de Félix s'étaient mis à briller tandis qu'un sourire de jubilation enfantine donnait à son visage un air de chérubin:

— Eh bien, il n'est pas mort.

— Il n'est pas mort, répéta Jérôme comme un automate.

Le bock qu'il tenait retomba sur la table en projetant des flocons de broue.

— Non… et même, il se porte plutôt bien… Et la demande d'extradition que Cuba aurait lancée contre toi…

— Elle n'existe pas, poursuivit Jérôme.

— C'est ça.

Il y eut un moment de silence. D'un même mouvement, les deux amis s'envoyèrent dans le gosier une longue goulée de bière.

— La nuit dernière, poursuivit Félix après s'être essuyé les lèvres, c'est de ça que discutaient mes parents. Papa voulait te mettre au courant, car il a vraiment confiance en toi, le père, et la petite histoire qu'ils t'ont montée, eh bien, ça le chicotait depuis longtemps.

— Petite histoire? ricana Jérôme. On voit bien que ce n'est pas toi qui l'as vécue.

Félix, interdit, le fixa un instant, puis:

— J'en ai vécu d'autres qui ne sont pas tellement drôles, tu sais.

Jérôme eut un grognement et baissa les yeux:

— Excuse-moi… Ce que tu viens de m'apprendre est tellement… dégueu… Ils ne font pas dans la dentelle, tes vieux, mais je ne les croyais pas capables d'une telle saloperie.

Il promena son regard dans la salle. Trois tables plus loin, un sexagénaire à barbe grise, visage flétri et chemise carreautée, plaisantait avec une cow-girl en tentant de lui caresser une cuisse; elle riait aux éclats tout en esquivant chaque fois sa caresse. Misère du métier. Une odeur de frites et de bœuf grillé se répandit dans l'air. Jérôme pinça les narines, puis:

— Ils voulaient pouvoir s'assurer de mon silence au cas où leurs magouilles m'auraient trop écœuré – ou pour n'importe quelle autre raison, va savoir…

— Papa, comme je t'ai dit, ne trouvait plus ça nécessaire. Ma mère, elle, refuse de s'ouvrir la trappe. Je n'ai pas trop bien compris pourquoi.

Il fit une pause, puis ajouta :

— Je me suis dit qu'après le service que tu m'avais rendu à Varadero, j'aurais été moins qu'un tas de merde si je ne t'avais pas mis au courant...

Jérôme l'entendait à peine à présent, envahi par un tourbillon d'idées qui lui tirait de petits halètements et le vidait de ses forces. Mais, revenant à lui dans un sursaut, il tendit la main au-dessus de la table, passant près de renverser son bock, et serra vigoureusement celle de son compagnon :

— T'es un chic type, Félix... Je ne m'étais pas trompé sur toi.

L'autre, rouge de fierté, se mordait les lèvres en riant doucement.

◆ ◆ ◆

Ils se quittèrent presque aussitôt et 20 minutes plus tard, Jérôme arrivait chez lui. En stationnant son auto le long du trottoir, il faillit avoir un accrochage, puis trébucha à deux reprises dans l'escalier qui menait à son appartement. Il délirait presque de rage. Tout en lui criait vengeance. Et ce n'était pas le repentir mou et tardif de Séverin Sicotte qui changeait grand-chose à l'affaire.

Il se voyait faire irruption à Caledonia Road revolver à la main et distribuer leurs récompenses à ces crapules. Olivier aurait reçu également la sienne. Mais ç'aurait été idiot. Pire : funeste. Il fallait garder la tête froide et analyser la situation.

On ne retient pas impunément une rage de cette force ; elle finit tôt ou tard par se frayer un chemin vers l'extérieur d'une façon ou d'une autre. Cela prit la forme prosaïque d'une indigestion qui le tint à la toilette jusqu'à 2 h du matin. C'était comme si son corps essayait de se vider de toutes les vilenies, bassesses et turpitudes qu'il avait commises ou vues tout au long de sa jeune vie. Et cela fut une bonne chose, car son indisposition l'empêcha de communiquer sur un coup de tête avec ses patrons, brûlant ainsi toutes ses munitions d'une flambée et réduisant à zéro sa marge de manœuvre ; mais, surtout, elle lui permit de réfléchir, de faire certaines déductions, puis de monter un début de stratégie. Car les choses, bien sûr, ne pouvaient en rester là.

Il lui apparut clairement que le coup fourré qu'on lui avait fait en apprenant à Eugénie son aventure avec Alma (il ne pouvait s'agir d'autre chose) ne venait ni de cette dernière ni d'Olivier, mais bien de la patronne : la salope qui l'avait si perfidement manipulé avec cette histoire de faux homicide à Varadero avait dû prendre le plus grand plaisir à ce cafardage, et si Alma ou Olivier y avait été mêlé, c'était à titre d'exécutant. Il ne fallait pas s'occuper de ces deux-là, mais chercher plutôt le mobile de la trahison. Pour l'instant, c'était le noir total.

Les haut-le-cœur et les étourdissements se dissipèrent graduellement et il put enfin dormir un peu. À 9 h, lorsqu'il téléphona au bureau pour annoncer qu'une indisposition l'obligeait à garder le lit, Alma le reconnut à peine.

— Rien de grave, j'espère ?

La sollicitude qui se lisait dans sa voix le surprit ; il ne l'avait sûrement pas méritée.

— Non, non, ça va aller. Ça doit être une gastro. Demain, je devrais être sur pied.

Quelques instants plus tard, tandis qu'il déjeunait d'une tasse de thé vert et d'une tranche de pain de blé entier, une seconde déduction s'opéra dans son esprit, mais baignée d'un jour bien vague et incertain. À la question qu'il se posait pour la centième fois sur les raisons qui avaient poussé ses patrons à le brouiller avec Eugénie, il crut voir apparaître soudain un mince fil conducteur qui menait à la ministre Juneau. Mais il aboutissait ainsi à une énigme. Pourquoi diable la vie amoureuse de la ministre intéresserait-elle Séverin et sa femme ? Agissaient-ils sous ses ordres ou à son insu ?

Il rangea le tout dans le casier des hypothèses et retourna se coucher.

Au début de l'après-midi, la sonnerie *new wave* de son cellulaire le réveilla. L'appareil se trouvait sur la table de la cuisine. Il s'élança tout nu à travers l'appartement, se cogna le petit orteil du pied droit contre la patte d'une chaise et ce fut une voix mourante que Séverin Sicotte entendit au bout du fil prononcer un *Oui, allô ?* en trois syllabes détachées.

— Diable ! t'as l'air magané, mon Jérôme ! Alma vient de m'apprendre que t'es malade ?

— Une gastro, répondit-il en contemplant, la sueur au front, son orteil violacé qui enflait à vue d'œil.

— Bon, soupira l'autre. Soigne-toi bien. On se voit demain?

— Je ne pense pas pouvoir aller au bureau demain non plus, poursuivit Jérôme, pris d'un besoin subit qu'on lui fiche la paix.

— Comme tu veux, mon gars, répondit Sicotte de sa voix rocailleuse et sombre qu'il essayait de rendre chaleureuse. Fais pour le mieux. C'est toi qui te sens.

Mais il semblait fort ennuyé.

◆ ◆ ◆

Jérôme se rendit alors à la pharmacie acheter une attelle pour son petit orteil, puis, de retour chez lui, se laissa tomber dans un fauteuil, allongea sa jambe droite sur un pouf afin de calmer les élancements et passa une bonne heure à essayer de découvrir les raisons du sabotage qu'avait subi sa vie amoureuse.

Dans l'hypothèse qu'il finit par échafauder apparaissait à tout moment le nom de la ministre Juneau.

C'est alors que le téléphone sonna.

— Salut, ça va? fit joyeusement Charlie au bout du fil.

— À peu près.

— Ce qui veut dire que ça ne va pas, traduisit Charlie. Qu'est-ce qui se passe, mon vieux?

— Je t'en parlerai une autre fois. Pour le moment, je n'ai pas le goût.

— Comme tu veux, répondit son ami, sachant qu'il était inutile d'insister. Dis donc, il y a un festival Hitchcock au Cinéma du Parc depuis le début de la semaine et à 8 h on passe *Vertigo*. Ça te tenterait d'y aller?

Après avoir hésité une seconde, Jérôme accepta et ils se donnèrent rendez-vous au cinéma dix minutes avant la projection.

Charlie avait vu le film trois fois et Jérôme, qui en possédait une copie DVD, ne les comptait plus. Sur grand écran et dans un cinéma, l'œuvre de Hitchcock retrouvait toute sa jeunesse et une incroyable force de frappe. Les deux amis la regardèrent sans dire un mot, comme des pèlerins fascinés par une apparition de la Sainte Vierge; Jérôme en oublia même pendant de longs moments la boule d'épines qui tournait dans sa tête. Et, en sortant du cinéma, il décida de soumettre le fruit de ses réflexions à son ami.

Ils se rendirent à un restaurant espagnol du voisinage et Charlie, après avoir écouté attentivement son compagnon, posé plusieurs questions, demandé quelques éclaircissements et arrondi les yeux d'étonnement un grand nombre de fois, prononça enfin la phrase que Jérôme attendait avec impatience :

— Hum... Pas mal comme déductions... Ça suppose évidemment des gens passablement tordus, mais il ne semble pas en manquer sur la planète... Quand on pense au coup qu'ils t'ont fait avec cette histoire de Varadero, ça reste dans la même ligne...

En effet tout s'imbriquait comme les morceaux d'un casse-tête. Et l'image qu'on obtenait n'était pas très jolie !

D'une part, on avait une ministre dont Sicotte souhaitait obtenir la *collaboration* dans une histoire de plantureux contrats pour la construction d'un musée *French Canadian* ; on la savait ambitieuse, rusée et redoutable comme un banc de requins ; mais on connaissait également son point faible : une certaine ressemblance avec Catherine de Russie qui avait fait monter dans le lit impérial, disait-on, tous les soldats de sa garde – et bien d'autres – pour assouvir son incoercible fringale de phallus. Jusqu'ici, rien de spécial. Les ragots se nourrissent de la vie privée de tout un chacun et ceux qui tournoyaient autour de la ministre Juneau étaient joyeux, effrontés, mais somme toute inoffensifs, car on avait les idées larges de nos jours. Survient alors un banal souper-bénéfice organisé à Montréal pour ladite ministre. Sicotte y amène Jérôme, son employé favori, le présente à la ministre Juneau et pouf ! le chérubin Amour lance un trait si profond dans le cœur de Madame qu'elle lui fait porter sa carte où elle a griffonné un numéro de téléphone ; surpris, il ne saisit pas tout de suite le message, car il ignore la libido vorace de la ministre. Il raconte l'affaire à son patron, qui rit et l'encourage gaillardement à donner un tour agréable à sa vie professionnelle – car un lobbyiste assez chanceux pour coucher au sens propre avec le pouvoir laisse loin derrière lui tous ses concurrents. Jérôme, hélas, a déjà une copine dont il est très amoureux ; mais curieusement, pour différentes raisons, elle a passé une bonne partie de l'été toute seule en Europe ; aussi, a-t-il fini par le trouver long, son été chaud et solitaire, et il ne s'est pas privé de coucher avec la secrétaire de la boîte, et pas qu'une fois! Comme c'est intéressant! Mais voilà que la maîtresse est de retour et qu'il n'a toujours pas répondu au signal de la ministre, ce lambin mal dégourdi. Alors, le patron, de plus en plus inquiet, décide de donner un petit coup de pouce à l'affaire et met la maîtresse au parfum de l'aventure de son chéri. Bingo! La voie est libre! Mais il ne faut plus perdre de temps: Jérôme, après tout, n'est pas le seul joli mâle sur la planète et madame la ministre pourrait se lasser de soupirer après lui.

— Quelle dégueulasserie, soupira Charlie en secouant la tête.

Il plongea les lèvres dans son cappuccino déca, se faisant une fine moustache blanche qu'il essuya d'un coup de langue, puis sourit. *Vertigo* et l'histoire de Jérôme se mêlaient dans son esprit et lui donnaient l'impression que sa vie venait de basculer dans l'aventure; cela le mit d'excellente humeur.

— Qu'est-ce que tu comptes faire?

— Je n'ai pas encore pris de décision. Mais les choses n'en resteront pas là, compte sur moi. Je rêve de les voir, eux et toute leur bande, dans une fosse à purin, et de leur mettre un couvercle sur la tête. Je pense que j'en jouirais dans mon slip.

— Pour l'instant, ne laisse rien paraître, Jérôme, accumule des preuves et gagne du temps. Et surtout, cherche-toi un autre emploi, bon sang!

Mais, presque aussitôt, l'esprit critique qui l'habitait comme un vieux démon lui fit ajouter:

— Cela dit, vieux, je trouve que tu t'es montré un peu naïf, non? Le petit test qu'on t'avait obligé à passer à la Place Versailles, ça ne t'avait pas mis un peu sur tes gardes? Je t'avais pourtant averti: Sicotte et sa femme, ça ne pouvait être que des escrocs, et comme les escrocs sont par essence des manipulateurs, eh bien, on t'a manipulé, chum... et drôlement!

— Merci pour les encouragements... et ton aperçu sur l'essence, répondit froidement Jérôme en tapant du pied sous la table. Ça m'aide énormément. J'avais justement besoin de quelqu'un qui me rappelle que je suis naïf, et même un peu con. Continue, j'attends le mot.

Charlie, embarrassé, se leva à demi de sa chaise et tapota l'épaule de son ami en l'assurant qu'il avait la plus grande estime pour son intelligence. Il fallait, en effet, un esprit diablement futé pour faire les déductions qu'il venait d'exposer.

— Il ne reste plus maintenant qu'à tout vérifier, conclut-il avec un sourire ambigu.

— Ouais… ça, c'est une autre paire de manches.

— Vraiment? Je la trouve pas mal, moi, la ministre Juneau. Elle ne te mangera pas. Et puis, ça fait de beaux souvenirs à raconter quand on est vieux.

— Je me fiche pas mal de ce que je vais raconter quand je serai vieux, Charlie. Et puis, en allant la voir, je m'enfonce encore un peu plus dans la magouille. As-tu pensé à ça? Tu dis une chose et son contraire: il y a trois secondes, tu me poussais à chercher un autre emploi et à présent tu me conseilles de coucher avec elle?

Charlie, pris de court, ouvrit la bouche, la referma, puis réussit à balbutier:

— Pourquoi pas? De toute façon, c'est fini entre toi et Eugénie, non? Et puis… et puis il n'y a pas de mal à s'amuser un peu pendant qu'on est en mission commandée… D'autant plus, mon vieux, que ça te fournira peut-être un moyen de te venger de tes patrons, qui sait? Alors, couche avec la ministre!

— Je pense que ta Martine t'a débauché, ricana Jérôme. D'ailleurs, quand vas-tu me la présenter, Charlie? Je pourrais m'exercer sur elle avant d'aller voir Juneau.

Charlie, le sourire mielleux, lui fit un bras d'honneur. Puis, après un coup d'œil à sa montre, il enfila une dernière gorgée de cappuccino et se leva:

— On y va? Le boulot m'attend demain.

Jérôme le déposa chez lui; son ami, économe et fervent adepte du transport en commun, avait toujours refusé d'acheter une auto. En s'inclinant de côté pour lui serrer la main, il aperçut une tête de femme à une fenêtre de son appartement.

— Mais c'est Martine, dis donc? Pourquoi elle n'est pas venue au cinéma avec nous?

Charlie eut une moue embarrassée:

— C'est que... elle ne supporte pas la violence au cinéma, vois-tu...
Ça lui fait faire des cauchemars...

Jérôme lui tapota l'épaule :

— Va la réconforter, elle a besoin de toi.

Charlie mit pied à terre et, se retournant vers Jérôme :

— Je te la présenterais bien tout de suite, mais il est un peu tard,
tu comprends, et elle se lève à 6 h demain pour son travail.

— Va, mon garçon, Éros est notre maître à tous.

Pendant son retour, il réfléchit à leur discussion et, en arrivant chez
lui, il s'était rangé à l'avis de Charlie. Tout bien pesé, son ami avait vu
juste : les ponts semblaient coupés à tout jamais entre lui et Eugénie ;
ce qu'il avait à perdre était perdu. Mais, de sa perte, il tirerait une vengeance éclatante. Comment ? Pour l'instant, il n'en savait trop rien.

— Sicotte va être aux petits oiseaux, marmonna-t-il en se glissant
dans la douche, demain, je retourne au travail.

◆ ◆ ◆

Ce jeudi soir, le coup de fil d'un certain Olivier Fradette avait bien
intrigué Eugénie. On était au début de septembre, elle était revenue
d'Espagne depuis une semaine et achevait de ranger ses bagages empilés
dans la chambre à coucher depuis son retour. L'inconnu s'était présenté
comme un collègue de Jérôme. S'il s'était permis de l'appeler chez elle,
c'est qu'il avait des choses importantes à lui dire qui les concernaient
tous deux.

— Tous deux ? s'était étonnée Eugénie, narquoise. Je ne vous connais
même pas, monsieur.

— Mais nous avons une connaissance commune, madame, avait
répondu calmement et très poliment l'inconnu.

— Et d'abord, comment avez-vous obtenu mon numéro de
téléphone ?

— J'ai dû prendre certains moyens, se contenta de répondre
l'inconnu. Croyez-moi, madame, je ne vous téléphone pas de gaieté
de cœur. Ça m'a demandé un grand effort de vous appeler.

— Alors de quoi s'agit-il ?

Une sourde appréhension l'envahissait ; elle eut l'impression tout
à coup que son soutien-gorge était devenu trop petit.

— Je préfère vous en parler en personne, madame. Vous comprendrez tout de suite pourquoi. Évidemment, je vous laisse choisir le lieu de notre rencontre, avait-il aussitôt ajouté.

Eugénie hésita un instant; le combiné cherchait à glisser dans sa main moite, et elle dut le serrer davantage. Un ami de Jérôme lui avait déjà demandé une rencontre au sujet de ce dernier et voilà qu'à présent c'était le tour d'un de ses collègues?

— Vous avez sûrement mon adresse, articula-t-elle enfin d'une voix sourde qui amena un grand sourire à son interlocuteur. Quand pouvez-vous être ici?

— Dans moins de 20 minutes, je suppose.

— Je vous attends.

Et pendant qu'elle se rendait à la chambre de sa fille que la sonnerie du téléphone avait réveillée, Olivier montait en sifflotant dans son auto, impatient de vivre un des moments les plus succulents du métier: celui où les intérêts professionnels se confondent avec les intérêts personnels. Ce qui n'arrive pas souvent.

Vers le milieu de l'été, Séverin Sicotte lui avait demandé d'installer une minuscule caméra de surveillance dans la chambre à coucher d'Alma; il n'avait pas voulu lui en donner tout de suite les raisons, se contentant de dire qu'il s'agissait d'un projet *exploratoire*, et avait exigé le secret le plus absolu. La caméra avait capté des scènes fort réjouissantes: Alma en *nuisette rose* se masturbant devant la télé en mâchant de la gomme, Alma étendue dans son lit, secouée par une crise de larmes, mais surtout – et cela avait fortement intéressé Séverin – deux longs épisodes qui la montraient en train de baiser avec Jérôme, dont le deuxième permettait d'assister aux difficultés d'érection du jeune homme qui, ce soir-là, avait décidément trop bu.

Séverin, en visionnant ces épisodes, s'était tapé sur les cuisses en riant aux éclats, puis après une bourrade amicale à Olivier, il lui avait tendu un billet de 100 $; mais il fallait raccourcir le premier épisode de trois ou quatre minutes, un peu longuet à son goût.

— Je veux le maximum de *punch*, tu comprends… Détrompe-toi: je ne suis pas du genre voyeur. Sais-tu à qui je veux que tu montres ce joli film? lui avait-il alors demandé avec un sourire égrillard et enjoué.

Ses yeux globuleux à demi fermés, Olivier avait réfléchi quelques secondes.

— À la petite amie de Jérôme ?

— Dans le mille, mon gars !

— Est-ce que je peux te demander pourquoi ?

— Si mon plan fonctionne, tu le sauras bien assez vite, lui avait répondu Sicotte avec un clin d'œil.

Dans la soirée, Olivier avait resserré l'épisode ; cela lui avait permis de parfaire ses connaissances techniques tout en s'amusant. Mais il avait une raison supplémentaire de se réjouir du succès de sa mission. La vengeance amoureuse y trouvait également son compte.

Olivier Fradette n'avait jamais eu une libido très gourmande ; une ou deux baises par mois lui suffisaient amplement. Pendant un certain temps, une discrète entente avec Alma lui avait permis de la satisfaire. Un vendredi ou un samedi soir, il l'invitait au restaurant ou au cinéma (jamais les deux dans la même sortie, car cela l'aurait mené trop tard), puis ils terminaient la soirée chez lui, mais Alma avait toujours exigé qu'il la ramène à Caledonia Road avant minuit ; elle appelait cela sa *clause Cendrillon* et ladite clause faisait apparemment leur affaire à tous les deux.

Mais, un beau jour, cette petite salope l'avait laissé tomber pour Félix, ce grand enfumé de fils à papa. Après le départ de Félix pour Portage, il lui avait fait plusieurs fois des avances, toutes refusées. La raison lui en était bientôt apparue : Jérôme couchait avec elle ! Il n'avait rien laissé paraître, ruminant sa rage comme une vache son herbe ; mais il se promettait bien cette fois d'avoir la revanche qu'il n'avait pu prendre avec le fils du patron. Depuis, il devait se contenter des services d'un salon de massage, heureusement pas très loin de chez lui.

Le lendemain, il montra le fruit de son travail à Séverin Sicotte, qui le félicita et lui demanda de prendre rendez-vous avec Eugénie Métivier dès son retour à Montréal afin de la mettre au courant de la conduite de son petit ami.

Jamais prise de rendez-vous ne lui avait procuré autant de plaisir ; il s'était surpassé en adresse, contrôlant parfaitement l'intonation de sa voix, ne fournissant à la jeune femme que l'information strictement nécessaire pour attiser sa curiosité et affectant une bienveillance pleine de détachement, alors que si son patron lui avait demandé – simple supposition, bien sûr – d'étrangler sur place la bonne femme, eh bien, il l'aurait peut-être fait, car ç'aurait été une façon encore plus efficace de se venger de son odieux collègue.

À 20 h 40, il sonnait à la porte d'Eugénie Métivier.

— Désolé pour le retard, s'excusa-t-il après s'être présenté. J'ai dû faire un détour. Il y avait un embouteillage sur Jean-Talon, un accident, sans doute.

— Qu'est-ce que vous apportez ? lui demanda tout de go Eugénie en désignant la mallette qu'il avait en main.

Il inclina légèrement la tête :

— Mon ordinateur, madame. J'ai quelque chose à vous montrer.

La voyant pâlir, il ajouta :

— Croyez-moi, ce n'est pas plus drôle pour moi que pour vous.

Elle le fit entrer, et, sans un mot, l'amena dans une pièce dont elle referma la porte. Il déposa la mallette sur un bureau, en retira l'appareil et l'alluma. Debout derrière lui, les bras croisés sur la poitrine, elle gardait toujours le silence, respirant par à-coups. Il fut déçu de constater que sa mission lui apportait beaucoup moins de plaisir que prévu.

— Voilà, madame, fit-il en faisant démarrer le film. Je tiens à vous préciser que la jeune femme que vous voyez, eh bien, c'est ma femme, ou tout comme… Désolé. Mais je me sentais tenu de vous mettre au courant.

En apercevant Jérôme, elle poussa un cri étouffé. Les mains pressées contre sa bouche, elle contempla les ébats du couple pendant une dizaine de secondes, l'œil exorbité, puis s'élança vers l'ordinateur pour l'éteindre, mais l'appareil lui glissa des mains et tomba sur le plancher en émettant un craquement, puis s'éteignit ; Fradette poussa un cri à son tour, se pencha pour le ramasser et leurs têtes se heurtèrent l'une contre l'autre comme dans une scène de farce ; mais personne n'aurait ri en les voyant.

— Fiche-moi le camp d'ici, ordonna Eugénie d'une voix rauque.

Elle ne semblait pas ressentir de douleur, tandis que son compagnon se massait le front où apparaissait une tuméfaction rougeâtre.

L'instant d'après, il était parti.

◆ ◆ ◆

Jérôme se voyait forcé d'accomplir l'exploit sans doute le plus difficile de sa vie : simuler le calme et la bonne humeur en présence de personnes qu'il aurait voulu rouer de coups. Il les avait classées par ordre décroissant de goujaterie : d'abord, bien sûr, Francine Desjarlais ; tout de suite après, son traficoteur de mari, puis en dernier lieu son collègue Fradette, cet immondice à face humaine qui se chargeait d'accomplir les basses œuvres des deux premiers. Il disculpait à peu près complètement Alma que, jusqu'ici, il avait jugée si durement.

La première journée de son retour au bureau s'était montrée relativement facile à traverser, car, à tout le moins, il pouvait invoquer son indisposition de l'avant-veille pour expliquer son manque d'entrain. Mais on ne subit pas indéfiniment les effets d'une simple indigestion et dès le lendemain commença la période du « faire comme si » qui s'accompagnait de celle, non moins pénible, du « quoi faire ? ». Se venger de son patron en le dénonçant aux autorités, c'était mieux que rien, mais le rôle de mouchard lui paraissait quelque peu minable, sans oublier le fait non négligeable qu'il avait été le complice de ceux qu'il aurait dénoncés. Il lui fallait quelque chose de plus satisfaisant ; son ego flasque et douloureux avait besoin d'être regonflé.

C'est alors qu'il pensa à son rendez-vous avec la ministre Juneau. Huit jours l'en séparaient. À moins d'une annulation, bien sûr. À vue de nez, ce rendez-vous ne semblait ouvrir aucune avenue intéressante pour son projet de vengeance ; elle le rendait peut-être, au contraire, plus complexe et hasardeux. Mais, après tout, on ne pouvait jouer qu'avec les cartes qu'on avait en main et, pour le reste, compter sur le hasard et sur son instinct.

Il n'avait pas encore annoncé à Séverin Sicotte ce rendez-vous. Il décida de le faire tout de suite et se rendit à son bureau. La porte en était fermée et il entendait la voix de son patron en conversation avec Olivier. Les deux hommes parlaient si bas que cela ressemblait à un conciliabule. Que pouvaient-ils donc tramer ?

Il frappa.

— Entre, Jérôme, lança gaiement l'avocat.

— Je vois que je vous dérange, constata Jérôme de sa voix la plus aimable. Je vais revenir tout à l'heure. J'ai une nouvelle importante à t'annoncer, Séverin.

Sicotte leva la tête vers Olivier, debout près de lui et penché au-dessus d'une sorte de registre étalé sur le bureau :

— On a fait le tour, non ?

— Pas mal, je crois.

Et, refermant le registre, Olivier le glissa sous son bras et s'apprêta à quitter la pièce.

— Ça va, toi ? lui demanda Jérôme.

— Tiguidou ! répondit l'autre avec un sourire un peu crispé.

— Eh bien, lâche pas, mon vieux.

Et Jérôme dressa son pouce droit en l'air.

« Étron mal chié, compléta-t-il intérieurement, attends juste pour voir… Je vais t'envoyer dans le puisard, moi ! »

— Et alors, mon Jérôme, fit Sicotte après lui avoir montré un fauteuil, c'est quoi, ta nouvelle ?

— Je rencontre la ministre Juneau le 22, fit-il en prenant une contenance modeste.

— Wow ! s'écria l'agent d'influences, et son visage se remplit d'une jubilation si intense qu'il en paraissait arrondi.

Et il brandit les *deux* pouces en l'air.

— Mais c'est seulement un rendez-vous, Séverin. Un rendez-vous à son bureau.

— Fie-toi sur moi, mon tit gars. Je connais le tabac. T'attendais-tu à ce qu'elle t'invite tout de suite dans sa chambre à coucher ?

Il partit d'un rire bon enfant, enveloppant Jérôme d'un regard chaleureux et plein de fierté, comme un entraîneur qui apprend que son joueur vient de remporter une médaille.

Jérôme le détestait, mais s'étonnait en même temps d'éprouver une sorte de sympathie pour un être aussi méprisable.

Un ronflement d'auto s'éleva dans le stationnement ; Olivier Fradette venait sans doute de partir.

— T'es quelqu'un de futé, toi, Jérôme, poursuivit Sicotte, futé comme il y en a peu. Si tes affaires marchent bien avec Normande Juneau seulement quelques mois ou même quelques semaines, ça va nous être *in-com-pa-ra-ble-ment* utile, crois-moi.

— Qui trop embrasse mal étreint, patron.

— Pour les étreintes, je me fie à toi… Pourquoi me regardes-tu avec ces yeux-là ? On dirait que tu vas me mordre !

Jérôme partit d'un rire forcé :

— Je te regarde comme d'habitude, Séverin.

Mais ses joues s'étaient mises à brûler.

— Eh bien, moi aussi, figure-toi donc, j'ai une nouvelle à t'apprendre, et je ne pense pas qu'elle te fasse pleurer.

Il laissa passer quelques instants, comme pour s'assurer d'un maximum d'effet, puis :

— Olivier quitte le bureau. On l'envoie à Varadero s'occuper de notre complexe hôtelier.

— Ah bon, se contenta de répondre Jérôme.

Et il se mit à fixer une naïade de bronze qui se déployait sur une patte du bureau Boulle.

— Voilà un bout de temps que Francine et moi, on s'est aperçus que ça ne marchait plus très bien entre vous deux… Ne hausse pas les épaules comme ça, mon gars, la bonne entente dans une équipe comme la nôtre, c'est *pri-mor-dial*, je l'ai répété assez souvent.

Il attrapa une tasse de café refroidi posée près d'une agrafeuse, prit une gorgée, puis :

— Mais ce n'est pas la seule raison qui nous a poussés à l'envoyer à Cuba, Jérôme. Olivier a commis une gaffe. Une gaffe majeure. Une gaffe qui te concerne, en fait.

— Ah bon, fit de nouveau Jérôme, de plus en plus mal à l'aise.

Séverin Sicotte, devenu grave, toussota et prit une autre gorgée de café.

— Est-ce que ça fait longtemps que tu n'as plus vu ton amie, Jérôme ? Elle s'appelle Eugénie, si je ne me trompe ?

Le jeune homme devint cramoisi.

— Ça, ça regarde ma vie personnelle, Séverin, siffla-t-il, le regard méchant.

— Je veux bien, mon garçon, mais voici quand même ce qui s'est passé. Je suis obligé, figure-toi donc, de gérer une histoire de jalousie entre vous deux. Au sujet d'Alma que, paraît-il, tu lui aurais *volée* au cours de l'été. Je ne juge personne, Jérôme, la seule chose qui m'importe ce sont les affaires du bureau, garde bien ça à l'esprit.

Et il lui raconta la visite d'Olivier à Eugénie quelques jours plus tôt en modifiant certains détails à sa convenance.

Jérôme avait blêmi et l'écoutait avec des signes d'une agitation croissante ; il bondit tout à coup de son siège :

— Je vais le tuer, l'ordure !

Séverin Sicotte se dressa alors de toute sa taille derrière le bureau :

— Tu n'en feras rien du tout, tonna-t-il. Il ne travaille plus ici, m'entends-tu ? Je l'ai *exilé* à Cuba. Ça ne te suffit pas ? Il a mal agi, bien sûr, mais, bon sang, t'avais qu'à butiner ailleurs, calvaire de saint ciboire !

Jérôme le fixait, tétanisé. Il voulut répondre, mais ne put émettre qu'une sorte de gargouillis. Alors, il pivota sur ses talons, passant près de renverser le précieux fauteuil Boulle, et quitta la pièce en vociférant. Son regard se tourna machinalement vers la porte du bureau d'Olivier. Un imperceptible glissement de pêne lui indiqua qu'on venait de la verrouiller. Il n'était donc pas parti ?

— Fradette ! cria-t-il, sors de ton bureau, maudit lâche ! Je veux te parler !

Tout se déroula alors très vite. Sicotte, sa femme, puis Alma apparurent l'un après l'autre dans le corridor pour assister à une scène épique : Jérôme, fou de rage, venait de s'élancer contre la porte qui s'ouvrit avec un long craquement. Olivier, livide, se tenait derrière son bureau, un presse-papier à la main en guise d'arme. Il le lança contre son assaillant, rata sa cible, et mal lui en prit, car son collègue se précipita vers lui, écumant de rage, et lui envoya un coup de poing dans le visage qui le projeta contre un mur, la gueule sanglante ; ce coup fut suivi d'un deuxième, encore mieux appliqué, et personne ne sait comment la scène se serait terminée si Séverin Sicotte ne s'était pas jeté sur Jérôme pour l'immobiliser, permettant ainsi au pauvre Fradette de déguerpir.

Jérôme et son patron se regardèrent un moment sans dire un mot ; on n'entendait que le bruit de leurs respirations.

— Quelle histoire, soupira Francine Desjarlais, debout dans l'embrasure. Je n'ai jamais rien vu de pareil… et dans ma maison !

Jérôme eut un ricanement :

— Ce n'est qu'un avant-goût, ça… Le meilleur s'en vient.

Sicotte lui saisit rudement le bras :

— Ne me pousse pas à prendre les grands moyens, toi… Ça suffit comme ça, tu m'entends?

Jérôme se dégagea brusquement, quitta la pièce et se dirigea vers la sortie. Alma, restée prudemment à l'écart devant la porte de son bureau, lui fit un clin d'œil quand il passa devant elle.

— Dis donc, tu ne l'as pas manqué, souffla-t-elle.

Il se massait les jointures et ne lui accorda pas un regard.

Un second ronflement d'auto s'éleva bientôt à l'extérieur. Il venait de quitter les lieux.

Sicotte, après avoir contemplé la pièce d'un air découragé, était retourné dans son bureau. Sa femme vint bientôt le rejoindre:

— Et alors?

— Alors quoi? T'as vu? Il vient de foutre le camp.

— Mais veux-tu bien me dire pourquoi tu n'as pas attendu qu'Olivier soit parti pour lui apprendre la nouvelle?

— Je *croyais* qu'il était parti, imagine-toi donc! J'avais entendu une auto démarrer dans le stationnement.

— C'était celle de Félix.

Il poussa un soupir et s'affala dans son fauteuil, les jambes allongées, l'air dépité.

Elle vint à ses côtés et lui caressa la nuque:

— T'en fais pas, il va revenir, ton Jérôme. Je suis sûre qu'il va revenir. Il n'a pas le choix…

Elle l'observa un moment, puis:

— Il faut que j'aille m'occuper d'Olivier, à présent… et faire réparer cette porte.

De nouveau seul, Séverin Sicotte se passa nerveusement la main dans les cheveux avec une grimace inquiète, prit une autre gorgée de café, mais la recracha dans sa tasse: il était devenu infect.

◆ ◆ ◆

Deux jours passèrent. Jérôme se terrait chez lui. Dix fois, il fut sur le point de téléphoner à Eugénie, mais à la dernière seconde il raccrochait. Que pouvait-il lui dire? D'avoir été bassement trahi par un collègue n'atténuait en rien sa propre trahison.

Au début de l'après-midi du deuxième jour, son père lui donna un coup de fil pour prendre de ses nouvelles. Claude-Oscar lui téléphonait rarement, et cet appel surprit son fils et le toucha.

— Qu'est-ce que tu fais, mon garçon? Je viens d'appeler à ton bureau et on m'a répondu que t'étais absent pour quelque temps. T'es malade?

— J'ai décidé de prendre un peu de repos, p'pa. On travaille dur au bureau, tu sais.

— Et alors, qu'est-ce que tu fais?

— Je suis en train de relire *Illusions perdues* de Balzac. T'as lu ça, toi?

— Oui, il y a longtemps, quand j'avais encore tous mes cheveux. Et à part la lecture, fiston, *quid novi*?

— Je rattrape des heures de sommeil perdues.

— Viens donc souper à la maison. Ça fait une éternité qu'on t'a vu. Je suis en train d'oublier à quoi tu ressembles.

Jérôme ne disait rien, incapable de parler tout à coup et les yeux pleins d'eau. En arrière-fond, il entendait un élève en train de jouer au piano *Träumerei* de Schuman avec une application un peu pataude; il le jouait lui-même bien mieux que ça dans le temps.

— Et alors? Tu viens? Ta mère voulait te parler, mais elle donne une leçon.

— Bon, ça va, p'pa, fit-il après s'être éclairci la gorge, je serai là vers 6 h. À tout à l'heure.

Il prit une douche, rangea un peu son appartement qui était sur le point de sombrer dans le chaos, fit du café, puis se replongea dans *Illusions perdues*. Curieusement, l'histoire de la déchéance de Lucien de Rubempré, cet homme brillant mais faible et vaniteux venu faire carrière à Paris, le réconfortait, comme si elle lui permettait de se distancier de la saleté humaine, élément de base, semblait-il, de toutes les sociétés.

La veille, il avait, bien sûr, téléphoné à Charlie et lui avait appris le coup perfide dont il avait été victime.

— Allez, viens prendre un verre, lui avait aussitôt proposé son ami. On discutera de ton affaire et je pourrai te présenter Martine, depuis le temps que je t'en parle… Elle va se pointer en fin de soirée.

— Merci bien, Charlie, mais pour le moment je préfère rester chez moi.

— Et qu'est-ce que tu fous chez toi?

— Je fréquente un nommé Balzac.

— L'écrivain ?

— C'est ça. Un homme formidable, et d'autant plus que je n'ai pas à endurer ses défauts puisqu'on l'a mis six pieds sous terre il y a déjà un sacré bout de temps.

— Tandis que moi, Martine et les autres, on est encore bien vivants, hein, avec tout ce que ça implique… Bon. Fais ta cure de solitude, mon vieux, tu me rappelleras quand t'auras besoin de cette pauvre race humaine. Mais n'attends pas trop longtemps, quand même, avait aussitôt ajouté Charlie sur un tout autre ton. Ton histoire m'intéresse, et puis je pourrais finir par m'inquiéter.

— Je t'appelle dans pas long, promis, le temps que je me remette les idées en place. Faut me comprendre, Charlie, je suis comme ça, que veux-tu… J'ai besoin d'être seul pour recharger mes batteries.

◆ ◆ ◆

Il avait trouvé la soirée chez ses parents bien agréable. De passer quelques heures avec des êtres qui semblaient n'avoir été faits que pour lui vouloir du bien l'avait tout requinqué, en dépit du fait qu'il les avait tenus dans l'ignorance absolue de ce qui lui arrivait et avait bien l'intention de continuer. L'estomac lesté d'un spaghetti carbonara et de deux portions de pouding aux framboises, il s'était assis au piano pour tenter de se remettre le *Träumerei* sous les doigts et au bout d'une dizaine de minutes, à son grand étonnement, les choses étaient tombées en place assez rondement.

— Tu devrais te remettre au piano, lui avait suggéré sa mère, attendrie.

— Je vais t'en acheter un, avait décidé Claude-Oscar.

Son petit frère Marcel – qui devenait de moins en moins petit et semblait destiné à le dépasser de plusieurs centimètres dans quelques années – l'avait alors invité à voir sa collection de bandes dessinées, privilège accordé à un nombre infinitésimal de personnes, et ils avaient passé un long moment dans sa chambre, le tout finissant par une séance de tiraillage dont Jérôme était sorti tout essoufflé et avec un tibia meurtri, mais l'esprit nettoyé, clarifié, vivifié.

En retournant chez lui, il décida de téléphoner à Charlie et une rencontre fut arrangée sur-le-champ. Ce fut au cours de cette fin de soirée qu'un projet aux lignes encore vagues, mais d'une audace époustouflante, commença à prendre forme.

Charlie se trouvait avec Martine et le reçut en robe de chambre, comme pour rendre encore plus manifeste leur liaison ; la jeune femme avait trouvé plus convenable de remettre ses vêtements et de retoucher son maquillage. C'était une jolie fille au teint frais, aux joues pleines et à l'air décidé, plutôt menue, avec de longs cheveux châtains et une très courte jupe qui permettait d'admirer des jambes magnifiques. Mais Jérôme sentit tout de suite qu'elle n'avait rien du bibelot érotique.

Charlie, tout rouge de fierté, la lui avait présentée comme « responsable de la régie à l'École de l'humour ».

— Responsable, c'est pour plus tard, Charlie, avait corrigé Martine en riant. Pour l'instant, je suis assistante.

Elle avait tendu la main à Jérôme, la mine enjouée et pleine d'assurance :

— Charlie m'a souvent parlé de toi. T'es son meilleur ami, à ce que j'ai compris. Paraît que vous avez une affaire importante à discuter. Ne t'inquiète pas, je m'éclipse.

La voix, haut perchée, avait un timbre vif et cristallin.

— Quand même, quand même, protesta Charlie. Le feu n'est pas à la maison, Martine, reste un peu, on a tout le temps qu'il faut. Je vous sers une bière ? Jérôme, j'ai de la Blanche de Chambly.

— Je partage une bouteille avec toi, Charlie, répondit Martine, et puis je file. Il y a des histoires de gars qui ne m'intéressent pas.

Huit minutes plus tard, elle avait fait cul sec, embrassé Charlie à pleine bouche, salué Jérôme avec un sourire poli, et l'escalier résonnait du claquement de ses talons ; entre-temps, elle avait pu présenter à Jérôme une minicapsule de son parcours de vie, laissé entrevoir des opinions politiques très à gauche et fixé un prochain rendez-vous avec son ami.

— Raconte-moi comment t'as rencontré cette petite merveille, demanda Jérôme, un peu éberlué, quand la porte du rez-de-chaussée se fut refermée.

— Oh, dans un café tout près d'ici, un soir que j'avais le cafard et que je prenais un *latte* en lisant le journal – et en me disant qu'une nuit d'insomnie m'attendait parce que je prenais un *latte*. Elle est arrivée avec une amie et les deux filles se sont installées près de moi. Je les écoutais rire, sans trop savoir de quoi elles riaient, mais ça me faisait du bien, et Martine a poussé tout à coup une blague tellement bonne que j'ai pouffé de rire malgré moi. Je me suis alors excusé de mon indiscrétion. Martine m'a répondu que c'était plutôt sympathique, beaucoup plus, en tout cas, que lorsqu'une blague tombe à plat. L'instant d'après, j'étais assis à leur table et on s'est mis à discuter à bâtons rompus de n'importe quoi et de tout le reste. Au bout de 20 minutes, j'avais l'impression de parler à de vieilles connaissances. Laurie – l'amie de Martine – a reçu alors un appel et a dû partir. Martine et moi, on a continué de jaser, mais le temps passait et je voyais bien qu'on allait se quitter. Alors, je ne sais pas ce qui m'a pris, car ça ne me ressemble pas du tout, tu le sais bien, mais je lui ai dit que je demeurais à deux pas du café, que je n'avais jamais rencontré une femme aussi formidable et jolie et tout et tout… et que je serais fou de joie si elle venait passer la nuit chez moi. Je m'attendais à un non poli ou, pire, à une moquerie… mais elle a accepté! C'était écrit dans le ciel que, cette nuit-là, je ferais de l'insomnie.

— Tu ne m'avais jamais raconté ça, fit Jérôme. Devenu cachottier?

— Chacun a sa vie personnelle, mon ami. On ne marche pas dans les mêmes souliers.

— Ça, je suis forcé de l'admettre.

Puis il ajouta:

— Elle doit te mener par le bout du nez.

— Plutôt par le bout de la queue, répondit Charlie en riant.

Puis, changeant brusquement de ton:

— Mais tu n'es pas venu chez moi ce soir pour que je te parle de ma vie sentimentale, à ce que je sache. Qu'est-ce qui se passe?

— Il se passe que…

Et, sous l'effet d'un curieux raccourci mental, il présenta à Charlie un projet qui se transformait à mesure en décision irréversible:

— Dans deux jours, je rencontre la ministre Juneau. Je vais jouer le jeu avec elle jusqu'au bout – en tout cas, aussi loin que je le pourrai.

Et quand j'aurai amassé suffisamment de preuves, eh bien, je fais sauter la baraque de Sicotte.

Charlie le fixait sans parler, son entrain disparu, en proie à une appréhension qui lui amincissait les lèvres et creusait légèrement ses joues.

— Faire sauter... au figuré, j'espère ?

Jérôme partit d'un rire nerveux :

— Ben, dis donc, ça ne va pas ? Je ne fais pas partie d'Al-Qaïda, quand même... C'était une métaphore, figure-toi donc. Il faut bien que de temps à autre on s'aperçoive que j'ai un diplôme en lettres, non ?

— Bon.

Charlie posa les mains sur ses genoux, pencha la tête, réfléchit un moment, puis :

— Une autre Blanche de Chambly ?

— C'est pas de refus. Il fait chaud ici, tu ne trouves pas ?

L'autre eut un sourire narquois :

— Seulement depuis 20 secondes, Jérôme.

Il se rendit au frigo, revint avec les bières, les posa sur la table, puis :

— Tu sais dans quoi tu t'embarques, hein ? C'est un jeu dangereux que tu t'apprêtes à jouer là, mon grand... et d'autant plus que t'as été le complice de Monsieur et de Madame... Si ton coup fonctionne, ils ne te ménageront pas. Et leurs amis non plus. Prépare-toi à faire la une des journaux, à devoir te présenter en cour... à te retrouver en taule, peut-être.

Jérôme se mit à rire : plus la liste s'allongeait, plus elle le galvanisait. Le besoin d'être un héros ou un martyr, ou les deux à la fois, devenait tout à coup une raison de vivre. Jamais il ne s'était senti si bien. Recouvrer son estime de soi en assouvissant une vengeance, quel enivrement ! Cela lui inspirait toutes les audaces.

— Écoute, Charlie, si je ne fais pas ce que je t'ai dit, je ne pourrai plus me regarder dans un miroir, tu comprends... Un jour, tu risquerais de me retrouver robineux au coin d'une rue.

Charlie eut un geste comme pour dire : « Quand même, quand même, ne capote pas ! »

— On trinque à mon projet ! lança Jérôme.

Et, emporté dans son élan, il tendit si vivement sa bouteille vers celle de son ami qu'elles faillirent se briser, le tintement faisant sursauter le vieux voisin d'au-dessus qui allait se mettre au lit.

— Hé! doucement! protesta Charlie, t'asperges ma robe de chambre!

— C'est le baptême du feu... à la bière! lança gaiement Jérôme.

Il se leva et, prenant son ami par les épaules, il plongea son regard dans le sien:

— Tu sais, Charlie, je vais peut-être avoir besoin de toi... C'est alors que je verrai si t'es vraiment un ami. Es-tu mon ami, Charlie?

— Drôle de question, balbutia l'autre en se dégageant. Après toutes ces années! Allons, calme-toi, bon sang! Es-tu soûl?

◆ ◆ ◆

À son arrivée au travail, le lendemain matin, un message en provenance du bureau de la ministre Juneau confirmait le rendez-vous du surlendemain, mais le reportait d'une demi-heure, soit à 16 h 30. Un léger frisson courut dans le dos de Jérôme. L'euphorie de la veille était un peu tombée. Il trouva néanmoins son avant-midi presque agréable. Personne ne fit allusion à l'incident de l'avant-veille; c'était comme s'il n'avait pas eu lieu. Olivier avait disparu – Dieu soit loué et que le diable l'emporte! –, pris, lui dit-on, par les préparatifs de son transfert à Cuba. On avait réparé la porte et remis le bureau en ordre. Séverin Sicotte se montrait étrangement aimable; par trois fois, il vint demander des éclaircissements à Jérôme sur des points techniques au sujet du futur musée et, la dernière fois, repartit en le complimentant sur sa mémoire et sa vivacité d'esprit, ce qui n'était pas dans ses habitudes. Vers 10 h 30 – ô surprise! – Francine Desjarlais apparut dans son bureau avec un bol de café au lait et un plat de chocolatines tièdes qui embaumaient le beurre:

— Goûte-moi ça, mon garçon, je suis sûre que t'as un petit creux. Je viens de découvrir une superbe pâtisserie au Westmount Square. Des Marocains qui ont appris le métier à Bordeaux. C'est divin! Et même pas cher!

Le côtoiement de ses patrons lui était devenu presque facile, car il les considérait à présent comme de futures victimes. Et quand Alma le croisa dans le corridor une demi-heure plus tard, il lui adressa un sourire ; elle lui inspirait de la compassion, pauvre gonzesse torride qu'on avait utilisée probablement à son insu dans une machination perfide.

À midi, Sicotte, fendu d'un grand sourire, l'invita au restaurant. Mais trop, c'était trop. Le tête-à-tête aurait été un supplice ; Jérôme déclina, prétextant que les chocolatines offertes par sa femme « ne passaient pas très bien ». Puis, au début de l'après-midi, le seul fait d'entendre la voix de ses patrons lui devint insupportable ; il faisait une allergie aux faux jetons. Un changement de décor s'imposait. Il entra dans le bureau de Sicotte, qu'il trouva au téléphone.

L'avocat s'interrompit et, posant la main sur le récepteur :

— Oui, Jérôme ? fit-il avec un sourire forcé. Qu'est-ce que je peux faire pour toi ?

— Demain, je rencontre la ministre Juneau et...

— Ça, je ne l'ai pas oublié, mon garçon !

— ... j'aurais besoin de faire quelques emplettes. Tu me donnes congé pour l'après-midi ?

— Prends tout le temps que tu veux, mon garçon, je te donne ma bénédiction *urbi et orbi*. Si j'ai besoin de te parler, je t'enverrai un buzz.

Jérôme inclina la tête et s'apprêtait à sortir lorsque Sicotte l'arrêta d'un geste, le visage empreint tout à coup de gravité.

— Oui ?

— Bonne chance, mon homme. T'as de la classe et tu parais bien. Et puis n'oublie jamais que la fortune sourit aux audacieux.

Jérôme, mal à l'aise, se mit à rire :

— Il ne s'agit sans doute même pas de ce que tu penses !

L'avocat agita la main :

— Mon petit doigt a son idée là-dessus... Gagne ses faveurs, et on va voir de grandes choses.

— Tu peux en être sûr, mon crocodile, marmonna Jérôme en s'éloignant. Et si jamais je réussis ce que je veux faire, tes meubles Boulle, tu risques d'être obligé de les vendre au rabais.

◆ ◆ ◆

Il n'avait pas menti au sujet de ses emplettes et se rendit dans un chic magasin de l'ouest de la ville acheter une demi-douzaine de chemises, des pantalons, des slips sexy (il les choisit avec un sourire en coin) et un flacon d'une lotion après-rasage qu'il s'était toujours interdite à cause de son prix faramineux. « C'est Sicotte qui paie, faut pas se gêner. »

Il avait décidé de passer la soirée chez lui, mais cette fois, Balzac ne lui fut d'aucun secours, car il n'arrivait pas à se concentrer. Il alluma le téléviseur et se mit à zapper. Tout lui parut mortel. La soirée était douce et tiède; il décida d'aller faire une promenade dans le quartier, rencontra un ancien camarade de la fac qu'il avait côtoyé dans le temps (ils étaient tous deux amateurs de natation et se croisaient assez souvent à la piscine de l'université) et ils se retrouvèrent dans une brasserie. En quelques années, Richard avait perdu des cheveux et pris du poids mais avait conservé son naturel jovial et bon enfant; il enseignait la littérature au cégep du Vieux-Montréal, allait devenir papa une seconde fois et collaborait à la rédaction d'un dictionnaire de synonymes pour un éditeur de manuels scolaires.

Après avoir échangé quelques nouvelles et s'être rappelé des anecdotes, les deux anciens camarades ne trouvèrent plus grand-chose à se dire.

— Il faut que j'y aille, annonça Jérôme, j'ai une grosse journée demain. On se fait signe?

Vingt minutes plus tard, il était couché et fixait le plafond. Vers minuit, il le fixait toujours.

« Mais c'est idiot, à la fin : j'ai le trac!… Bon sang! ce n'est qu'une femme comme les autres, après tout, avec ses limites et ses bibittes, comme tout un chacun! Je nage en pleine fantaisie… Et d'autant plus qu'il ne se passera sans doute rien. »

Il était surpris du pouvoir intimidant de la fonction, même pour les initiés. Il se rappela que Séverin Sicotte, qui frayait avec les politiciens depuis des années et connaissait toutes leurs petites histoires, bégayait presque d'énervement le soir où il l'avait présenté à la ministre Juneau.

Et c'est en réfléchissant à la vanité des affaires humaines qu'il s'endormit brusquement pour n'ouvrir les yeux qu'au milieu de l'avant-midi, réveillé par la sonnerie du téléphone. C'était Félix.

— Ça ne va vraiment plus avec les vieux, annonça le jeune homme d'une voix étouffée et comme haletante, je veux sacrer le camp d'ici. Peux-tu me prendre chez toi deux ou trois jours, le temps que je me trouve un appart?

Jérôme fronça le nez, contrarié. Mais comment refuser? Ç'aurait été ignoble.

— Amène-toi, Félix. Qu'est-ce qui se passe? C'est la guerre? Tu coupes les ponts?

— Je t'en parlerai tout à l'heure. Mais si je reste une journée de plus, je vais en tuer un, sacrament!

— Je t'attends.

— T'es chic. Je te revaudrai ça.

— C'est déjà fait, Félix.

— On stationne facilement dans le coin?

— Montréal, c'est Montréal, mais à cette heure-ci tu ne devrais pas avoir trop de problèmes.

Il raccrocha. Pour tomber mal, ça tombait mal. Il s'était réservé deux ou trois heures afin de potasser le dossier du *French Canadian Museum* (comme il l'appelait), car, après tout, la raison officielle de sa rencontre avec la ministre, c'était ça – et sans doute la seule. Mais ce pauvre Félix chambardait tout.

Et soudain il sentit comme une lame de glace lui traverser l'estomac. Félix s'en venait peut-être lui annoncer une mauvaise nouvelle. Dans une engueulade avec ses parents, une phrase de trop lui avait peut-être échappé, une phrase concernant, par exemple, la conversation nocturne qu'il avait surprise entre eux et qui avait mis au jour leur duplicité dans l'affaire de Varadero. Si c'était le cas, *alors ils savaient qu'il savait*, et non seulement son plan tombait à l'eau, mais il se retrouvait lui-même dans une très fâcheuse situation. Il faudrait déguerpir, et vite!

Il se mit à faire les cent pas dans la chambre à coucher, marmonnant et jurant, les mains tremblantes, le dos en sueur, puis fouilla fébrilement les poches de son pantalon à la recherche d'un calepin dans lequel il avait griffonné un jour le numéro du cellulaire de Félix.

Il le trouva, mais personne ne répondit. Alors, plutôt que de continuer à se mettre les nerfs en compote, il prit sa douche, fit sa toilette, s'habilla, prépara du café, glissa des rôties dans le grille-pain, guettant le coup de sonnette du jeune homme, qui commençait à tarder, trouva-t-il. Mais il avait fini par se calmer un peu et respirait mieux à présent – du moins jusqu'au coup de sonnette, qui lui fit échapper un pot de beurre d'arachide sur le carrelage.

Il alla ouvrir en grommelant. Félix, tout souriant, cigarette au bec, lui tendit la main :

— Merci encore une fois, hein…

En voyant la cigarette, Jérôme avait plissé les lèvres. Il avait cessé de fumer à 22 ans, après huit ans de cigoune et trois rechutes. Jusque-là, ç'avait été l'exploit de sa vie, qui en avait fait un ennemi juré du tabac. Mais il crut bon de ne rien dire pour le moment ; Félix aurait trouvé l'accueil râpeux.

Le pauvre avait les traits tirés et le teint brouillé d'un abonné aux tracas, et trimbalait un sac de voyage bourré à éclater de tout ce qu'il avait pu ramasser de ses effets personnels.

— Entre, lui dit Jérôme en se dirigeant vers la cuisine, j'allais déjeuner.

— J'ai mangé, moi, crut bon de préciser le jeune homme. Ouache ! quel dégât ! s'écria-t-il en arrivant dans la cuisine.

Et de sa bouche s'échappa une longue bouffée qui s'étendit au-dessus des débris de verre poisseux comme un nuage de compassion.

— Y a des matins comme ça, soupira Jérôme. Laisse-moi torcher le plancher et je suis à toi. Sers-toi un café, si tu veux. Le lait est dans le frigo.

Et en finissant la phrase, il se coupa un pouce sur un éclat de verre.

— Dis donc, Félix, fit-il d'une voix un peu aigre en revenant de la salle de bains avec le doigt bandé, tu ne viens pas m'annoncer une mauvaise nouvelle, hein ?

— La mauvaise nouvelle, je te l'ai annoncée au téléphone, s'étonna l'autre. Je fous le camp de la maison. Plus capable ! Qu'est-ce que tu veux de plus ?

Jérôme, déconcerté par l'âcreté de la réponse, se versa un café et s'attabla devant son invité :

— Ce n'est pas à ça que je pensais, mais plutôt… à ce que tu m'as appris l'autre jour, vois-tu… Ils ne savent toujours pas… que je sais, hein ?

— Comment veux-tu qu'ils le sachent? rétorqua l'autre. Je leur aurais dit, peut-être?

Il était devenu tout rouge. L'accueil râpeux que Jérôme avait voulu éviter, il était en train de le lui offrir!

— Ça va, ça va, oublie ma question, reprit-il en posant une main amicale sur le bras du jeune homme. Je me disais que peut-être, par malchance, sans le vouloir…

— Je t'aurais averti, bonhomme, je ne suis pas si con que ça, quand même… Tu veux savoir ce qui s'est passé? Hier soir, pendant le souper, les vieux se sont remis encore une fois à m'asticoter au sujet de mes études. Ils trouvent que je saute bien des cours au cégep. Je leur ai répondu que je saute seulement les cours plates et qu'ils feraient comme moi s'ils étaient obligés de les suivre. De toute façon, on se passe les notes et la seule chose qui compte vraiment, c'est les résultats à l'examen, non? Alors mon père s'est mis à me faire un sermon sur l'importance du travail régulier et tout et tout, tandis que ma mère ajoutait son fion de temps à autre. Les nerfs m'ont pogné et je leur ai répondu que je n'avais pas de leçons à recevoir de gens de leur espèce. «Ah bon, a fait mon père. Et de quelle espèce je suis, au fait?» Sa face était devenue comme une grosse tomate et ma mère, elle, me fixait, la bouche grande ouverte, paralysée. «Le mot *mafia*, ça vous dit quelque chose?» que je leur ai demandé. Mon père a saisi une salière et me l'a lancée, et si je n'avais pas eu de bons réflexes, je la recevais en plein front. Alors ma mère s'est mise à crier en pleurant et à nous engueuler, mon père a donné un coup de poing sur la table qui a fait danser toute la vaisselle, puis il a sacré le camp. Moi, je suis monté à ma chambre et j'ai commencé à faire mes bagages… Au bout d'une vingtaine de minutes, Alma est venue me trouver pour tenter de me calmer – c'est ma mère qui l'envoyait, bien sûr –, mais j'ai fini par la convaincre de me prêter un sac de voyage, car mes trois valises débordaient.

Il fit une pause:

— Un peu rassuré, à présent?

Le ton était cassant. Il fallait changer de sujet. La recherche d'un appartement apparut comme une bonne diversion.

— Affaire classée, Félix. Je n'y pense même plus. Venons-en à ta piaule. Combien es-tu prêt à payer?

— Aucune idée, fit-il avec un haussement d'épaules. Je n'en ai jamais loué.

— C'est assez cher dans le coin, à cause de l'université.

— Pas grave, c'est la mère qui paie.

Jérôme pencha la tête un peu de côté en arrondissant les yeux comme pour dire : « T'es sûr, avec ce que tu viens de me raconter ? »

— Elle va payer, elle va payer, t'en fais pas, je la connais. Après tout, il faut bien que son argent serve une bonne cause de temps à autre, ricana-t-il. Dis donc, t'as un cendrier ?

— Prends ta soucoupe.

Il écrasa son mégot, alluma une autre cigarette, tira une longue bouffée, puis, les yeux à demi fermés :

— Il faudrait que j'arrête de fumer, murmura-t-il en réfléchissant à voix haute. Mais là, dans les circonstances…

Et, levant les yeux au plafond, l'air fataliste, il écarta les mains, paumes ouvertes.

Jérôme croqua une dernière bouchée de rôtie, prit une gorgée de café et se leva :

— La façon la plus simple de trouver un appart, je suppose, c'est d'aller sur Internet…

Et indiquant la porte d'une petite pièce contiguë à la chambre à coucher et qui lui servait de bureau :

— Mon ordi est là. Je vais ouvrir une session et tu pourras faire toutes les recherches que tu veux. Ça te va ?

— Oui, *môssieur* ! lança Félix, sa bonne humeur soudain revenue.

— À présent, je dois partir, poursuivit Jérôme quand l'ordinateur fut en marche, et je ne sais pas trop à quelle heure je serai de retour. Probablement au début de la soirée.

— Je vois que je te dérange, constata Félix, un peu embarrassé.

— Pas du tout, je t'assure, ça me fait plaisir.

Il sortit un trousseau de clés de sa poche, en détacha une et la tendit au jeune homme :

— T'es chez toi ici, mon vieux. Tu trouveras les draps de rechange pour mon lit dans le placard de la salle de bains, je dormirai dans le salon… Non, non, non ! ne t'inquiète pas, je dors n'importe où, moi. Je dois avoir des ancêtres nomades.

Ils revinrent dans la cuisine. Jérôme s'empara d'une serviette de cuir contenant les dossiers qu'il voulait potasser et se dirigea vers la sortie, suivi de son invité qui l'enveloppait d'un regard plein de gratitude.

Alors, voyant ses bonnes dispositions, il lui demanda le plus naturellement qu'il put :

— Ça te dérangerait beaucoup, Félix, de fumer dehors ? Depuis quelque temps, j'ai l'impression de faire de l'asthme.

— Mais fallait le dire, bonhomme ! Bien sûr, voyons.

Content de son petit mensonge, Jérôme lui serra la main, dévala l'escalier et se rendit à son auto. Il approchait midi.

◆ ◆ ◆

Les bureaux du ministère de la Culture à Montréal occupaient un édifice d'inspiration vaguement Art Déco situé au 480, boulevard Saint-Laurent en plein quartier historique – ou plutôt dans ce qui en restait.

En quittant Félix, Jérôme consulta son téléphone intelligent et se rendit au Saigon 27, un restaurant vietnamien situé en face du Ministère. L'établissement, installé dans un demi-sous-sol, était calme et spacieux avec des recoins où l'on pouvait s'isoler ; il en choisit un sous une fenêtre ayant vue sur le Ministère, commanda une soupe de nouilles au bœuf et un rouleau printanier, puis se mit à parcourir les dossiers pour réaliser dix minutes plus tard que c'était pure perte de temps : il les possédait parfaitement et l'entretien, de toute façon, risquait de porter bien plus sur des questions de stratégie que de technique.

Quand il referma sa serviette après avoir bu une quantité considérable de thé vert, il était à peine 14 h et l'hôtesse, qui avait montré jusque-là une exquise politesse asiatique, laissait voir par des signes discrets que son départ serait hautement apprécié. Il restait encore beaucoup de temps à tuer.

Il régla sa note, porta la serviette à son auto et décida de faire une promenade dans le Vieux-Montréal. Il se rendit d'abord à l'ancien Marché Bonsecours, dont le dôme argenté flambait au soleil ; on y annonçait une exposition sur les vélocipèdes victoriens, fortement documentée ; il arpenta les allées une vingtaine de minutes, puis sortit.

Près de la rue Saint-Claude, un petit attroupement autour d'une calèche attira son attention. Il s'approcha. Un cheval s'était blessé à une patte en trébuchant, semblait-il, dans un trou du pavé et, la patte gauche levée, renâclait et hennissait en secouant la tête, refusant d'avancer malgré les injures du cocher, furieux d'avoir perdu les revenus d'une balade de touristes.

— Enwèye donc, mon tabarnac! J'pas pour passer la journée icitte, hostie! hurlait l'homme, court, gras, aux traits grossiers comme usés par l'âge et le soleil, et il fouettait violemment la bête.

Vieille ou épuisée, ou les deux à la fois, elle hennissait, secouait la tête avec des regards affolés et se mit à danser sur trois pattes, impuissante, soulevant l'indignation des badauds.

— Tu ne vois pas qu'il s'est cassé la patte, gros épais? lança une voix de stentor.

— Mêle-toé de tes oignons, toé, le finfin! répondit le cocher. Je sais ce que fais!

Des femmes criaient, un petit garçon posait des questions à sa mère d'une voix hystérique.

Jérôme revit soudain la scène atroce de *Crime et Châtiment*, le roman de Dostoïevski, où un cocher fou de rage fouettait sa bête à mort.

Soudain, il *fut* Raskolnikov, en plein Moscou au temps des tsars, mais, cette fois, il pouvait agir! Était-ce l'effet du thé? Écartant les spectateurs, il sauta dans la calèche et arracha son fouet à l'homme:

— T'arrêtes ça tout de suite, toi, ou j'appelle la police!

Pendant une seconde, l'individu le fixa, bouche bée, tandis que des cris d'approbation et des applaudissements éclataient tout autour. Soudain, se dressant debout, il se jeta si violemment sur Jérôme que celui-ci fut projeté à l'extérieur et se serait sans doute blessé dans sa chute s'il n'était tombé dans les bras de l'homme à la voix de stentor qui le remit sur pied, empoigna le fouet et le pressa contre sa poitrine en fixant le cocher d'un œil menaçant; ce dernier voulut récupérer son bien, mais du rassemblement, qui ne cessait de grossir, s'élevait une clameur si assourdissante que l'homme décida de jouer le rôle de la victime.

— Vous m'empêchez de gagner ma vie! lança-t-il d'une voix larmoyante.

— On t'empêche d'aller en prison, grosse tarte! répondit un loustic, soulevant les rires des spectateurs.

Le cheval, frissonnant et en sueur, continuait de renâcler, mais avait arrêté de danser.

— Vous devriez avoir honte, monsieur ! lança une jolie joggeuse avec un fort accent anglais. Martyriser une pauvre bête comme ça !

Jérôme appelait la police, mais trois ou quatre spectateurs l'avaient déjà alertée. Une auto-patrouille surgit de la rue Bonsecours, gyrophares en marche, et s'approcha rapidement.

— Dis-leur ce qui s'est passé, lança alors Stentor en poussant aimablement Jérôme par les épaules en direction des policiers qui descendaient de leur véhicule.

Explication fut donnée. Discussion s'ensuivit. Quand l'affaire fut close, la bête dételée puis transportée dans une remorque pour recevoir des soins, il approchait 16 h et Jérôme venait d'apercevoir avec consternation une petite déchirure à la jambe droite de son pantalon ; elle s'était sans doute produite quand il était tombé en bas de la calèche. Impossible, évidemment, d'aller changer de vêtement.

Il retourna à l'auto prendre sa serviette et se rendit à l'édifice du Ministère. Le hall communiquait avec deux espèces de restaurants-minute installés dans des constructions adjacentes. La ministre devait s'y montrer de temps à autre ; c'était excellent pour son image. Comme il était encore en avance de 20 minutes sur son rendez-vous, il entra dans ce qui lui paraissait une pâtisserie-café et commanda un cappuccino qu'il prit en jetant l'œil alternativement sur sa montre et sur un journal oublié par un client.

À 16 h 25, l'aisselle moite, le souffle un peu court, il retourna dans le hall. C'était une grande salle circulaire dallée de carreaux de granit poli avec un motif central en forme d'œuf géant entouré d'une bande noire. Quelque chose d'austère émanait de l'endroit, désert à cette heure. Il appela l'ascenseur, qui devait le mener au sixième étage ; de là, une réceptionniste, lui avait-on dit, le conduirait au bureau de la ministre.

La réceptionniste ce jour-là avait pris la forme d'un garde du corps amateur de culturisme qui, dès que la porte de l'ascenseur s'ouvrit, le salua, entra dans la cabine, demanda à Jérôme de s'identifier et le conduisit sans un mot de plus à l'étage supérieur, puis repartit.

Jérôme se trouvait dans une salle d'attente déserte ; comme personne ne se présentait, il allait s'assoir dans un fauteuil lorsqu'une voix de femme l'appela :

— Monsieur Lupien, venez, je vous en prie, je suis au téléphone.

La voix provenait d'une porte à sa gauche. Il s'approcha et entra dans un bureau meublé avec une somptuosité solennelle et démocratique mettant en valeur le bois, le fer et l'eau, principales richesses naturelles du Québec, l'eau étant représentée par un superbe aquarium illuminé où évoluaient des poissons à l'œil hagard, ouvrant et refermant sans arrêt une bouche muette, symboles sans doute des électeurs.

— Excusez-moi, je n'en ai que pour une minute, fit la ministre Juneau en posant la main sur le récepteur. Assoyez-vous, je vous prie, ajouta-t-elle avec un charmant sourire en lui désignant un fauteuil.

Jérôme déposa sa serviette devant lui et essaya de prendre un air calme et légèrement nonchalant, mais cela s'avérait difficile, et la déchirure de son pantalon n'arrangeait pas les choses. Normande Juneau portait un tailleur-pantalon gris perle très chic et parlait au téléphone avec une joyeuse vivacité sans qu'il fût possible de déterminer clairement le sujet de la conversation, mais elle semblait un peu fatiguée.

Elle raccrocha quelques minutes plus tard et, poussant un soupir :

— Journée chargée… comme tant d'autres… Mais c'est le métier qui le veut ! Comment allez-vous, monsieur Lupien ?

— Très bien, madame la ministre, je vous remercie.

Elle le fixait d'un regard précis, comme pour s'assurer que ses souvenirs ne l'avaient pas trompée.

— Laissons tomber les titres, voulez-vous, fit-elle en souriant, on n'en finira plus. C'est gentil d'avoir pris le temps de venir me voir. Le travail ne doit pas vous manquer à vous non plus.

— Je vous en prie, madame, c'est la moindre des choses.

En disant ces mots, il lui sembla que la ministre fixait à présent la jambe droite de son pantalon ; il en perdit contenance :

— Je… Excusez-moi de me présenter avec des vêtements dans un pareil état… Il m'est arrivé un petit accident tout à l'heure… ou plutôt, pour être plus exact… j'ai voulu empêcher un cocher de martyriser son cheval à coups de fouet pas loin d'ici ; alors nous nous sommes un peu bousculés, et puis voilà, mon pantalon s'est déchiré quand il m'a poussé en bas de sa calèche. Mais j'ai appelé la police, et on l'a amené au poste.

— Eh bien! dites donc, fit Normande Juneau en riant de bon cœur, vous semblez avoir du sang de mousquetaire, vous!. Ça ne me surprend pas trop, remarquez. Il paraît que je suis assez bonne physionomiste – c'est utile dans le métier que je fais, vous savez –, et j'ai cru deviner chez vous, lorsqu'on nous a présentés l'autre fois au souper-bénéfice, quelque chose de… Mais laissons vos batailles de rue et parlons un peu de ce projet de musée, voulez-vous?

— Oui, bien sûr, madame, fit Jérôme en allongeant le bras vers sa serviette qu'il ouvrit prestement pour sortir le dossier.

L'histoire du cocher venait d'établir entre eux une sorte de familiarité, et Jérôme commença à se sentir plus à l'aise.

— Ce projet soulève bien des critiques, comme vous savez, reprit la ministre, et, pour compliquer les choses un peu plus, une tuile nous tombe sur la tête, figurez-vous: je viens d'apprendre que le gouvernement Westwind songe à réduire le budget qu'il avait annoncé en grande pompe en juin dernier. La raison? Toujours la même: ce fameux déficit zéro qu'on veut atteindre à tout prix avant les élections; c'est la nouvelle obsession à Ottawa. L'annonce du budget pour le musée était évidemment prématurée. Alors – je vous dis ça à titre confidentiel, n'est-ce pas? – on a très mal réagi à Québec avant-hier à la réunion du conseil des ministres. Il y a eu des discussions assez vives; on m'a mise un peu sur la défensive; certains de mes collègues voudraient même qu'on remette en question notre participation en disant que le projet a mauvaise presse et qu'on n'a pas à financer notre impopularité. Le premier ministre, lui, nous écoute sans dire un mot. Moi, je regarde les sondages; ils ne sont pas très bons, mais, à mon avis, c'est avant tout une question de stratégie: l'opinion publique, ça se retourne. J'essaie donc de défendre le dossier de mon mieux. Et, à ce sujet, j'aimerais revoir avec vous, mon cher Jérôme, certains détails et certains chiffres.

La ministre lui avait fait son petit exposé d'une voix feutrée, en le couvrant de sourires.

«Elle a plein de gens au Ministère pour ça», s'étonna Jérôme. Il avait toujours considéré ce projet de Musée de la culture canadienne de langue française comme ridicule et injurieux pour les Québécois avec quelque chose de funèbre et de sinistre, une sorte d'annonce officielle de notre agonie collective, mais il s'y était engagé comme dans une conduite d'égout au bout de laquelle l'attendaient – du moins l'espérait-il – l'air pur, la liberté… et une éclatante revanche. Aussi se montra-t-il très sensible au « mon cher Jérôme » dont venait de le gratifier une ministre influente – et fort attirante dans sa trentaine épanouie.

— Allons dans la salle de réunion, voulez-vous ? fit Normande Juneau en se levant. On pourra y étaler les plans et les documents que vous avez apportés. Le bruit court que le gouvernement fédéral veut supprimer deux salles d'exposition au rez-de-chaussée. J'aimerais voir ça de plus près.

« Et moi, répondit mentalement Jérôme en la suivant, il y a autre chose que j'aimerais voir de plus près, madame la ministre. »

Se pouvait-il, chienne de chienne, que son affaire marche ?

Ils entrèrent dans une grande pièce rectangulaire meublée en acajou et dépourvue de fenêtres. Une demi-douzaine de fauteuils s'alignaient de chaque côté d'une longue table aussi lisse et dépouillée que la mémoire d'un témoin véreux à une commission d'enquête.

— Voyons ces fameux plans, Jérôme, fit la ministre en l'enveloppant d'un regard singulièrement amical.

Il rougit à ce nouveau « Jérôme » et, d'une main sûre mais un peu nerveuse, disposa plans et documents sur la table. La ministre se tenait debout à ses côtés pour avoir une vue d'ensemble et il se mit à répondre à ses questions, fournissant avec assurance chiffres et précisions de toutes sortes. À tout moment, leurs regards se croisaient. Vraiment, dans le genre *classique froid* (mais sans doute aisément réchauffable), c'était une belle femme : un visage qu'on aurait dit venu de la statuaire grecque si ce n'avait été du front un peu fort, des yeux noirs magnifiques, très maquillés, au regard mobile et changeant, mais toujours sur leur quant-à-soi, une taille qui avait conservé – à force de jeûnes et de gym ? – sa minceur juvénile, une poitrine qui se bombait avec une crânerie étonnante et avait peut-être une dette envers la chirurgie. Mais tout jugement critique abandonnait Jérôme quand l'atteignaient les effluves profonds de l'ample chevelure noire qui bougeait doucement au gré des questions et des remarques de la ministre.

Il lui apparut bientôt que ses questions n'étaient posées que pour la forme, qu'elle possédait le dossier aussi bien sinon mieux que lui et que la mollesse de son intérêt croissait de seconde en seconde.

Un silence se fit. Elle s'était tournée vers lui et le regardait avec un imperceptible sourire, comme en attente d'une décision qu'il devait prendre ; le moment était venu, semblait-il, quelques secondes à peine et qui ne reviendraient peut-être jamais plus. Alors, sans un mot, il la prit par les épaules et pressa sa bouche contre la sienne. Elle poussa un soupir, ferma les yeux et répondit fiévreusement à son baiser, puis se mit à sucer sa langue avec tant d'ardeur qu'il faillit pousser un cri. Mais déjà son attention était requise ailleurs : à travers le tissu de son pantalon, il sentait une main qui avait empoigné son sexe durci et le malaxait joyeusement. Alors, inspiré par cette privauté allègre, il la fit pivoter légèrement et voulut la posséder sur la table de réunion parmi les documents. Quel récit cela ferait plus tard !

— Non ! pas ici, Jérôme, fit-elle en se dégageant. Jamais. Ça ne conviendrait pas, vois-tu, ajouta-t-elle aussitôt d'un ton plus amène en arrangeant ses vêtements. Les employés d'entretien, la femme de ménage, tu comprends... Mon appartement est à deux pas, rue Saint-François-Xavier. On peut se rendre à pied. J'ai donné congé à mon chauffeur. Je t'invite à souper, beau garçon, ajouta-t-elle en lui caressant la joue.

Pour la première fois de sa vie, il se sentait comme une poupée. C'était étrange, mais pas si désagréable.

Quelques minutes plus tard, ils quittaient le Ministère. Leur trajet se fit presque en silence. Elle marchait d'un pas rapide et décidé, tête haute. Deux ou trois fois, elle dut s'arrêter et parler à un citoyen plus hardi ou déluré que la moyenne, désireux de lui poser une question ou de faire un commentaire ; elle devenait alors chaleureuse et attentive, quasiment maternelle ; Jérôme se tenait un peu à l'écart et feignait d'observer quelque chose dans la rue.

Le 409, rue Saint-François-Xavier était un vieil entrepôt construit en pierre de taille qu'on avait récemment transformé en un luxueux ensemble de condominiums ; la ministre habitait au quatrième étage.

Le luxe un peu tapageur de l'appartement impressionna Jérôme pendant quelques instants, mais il se remit vite à la besogne. Après s'être abandonnée un moment aux caresses de plus en plus passionnées du jeune homme, Normande Juneau, qui semblait toujours garder la tête froide, proposa brusquement que chacun aille d'abord se rafraîchir dans une des trois salles de bains de l'appartement. Il la regarda, étonné.

— On ne se connaît pas encore assez, tu ne trouves pas, beau garçon?

Et elle lui tendit en souriant une robe de chambre.

Jérôme put constater néanmoins que chez sa nouvelle partenaire un esprit volontaire et ordonné se combinait à une exubérante sensualité. À 23 h, ils avaient fait l'amour trois fois – un souper léger ayant servi d'intermède entre la première et la deuxième – et, malgré une journée chargée, la ministre requit les bons soins de son nouvel amant deux autres fois durant la nuit. Jérôme ne se rappelait pas avoir été aussi fatigué.

Mais il trouvait grisant de monter vers les sommets du pouvoir, même par l'escalier de service.

Il quitta la ministre vers 7 h 30, le lendemain matin; Normande Juneau l'avait mis gentiment à la porte après un espresso avalé en deux gorgées en écoutant les nouvelles à la radio, car une autre journée trépidante venait de commencer pour elle, le téléphone allait se mettre à sonner, les courriels et les textos affluaient déjà.

— On se revoit? lui avait demandé Jérôme sur un dernier baiser.

— Bien sûr, avait-elle répondu en souriant. Je te fais signe.

En arrivant chez lui, il aperçut Félix en train de dormir sur le canapé du salon. Il lui avait pourtant prêté sa chambre. Cette délicatesse le surprit et le toucha, car, malgré certains traits de courage (sa thérapie à Portage en faisant foi), il l'avait classé depuis longtemps dans la catégorie des fils à papa, une espèce plus ou moins dégénérée qui trouve tout naturel que l'univers soit à son service.

Son arrivée ne réveilla pas le dormeur qui poussa un soupir, puis tourna la face contre le dossier du canapé. Jérôme sourit et se dirigea sans bruit vers sa chambre pour rallonger de quelques heures sa nuit pour le moins mouvementée.

Il allait décrocher le téléphone pour dormir en paix lorsque l'appareil sonna. C'était Séverin Sicotte.

— Enfin, je t'attrape. Il était temps! Je t'ai laissé trois messages hier soir.

Le ton était tendu, inquiet, un peu aigre.

— Désolé. J'avais éteint mon cellulaire... pour raisons professionnelles, ajouta Jérôme d'un ton équivoque.

Sicotte, apparemment insensible à l'allusion, poursuivit:

— Est-ce que Félix est chez toi?

Félix apparut alors en slip dans l'embrasure, un doigt sur les lèvres.

— Non. Pourquoi?

— T'es sûr? répondit sèchement l'avocat. Hier soir, j'ai envoyé Alma patrouiller les rues de ton quartier et elle a aperçu son auto près de chez toi.

Jérôme grimaça:

— Eh ben... Alma qui devient détective!

— Alors, je répète ma question: est-ce que Félix est chez toi?

— Un instant.

Et, posant la main sur le récepteur, il se tourna vers le jeune homme:

— Il sait que t'es ici. Alma a repéré ton auto hier soir.

— La chienne!

— Laisse les chiens en dehors de ça, s'il te plaît... Écoute, ça me met un peu dans la merde, ton histoire. Qu'est-ce que je fais?

— Dis-lui que je suis parti.

— C'est con. Il voit bien qu'on se parle.

Félix s'appuya d'une main au cadre de la porte et croisa les pieds, décontenancé, pendant que Jérôme reprenait la conversation.

— Oui, Séverin, oui, il est ici... Désolé. Il m'avait demandé de garder le secret. Maintenant, si tu me permets une remarque et sans vouloir te blesser, vos chicanes de famille ne me regardent pas, j'ai bien autre chose à faire, comme tu peux t'en douter. J'ai eu une soirée et une nuit assez occupées, vois-tu, je suis mort de fatigue et je voudrais dormir un peu. Alors, si tu n'y vois pas d'inconvénient, je vais vous laisser régler vos problèmes en famille.

Il y eut un silence au bout du fil.

— Bon, fit l'avocat, radouci. Désolé de t'embêter avec ces histoires. Passe-le-moi, s'il te plaît.

Jérôme tendit le combiné à Félix, qui agita vivement les bras en signe de refus et disparut dans le salon.

— Il va te rappeler plus tard, Séverin, reprit Jérôme, prenant sur lui de convaincre son compagnon. Pour l'instant, il ne peut pas.

— Qu'est-ce que tu veux dire par «il ne peut pas»? s'alarma Sicotte. Il n'est pas en état de me parler, c'est ça?

La voix de Francine Desjarlais se mit alors à larmoyer en arrière-plan.

— Mais non! Pas du tout! s'impatienta Jérôme. Arrêtez de paniquer, bon sang! Je te promets qu'il va vous rappeler, toi ou Francine, d'ici midi. Ça vous va? À présent, si tu permets, moi, je m'en vais me coucher.

Il raccrocha et s'en alla trouver Félix, qui venait de se rhabiller et s'occupait à plier draps et couverture sur le canapé.

— Qu'est-ce que t'as l'intention de faire?

Félix se retourna, l'œil plissé et serrant les lèvres comme quelqu'un voulant se raffermir dans une décision difficile à prendre:

— Je m'en vais voir des appartements. Hier soir, j'ai repéré deux ou trois adresses intéressantes. Et je n'ai pas l'intention de téléphoner aux vieux aujourd'hui.

Jérôme se planta devant lui:

— Écoute, Félix, il faut voir les choses en face: c'est le beurre ou l'argent du beurre; on ne peut pas avoir les deux en même temps. T'as besoin de leur fric? Il faut que tu leur parles. À la limite, je pourrais t'avancer des sous pour quelques mois, mais après? Je te trouve sympa et je veux bien t'aider, mais ton histoire me met dans une situation un peu délicate, vois-tu... Tu m'as bien entendu: j'ai promis à ton père que tu lui téléphonerais cet avant-midi. Téléphone-lui, s'il te plaît – ou à Francine, si tu préfères. De toute façon, tu auras sans doute besoin de la signature de l'un ou de l'autre pour ton bail. Quant à moi, je tombe de sommeil et je m'en vais me coucher.

Il le regardait droit dans les yeux, attendant une réponse.

— Ça va, répondit Félix avec un sourire contraint. Je vais appeler ma mère.

— Tout de suite?

— Je m'en vais prendre une bouchée dans un resto. Je lui téléphonerai de là-bas.

◆ ◆ ◆

Une semaine plus tard, Jérôme ne s'était toujours pas vanté devant Charlie d'avoir sauté la ministre de la Culture, une femme attrayante et que bien des observateurs considéraient comme l'étoile montante du gouvernement Labrèche. Sa discrétion s'expliquait par la prudence, mais aussi pour une bonne part par la honte. Il se sentait dériver dans l'archipel inextricable de la magouille, de plus en plus loin de la vie simple et honorable qu'il avait cru devoir mener, celle du commun des mortels. Comme Eugénie. Bientôt, ils habiteraient des univers si différents et si lointains que toute communication entre eux deviendrait impossible, car ils ne parleraient plus le même langage et n'éprouveraient plus les mêmes sentiments.

Deux fois, il rêva d'elle. Rêves confus et agités, dont il ne garda comme souvenir que l'image de son beau visage dur et souriant qui le fixait en silence pendant qu'il se débattait, hors d'haleine, dans un tourbillon étouffant. « C'est bien fini entre nous », se disait-il en se réveillant, la bouche comme graisseuse, envahi par une vague nausée.

Félix avait suivi ses conseils et s'en portait bien : une réconciliation tactique avait eu lieu entre lui et ses parents, qui s'étaient résignés à son départ de la maison. Il emménagea bientôt aux frais de papa et maman dans un trois pièces rue Gatineau, à deux pas de l'université et tout près de l'appartement de Jérôme. Francine Desjarlais avait chargé ce dernier de jeter un coup d'œil discret sur son fils ; il avait promis de le faire « dans la mesure du possible », comptant bien ne rien faire, ou presque, car il trouvait Félix en bien meilleure posture que ses parents.

Sa mission principale, qui était de gagner le statut d'*intime irremplaçable* de la ministre Juneau, lui donnait une liberté d'action qu'il appréciait beaucoup, car elle lui permettait d'abréger le temps qu'il devait passer au bureau – que ses raisons soient valables ou pas.

Six jours après sa rencontre avec Normande Juneau, il reçut un appel de la ministre au milieu de l'après-midi ; il se trouvait au bureau en conversation avec Séverin Sicotte et Freddy Pettoza ; on discutait béton, son prix officiel et son prix réel, et l'air était chargé de cette tension née de la cupidité que l'avocat et l'entrepreneur essayaient de masquer sous des airs de bonhomie.

— Oui? fit Jérôme d'une voix un peu lasse. Ah! Bonjour! Ça va bien? poursuivit-il, le visage soudain illuminé et d'un ton si aimable que ses deux compagnons échangèrent un regard narquois.

Il se leva, s'excusant d'un geste, et s'enferma dans son bureau.

— Je quitte Québec dans dix minutes et je serai à Montréal en fin d'après-midi. Je me demandais si tu étais libre en début de soirée?

— Pour vous, madame la ministre, répondit Jérôme avec une obséquiosité bouffonne, je suis toujours libre, vous le savez bien.

— Laisse tomber mon titre, cher, et en échange je laisserai tomber autre chose. J'ai pensé qu'on pourrait souper au Bonaparte à 19 h. C'est à deux pas de chez moi. Ça te va?

— Tout à fait.

— À 19 h, alors.

Il n'était que 15 h 30. Mais Jérôme voulut profiter de l'occasion pour ficher le camp. Il retourna au bureau de son patron et entrouvrit la porte:

— Désolé, je dois partir, annonça-t-il à Sicotte d'un air entendu. Une urgence.

L'avocat, imperturbable, fit un grand signe de tête:

— Tu me tiens au courant?

Une lueur égrillarde frétillait dans le fond de son œil.

— Bien sûr.

Pettoza, qui se doutait de quelque chose, avait un curieux sourire en diagonale.

Jérôme avait décidé de profiter des quelques heures libres qu'il s'était gagnées pour aller bouquiner. Il venait de démarrer sa voiture lorsque son cellulaire se mit à sonner. C'était Normande Juneau encore une fois.

— Ah! je suis contente de pouvoir t'attraper, Jérôme. Désolée, il m'arrive un contretemps. Est-ce qu'on peut remettre ça à demain, même heure, même endroit?

Un bref silence suivit.

— Oui, bien sûr, répondit-il.

— Quelle vie de fous on nous fait mener des fois, soupira-t-elle. Tu ne m'en veux pas trop?

Il se mit à rire:

— Pourquoi je t'en voudrais?

— Allez, je te laisse, on m'appelle. Je t'embrasse. À demain.

Il demeurait immobile, derrière le volant, étonné de se sentir aussi déçu, puis éteignit le moteur. Mais à la pensée qu'il devrait rejoindre Sicotte et Pettoza, il remit l'auto en marche et s'éloigna. Son envie de bouquiner avait disparu. Il roula pendant quelques minutes en direction de chez lui. Le ciel s'assombrissait. À l'horizon s'étirait une barre de nuages d'un bleu lourd et menaçant. Un orage se déchaînait au loin et avançait vers Montréal. Que ferait-il de sa soirée, à présent?

Il décida d'appeler Charlie et stoppa près du trottoir.

— Oui, j'écoute, fit la voix familière, un peu saccadée, *la voix du technicien qui règle les problèmes.*

— Salut, c'est moi.

— Oh ho! fit Charlie, gouailleur. *Môssieur* Lupien qui descend de ses hauteurs pour parler au bon peuple. Que me vaut son appel?

— Arrête de niaiser, Charlie. Es-tu libre ce soir? On pourrait aller casser la croûte quelque part et ensuite voir un film?

— Ça s'adonne que je le suis, figure-toi donc. Martine a son cours de ballet-jazz à 7 h, ce qui fait que... Eh! dis donc? qu'est-ce qui se passe? On se tire à la mitraillette dans ton coin?

L'orage venait d'éclater et la pluie crépitait, assourdissante, sur le toit de l'auto.

— Regarde par la fenêtre et tu auras la réponse, répondit Jérôme à tue-tête.

— Qu'est-ce que tu dis?... Il n'y a pas de fenêtre dans l'atelier. Ah bon. Un orage.

La pluie redoubla de violence. Ils échangèrent encore quelques mots, puis Charlie, appelé par son travail, raccrocha. Mais ils avaient eu le temps de se fixer rendez-vous à 18 h à La Brioche Lyonnaise, rue Saint-Denis, à deux pas du cinéma Quartier Latin.

Et c'est là, sous la verrière ruisselante qui s'ouvrait au fond du restaurant, qu'ils eurent une conversation si longue et si intense qu'ils faillirent rater leur film.

— Eh bien, c'est fait, annonça Jérôme après une gorgée de mokaccino.

Et il se renversa sur sa chaise, l'air avantageux.

— Qu'est-ce qui est fait ? demanda Charlie d'une voix pâteuse, la bouche pleine de panini au saumon fumé.

— La semaine passée, je me suis envoyé la ministre Juneau.

Il s'était pourtant promis de garder la chose secrète encore quelque temps, mais déçu de voir sa baise remise au lendemain (car il avait un pressant besoin de baise) et peut-être agacé de se voir traité comme un bibelot qu'on déplace ici ou là au gré de ses caprices, il voulait se donner tout de suite un plaisir de vanité.

Charlie, les yeux ronds, s'arrêta net de déglutir, passant près de s'étouffer :

— Pas vrai, articula-t-il enfin d'une voix éraillée.

— Rien de plus vrai, bonhomme, et pas plus tard que mardi passé… Toute une démone, la belle Normande… Tu ne peux pas savoir ! En dix heures, on a fait l'amour six fois. Une tornade tropicale !

— Attention au surmenage de couilles, ironisa Charlie, ça peut avoir un effet de castration.

— T'inquiète pas, j'ai la chose bien en main.

Charlie s'empara d'une bouteille d'eau minérale et remplit son verre (il surveillait sa ligne, à présent) :

— Quand la revois-tu ?

— Demain. À moins d'une annulation. Nous devions nous voir ce soir.

— Ah bon. Je te sers de bouche-trou, quoi.

Jérôme pencha la tête de côté en levant les yeux au plafond, l'air de dire : « Non, mais qu'est-ce qu'il ne faut pas entendre ! »

— Et tu comptes la sauter combien de fois ce mois-ci, ta ministre de la Culture ? As-tu fait un plan de baises ?

— Il n'y a pas de plan. C'est selon l'inspiration… et les disponibilités de madame, bien entendu.

— Du travail de gigolo ?

Jérôme se mordit le coin des lèvres :

— Je ne fais pas ça pour le fric, crétin, ni pour le plaisir de la chose – quoique, je dois t'avouer qu'elle se débrouille pas mal au lit, la ministre… Mais je le fais, comme je te l'ai déjà dit, dans le but d'obtenir des renseignements. Des renseignements qui me permettront de pulvériser la boîte de Sicotte, et peut-être aussi de faire passer un mauvais quart d'heure à ces pourris du gouvernement.

— As-tu pensé, mon beau chérubin, qu'elle couche avec toi pour des raisons semblables, mais à l'inverse ? Elle est en combine avec ton patron, mais on sait bien que, dans ce milieu, personne ne se fait vraiment confiance ; alors elle cherche peut-être à obtenir grâce à toi certaines informations, à vérifier certains détails, non ?

— Imagine-toi donc que l'idée ne m'était jamais venue, railla Jérôme. Quel flair ! Je suis chanceux de t'avoir comme ami.

— Blague tant que tu veux, mais tu n'as pas affaire à une enfant d'école, chose. C'est une crosseuse professionnelle, ta Juneau. Si je la fréquentais, moi, j'aimerais avoir un œil derrière la tête.

Jérôme se pencha au-dessus de la table, le visage tendu, le regard brillant, incisif :

— C'est justement de ça, Charlie, que je voulais te parler. Pour l'instant, bien sûr, je ne sais pas comment les choses vont tourner, mais viendra peut-être un moment où j'aurai besoin de ton expertise technique, tu comprends ?

Charlie laissa échapper un « ouais » à la fois sceptique et flatté :

— On verra bien, le moment venu, si jamais il vient. Mais ne me demande pas d'installer un micro dans sa salle de bains ou une puce dans son soutien-gorge.

— Le soutien-gorge, je m'en occupe !

— Je pourrais peut-être t'aider, par contre, à décoder un mot de passe, à déverrouiller un document, des choses comme ça. Mais encore là, je ne garantis rien. Ils sont futés, ces politicailleurs.

La pluie avait cessé, remplacée par des bourrasques qui étiraient et amincissaient les gouttes à la surface de la verrière.

Alors, songeant tout à coup que dans les rapports d'amitié chacun doit avoir l'occasion de se montrer sous son meilleur jour, Jérôme, posant la main sur l'avant-bras de son compagnon :

— Et Martine ? Toujours amoureux d'elle ?

Le visage de Charlie s'illumina comme celui d'un petit garçon à la vue d'un chou à la crème :

— Ah, Jérôme, elle est chouette comme tu ne peux pas savoir! Je n'ai jamais connu une fille comme ça! Vraiment!

Et il se lança dans un éloge passionné et minutieux de sa blonde: sa vivacité, son aplomb, un sans-gêne charmant, la grâce d'un jeune chevreuil, un entrain et une drôlerie à faire rigoler un cortège funèbre, tout l'éblouissait chez Martine, et il s'étonnait encore d'avoir été davantage frappé par son amie Laurie le soir de leur première rencontre dans un café près de chez lui.

— Ça m'a pris 20 bonnes minutes, figure-toi donc, pour réaliser que j'avais à côté de moi une pure merveille, je te dis, arrivée directement du Paradis terrestre!

— Ce n'est pas rien.

— On était assis l'un à côté de l'autre et parfois, sans le vouloir, on se touchait du coude, mais je zyeutais l'autre, qui me faisait face et qui n'est pas mal dans son genre, bien sûr, mais… mais alors, quand mes yeux se sont vraiment ouverts…

Il s'arrêta, la gorge serrée par l'émotion, perdu dans une songerie qui lui amenait aux lèvres un sourire ineffable que Jérôme ne lui avait jamais vu et qui le rendit un peu jaloux.

— Et le fruit défendu, est-ce qu'il a bon goût quand vous le croquez ensemble?

— Ah! mon vieux! mon vieux! se contenta de répondre Charlie. Je ne sais plus quoi te dire, non, je ne sais plus…

Mais dix minutes plus tard, Jérôme dut l'interrompre dans une description lyrique des jolis petons roses de sa petite amie, dont la seule vue le jetait dans une transe:

— On va rater notre film, Charlie. Les bandes-annonces doivent être presque terminées.

Charlie se leva et le suivit sans dire un mot, sourire aux lèvres.

◆ ◆ ◆

À la mi-novembre, Normande Juneau, accaparée par la session parlementaire, demanda à Jérôme de venir la retrouver à Québec pour la fin de semaine. Il accepta et en fit aussitôt part à Séverin Sicotte. L'agent d'influences se frottait les mains, enchanté par les progrès de leur liaison.

— L'amour a l'air d'être pris pour de bon, hein? Reste donc quelques jours de plus, si ça te tente. Je me charge des frais. Et alors, on s'amuse, jeune homme?

Jérôme rit :

— En tout cas, je ne m'ennuie pas.

— On la dit très demandante au lit, fit Sicotte, travaillé par la curiosité.

— Ah ça, il faut être en forme, c'est vrai.

— Je ne m'inquiète pas pour toi, tu dois les avoir bien accrochées… Ne lui parle pas affaires pour le moment. Le sujet, tôt ou tard, va remonter à la surface, c'est évident… Prends ton temps, laisse-la venir. Il faut d'abord gagner sa confiance.

— J'ai bien compris ça, répondit Jérôme en détournant le regard.

Il sentait la rougeur envahir son visage. Le conseil lancé imprudemment par Sicotte lui confirmait, s'il en était besoin, qu'on avait dévasté sa vie amoureuse pour l'utiliser comme appât dans une magouille.

Sicotte, renversé dans son fauteuil, continuait de le fixer avec un sourire engageant. Avait-il bu? Le prenait-il pour un idiot? Il ne semblait pas se rendre compte du malaise de son assistant. Le téléphone sonna. Jérôme en profita pour quitter la pièce.

◆ ◆ ◆

La fin de semaine avec la ministre s'allongea finalement de trois jours et Jérôme ne reparut à Montréal que le jeudi matin. Normande Juneau avait eu un grand sourire quand il lui avait parlé de rester quelques jours de plus à Québec :

— J'ai besoin de vacances et j'aimerais les passer avec toi.

— Je ne demande pas mieux, Jérôme, mais on ne pourra se voir qu'en fin de journée : il faut que je travaille, moi.

Sa relation avec la ministre le faisait aller de surprise en surprise. Par moments, elle paraissait sincèrement éprise de lui. Elle avait alors des attentions, des gentillesses et même des tendresses qu'il ne pouvait expliquer autrement. Il lui avait parlé un soir de son admiration pour Zola et de l'intention qu'il avait de se procurer ses œuvres complètes dans une belle édition. Le lendemain, alors qu'il faisait la grasse matinée après une baise qui avait obligé sa maîtresse à refaire son maquillage avant de se rendre à l'Assemblée nationale, on sonna à la porte ; c'était un livreur qui lui remit un colis adressé à son nom. Il l'ouvrit et poussa un cri de joie : Normande Juneau venait de lui acheter les cinq tomes de la série des *Rougon-Macquart* dans la Pléiade.

Elle ne lui parlait jamais politique ni affaires et il savait très peu de choses sur elle, à part le fait qu'elle était née à Rivière-du-Loup dans un milieu modeste, qu'elle avait divorcé à l'âge de 25 ans après avoir subi un avortement et qu'elle avait un frère orthopédagogue et une sœur cadette avec qui elle était en brouille. Quand il voulait pousser plus loin, son front se plissait et elle changeait de sujet. De toute façon, il était difficile la plupart du temps d'avoir une conversation suivie avec elle, sauf durant les fins de soirée, car sa vie ne semblait être qu'une succession de va-et-vient, de courriels envoyés et reçus, et de conversations téléphoniques. « Vie détestable, pensait Jérôme. J'aimerais mieux être chauffeur d'autobus, ma foi. »

Il lui semblait impossible, en dépit de sa réputation de dévoreuse d'hommes, qu'elle mène des liaisons parallèles. Où aurait-elle trouvé le temps ? Mais il ne fallait rien tenir pour acquis. Au mieux, elle lui serait fidèle le temps de sa passade. Raison de plus d'agir vite.

Trois ans plus tôt, elle avait loué dans le Vieux-Québec un bel appartement, rue Sainte-Ursule, à deux pas de la colline parlementaire. Construit au début du XIXe siècle, l'immeuble avait été longtemps occupé par de riches familles bourgeoises, puis des temps difficiles étaient survenus ; on avait dû le louer à des gens de condition modeste ; il s'était peu à peu dégradé et on l'avait laissé quasiment à l'abandon ; en 1985, un promoteur immobilier l'avait sauvé de justesse – et un peu à contrecœur, il est vrai – en le restaurant à grands frais selon les nouvelles exigences réglementaires d'un Vieux-Québec tout juste inscrit par l'UNESCO sur la Liste du patrimoine mondial.

L'appartement, chaleureux, confortable et spacieux, pourvu de toutes les installations dernier cri, avait fière allure avec ses hauts plafonds à poutres apparentes, ses vieilles boiseries et ses planchers de chêne ; un soir qu'ils avaient un peu bu, Normande Juneau confia à Jérôme que certaines nuits elle avait l'impression que des fantômes élégants surgis du passé tentaient d'y poursuivre leur vie envolée.

— Et pourtant, avait-elle ajouté en riant, je ne m'intéresse pas du tout aux sciences occultes, je te jure !

— C'est peut-être tes remords qui prennent la forme de fantômes, plaisanta Jérôme.

Le visage de la ministre s'était figé :

— Quels remords ? avait-elle répondu sèchement. Je n'ai rien à me reprocher.

Ses yeux lançaient des traits noirs.

— Allons, Normande, je disais ça pour rire, s'était défendu Jérôme.

Il s'était juré ce soir-là de ne plus jamais s'aventurer sur pareil terrain.

La mise en garde de Charlie selon laquelle la ministre le fréquentait peut-être avec les mêmes arrière-pensées que les siennes ne quittait pas son esprit. Il aurait été prêt à trahir Sicotte n'importe quand si cela avait pu aider son affaire. Mais jusque-là rien ne permettait de penser qu'elle le voyait pour d'autres raisons que les plaisirs du lit. Depuis un certain temps, la liberté de ses rapports avec elle, qui allait parfois jusqu'à une certaine irrévérence, semblait la reposer des obligations accablantes de sa fonction. Elle lui avait bien posé un soir, la tête sur l'oreiller, deux ou trois questions sur le train de vie de Sicotte et le rôle qu'avait joué Roland Dozois (dit le Trépané) dans l'acquisition par l'avocat et sa femme de l'hôtel Iberostar à Varadero, mais cela n'avait pas été plus loin et Jérôme en avait conclu qu'elle n'avait été mue que par la curiosité.

Les semaines passaient. Le mois de novembre était à présent largement entamé et *l'espionnage* auquel essayait de s'adonner Jérôme n'avait jusque-là guère donné de résultats. Tout ce qu'il avait pu glaner, bribe par bribe, au hasard de ses conversations avec la ministre, c'était que son ascension rapide semblait liée à un accord secret entre elle et le premier ministre Labrèche, un accord qui paraissait être le fruit d'une sorte de chantage. Quel était le fond de l'affaire ? Il n'en avait pas la moindre idée.

Fin novembre, un vendredi soir, il crut entrevoir la vérité le temps d'un éclair. Ils arrivaient du Bonaparte après un souper bien arrosé qui les avait menés aux alentours de 22 h. En entrant chez elle, Normande

Juneau, sans même enlever son manteau, alla droit au salon, alluma le téléviseur et se laissa tomber dans un fauteuil, la mine vaguement inquiète. Le bulletin de nouvelles commençait.

Elle venait de traverser une semaine difficile. Une déclaration maladroite faite deux jours plus tôt pour justifier la décision des Sulpiciens de vendre leur terrain en vue de la construction du Musée de la culture canadienne de langue française avait mis l'opposition en furie. On réclamait la démission d'une ministre de la Culture inculte, « incapable d'assurer la protection du patrimoine, avait lancé un député, car elle ne sait pas de quoi il s'agit. » Twitter et Facebook s'étaient mis à cracher des critiques et des insultes, les journaux, plus retenus, n'en laissaient pas moins couler des filets d'acide nitrique. Ce vendredi-là, en fin de matinée, des journalistes avaient interrogé Jean-Philippe Labrèche au sortir de la réunion du conseil des ministres, Normande Juneau ayant refusé de répondre à leurs questions ; Labrèche avait pris sa défense mollement pour ensuite s'esquiver. Sa tiédeur avait surpris ; certains l'interprétaient comme le signe avant-coureur d'un désaveu.

Normande Juneau, les lèvres serrées, écoutait le bulletin de nouvelles. Jérôme, affalé sur un canapé, ne disait mot, regardant alternativement la télévision et le visage de sa maîtresse.

Dix minutes venaient de s'écouler et la ministre commençait à espérer qu'on allait lui faire grâce ce soir-là lorsque la tête de Jean-Philippe Labrèche entouré de journalistes apparut soudain à l'écran – et les ragots recommencèrent ! D'un coup de télécommande, elle éteignit l'appareil en marmonnant quelques mots d'un air farouche.

— Penses-tu qu'il va te laisser tomber ? demanda Jérôme.

Sans l'effet de l'alcool, il n'aurait jamais osé cette question.

Elle eut un rire sardonique :

— Ne t'inquiète pas... J'ai ici tout ce qu'il faut pour me défendre.

— Ici ?

— Ici... et ailleurs.

Elle se leva :

— Peux-tu aller suspendre mon manteau ? Je vais prendre ma douche. Je suis vannée.

◆ ◆ ◆

Il avait dû reprendre son horaire de travail régulier au bureau, tout en allongeant parfois un peu ses fins de semaine quand Normande Juneau se trouvait à Montréal; de toute façon, agir autrement aurait éveillé ses soupçons. Sicotte l'avait remis sur le dossier du Musée de la culture canadienne de langue française et parlait de faire revenir Olivier de Varadero, car deux autres « projets » venaient de se concrétiser, et on ne fournissait plus à la tâche. Aussi le moral de Jérôme depuis quelque temps frisait-il les -40 ° C.

Un lundi matin vers 10 h 30, il venait d'arriver au bureau après une autre fin de semaine de trois jours avec Normande Juneau et passait devant la porte de Francine lorsque celle-ci l'appela:

— Et alors, Beau Brummell, comment vas-tu?

Il y avait dans sa voix comme une trace d'insolence qui se reflétait jusque dans le sourire exagéré qu'elle lui adressait, inclinée dans son fauteuil, ses poignets chargés de bracelets rutilants posés sur les appuie-bras.

— Très bien, et toi? répondit-il en essayant de cacher son malaise sous un air désinvolte.

Et il jeta un discret regard en biais pour vérifier si Alma se trouvait dans la pièce voisine.

— Je l'ai envoyée faire une commission, cher. Rassure-toi. Personne ne nous entend.

Il eut un haussement d'épaules avec l'air de dire qu'il ne saisissait pas l'allusion.

— La fin de semaine a été bien remplie? La ministre aussi?

La grossièreté du *mot d'esprit* lui fit arrondir les yeux, et son visage s'empourpra.

— Séverin n'ose pas te le dire, mais on commence à trouver que les résultats se font un peu beaucoup attendre… Bonté divine! Je n'ai jamais payé autant de baises à quelqu'un de toute ma vie!

Il la fixait, piqué au vif:

— Mes fins de semaine m'appartiennent à ce que je sache, rétorqua-t-il. Tu n'as pas à les comptabiliser.

— Oui, je veux bien, mon chou, mais tes fins de semaine à toi commencent souvent le vendredi midi pour aller jusqu'au lundi… Tu sais quelle heure il est?

Et, du bout de l'index, elle tapota le cadran de sa montre.

Une rage froide le saisit; il fut à deux doigts de lui lancer en plein visage qu'il savait tout de la machination qu'elle avait montée contre lui avec son mari, et seule l'idée du tort que cela pourrait causer à Félix le retint.

— Je connais une solution toute simple à ça, Francine: tu te trouves quelqu'un d'autre pour coucher avec ta ministre.

Et, pivotant sur les talons, il quitta la pièce, entra dans son bureau et se jeta dans son fauteuil, éperdu, les yeux pleins d'eau, les mains tremblantes.

— Chienne! vieille chienne! marmonnait-il. Elle prend plaisir à m'humilier, à présent! T'es chanceuse, ma salope, d'avoir un fils qui vaut mieux que toi... Je ne moisirai pas longtemps ici, tu peux être sûre. Et alors, prends garde!

Il alluma son ordinateur et cliqua sur un dossier, mais au bout de deux minutes, incapable de se concentrer, il se leva et alla se planter devant la fenêtre, les mains dans le dos, se pressant et se tordant les doigts.

Un vieil homme à casquette brune, cigarette aux lèvres, nettoyait le jardin, le dos courbé, et, de temps à autre, s'arrêtait pour observer les évolutions frénétiques d'un écureuil dans le massif de vieux lilas.

Il entendit alors la porte s'ouvrir et reconnut le pas de Séverin Sicotte. Il ne se retourna pas.

L'agent d'influences s'arrêta au milieu de la pièce, puis toussota.

— Ça ne va pas, Jérôme?

Sa grosse voix rocailleuse essayait de se faire chaleureuse et compatissante, sans y parvenir.

Un frémissement parcourut les épaules de Jérôme, mais il ne répondit rien.

— Écoute, je viens de parler avec Francine. Vous vous êtes engueulés?... Mais regarde-moi, sacrament! J'ai l'impression de parler aux rideaux! Bon, fit-il quand Jérôme se fut enfin retourné.

— Je ne veux plus lui parler, à ta femme, annonça Jérôme d'un air buté. Elle m'a insulté. Sans raison. Le dossier de la ministre, je te le remets. Trouvez-vous quelqu'un d'autre. J'en ai jusque-là, moi!

Une grimace angoissée plissa le visage de Sicotte, dont tous les traits semblèrent converger vers la bouche:

— Allons, allons, ne perdons pas la tête, veux-tu? Francine ne pense pas un mot de ce qu'elle t'a dit. Et même, elle te présente ses excuses. Profites-en, ça n'arrive pas souvent! Veux-tu connaître le fin fond de l'affaire, Jérôme? Le fin fond de l'affaire, c'est Félix. Oui, Félix! Elle est morte d'inquiétude pour lui. Et elle croit que c'est toi qui l'as convaincu de quitter la maison.

— C'est faux! Il est venu de lui-même chez moi. Et, sur le coup, ça ne faisait pas trop mon affaire, soit dit en passant.

— Bon, bon, je te crois, n'en parlons plus… Tu sais comment sont les mères, Jérôme, des lionnes qui défendent leurs lionceaux.

— Je n'aime pas son coup de patte, à ta lionne. D'autant plus que je n'ai rien à me reprocher, m'entends-tu? Rien!

— Je le sais, tu viens de me le dire. Tournons la page, veux-tu?

Jérôme se remit à fixer le jardin. Sa colère s'apaisait, mais il s'efforçait de n'en rien laisser paraître. Une occasion se présentait de renforcer sa position, car, en dépit des paroles de Sicotte, il sentait qu'elle avait commencé à se dégrader et que le repli de sa femme n'était que stratégique.

— Est-ce qu'on la tourne, la page? répéta Sicotte.

Le saisissant par les épaules, il le ramena vers lui et le regarda droit dans les yeux.

Jérôme, avec un sourire contraint, acquiesça d'un signe de tête.

— Alors, tope là, mon homme!

Et ils échangèrent une vigoureuse poignée de main.

Un silence suivit.

— Est-ce que le vieux Gendron a fini de nettoyer la cour? se demanda alors à voix haute Sicotte qui sentait le besoin d'une transition, et il alla jeter un coup d'œil par la fenêtre. Je ne le vois plus. Il doit être de l'autre côté de la maison.

Revenant vers Jérôme:

— On peut se parler une minute?

Et, sans attendre de réponse, il se cala dans un fauteuil tandis que Jérôme allait s'asseoir derrière son bureau.

Une réflexion à voix haute lui servit de préambule.

— Je ne me rappelle pas, Jérôme, dans toute ma carrière, avoir eu avec un membre de mon personnel la conversation que je viens d'avoir avec toi. C'est dire l'estime que je te porte… Et Francine t'estime autant que moi, malgré tout ce que tu peux croire… Les femmes ont parfois de ces sautes d'humeur, que veux-tu? Elles disent alors n'importe quoi. Il faut en prendre et en laisser.

Jérôme eut une moue acide:

— En tout cas, moi, j'en ai pris pour mon grade!

«Où diable veut-il en venir?» se demanda-t-il.

Sicotte porta alors brusquement la main vers une poche de son veston, puis la ramena aussi vite:

— J'ai une de ces migraines depuis ce matin, soupira-t-il avec une grimace douloureuse. Si je ne me retenais pas, j'avalerais tout mon flacon de Tylenol… Ça doit être le stress, le maudit stress… On n'a pas un métier facile, toi et moi.

— Ni Francine, semble-t-il, ajouta Jérôme, sarcastique.

— Elle non plus, elle non plus, bien sûr… Écoute, Jérôme, au risque de me répéter, je veux m'assurer encore une fois que les choses soient bien claires entre toi et moi au sujet de ta *mission* auprès de Juneau: je ne me suis jamais attendu à un résultat précis de ta part, m'entends-tu? Du moins pour l'instant. La seule chose qui m'importe, ce sont *les liens que tu es en train d'établir avec elle*, compris?

— C'est ce que j'avais toujours compris, Séverin, mais je ne suis pas sûr que ce soit le cas de Francine.

Sicotte, excédé, expulsa bruyamment de l'air par les narines:

— Laisse Francine en dehors de ça, veux-tu?

Son index s'était dressé, menaçant:

— C'est avec moi que tu fais affaire, pas avec elle. Capiche?

Jérôme sentit qu'il venait d'aller trop loin; il fallait plier ou du moins faire semblant.

— Capiche.

— Parfait.

Écartant les jambes, l'agent d'influences posa les mains sur ses genoux et dressa légèrement le menton, signe qu'une déclaration importante s'en venait:

— C'est une chance incroyable, Jérôme, que tu sois tombé dans l'œil de notre ministre. Ce n'est pas à une vieille carcasse comme moi qu'une pareille chose aurait pu arriver, bien sûr, ni à Olivier – sans vouloir diminuer ses mérites. Je dois cette chance à ton... physique de beau garçon, à ton charme, oui! et à ton... comment dire?... à ton *know-how*. Oui, oui, il faut bien appeler les choses par leur nom, batinse! Pourquoi fais-tu cet air-là? Je ne suis pas en train de te draguer, on parle *business*! lança-t-il en riant.

Il eut encore le geste involontaire de glisser la main dans la poche de son veston, poussa un petit grognement agacé, puis, le visage soucieux:

— Combien de temps vont durer vos amours, impossible de le prévoir... Mais on sait que, tôt ou tard, tu devras céder ta place à quelqu'un d'autre: c'est ainsi qu'elle est faite, Normande, personne n'y peut rien...

On entendit un bruit sourd à l'extérieur, suivi d'un juron. Les choses n'allaient pas au goût d'Oscar Gendron dans la remise.

— Le bruit court depuis deux semaines que Labrèche va procéder bientôt à un autre remaniement ministériel; Normande Juneau serait nommée aux Affaires municipales, un ministère bien plus intéressant pour nous que celui de la Culture, évidemment; des projets comme celui du musée, ça se produit une fois par jamais... Est-ce qu'elle t'en aurait glissé un mot?

Jérôme fit signe que non.

Il y eut un silence.

— Si j'en avais eu vent, Séverin, tint à préciser Jérôme, je te l'aurais dit, bien sûr.

— Bien sûr, convint l'avocat avec un grand hochement de tête. Ah Seigneur, les problèmes ne me manquent pas... Figure-toi donc que le sénateur Freddy Peck – un bleu – est parti en guerre contre Pettoza et l'accuse de collusion avec des fournisseurs chinois... Un autre plein de marde qui n'a pas eu son petit cadeau et essaie de se venger comme il peut... Est-ce que Normande t'en aurait parlé?

De nouveau, Jérôme fit signe que non.

Séverin Sicotte se leva et lui sourit:

— Je te laisse travailler. À plus tard. On casse la croûte ensemble, tout à l'heure?

— Comme tu veux, Séverin.

Pendant un long moment, immobile derrière son bureau, Jérôme fixa d'un air absent l'écran de son ordinateur. Sous les éloges et les manifestations d'attachement, il avait senti dans les paroles de son patron, très habilement incorporée, une subtile mais pressante exhortation à se grouiller le cul.

Il ne lui restait peut-être plus beaucoup de temps pour réaliser son projet.

◆ ◆ ◆

Dans la soirée du même jour, Jérôme achevait de souper dans un restaurant près de chez lui (une habitude qu'il avait prise dans les moments de cafard ou d'anxiété) lorsqu'il reçut un appel de Charlie qui le mit dans tous ses états.

— Veux-tu en apprendre une bonne ?

Sa voix était fébrile, remplie d'une joyeuse stupéfaction, comme s'il avait peine à croire à ce qu'il allait annoncer.

— Qu'est-ce qui se passe ?

— Je te le donne en mille.

— Allez, accouche.

— Eugénie vient de m'appeler pour prendre de tes nouvelles.

Le silence qui suivit permit à Charlie d'entendre six ou sept mesures de *O sole mio* chanté par l'incomparable Pavarotti, pour qui la direction du restaurant éprouvait une affection particulière.

— Si c'est une blague, répondit enfin Jérôme dont le visage se décomposait lentement, c'est une de tes plus mauvaises, Charlie.

— Eh ! dis donc, jamais je ne te ferais une blague pareille, protesta Charlie. J'ai quand même un peu plus de jugeote que ça, bon sang !

Et il lui raconta sa conversation avec l'ancienne amoureuse de Jérôme. Le prétexte de son appel (car il lui avait fallu un prétexte, bien sûr), c'était les problèmes chroniques qu'elle éprouvait avec son ordinateur à la maison. Charlie lui ayant mentionné au cours de leur rencontre au Café Prague qu'il travaillait comme technicien chez Micro-Boutique, elle avait trouvé là une raison tout à fait plausible de l'appeler, non ? Pendant une dizaine de minutes, ils avaient donc causé informatique, puis s'étaient fixé un rendez-vous. Mais, dès le début, il avait senti dans la voix d'Eugénie un petit quelque chose de singulier, une sorte de vibration mouillée, un ton faussement détaché qui essayait de contenir une émotion immense, comme le couvercle d'une marmite à pression qui lutte contre la vapeur déchaînée. Et puis la question était apparue, mine de rien, une de ces questions qu'on pose avec une aimable indifférence pour clore un entretien d'affaires auquel on veut donner un tour chaleureux:

— Et puis, comment va ton ami Jérôme? lui avait-elle demandé d'un ton qui se voulait insouciant, mais qui avait eu l'effet d'un coup de canon dans l'oreille de Charlie.

— Qu'est-ce que t'as répondu? demanda Jérôme, haletant.

— Ce que je devais: que tu allais bien et que tu travaillais tellement fort qu'on n'avait pas souvent l'occasion de se voir. Autrement dit: rien, ou presque. Pour que tu puisses compléter toi-même.

— Est-ce qu'elle a poussé plus loin?

— Non.

Un second silence suivit qui permit à Pavarotti de se lancer dans *Granada*.

— Je crois que tu fais fausse route, murmura enfin Jérôme. Elle t'a posé la question comme ça, sans plus, parce qu'elle sait qu'on se connaît, tout simplement. Tu prends tes imaginations pour la réalité, c'est tout.

— Et moi, je crois que tu déconnes. Penses-y un peu: il y a au moins 400 techniciens à Montréal qui peuvent réparer son ordinateur. Elle ou quelqu'un de son entourage doit bien en connaître quelques-uns dans le tas. Sinon, en trois minutes, elle en déniche un. Mais qu'est-ce qu'elle fait à la place? Elle téléphone au *seul* technicien qui a le malheur d'être ton ami. Même un simple d'esprit comprendrait ça, Jérôme.

— Quand la vois-tu?

— Après-demain. Mais tu peux me remplacer, Jérôme: je suis sûr que son portable peut attendre.

— Compte sur moi! ricana Jérôme. Tu ne serais pas par hasard sous l'effet d'une substance illicite, Charlie?

— Hum… Laisse-moi voir… Tout ce que j'ai mangé d'un peu bizarre aujourd'hui, c'est un petit sac de retailles d'hosties que j'ai acheté au dépanneur en début de soirée… Mais change de ton, jéribroire! s'emporta-t-il tout à coup. Tu n'es pas content de la bonne nouvelle que je t'apporte? L'amour de ta vie pense à toi! Mieux que ça: il veut que tu le saches! Qu'est-ce qu'il te faut de plus? Un prix Nobel de littérature? Le gros lot de dix millions?

Il entendit alors au bout du fil un soupir accablé qui se mêla aux dernières notes de *Granada*.

— Excuse-moi, Charlie… Merci de m'avoir appelé… mais ça ne fait que compliquer un peu plus une situation impossible.

Sa voix exprimait une telle détresse que Charlie ne sut que répondre et, après avoir marmonné un «bonne chance» à peine audible, il raccrocha.

◆ ◆ ◆

La semaine s'étirait, longue comme une séance chez le dentiste. Jérôme faisait et recevait des appels, dont la plupart ne menaient à rien, participait à des discussions qui tournaient généralement en queue de poisson, se déplaçait, allait s'informer de ceci ou de cela, sans grands résultats, et c'était très bien ainsi, car ce travail déshonorant et nuisible, il l'accomplissait pour deux personnes dont il souhaitait la perte. Mais quelle tâche éprouvante que de contrefaire le plaisir et l'intérêt quand on ne ressent que haine et dégoût! Il n'en trouvait la force que dans son désir de vengeance, une vengeance qui lui permettrait, espérait-il, de recouvrer sa propre estime.

Une sourde crainte l'habitait: que Séverin Sicotte ou sa femme (mais il s'efforçait d'éviter celle-ci le plus possible) devine le tourment qui le rongeait; à ces virtuoses de la duplicité, le métier avait dû apprendre depuis longtemps comment la détecter chez les autres: c'était une question de survie.

Vint enfin le vendredi soir. Normande Juneau était arrivée à Montréal au cours de la matinée; à 17 h 30, elle quittait son bureau de comté, la tête bourdonnant d'une interminable série de rencontres avec des citoyens, et se hâtait de rejoindre Jérôme qui l'attendait sagement dans le hall de l'immeuble où elle logeait.

Jérôme allait connaître des surprises durant cette fin de semaine.

Il s'était plaint quelques fois à Normande Juneau d'être obligé, faute de clé, de faire le pied de grue dans le hall comme un livreur de pizzas lorsqu'un empêchement de dernière minute la retardait (ce qui

se produisait souvent). Chaque fois, elle avait répondu par une plaisanterie ou détourné la conversation.

Vendredi soir, elle arriva à l'heure dite. Le sourire qu'elle eut en
l'apercevant effaça d'un coup toutes les traces de fatigue sur son visage.

— Tu vois? Ça m'arrive de temps à autre d'être ponctuelle, mon
chéri.

Ce «mon chéri», dont c'était la première apparition depuis le
début de leur aventure, le surprit un peu. Ils se retrouvèrent seuls dans
l'ascenseur et s'enlacèrent avec passion. Jérôme sentit tout à coup un
objet métallique qu'on lui glissait dans la main.

— La voilà, ta clé, livreur de mon cœur! dit-elle en riant. À partir
d'aujourd'hui, tu pourras mettre la pizza au four en m'attendant.
Es-tu content?

Ils arrivaient à l'étage et seule la présence d'un employé en train de
passer l'aspirateur dans le corridor l'empêcha de lui témoigner sa
reconnaissance par un solide pelotage devant sa porte.

La soirée, la nuit et les deux journées qui suivirent furent particulièrement gratifiantes pour chacun. La ministre, qui n'avait jamais craint
de montrer ses sautes d'humeur en privé et parfois même en public,
fut tout simplement délicieuse; invoquant un grand besoin de repos,
elle avait fait transférer tous ses appels à son chef de cabinet avec la
consigne expresse de ne la joindre qu'en cas d'urgence, et il n'y en eut
aucune.

Ils regardèrent en petite tenue la série complète de *Fanny et Alexandre*
de Bergman sur écran ultralarge à haute définition, entrecoupant certains épisodes par une séance de baise pour lutter contre la célèbre mélan-
colie nordique. Un traiteur avait été chargé de les sustenter tout au
long de la fin de semaine, et il le fit avec un raffinement incomparable;
Jérôme but alors deux ou trois vins dont il avait déjà entendu parler,
mais qu'il croyait ne jamais pouvoir goûter.

— Tu es folle, Normande! s'exclama-t-il, embarrassé à la fin par
ces douceurs somptueuses. Tu vas te ruiner!

Elle rit:

— Alors, tu n'auras qu'à me prendre en charge.

Il ne pouvait y avoir de contraste plus tranché entre ces moments de plaisir et la semaine infernale qu'il venait de traverser au bureau de Sicotte.

La dernière surprise lui tomba dessus au début de la soirée du dimanche. Normande Juneau se préparait à son retour à Québec où elle comptait arriver à 22 h ; son chauffeur allait sonner d'une minute à l'autre. Jérôme, un peu assommé par ses excès des derniers jours, somnolait dans la chambre à coucher où flottaient encore les effluves de l'amour.

Elle vint le trouver, sa toilette terminée, prête à partir, et s'assit sur le bord du lit. Il se redressa d'un coup :

— Eh, dis donc, tu pars déjà ? Il faut que je saute dans mes culottes, moi !

— Pourquoi te presser ? fit-elle en le forçant à se recoucher. Je ne t'ai pas donné une clé pour rien, nigaud.

Et elle lui fit répéter les deux codes d'accès pour s'assurer qu'il les avait bien mémorisés.

Un timbre résonna quelque part dans l'appartement : son chauffeur l'attendait au rez-de-chaussée. Ils s'embrassèrent, elle se leva et, en quittant la pièce, se retourna et lui lança négligemment :

— Oh, pendant que j'y pense… Qu'est-ce que tu fais pendant le congé des Fêtes ? J'ai des amis qui m'ont invitée pour une croisière aux Bahamas… Un yacht superbe ! Ça te plairait de m'accompagner ?

Il la fixait, pétrifié par une stupéfaction si profonde qu'elle éclata de rire :

— Qu'est-ce qui se passe ? Une attaque ?

— Non… simplement, je…

Le timbre sonna de nouveau.

— On en reparle. Bonne semaine. N'oublie pas d'être sage.

L'instant d'après, elle était partie.

Assis dans le lit, les genoux ramenés contre la poitrine et son envie de dormir envolée, il resta un long moment à réfléchir et on aurait pu suivre le cours de sa pensée par les plissements saccadés de ses lèvres et les regards effarés qu'il promenait dans la chambre.

Normande Juneau venait de lui exprimer le désir de rendre leur liaison publique. Si elle n'était pas tombée amoureuse de lui, elle en donnait, en tout cas, bien des signes! Et la confiance qu'elle lui avait manifestée en lui remettant la clé de son appartement n'était pas le moindre.

Que s'était-il passé? Le succès dépassait non seulement ses espérances, mais ses besoins! Une situation déjà compliquée prenait des allures de labyrinthe. Il sauta à bas du lit et alla s'affaler à poil dans un des fauteuils de l'immense salon. Des tisons finissaient de s'éteindre dans la cheminée de marbre rose surmontée d'une copie d'un Canaletto représentant *La Tamise et la City de Londres vues de Richmond House.*

Il pouvait donc fouiller l'appartement à sa guise à la recherche d'un élément de preuve susceptible de déclencher un scandale qui ruinerait Sicotte et sa femme, plongerait le gouvernement Labrèche dans l'embarras et risquait, en plus, de faire tomber sa maîtresse en disgrâce.

Peut-être cet élément de preuve ne se trouvait-il pas dans l'appartement, si jamais il existait. Il fut surpris toutefois de voir comme l'idée de mettre la main dessus lui apportait peu de joie. Se venger d'une trahison par la trahison d'une autre personne qui semble nous aimer sincèrement avait quelque chose de répugnant. Mais n'était-ce pas le projet qu'il avait formé dès le début? Bien sûr. Sauf qu'il n'avait pas prévu ces fameuses *surprises de l'amour*, qui, de tout temps, avaient mis le monde sens dessus dessous.

Il aurait fallu relire Marivaux.

Qu'avait-il fait pour se retrouver dans pareille situation? Rien. C'était comme ça, tout simplement. Un de ces impitoyables hasards de la vie qui nous tombent dessus sans crier gare pour nous rappeler sa dureté originelle. Il se félicitait, en tout cas, d'avoir résisté aux conseils de Charlie qui le pressait d'entrer tout de suite en contact avec Eugénie. Bon sang! comment lui aurait-il expliqué – et fait accepter! – le cafouillis où il s'était enfoncé?

Il resta un long moment à contempler les tisons qui pâlissaient peu à peu dans leur lit de cendres grises en émettant de temps à autre comme un faible soupir. Puis il leva les yeux vers le Canaletto, ce peintre célèbre qui avait quitté sa lumineuse Italie pour la froide et brumeuse Londres, capitale d'un empire dont les Québécois étaient encore, d'une certaine façon, les humbles et dociles vassaux.

Il eut envie d'une bière. Il se leva et se rendit à la cuisine.

— Quand même, Jérôme Lupien, murmura-t-il en s'arrêtant tout à coup, saisi d'une joyeuse ivresse, regarde-toi donc, chienne de chienne! Tu n'as pas trop à te plaindre: en ce beau dimanche soir, tu te promènes à poil, comme chez toi, dans l'appartement de la ministre de la Culture, qui t'a remis sa clé et file présentement vers Québec en limousine, l'air important. Mais son air, ce n'est rien du tout, rien! Elle est folle de toi, mon gars, complètement folle! Et elle est en train de compter dans sa tête de ministre le nombre d'heures qui la séparent des gentils six-neuf que vous allez vous administrer la semaine prochaine dans son lit, sur le tapis du salon, ici, là-bas, partout! On a déjà vu pire épreuve, mon Jérôme! J'en connais plus d'un qui t'envierait!

Et il se mit à danser sur place et sentit comme un raidissement sous l'afflux des images de leurs ébats.

Des élancements aux tempes l'arrêtèrent. Il avait un peu trop picolé ces derniers jours. Mais cela ne l'empêcherait pas de caler sa bière, car bon sang qu'il avait soif! Il prit une longue gorgée, expira bruyamment, promena la langue sur ses lèvres, et les élancements disparurent.

Il se trouvait devant la porte entrouverte d'une petite pièce qui servait de bureau à Normande Juneau. Il n'y était jamais entré, car elle y allait rarement, et quand cela se produisait, c'était pour envoyer ou recevoir des courriels; alors, par discrétion et bridant sa curiosité, il se tenait à l'écart.

Soudain, il crut voir s'éclaircir un peu l'énigme du changement de sentiments de sa maîtresse à son endroit.

Jusqu'ici, il avait presque toujours évité, par stratégie, de parler «affaires» avec elle ou d'essayer de lui soutirer, mine de rien, des informations utiles pour ses patrons, dont il se fichait, bien entendu, éperdument; la politique l'ayant toujours plus ou moins intéressé, il en abordait rarement le sujet et elle-même n'en parlait presque jamais. Il avait réservé sa petite enquête personnelle pour plus tard, quand il aurait le sentiment d'avoir pleinement gagné sa confiance. Malgré tout, il fallait bien, de temps à autre, fournir quelques miettes à Sicotte et à sa femme, ne serait-ce que pour éviter d'être mis à la porte. Mais l'impatience que lui avait manifestée si grossièrement Francine Desjarlais ce fameux lundi matin n'avait eu pour effet que de le pousser à ne rien faire. Normande Juneau avait peut-être fini par avoir le sentiment qu'en dépit de son emploi chez un des plus importants lobbyistes de Montréal, il ne la fréquentait que pour le plaisir de sa compagnie. Cupidon avait fait le reste.

« Charlie me dirait pourtant de me méfier, songea-t-il en s'approchant pour jeter un coup d'œil dans le bureau. Tout ça a l'air un peu trop facile… Elle me donne la clé de son appart, et bonjour, chéri, à la semaine prochaine ! Qui sait les idées qu'elle a derrière la tête, la belle Normande ? Je suis peut-être en train de passer un test sous une caméra de surveillance. »

L'idée lui fut tellement désagréable qu'il retourna dans la chambre à coucher enfiler ses vêtements. Revenu dans le salon, il s'approcha de nouveau du bureau de la ministre. Son euphorie avait disparu. Il hésita encore un moment, puis, un léger frisson lui courant entre les épaules, il entra dans la pièce. Contrairement au reste de l'appartement, elle était des plus banalement meublée ; à l'exception d'un guéridon aux lignes élégantes placé devant une fenêtre et sur lequel reposait un vase de porcelaine rempli de fleurs séchées, le genre pratico-pratique régnait partout. Sur un grand bureau à placage de mélamine se trouvaient les habituels ordinateur, téléphone, bloc-notes et pot à stylos ; les tiroirs contenaient de la papeterie, du matériel de bureau, une trousse de maquillage bon marché – et un petit épagneul brun en peluche, l'oreille gauche à demi décousue. Souvenir d'enfance ? Porte-bonheur ? À gauche se dressait un classeur métallique, verrouillé. Suspendue au-dessus du classeur, une grande photo du conseil des ministres entourant le premier ministre Labrèche assis dans un fauteuil, l'œil impénétrable, les ministres affichant pour la plupart cet air de respectabilité bienveillante propre à leurs fonctions ; le visage de Normande Juneau, debout derrière Labrèche, frappa Jérôme par sa dureté ironique ; ce n'était pas la femme qu'il avait connue ces derniers jours.

Ne restait plus qu'un placard, qui se trouvait à sa droite ; il voulut l'ouvrir, sans succès.

— Eh ben voilà, marmonna-t-il en quittant la pièce avec une moue dépitée, à la semaine prochaine !

Après avoir fouiné avec précaution dans le reste de l'appartement, il dut se rendre à l'évidence : ce n'était pas ce soir-là qu'il mettrait la main sur la *chose* qui, selon les rumeurs, avait permis à Normande Juneau sa foudroyante ascension : de simple députée à adjointe parlementaire, puis responsable du financement, et enfin ministre, tout cela en moins de deux ans ! Et ce n'était qu'un début. Si la *chose* avait été si déterminante pour sa carrière, elle se trouvait sans doute dans un casier de sécurité ou un coffre-fort. Et pourtant, Normande Juneau ne lui avait-elle pas dit quelques semaines plus tôt que l'arme qui la protégeait contre tout limogeage se trouvait chez elle ?

« Ici… et ailleurs », avait-elle précisé. Jérôme rangea un peu l'appartement et quitta les lieux vers 21 h. Son humeur aurait pu être plus gaie.

◆ ◆ ◆

À partir de ce dimanche soir, les événements se succédèrent avec une régularité inexorable. Jérôme n'entendit jamais parler de son inspection de l'appartement car, manifestement, la ministre n'y avait pas fait installer de système de surveillance.

Dans la semaine qui suivit, sur les conseils pressants de Charlie, il téléphona enfin à Eugénie ; après avoir parlé de choses et d'autres en essayant de cacher leur malaise, ils se donnèrent rendez-vous chez elle le soir même. Jérôme la trouva nerveuse, le teint pâle, mais possédant toujours cette beauté fine et racée qui l'avait subjugué à leur première rencontre à Varadero. Après avoir hésité, toussoté et tiré à plusieurs reprises sur les manches de sa chemise qu'il trouvait tout à coup trop petite, il lui décrivit sa situation avec toute la franchise que lui permettait la prudence, car il n'avait pas abandonné son projet et devait poursuivre sa relation avec la ministre Juneau. Eugénie se montra attentive et réservée, puis finit par lui demander, les larmes aux yeux, s'il l'aimait vraiment.

Il lui prit les mains, qu'elle retira aussitôt :

— Tu es la seule femme que j'ai jamais aimée, répondit-il d'une voix étranglée. Ce que je viens de te confier, est-ce que c'en est pas la preuve, Eugénie ?

— Tu m'aimes d'une bien drôle de façon, alors, soupira-t-elle. Je ne sais pas combien de temps je pourrai supporter ça.

— Je suis un drôle de numéro, je crois, murmura-t-il, comme se parlant à lui-même.

— Oh, tu peux le dire… Malheureusement, je me suis attachée au drôle de numéro… Et je ne suis pas la seule… Il y a une petite fille en train de dormir dans la chambre au fond, là-bas, qui me parle de toi presque tous les jours…

Il la fixait sans dire un mot, serrant les mâchoires de toutes ses forces pour lutter contre une émotion puissante et inconnue qui venait de l'envahir. Et soudain une pensée méchante gicla dans son esprit comme un jet de sable brûlant et refoula brutalement cette émotion. «Eh, dis donc, tu n'es quand même pas pour me faire le coup de la petite fille qui se cherche un papa, non?» Il eut aussitôt honte de cette pensée, secoua la tête et demanda à voix basse:

— Comment va-t-elle?

— Bien, se contenta de répondre Eugénie.

Jérôme garda le silence un moment, perdu dans sa réflexion. Il semblait en plein désarroi.

— Il *faut* que je réussisse mon coup, Eugénie, lança-t-il avec un accent de désespoir. C'est le seul moyen que j'ai de retrouver ma propre estime, comprends-tu?

— Tandis que, moi, je suis en train de perdre la mienne? observa-t-elle avec un sourire amer.

— Écoute, Eugénie, donne-moi encore un peu de temps et si je n'ai pas réussi, disons, dans deux mois, je quitte Sicotte et j'abandonne tout.

◆ ◆ ◆

Il n'eut pas à se donner cette peine. Dix jours plus tard, Séverin Sicotte l'appelait à son bureau pour lui annoncer qu'il ne pouvait plus le garder à son service.

Sa femme s'était envolée la veille pour Cuba et Olivier revenait à Montréal pour former une nouvelle recrue.

— Est-ce que je peux savoir pourquoi tu me mets à la porte, Séverin? demanda Jérôme, tout rouge et qui avait peine à se contenir.

— Pas assez de résultats, mon vieux, répondit l'avocat avec une curieuse bonhomie. Dans le métier, on est habitués à plus de vitesse, tu comprends. T'es sans doute un peu trop… comment dire?… *intellectuel.*

Son regard fuyant semblait indiquer qu'il gardait la vraie vérité pour lui.

Jérôme eut un rire sarcastique.

— J'ai attendu que Francine parte pour t'annoncer la nouvelle, poursuivit Sicotte, et, surtout, pour te remettre ceci.

Il sortit d'on ne sait où une enveloppe brune toute rebondie.

— C'est ton indemnité de départ, si on veut... En billets de 100 $. Francine n'aurait pas été d'accord, mais j'y tiens... C'est en même temps un cadeau pour ta discrétion... présente et future... Ça aussi, j'y tiens, ajouta l'avocat en le fixant d'un air étrange.

Dans les circonstances, Jérôme se montra stoïque et garda pour lui les sentiments qu'il éprouvait pour ses nouveaux ex-patrons. Il avait envie de s'emparer du bureau Boulle derrière lequel l'agent d'influences étalait son gros ventre et de le renverser sur lui en l'injuriant, et peut-être même d'aller un peu plus loin encore, mais c'était une vengeance bien courte à son goût – et pleine d'inconvénients.

Il se leva, un peu raide, prit l'enveloppe (la refuser aurait éveillé des soupçons) et, sur une question de l'avocat qui cherchait à rendre son congédiement le moins douloureux possible, il poussa même l'obligeance jusqu'à lui donner des nouvelles de Félix, que Jérôme voyait de temps à autre et qui n'avait guère montré le nez chez ses parents depuis son départ de la maison familiale.

Dix minutes plus tard, ses effets personnels ramassés, il quittait pour toujours la maison de Caledonia Road en comptant bien que Sicotte et sa femme entendraient parler de lui. Mais il était conscient qu'en les attaquant, il se mettrait lui-même en danger. N'avait-il pas été leur employé – c'est-à-dire leur complice –, pendant près d'un an ? Le rôle le plus honorable qu'il pouvait espérer dans cette histoire était celui de *repenti*. Mais il était loin d'être sûr qu'on le lui accorderait !

Arrivé chez lui, il ouvrit l'enveloppe que Sicotte venait de lui remettre : elle contenait 50 000 $.

— Je ne veux pas toucher à cet argent, il me lève le cœur, murmura-t-il.

Il contemplait avec un air dégoûté les liasses étalées sur la table de la cuisine et ressentait en même temps une sorte de fierté du dégoût qu'elles lui inspiraient.

«Je pourrais peut-être déposer le fric en fidéicommis? se dit-il tout à coup. Ça augmenterait ma crédibilité si je dois témoigner en cour.»

Il s'empara du téléphone et décida de prendre conseil auprès de son avocat, maître Asselin.

— Ah tiens! c'est vous? fit l'avocat d'une voix retentissante au bout du fil. J'allais justement vous appeler. Comment allez-vous, monsieur Lupien?

— Assez bien, merci.

— Figurez-vous donc que mes efforts ont commencé à porter fruit dans cette histoire de panache. La partie adverse s'est mise à chambranler: l'avocat de monsieur Pimparé a communiqué avec moi hier après-midi. Il propose un arrangement hors cour. Ça augure bien, ça!

— Il propose combien?

— Euh... il est un peu tôt pour le savoir. Nous en sommes encore tous les deux à sonder le terrain de la partie adverse, vous comprenez... Voilà pourquoi je voulais vous parler. Mais je crois pouvoir aller chercher quelque chose, disons, entre 70 000 $ et 85 000 $... Je le crois, oui.

— Mon panache vaut le double, sinon le triple.

Maître Asselin toussota, s'éclaircit la gorge, puis, d'un ton grave, laissant tomber lentement les mots les uns après les autres:

— Monsieur Lupien, le panache a été vendu, l'argent déjà dépensé en partie. Combien en reste-t-il à monsieur Pimparé? Je ne saurais vous le dire. Si vous y tenez absolument, je peux bien poursuivre les procédures; l'avocat de monsieur Pimparé fera de même. Mais tout cela coûte cher. C'est vous qui payez. Vous payez aussi indirectement l'avocat de votre guide, car ce dernier semble de condition plutôt modeste... Si les choses traînent en longueur, ne craignez-vous pas qu'une grande partie de l'argent de votre panache passe alors en frais d'avocats? Évidemment, en vous parlant ainsi, je ne vais pas dans le sens de mes intérêts financiers, mais, par souci déontologique, je me sens tenu d'attirer votre attention sur cet aspect des choses, mon ami.

Jérôme l'écoutait et se grattait le menton à une cadence de plus en plus rapide.

— Bon, fit-il brusquement, va pour l'arrangement. Essayez de lui tirer tout ce que vous pouvez. Mais je vous téléphonais en fait pour une tout autre affaire.

Et il lui parla de son projet de dépôt en fidéicommis. Est-ce qu'un avocat pouvait s'occuper de ce genre de choses ?

— Oui, nous nous en occupons couramment. L'argent doit être versé à qui ?

— Euh… je ne le sais pas. C'est de l'argent qu'on m'a donné, mais dont je ne veux pas.

— Pourquoi ne l'avez-vous pas refusé, alors ?

— Je ne pouvais pas.

— Monsieur Lupien, reprit l'avocat avec un commencement d'impatience dans la voix, est-ce que je peux vous demander qui vous a donné cet argent ?

— Mon ancien patron.

— Votre *ancien* patron, vous dites ? Vous ne travaillez plus pour lui…

— Non.

— Et que fait ce monsieur dans la vie, si je puis me permettre ?

— Il est, euh… lobbyiste…, ou agent d'influences, comme il aime dire.

— Est-ce que c'est quelqu'un que… vous estimez ?

— Non.

— Vous l'avez quitté ou il vient de mettre fin à votre emploi ?

— Un peu des deux.

— Et, à votre départ, il vous a remis une certaine somme…

— 50 000 $.

— … dont vous ne vouliez pas, mais que vous ne pouviez pas refuser. C'est bien ça ?

— C'est ça.

— Est-ce que je me tromperais en supposant que c'est de l'argent d'origine… douteuse ?

— Ça l'est. Et je n'en veux pas. Voilà pourquoi je veux le déposer en fidéicommis, pour ne pas y toucher et que personne n'y touche.

— Monsieur Lupien, poursuivit l'avocat avec un léger rire sarcastique dans la voix, le mauvais sort semble mettre sur votre chemin de bien drôles de personnes… Malheureusement, je ne peux pas vous être utile dans cette affaire. Un dépôt en fidéicommis doit être nécessairement fait à l'intention de quelqu'un ou d'une personne morale, vous comprenez? Et même si vous aviez un destinataire en vue, je ne pourrais accepter de m'occuper de cet argent douteux, car cela ferait de moi un complice. Désolé.

— Alors qu'est-ce que je vais en faire? s'exclama Jérôme avec désarroi.

— Je ne sais vraiment pas… Cet argent n'aurait pas dû se retrouver entre vos mains, voilà tout. Déposez-le à la banque et n'y touchez pas. C'est le seul conseil que je peux vous donner. Maintenant, je vous prie de m'excuser, le travail m'appelle.

◆ ◆ ◆

Trois autres semaines s'écoulèrent. La mi-décembre approchait et, avec elle, cette croisière aux Bahamas sur le *Fortune*, un yacht de 300 tonneaux appartenant au richissime entrepreneur de construction Rodolfo Vagra, surnommé dans certains milieux Rodolfo le Marteau, car il avait l'habitude de *fesser dur* lorsqu'on s'avisait de lui barrer le chemin.

— Il n'a pas très bonne réputation, ce monsieur Vagra, avait remarqué un jour Jérôme lorsque Normande Juneau avait mentionné son nom.

— Connais-tu des gens riches qui ont bonne réputation, toi? avait répondu sèchement la ministre.

Au fil des semaines, Jérôme avait appris à connaître les différentes facettes de son caractère, dont certaines plutôt rugueuses. Quand elle paraissait soucieuse, mieux valait ne pas lui parler, car on s'exposait à une réaction désagréable. Par contre, c'était un bourreau de travail, avec un esprit clair, vif et méthodique; elle méprisait les béni-oui-oui, savait apprécier ceux qui lui tenaient tête (avec mesure, bien entendu) et pouvait, à l'occasion, faire preuve d'une grande générosité.

Elle n'avait pas caché sa joie lorsque Jérôme lui avait annoncé son départ du bureau de Séverin Sicotte.

— Ne t'inquiète pas, je te trouverai quelque chose, chéri. À tout moment, il y a des postes qui se libèrent dans le personnel politique des ministères, que ce soit à Montréal ou à Québec… sans parler, bien sûr, de la fonction publique… Évidemment, dans ce cas, il faut passer des concours, mais tu les passerais haut la main et, si jamais il y avait une difficulté, j'arrangerais les choses, ne crains rien.

Jérôme eut un sourire sarcastique :

— Sans vouloir t'offusquer, je préfère m'occuper moi-même de mon gagne-pain. Je l'ai toujours fait jusqu'ici, vois-tu.

— Tiens, tiens, tiens, regarde-moi donc ce bébé gâté qui veut choisir lui-même tous ses bonbons ! Monsieur joue à l'indépendant ? Tu n'iras pas loin dans la vie, mon cher.

— Je ne m'en suis pas si mal tiré jusqu'ici, tu ne trouves pas, ma belle ministre ?

Et il se mit à la couvrir de caresses si polissonnes qu'elle éclata de rire et le repoussa.

La scène se passait à Montréal un samedi soir à l'appartement de Normande Juneau ; ils venaient de regarder la superproduction *Titanic* que Jérôme avait déjà vue deux fois quelques années plus tôt, mais que sa maîtresse voulait revoir, elle, une quatrième fois parce qu'elle aimait, disait-elle, *les grandes émotions*.

— Je n'ai pas envie de devenir ton gigolo, tu comprends, poursuivit-il en se penchant pour attraper son verre de vin rouge. Question de fierté.

— Est-ce que tu penses qu'il faut que je me paie des gigolos ?

Elle le fixait d'un œil amusé, mais une pointe d'acier semblait vouloir s'y dessiner.

— Hum… moi, je paierais n'importe quoi pour m'assurer qu'on ne touche pas à ma petite ministre d'amour.

Elle lui caressa la joue :

— Comme c'est bien tourné… Que dirais-tu, après ces jolies paroles, de me prouver ça par des actes, mon chéri ?

Et, avec un sourire mutin, elle pointa le doigt en direction de la chambre à coucher.

Jérôme hocha vivement la tête et la suivit en se questionnant sur la vérité d'un mot plutôt cru que Séverin Sicotte avait eu quelques mois plus tôt sur Normande Juneau en affirmant qu'une seule chose était plus ardente que son cul, et c'était son ambition.

Ils firent donc l'amour une troisième fois ce jour-là, puis, après quelques mots échangés au sujet de la croisière aux Bahamas qui débutait le 27 décembre à partir de New York et s'annonçait *ex-tra-or-di-naire*, Jérôme sombra dans un profond sommeil; il avait intérêt à reprendre des forces, car une récidive amoureuse risquait de se produire vers 4 h du matin. Normande Juneau, elle, ne s'endormit qu'une heure plus tard, ayant dû quitter le lit pour un courriel urgent qu'elle avait oublié d'envoyer à son attachée de presse.

Le lendemain, dimanche, fut une journée déterminante pour Jérôme. Vers 10 h, il s'occupait en petite tenue à servir un brunch dans la salle à manger (tâche des plus simples puisque le traiteur de Madame avait tout préparé à l'avance) lorsque Normande Juneau apparut en chantonnant dans un joli déshabillé de mousseline rose à franges. Elle promena un regard satisfait sur la table, puis, alléchée par l'arôme d'une brioche à la cannelle tout juste sortie du four, en détacha un morceau du bout des doigts et le porta à sa bouche avec de petits grognements de plaisir :

— Tu me donnes dix minutes, mon chou? Le temps que je fasse ma toilette avant qu'on se mette à table… Question de *standing*, tu comprends : je n'appartiens pas à la plèbe, moi…

Le cœur de Jérôme se mit à battre la chamade. Il répondit d'un signe de tête, n'osant émettre un son tant il craignait que sa voix trahisse l'émotion qui venait de le saisir à la gorge.

Un peu plus tôt, du fond de la cuisine, il avait aperçu la ministre retirer un trousseau de clés de son sac à main déposé sur un fauteuil dans le salon, puis se diriger vers son bureau. Allongeant le cou, il l'avait vue déverrouiller la porte du placard qui avait échappé à son inspection quelques semaines auparavant, promener sa main au-dessus des tablettes chargées de documents et s'emparer d'un dossier; elle avait eu ensuite, porte close, une longue conversation téléphonique avec un certain Raymond, dont il n'avait pu saisir que des bribes. L'appel terminé – et manifestement enchantée par l'issue de la discussion –, elle était réapparue dans le salon et avait remis les clés dans le sac à main.

Le temps d'un éclair, tout s'était mis en place dans l'esprit de Jérôme.

Il avait dix minutes pour s'emparer du trousseau, trouver la bonne clé, déverrouiller le placard, puis remettre le trousseau dans le sac à main. Si jamais Normande Juneau s'apercevait que le placard était déverrouillé, elle croirait à un oubli de sa part. Si elle ne s'en rendait pas compte, Jérôme n'aurait qu'à inventer un prétexte pour rester à l'appartement après le départ de sa maîtresse pour Québec et procéder à l'examen qu'il voulait faire depuis si longtemps. Peut-être ne trouverait-il rien d'intéressant. Mais il aurait été fou de ne pas sauter sur l'occasion.

Il lui fallut deux minutes et demie pour réaliser son plan.

La journée s'écoula sans que Normande Juneau retourne dans le bureau. Jérôme parvenait mal à cacher sa fébrilité.

— Mais veux-tu bien me dire ce que tu as? s'étonna la ministre vers le milieu de l'après-midi.

Assis sur un canapé, ils regardaient une partie de baseball à la télé, un sport dont elle raffolait, mais qui plongeait son compagnon dans un ennui proche du désespoir.

— Je t'observe depuis tout à l'heure, poursuivit-elle, un peu agacée. Tu n'arrêtes pas de bouger, pauvre toi… Aurais-tu le ver solitaire ou quoi?

— Trop de café, marmonna-t-il, le regard braqué sur l'écran. Ça me fait ça, parfois. Désolé.

Pendant quelques minutes, il réussit à rester immobile, puis, à bout de nerfs, se tourna vers sa compagne; subjuguée, elle venait de pousser une exclamation en claquant des mains devant un attrapé effectué avec maestria par Paul Gillmate, l'étoile montante des *Suburbans* de Connaught:

— Ça te dérangerait si j'allais faire une petite promenade dans le quartier? J'ai des fourmis jusque dans le pancréas, ma foi.

Elle le regarda, étonnée, puis pointa le doigt vers une fenêtre: de minces traînées d'eau sillonnaient les carreaux depuis un moment; Montréal achevait un grisâtre après-midi d'automne sous une méchante petite pluie.

— Pas grave, j'ai besoin de prendre l'air, et puis j'ai un coupe-vent à capuchon.

Elle allait répondre; la sonnerie de son cellulaire l'en empêcha. Il se hâta de quitter la pièce, craignant qu'elle ne s'enferme dans le bureau pour une discussion *d'affaires confidentielles*, et alors, si par malheur… Mais, tandis qu'il enfilait son coupe-vent, il l'entendit s'écrier joyeusement:

— Ghyslaine! quelle belle surprise! Comment vas-tu?

Il bénit cette Ghyslaine qu'il ne connaissait pas : c'était manifestement une amie ou une parente. Sans le savoir, elle venait l'aider dans son plan – du moins, il l'espérait.

En sortant de l'immeuble, il hésita une seconde. La pluie, glaciale, venait de prendre de la force. Au bout de deux coins de rue, il serait trempé jusqu'aux os. Et puis, tant mieux. Cela lui donnerait une bonne raison pour rester à l'appartement après le départ de la ministre, le temps de faire sécher ses vêtements. La tête courbée sous l'averse qui éclaboussait le trottoir luisant, il se dirigea à grands pas vers la rue de la Commune, où le vent du fleuve devait se déployer. Il n'avait pas menti à sa maîtresse : il lui fallait de l'air, beaucoup d'air, de cet air frisquet qui rend l'esprit limpide, le geste vif, la décision sûre.

La pâle lueur d'un café apparut un peu plus loin à sa gauche. Il allongea le pas, poussa la porte et se trouva dans une salle presque déserte. Assis au comptoir, un vieux monsieur à l'abondante chevelure bouclée, teinte d'un noir invraisemblable, discutait avec la patronne devant un verre d'armagnac. Après un coup d'œil à la carte, il commanda un grog, car les frissons le gagnaient, puis s'empara de son cellulaire.

— Charlie ? fit-il à voix basse. Chienne de chienne que je suis content de t'attraper ! C'est que je vais peut-être avoir besoin de toi ce soir... Oui, ce soir... C'est capital, mon vieux. Est-ce que Martine t'entend ? Elle n'est pas là ? Tant mieux... Non, je ne peux pas t'en dire plus pour le moment, il faut que je vérifie auparavant si... Oui, je suis chez Juneau, enfin, tout près... T'as la migraine ? Depuis ce matin... Merde... Écoute, je suis désolé, mais je comptais vraiment sur toi, Charlie, car il se peut que je trouve... Si tu me laisses tomber, mon vieux, ça risque d'être catastro... C'est ça, je te rappelle un peu plus tard... Soigne-toi bien. Salut et merci d'avance, hein ?

Il buvait son grog à petites gorgées, plongé dans la mise au point de son plan, puis écoutant par à-coups le monologue du vieux client aux cheveux bouclés qui racontait l'échec de sa carrière de luthier à cause de l'importation de ces horribles violons bon marché ; la chaleur du grog qui s'épanouissait dans sa poitrine comme le feuillage d'une plante tropicale lui faisait du bien et le rendait optimiste.

Un peu de temps passa. Dehors, la pluie avait tourné en tempête ; elle s'abattait dans la rue par rafales, s'écrasait par gerbes épaisses contre la vitrine qui tremblait.

— Un ouragan de fin d'automne peut-être, fit le vieux monsieur, et il leva son verre comme pour porter une santé au malheur.

La patronne, penchée au-dessus d'un évier, rinçait des assiettes.

— Il n'y a jamais eu d'ouragans à ce temps-ci de l'année, fit-elle remarquer.

Son client sourit d'un air sentencieux :

— Avant une première fois, il n'y a jamais rien, madame.

« Il faut que j'y aille, se dit tout à coup Jérôme. Qu'est-ce qu'elle va penser ? »

Il se rendit au comptoir, régla l'addition, puis remonta la fermeture éclair de son coupe-vent.

— Vous devriez attendre que ça se calme un peu, lui conseilla la patronne d'une voix mollement maternelle qui convenait tout à fait à son corps grassouillet de quinquagénaire.

— Pas le choix.

— Chacun son destin, déclara gravement l'ancien luthier qui devenait chaudasse, et il commanda un autre armagnac.

Jérôme sortit et fut tout de suite trempé jusqu'aux os.

« Voilà ma raison toute trouvée pour rester à l'appartement », se réjouit-il tout en claquant des dents.

Il avançait avec peine, aveuglé par l'eau et tout désorienté dans ce magma liquide traversé de fracas et de lueurs diffuses.

« Pourvu qu'elle ne décide pas de rester à cause du mauvais temps », se dit-il tout à coup.

Et la perspective de ce contretemps l'arrêta sur un coin de rue, où une auto l'éclaboussa magistralement.

— Et alors ? Ta promenade t'a fait du bien ? lui demanda Normande Juneau, sarcastique.

Et elle éclata de rire tandis qu'il dégoulinait piteusement sur le paillasson.

Il enlevait ses vêtements un à un et les laissait tomber sur le plancher.

— Je me suis arrêté dans un café pour laisser passer l'orage, mais il ne passe pas.

— Eh bien, moi, passe, passe pas, il faut que je parte. Les affaires de l'État avant tout, comme on dit. Mon chauffeur est sur le point d'arriver. Avec ce temps, je lui ai demandé de venir plus tôt. Je prendrai une bouchée dans la limousine. Tu vas souper ici, je suppose, le temps de faire sécher tes vêtements?

Jérôme s'inclina:

— Avec ta permission.

Il voulut passer devant elle, mais elle le saisit par les cheveux, et si fortement qu'il grimaça:

— Pourquoi es-tu parti si longtemps par un temps pareil? J'étais inquiète, moi.

Il réussit à se libérer et la fixa, ahuri:

— Madame la ministre prend des libertés, ma foi, réussit-il enfin à murmurer, se forçant à l'ironie tandis que mille questions éclataient dans sa tête comme des grains de maïs soufflé.

« Est-ce qu'elle se doute de quelque chose? Est-ce qu'on m'a suivi? L'appartement est sous surveillance électronique? Quel air étrange elle a… un air accusateur. Elle sait tout? »

— Tu n'as pas répondu à ma question.

— Je te l'ai dit tout à l'heure, lança-t-il, essayant de cacher son malaise sous la mauvaise humeur. J'avais besoin de prendre l'air, j'étouffais. Alors quand je t'ai vue en conversation avec ta… Ghyslaine…

— On s'est parlé à peine cinq minutes.

— Je ne pouvais quand même pas deviner… Bon. Enfin… Excuse-moi. Avoir su…

La sonnette fit entendre ses quatre notes ascendantes.

Normande Juneau enfila son manteau, s'empara d'une mallette posée près de la porte, puis tendit la joue à Jérôme.

— Bonne semaine, fit-il en l'embrassant.

— C'est ça, se contenta-t-elle de répondre.

Et la porte se referma derrière elle.

Il restait immobile, hésitant, transi, sursautant au moindre bruit. Devait-il poursuivre son plan – ou ficher le camp à tout jamais?

Il opta finalement pour une longue douche bien chaude. Quelques minutes plus tard, il voyait les choses autrement et concluait que l'étrange comportement de sa maîtresse était celui d'une femme amoureuse et dominatrice, habituée à se faire obéir. Du reste, c'est la porte du placard qui déciderait de tout : si elle l'avait reverrouillée, il ramasserait ses pénates et décamperait. Mais il pariait qu'elle ne l'était pas.

Il sortit de la douche, se sécha, enfila une robe de chambre et se rendit au bureau.

La porte était déverrouillée.

Les mains derrière le dos, il promena lentement son regard sur les six tablettes du placard. Tout semblait méticuleusement rangé. Il ne s'attarda pas aux deux premières du haut, chargées, l'une, de rames de papier, l'autre, d'une austère série du *Code criminel annoté et lois connexes*. Avait-elle étudié le droit ? Sur les deux suivantes s'entassaient, pressées les unes contre les autres, une grande quantité de chemises bourrées de documents et maintenues à la verticale par des séparateurs métalliques ; la seule pensée d'en parcourir le contenu donnait le vertige. La tablette du bas contenait deux boîtes de carton pleines de livres sur lesquelles on avait déposé – chose étrange – ce qui semblait être un déguisement de reine ou de fée des étoiles.

L'avant-dernière attira particulièrement son attention. Il fallait s'accroupir pour en examiner le contenu. À gauche, deux piles de cassettes, la plupart dans leur boîtier, certaines laissées à l'air libre ; au début des années 1980, c'était le *nec plus ultra* de la technologie audio, jusqu'à l'apparition du disque compact. Charlie possédait sûrement un appareil qui permettrait de les lire, mais il était plus que douteux que leur contenu soit intéressant. À côté, on avait rangé des boîtes de disques compacts et de DVD gravables.

Toujours accroupi, il scrutait ces boîtes, essayant de déchiffrer leurs inscriptions et se gardant bien de toucher à quoi que ce soit ; au bout d'un moment, ses jambes engourdies l'obligèrent d'aller chercher un pouf. Il se leva en titubant légèrement, puis décida plutôt d'appeler Charlie.

C'est alors que la sonnerie *new wave* de son cellulaire s'éleva quelque part dans l'appartement.

— C'est lui, murmura-t-il.

Il traversa le salon à la course, puis la salle à manger, cherchant à repérer d'où provenait le son.

— Merde! Mon cell est dans la flotte!

Il se précipita vers l'entrée où son coupe-vent gisait dans une flaque d'eau, et retira d'une poche le cellulaire dégoulinant.

— Jérôme? c'est moi, fit la voix de Normande Juneau. Où es-tu?

Une sourde rumeur noyait ses paroles, comme si elle appelait d'une terre lointaine aux communications difficiles. La tempête devait faire rage sur l'autoroute 40.

— Toujours à la même place: chez toi.

— Je n'en étais pas sûre, alors j'ai composé ton numéro.

Il y eut un court silence, puis elle poursuivit:

— Excuse-moi pour tout à l'heure, mon chéri. Je me demandais où tu étais passé, j'étais inquiète, tu comprends.

Il écoutait, la respiration bloquée, envahi par une vague de honte qui paralysait sa pensée. En voilà une affaire! Tandis qu'il fouillait son bureau à la recherche d'informations qui, divulguées, risquaient de lui causer un tort immense, elle lui téléphonait en amoureuse repentante!

— Tu m'en veux? reprit-elle.

Il entendait difficilement sa voix à cause du bruit de la tempête et de la communication qui faiblissait à tout moment et modulait les sons.

— Non, non, pas du tout, je t'assure, c'est oublié… C'est oublié! répéta-t-il plus fort.

— Allez, je te laisse, fit une voix lointaine couverte par des grésillements, je t'entends à peine. Bonne…

La communication se coupa.

Il fit quelques pas et se laissa tomber sur une chaise, les larmes aux yeux, les bras pendants, saisi d'un dégoût de lui-même comme il n'en avait jamais connu.

— Je suis tanné de mentir! Je suis tanné de tromper! hurla-t-il tout à coup. Qu'on en finisse, bon sang! J'ai honte! J'ai honte! Je me vomirais!

Il s'arrêta et jeta des regards effrayés autour de lui. Heureusement, les appartements de l'immeuble étaient bien insonorisés; on n'entendait jamais les voisins.

— Bon, allons-y, marmonna-t-il au bout d'un moment, mû soudain par une détermination farouche. Il faut ce qu'il faut.

Il reprit son cellulaire, l'essuya contre sa robe de chambre et composa le numéro de Charlie. Il l'eut aussitôt au bout du fil. Sa migraine avait diminué, mais il se posait des questions sur le projet de son ami, qu'il trouvait risqué, avec peu de chances de réussite.

— Il n'y a aucun risque, Charlie. Il s'agit tout simplement de copier une soixantaine de disques compacts et de DVD, puis de tout remettre en place. Avant de toucher à quoi que ce soit, j'aurai pris une photo de l'ensemble du matériel pour m'assurer de tout ranger comme avant.

— Alors pourquoi j'irais là-bas? répliqua Charlie. Apporte-les chez moi, tes disques, et j'en ferai des copies.

Comment s'opposer au bon sens?

À minuit vingt, Jérôme stationnait son auto près de chez son ami. La tempête avait cessé une demi-heure plus tôt. Le trajet avait été long et pénible. Des branches parfois imposantes encombraient les rues un peu partout. Certains quartiers subissaient des pannes d'électricité. La radio annonçait que vers 23 h, cette nuit-là, un homme avait trouvé la mort à Longueuil, chemin de Chambly, écrasé par un tronc d'arbre dans la cour arrière de la boutique d'un prêteur sur gages. Que faisait-il là, le malheureux, à une heure et par un temps pareils?

Jérôme n'eut même pas à sonner, Charlie lui ouvrit aussitôt, le teint pâle, les traits tirés, un doigt sur les lèvres: Martine, arrivée un peu plus tôt, venait de se coucher. Il prit un des sacs à poignées que son ami tenait dans chaque main et l'amena dans un réduit qui lui servait d'atelier.

— Est-ce que Martine sait que je suis ici?

— Oui, mais elle ne sait pas pourquoi.

Trois heures plus tard, tous les disques étaient copiés, sauf un, et pour cause: on l'avait enfermé dans un coffret métallique muni d'une serrure, mais Jérôme n'avait pas trouvé de clé. Cette précaution extraordinaire les avait fortement intrigués.

— Je gage que le pot aux roses se trouve là, fit Jérôme, l'œil allumé malgré l'épuisement qui le gagnait.

— Je te le souhaite – et je me le souhaite aussi, soupira Charlie, et il s'envoya dans le gosier deux autres comprimés d'acétaminophène.

Un léger grincement les fit se retourner; Martine, en robe de nuit et pieds nus, la chevelure en désordre, les observait sur le pas de la porte.

— Et alors? Ça avance, votre travail d'agents secrets?

Puis elle ajouta d'un ton plaintif:

— J'ai froid toute seule dans le lit, Charlie.

Et elle poussa un long bâillement.

◆ ◆ ◆

Le lendemain matin, dès 9 h, Jérôme se présenta à la boutique d'un serrurier, rue Papineau, et déposa le boîtier sur le comptoir:

— J'ai perdu la clé. Pourriez-vous m'en tailler une nouvelle?

Il quittait la boutique 20 minutes plus tard pour se rendre chez lui faire une copie du DVD. Des employés municipaux s'occupaient ici et là de débarrasser les rues des débris laissés par la tempête. Sa copie faite, il ne prit même pas le temps de la visionner tant il avait hâte de rapporter les originaux; Charlie, avec de l'alcool méthylique, s'était efforcé d'éliminer toutes les empreintes digitales; Jérôme fit de même pour le boîtier et son DVD. Cela n'empêcherait pas, le cas échéant, que les soupçons tombent sur lui, mais pourquoi se jeter dans la gueule du loup?

Il approchait midi lorsque tout fut remis dans le placard. Sa nuit blanche l'avait lessivé. Sur le point de quitter les lieux, il voulut s'assoir un moment au salon. La sonnerie du téléphone le réveilla en sursaut vers 14 h. Il se garda bien de répondre.

◆ ◆ ◆

Son instinct n'avait pas trompé Jérôme lorsqu'il avait examiné le boîtier. C'était bien là que se trouvait la bombe qui avait permis à Normande Juneau d'exercer son emprise sur le premier ministre Labrèche; les ragots, pour une fois, n'étaient pas loin de la vérité. Cependant, sa découverte le remplit d'étonnement, tel le policier qui, cherchant un voleur, déniche un violeur.

Le vidéodisque contenait un enregistrement de 79 minutes et 18 secondes réalisé à une date indéterminée, mais de toute évidence assez récente, dans ce qui semblait la suite d'un grand hôtel; on y assistait à une réunion privée du premier ministre Labrèche avec trois ministres et trois de ses proches collaborateurs : deux conseillers, Jocelyn Lavoie et le vétéran Jeffrey Dupire, son chef de cabinet, Maxime Davis, la ministre des Affaires municipales, Jennifer Désy-Pommier, celui des Relations fédérales-provinciales, Jean-Marc Levalet, et la ministre de la Culture, Normande Juneau.

Cela débutait par un mot aimable du premier ministre Labrèche à l'adresse de Normande Juneau qui avait eu l'idée de cette réunion intime et avait pris la peine de l'organiser. L'ambiance était décontractée. On fêtait l'heureuse fin d'une session parlementaire qui semblait avoir été difficile. Un buffet avait été dressé au fond de la pièce et on l'arrosait abondamment. Le premier ministre Labrèche, carré dans un fauteuil, les jambes croisées, trônait au milieu de ses collaborateurs, la corpulence élégante, sa belle barbe blonde soigneusement taillée, et suivait les conversations avec un fin sourire, y plaçant de temps à autre un mot ; ses subordonnés, assis autour de lui, jacassaient joyeusement, un verre à la main, ou alors servaient à tour de rôle vin, alcool et hors-d'œuvre. Dès que le premier ministre prenait la parole, sa voix calme, posée, bien articulée, la voix grave et mélodieuse d'un *monsieur distingué*, imposait tout de suite le silence. Le *Maître* parlait.

La plus grande partie de l'enregistrement ne présentait guère d'intérêt, farcie qu'elle était de banalités ou de remarques que l'ignorance du contexte rendait souvent inintelligibles. Mais trois courts passages firent tout de suite comprendre à Jérôme pourquoi Normande Juneau avait rangé le disque dans un boîtier verrouillé.

Le premier se trouvait au début, tout de suite après les remerciements de Jean-Philippe Labrèche à sa ministre de la Culure.

LE PREMIER MINISTRE LABRÈCHE
Je tiens d'ailleurs à souligner l'apport exceptionnel au financement du parti de madame Juneau. Vous venez de dépasser, madame, les 300 000 $. C'est du jamais vu chez une titulaire de la Culture !

Normande Juneau incline la tête en souriant.

JENNIFER DÉSY-POMMIER, *taquine, avec une pointe de méchanceté*
Le ministère des pauvres...

Légers rires.

JEAN-MARC LEVALET, *renchérissant*
Ou plutôt des quêteux de subventions…

LE PREMIER MINISTRE LABRÈCHE, *fronçant les sourcils*
Allons, un peu de retenue, messieurs-dames, s'il vous plaît.

JEAN-MARC LEVALET
Le projet de ce fameux musée a dû beaucoup vous aider, non?

NORMANDE JUNEAU
Ça va de soi.

MAXIME DAVIS
On leur offre le pactole, à ces entrepreneurs, il est bien normal qu'ils ouvrent un peu leur portefeuille. Mais il faut savoir les convaincre – et parfois leur tirer un peu l'oreille. (*Légèrement sarcastique.*) Ce qui n'est pas toujours facile, n'est-ce pas, Jean-Marc?

Le second extrait se situait à 28 minutes 32 secondes et durait à peine une minute.

La ministre Jennifer Désy-Pommier s'emportait contre le chef de l'opposition dont les attaques à son sujet avaient fait la manchette des journaux quelques semaines plus tôt.

JENNIFER DÉSY-POMMIER, *d'une voix aigre et sèche*
Quand ils forment l'opposition, ils voient de la magouille partout, mais une fois au pouvoir, pfuitt! elle n'existe plus, la magouille, oh non! Ils sont devenus des anges, des petits anges blancs et roses qui volent en disant des *Je vous salue, Marie*. (*Rires.*) Par contre, quand c'est nous qui prenons les commandes, à les entendre parler, on aurait le pouvoir de… de…

LE PREMIER MINISTRE LABRÈCHE, *avec un sourire*
… de réformer la nature humaine.

JENNIFER DÉSY-POMMIER
C'est ça… comme si c'était possible!

MAXIME DAVIS, *ironique*
Ça l'est dans les manuels de science po.

JEAN-MARC LEVALET
Je n'en ai jamais lu. Trop pris par mon travail…

LE PREMIER MINISTRE LABRÈCHE
Vous devriez, Jean-Marc. C'est très amusant. La distorsion entre la théorie et la pratique crée parfois des effets presque… poétiques.

JEAN-MARC LEVALET
Je n'aime pas la poésie. Ça m'ennuie.

NORMANDE JUNEAU, *taquine*
Pourtant, Jean-Marc, votre «jardin de roses» la semaine passée à l'aréna de Jonquière a eu un succès fou !

Rire général.

JEAN-MARC LEVALET, *beau joueur*
Une fois n'est pas coutume, Normande.

LE PREMIER MINISTRE LABRÈCHE
Ne vous en faites pas trop, Jean-Marc, dans dix jours, tout sera oublié. Je vous l'ai déjà dit : il faut considérer l'électorat comme un enfant de dix ans très moyennement doué. La mémoire et le jugement, ce n'est pas son fort… Ceux qui n'ont pas compris ça font de la bien mauvaise politique… Vous vous rappelez Trudeau à Québec durant le référendum de 1980 ? «Votre non sera un oui !» Et ç'a marché ! Du grand art…

Hochements de tête approbateurs.

Le troisième passage apparaissait 40 minutes plus tard et illustrait les effets désinhibiteurs de l'alcool chez des buveurs d'expérience pourtant prévenus contre les inconvénients d'une consommation excessive.

Des six bouteilles de Petrus, il n'en reste plus qu'une, à demi entamée. Et la moitié d'un flacon de cognac s'est volatilisée.

Une vive discussion vient d'éclater à propos du dossier linguistique entre Jean-Marc Levalet et le conseiller Jocelyn Lavoie, un ex-journaliste de 37 ans, bouillant, sanguin, dont la capacité de travail et la présence d'esprit ont toujours fait oublier les aspérités de son caractère; la discussion porte sur la langue de travail des fonctionnaires fédéraux œuvrant au Québec; le camp nationaliste considère qu'ils devraient être soumis comme tout le monde à la Charte de la langue française; le camp opposé se satisfait parfaitement du *statu quo*, qui favorise l'anglais. Lavoie défend avec fougue l'application intégrale de la Charte; Levalet, passablement éméché et à bout d'arguments, vient de suggérer que son opposant « n'est peut-être pas un vrai Canadien ». Venant de sa bouche, la remarque sonne comme une insulte.

LE PREMIER MINISTRE LABRÈCHE, *fronçant les sourcils*
Holà, messieurs! Est-ce que quelqu'un ici ferait partie de l'opposition?

Les conversations s'arrêtent; un malaise flotte dans l'air.

JEAN-MARC LEVALET, *confus*
Je disais ça comme ça.

LE PREMIER MINISTRE LABRÈCHE
Oui, justement, comme si vous parliez à un membre de l'opposition… Ces discussions ne mènent à rien. Et même, elles nous nuisent.

JOCELYN LAVOIE, *surpris*
Vous trouvez?

LE PREMIER MINISTRE LABRÈCHE
Absolument. (*Sa figure de bon vivant amateur de fins cognacs est rubiconde et légèrement boursouflée, son regard, un peu huileux et instable; il poursuit avec un sourire subtilement dédaigneux*) Que de temps et d'énergie nous avons gaspillés… pour une cause perdue.

JOCELYN LAVOIE, *encore plus surpris*
Perdue?

LE PREMIER MINISTRE LABRÈCHE
Voilà longtemps, mon ami, que je réfléchis à cette satanée question de la langue. Personne jusqu'ici n'a eu le courage d'adopter la seule stratégie réaliste dans ce dossier de malheur. (*Il s'arrête, vide son ballon, le tend à Jeffrey Dupire pour une cinquième consommation.*) À force d'efforts, de combats et de sacrifices, nos gens ont réussi à vivre tant bien que mal en français pendant plus de 400 ans, même si nous ne sommes qu'une coquille de noix sur la mer anglophone. Eh bien, bravo! J'applaudis à quatre mains! Mais, pour toutes sortes de raisons, ce pari est devenu intenable aujourd'hui – et j'irais même plus loin : par esprit humanitaire, il faut mettre fin à cette aventure insensée… et ruineuse. Ne faites pas cette tête-là, mon cher Lavoie. On ne va quand même pas sacrifier une autre génération à une idée, bon sang! (*Il remercie d'un sourire Jeffrey Dupire qui lui remet son ballon, prend une gorgée et promène lentement son regard sur le groupe attentif.*) Je ne vois qu'une stratégie possible, mais elle demande de l'habileté, de la patience…

Court silence. L'œil à demi fermé, il hume longuement les vapeurs de son cognac.

JOCELYN LAVOIE, *précautionneux*
Est-ce qu'il serait indiscret de vous demander à quelle stratégie vous pensez ?

LE PREMIER MINISTRE LABRÈCHE, *avec un large sourire*
Oui.

Éclat de rire général. Jean-Marc Levalet, riant plus fort que tout le monde, donne une bourrade à Lavoie.

LE PREMIER MINISTRE LABRÈCHE, *redevenu sérieux*
Je n'irai pas par quatre chemins, mes amis : la seule façon de sortir sans pots cassés de l'impasse où nous nous trouvons, c'est… de modifier la Charte de la langue française et d'accorder un statut bilingue à la ville de Montréal. Eh oui. Surpris? Pensez-y deux secondes. D'une part, ça ne ferait que reconnaître une réalité en voie d'accomplissement. De l'autre, nous pourrions compter sur l'appui indéfectible des non-francophones, immigrants et autres,

qui vont bientôt former la majorité à Montréal et qui ne rêvent que de parler anglais. Quand ils ne le parlent pas déjà. Les gens d'affaires, évidemment, nous baiseraient les mains. Vous avez entendu l'ami Rozon? Il n'a que cette trompette-là à la bouche! (*Soupir.*) Avec le temps, nous finirions par gagner l'appui d'une majorité de Montréalais.

Un silence d'amphithéâtre universitaire règne dans la suite; Jean-Marc Levalet est tellement rayonnant qu'il en a l'air un peu niais.

LE PREMIER MINISTRE LABRÈCHE, *poursuivant*
La beauté de la chose, c'est qu'une fois Montréal devenu officiellement bilingue, en l'espace d'une génération, ou à peu près, la ville dans les faits deviendrait anglophone. Et alors, en l'espace d'une autre génération – et peut-être bien plus rapidement – tout le Québec suivrait. Sans contestations. Sans révolution. Par la simple force des choses. Et nous arriverions enfin à la normalité. (*Il approche le ballon de ses lèvres et, avant de l'incliner, ajoute*) Les Québécois n'osent pas se l'avouer, mais, au fond d'eux-mêmes, c'est ce qu'ils souhaitent pour eux et pour leurs enfants: s'adapter au nouveau contexte mondial – afin de mieux vivre.

Court silence.

JEAN-MARC LEVALET, *lécheur, comme d'habitude*
Eh bien, moi, au fond, c'est ce que j'ai toujours pensé, figurez-vous.

LE PREMIER MINISTRE LABRÈCHE, *ironique*
Ça ne me surprend pas, Jean-Marc, nous finissons toujours par penser la même chose.

Légers rires.

JENNIFER DÉSY-POMMIER, *mielleuse, sous le regard désapprobateur du chef de cabinet Davis*
Y aurait-il un projet de loi en vue ?

LE PREMIER MINISTRE LABRÈCHE
Nous préparons le terrain, madame la ministre. Tout vient à point à qui sait attendre.

◆ ◆ ◆

À 18 h, Jérôme arrivait chez son ami Charlie, inquiet, fébrile, rempli de doutes et débordant de fierté ; il voulut lui faire visionner le disque tout de suite. Mais il fallait d'abord souper, car Martine avait préparé des crêpes et les crêpes, comme chacun sait, n'attendent pas. Jamais un repas ne parut aussi long à l'apprenti espion. La dernière bouchée avalée, il tira Charlie par le bras jusqu'à son atelier. L'air important, le technicien regarda la vidéo du début à la fin sans dire un mot, puis fit rejouer les trois passages qui avaient attiré l'attention de son ami.

— Si tu permets, je vais tirer tout de suite des copies du disque, dit-il enfin.

— Et alors, tu crois que...

— C'est de la dynamite, ça, bonhomme ! Je comprends pourquoi ta ministre l'avait mis sous clé. Y a de quoi faire sauter le gouvernement jusqu'à la lune !

— Je doute que la Juneau s'en serve, déclara Martine, elle se ferait sauter en même temps.

Les deux garçons s'étaient retournés en sursaut. Sans bruit, elle avait ouvert la porte et venait d'assister au deuxième visionnement.

Jérôme pointa vers elle un doigt menaçant :

— Toi, tu ne racontes ça à personne, hein ?

— Pour qui tu me prends ? Une pourrie ? Le cœur me levait à les entendre, nos *élus*, surtout le grand escogriffe en chef avec ses airs d'archiduc... En train de se remplir les poches avec nos impôts – et de décider quelle langue vont parler mes enfants !

Une mèche de cheveux tombée sur un œil donnait à ses propos une allure particulièrement vindicative.

— Ah bon, je ne te savais pas maman, plaisanta Charlie. Combien en as-tu ?

Elle lui tira la langue, puis se tournant vers Jérôme :

— Tu penses vraiment qu'elle se servirait de cette vidéo ? Ça serait comme se tirer une balle dans la tête !

— Ce n'est pas une idiote, Normande Juneau : elle montrerait ce qu'elle veut bien. Et puis, surtout, elle peut l'utiliser comme moyen de chantage.

Il y eut un silence.

— Et alors, monsieur l'agent double, qu'est-ce que tu comptes faire ?
poursuivit Martine.

— D'abord des copies, intervint Charlie. Et puis toi, Jérôme, demain
à la première heure, tu vas te louer un coffret de sûreté. Ça presse.

— Oui, mais après ? insista Martine.

— *Calma, calma, signorina*, répondit Jérôme en agitant les mains
devant lui. Avant de jouer, il faut prendre le temps d'accorder son violon.
Sinon, ça fausse, et la salle se vide.

Un peu plus et l'affolement le gagnait. Il se sentait comme un homme
qui, parti pour la chasse à la perdrix, tombe sur un grizzly. Il avait
voulu perdre Sicotte et sa femme et, du coup, se refaire une honnêteté
(avec les avantages que cela comportait), mais l'affaire prenait tout à
coup une ampleur désarçonnante. Un seul faux pas, et sa chance se
transformait en désastre.

La discussion commença, fiévreuse, coupée de remarques abruptes,
de rires nerveux. Jérôme découvrait une Martine qu'il ne connaissait
pas, fonceuse, batailleuse, ricaneuse, parfaitement à l'aise dans l'aventure
imprévue qu'il venait de déclencher ; elle eut vite fait de convaincre
Charlie qu'il fallait confier le dossier à l'équipe d'*Enquête*, la prestigieuse
émission de la télévision d'État qui avait dévoilé tant de scandales ;
Jérôme, ébranlé, hésitait.

— C'est mettre ces gens inutilement dans l'embarras. Imaginez
les pressions que va faire Québec pour étouffer le scandale…

— Voyons, Jérôme, s'emporta Charlie, ils en ont vu d'autres. Les
prends-tu pour des poussins de Pâques ?

— Non, bien sûr, mais…

— Alors, qu'est-ce que tu proposes ? fit Charlie d'un ton crispé.

Jérôme soupira, se gratta la tête, tira sur une manche de sa chemise :

— Et si on débouchait une petite bouteille de vin ? Ça nous déten-
drait un peu, non ?

Il approchait 21 h quand il quitta le logement de son ami pour se
diriger vers la station de métro Mont-Royal. Il se sentait trop nerveux
pour prendre son auto. La nuit était fraîche, l'air un peu piquant, les
passants, rares ; ses pas résonnaient sur le trottoir avec un claquement
insolite. Un fumet de viande grillée, puis des éclats de rire fusant par

la porte d'un restaurant lui rappelèrent que la vie continuait son cours et que des êtres tout près de lui prenaient du bon temps.

Quinze minutes plus tard, il débouchait de la station Place-des-Arts sur la rue de Bleury et se dirigeait vers l'édifice où logeait *Le Devoir*. Il avait décidé d'offrir la primeur au journal. Du reste, rien ne l'empêchait par la suite de refiler sa brique radioactive à quelqu'un d'autre.

Hall désert au plancher luisant. Ascenseur bloqué quelque part, semblait-il, dans la quatrième dimension; il se rappela son premier rendez-vous avec Normande Juneau au ministère de la Culture. Si elle savait, la pauvre... Comme elle allait le détester!

La porte s'ouvrit soudain avec un grincement plaintif. Il entra dans la cabine vide, pressa un bouton et, tandis que l'ascenseur s'ébranlait avec une série de secousses, il vérifia encore une fois que le disque se trouvait bien dans la poche intérieure de son coupe-vent.

L'instant d'après, il se trouvait devant une dame occupée à faire du rangement dans les tiroirs de son bureau.

— Monsieur Descôteaux vient de partir, répondit-elle quand il demanda à voir le directeur. Il sera ici demain matin. Mais il faudrait prendre un rendez-vous, monsieur.

C'était dit avec une courtoisie minimale, comme lorsqu'on est fatigué par une longue journée de travail et qu'un mal de tête menace de s'installer.

— Merci, madame. J'appellerai demain.

Il retourna rue Marie-Anne récupérer son auto et fila chez lui. Son ardeur venait de tomber. Tout paraissait banal à présent, dépourvu de signification. Qu'avait-il à s'agiter ainsi? La terre tournait, les vagues allaient mourir comme d'habitude sur les rivages, le soleil se levait ici et se couchait là, et l'humanité restait semblable à elle-même: plutôt moche, au fond. Une lourde torpeur se mit à l'engourdir, pesant sur ses paupières, brouillant sa vue, diluant son attention. Occasion idéale pour brûler un feu rouge, prendre une rue à contresens, écraser un chien, frapper un piéton... Dormir: c'était la seule chose qui comptait, dormir tout son soûl en envoyant promener le reste. On ne manquerait jamais de naïfs pour défendre les causes perdues d'avance.

Il lui fallut un bon quart d'heure pour trouver où garer son auto. Il avançait sur le trottoir, excédé, avec des envies de coups de pied au bout de son soulier lorsqu'il aperçut Félix assis dans les marches de l'escalier qui menait à son appartement. «Ah non! pas lui ce soir! Qu'est-ce qu'il me veut?»

Le jeune homme l'avait aperçu, avait bondi sur ses pieds et venait à sa rencontre, la main tendue, sourire aux lèvres.

— Salut, Jérôme! C'est dur en crisse d'arrêter de fumer, lança-t-il en guise de préambule. Ça fait une demi-heure que je t'attends et je n'arrête pas de penser à cette maudite cigoune! Comment vas-tu?

— Fatigué, répondit Jérôme en fixant le sol. Qu'est-ce qui se passe?

— Rien de spécial... Hum... Je tombe mal, je crois... On se verra une autre fois... J'avais seulement le goût de piquer une jase, comme ça...

Il avait l'air si déçu que Jérôme fit l'effort d'un sourire.

— Excuse-moi, Félix, j'ai eu une journée crevante... Mais monte une minute, on prendra une bière, j'ai de la Mort subite au frigo.

Son compagnon, trop bien élevé pour accepter une invitation de pure politesse, secoua la tête:

— On se reprendra. La vie est longue.

Il allait s'éloigner après une poignée de main lorsque, se retournant, il ajouta:

— Ah oui, j'allais oublier... J'ai téléphoné au vieux en début de soirée. Il veut absolument te parler, figure-toi donc.

Le regard de Jérôme se durcit:

— Je ne travaille plus pour lui, Félix. Je ne vois pas ce qu'on aurait à se dire... C'est lui qui t'envoie?

— Tu penses! ricana Félix. Je n'ai rien à voir avec ses combines. Je te fais le message, c'est tout.

Sous l'éclairage du réverbère qui se dressait derrière lui, l'expression de son visage paraissait franche et ouverte.

— À la prochaine, lança-t-il en traversant la rue. Ce sera à mon appart, cette fois-là. Tu n'es pas venu chez moi encore. Je suis assez bien installé, tu sais.

◆ ◆ ◆

Jérôme se réveilla à l'aube après une des pires nuits de sa vie. En collant bout à bout les courts moments de perte de conscience, avait-il dormi deux heures? Même pas.

Le message de Félix n'avait cessé de lui tourner dans la tête, faisant lever toutes sortes de suppositions. Est-ce qu'on avait déjà mis en marche l'artillerie lourde? Félix, à son insu, servait-il d'instrument à son père? Le téléphone était-il sur le point de sonner le glas du seul projet héroïque de sa vie? Mais comment cela se pourrait-il? N'avait-il pas pris toutes les précautions possibles et imaginables?

Le visage cireux, la main tremblante, il décrocha le téléphone, puis attrapa son cellulaire et l'éteignit. Pour l'atteindre, on devrait venir chez lui, mais il serait absent. Ce matin, sans même prendre le temps de faire sa toilette, il irait déjeuner dans un resto près du *Devoir* (il se rappelait en avoir aperçu un de l'autre côté de la rue) en attendant l'arrivée de monsieur le directeur.

◆ ◆ ◆

Bernard Descôteaux l'écoutait depuis un moment. Par un heureux hasard, Jérôme était arrivé en même temps que lui au journal. Déployant alors une fiévreuse énergie sous l'œil réprobateur de la réceptionniste qui allait lui demander de laisser un message dans la boîte vocale du directeur, il était parvenu à convaincre celui-ci de le recevoir sur-le-champ.

— Mais une minute seulement, monsieur. J'attends quelqu'un.

Assis devant lui, son disque à la main, Jérôme s'épuisait en efforts d'éloquence.

— Il faut visionner mon disque tout de suite, monsieur, *s'il vous plaît*, ou, à tout le moins, le faire visionner *tout de suite* par un de vos journalistes, tenez, Michel David, par exemple. Vous n'avez pas idée, monsieur Descôteaux, combien c'est important!

— C'est justement ça, mon ami, que j'aimerais évaluer, répondit le directeur avec une patience paternelle. Vous me dites qu'il s'agit d'une rencontre secrète du premier ministre avec trois de ses ministres et qu'on l'aurait filmée à leur insu? Et pourquoi?

Comment un homme aussi calme et posé pouvait-il diriger un journal de combat? Jérôme agitait le disque à bout de bras:

— Il n'y avait pas que des ministres, monsieur Descôteaux, mais aussi son chef de cabinet et deux autres personnes, des conseillers, je crois, sans pouvoir vous l'assurer, bien sûr. Ils tiennent de ces propos, si vous saviez... Je vous indiquerai les trois endroits importants. Au bout de deux minutes, vous allez me remercier, je vous assure.

— Mais comment vous êtes-vous procuré ce document, cher monsieur ? Vous faites partie du personnel politique ?

— Dieu m'en garde, mais j'avais des liens avec une... C'est un peu délicat et compliqué à vous expliquer comme ça en deux mots, monsieur Descôteaux, toute la... Visionnez d'abord mon disque, je vous prie, et ensuite c'est avec plaisir que... N'est-ce pas ?

Le directeur observait ce jeune homme aux traits pâles et tirés, aux cheveux en désordre, qui s'exprimait d'une façon tout à fait convenable, mais paraissait sous l'effet d'une tension extrême, comme dans un cas de sevrage ou de troubles psychotiques. Que ne voit-on pas de nos jours, grands dieux !

Le téléphone sonna. Il décrocha.

— Très bien, je vous remercie. Dans un instant.

Il posa un regard pensif sur Jérôme puis, appuyant la paume des mains sur son bureau comme pour se lever, parut hésiter. Ce métier de journaliste, c'était une lutte perpétuelle contre les pertes de temps.

Un court moment passa.

— Venez avec moi, dit-il enfin.

Il poussa une porte, traversa la salle de rédaction, qui s'était mise déjà à bourdonner, et s'arrêta devant le bureau d'une jeune femme à longs cheveux blonds et à grosses lunettes de corne noire penchée au-dessus de son clavier d'ordinateur ; elle semblait une stagiaire ou quelque chose du genre.

— Ce monsieur nous demande de visionner un document, Madeleine. Pourriez-vous y jeter un coup d'œil ? Il vous indiquera les passages qu'il juge importants.

◆ ◆ ◆

Une journée complète s'était écoulée sans nouvelles du journal. Jérôme n'osait pas téléphoner. Depuis 24 heures, il n'avait presque rien mangé et à peu près pas dormi. En revenant du dépanneur où il était allé chercher le journal – pas un mot sur l'affaire! –, un étourdissement l'avait pris au milieu de l'escalier et il avait dû s'asseoir dans les marches quelques minutes; le vent frisquet avait fini par le remettre d'aplomb.

Après avoir visionné les passages en question, la stagiaire s'était retournée, l'air agité, et lui avait demandé de sa petite voix fragile de couventine (pourtant, elle était sûrement au milieu de la vingtaine):

— Où avez-vous pris ça, monsieur?

Jérôme, souriant, s'était contenté de mettre un doigt sur ses lèvres en faisant un clin d'œil:

— Secret professionnel.

Alors elle s'était rendue au bureau de Bernard Descôteaux et avait frappé à sa porte. Au bout d'une minute, le directeur l'avait entrouverte et ils avaient eu un court conciliabule, à la suite duquel, avançant la tête, il avait adressé à Jérôme un vague signe de la main, puis s'était retiré.

— Monsieur Descôteaux me demande vos coordonnées, annonça la jeune femme en revenant. Il va visionner le disque cet après-midi, puis communiquer avec vous dans les meilleurs délais.

Jérôme, attablé dans sa cuisine devant un café au lait qui l'aidait à faire passer un sandwich à l'emmenthal qui avait atterri dans son estomac comme des billes de plomb, consulta sa montre pour la centième fois depuis son lever. Un délai étant par essence immatériel, se disait-il dans un accès de métaphysique tristounet, il peut s'étirer indéfiniment et finir même par concurrencer l'éternité, non?

Son cellulaire, posé sur la table près du *Devoir*, se mit à sonner. Il consulta l'écran:

— C'est Charlie. J'aurais dû l'appeler, le pauvre.

Ils eurent une courte conversation pendant laquelle Jérôme lui résuma les derniers événements, chose des plus faciles puisqu'il ne s'était presque rien passé.

— Je suis encabané ici depuis hier, Charlie, et j'attends. Qu'est-ce que je peux faire d'autre? Je ne réponds pas aux appels de numéros inconnus, et je me garderai bien de répondre à Normande Juneau, bien sûr, si jamais elle m'appelle… Oh, et puis, j'oubliais: il y a Sicotte, mon ancien patron, qui veut absolument me parler, paraît-il; je l'ai appris par son garçon avant-hier… Mais non, bien sûr, ne t'inquiète pas, je vais l'éviter à tout prix, celui-là. S'il pense me coincer, ce maudit tordu… Un fou dans une poche, les oreilles à l'air! Je vais m'arranger pour être chez moi le moins possible, de peur qu'il vienne me relancer ici, sait-on jamais. D'ailleurs, je pars à l'instant. N'essaie pas de me joindre, je vais être au cinéma.

♦ ♦ ♦

Il entrait dans une salle du cinéma Quartier Latin lorsque son cellulaire se mit à jacasser comme une perruche dans la poche de sa veste; c'était Bernard Descôteaux:

— J'aimerais vous voir le plus vite possible, monsieur Lupien. Vous êtes libre en ce moment?

L'absence des salutations d'usage et la voix tendue, presque gutturale, du directeur, donnaient l'impression que le feu était dans la baraque ou quelque chose du genre.

— J'arrive, monsieur.

Quinze minutes plus tard, un taxi le déposait devant le 2050, rue de Bleury. Cette fois, la réceptionniste, tout sourire, le reçut comme un vieil habitué:

— Prenez la peine de vous assoir, monsieur, je vous annonce.

Le directeur apparut aussitôt, la mine agitée, les pommettes roses, et lui fit signe de le suivre. Deux autres personnes se trouvaient déjà dans son bureau: une femme dans la jeune cinquantaine, au visage animé, au regard vif et perçant, que le directeur lui présenta comme la rédactrice en chef, et un homme d'allure sportive, à demi chauve, qui souriait en montrant des dents très blanches, le directeur de l'information; la nervosité empêcha Jérôme de retenir leurs noms.

— Monsieur Lupien, débuta le directeur en posant les coudes sur son bureau, les mains jointes, mes deux collègues et moi-même venons de visionner votre document. Merci, tout d'abord, pour la confiance que vous témoignez à l'égard de notre journal et de notre…

— Vraiment étonnante, cette histoire, coupa le directeur de l'information.

— … mais vous comprendrez qu'avant toute utilisation de ce document, l'éthique m'oblige à m'informer auprès de vous sur sa provenance.

Jérôme, depuis la veille, avait eu le temps de réfléchir à cette question et avait opté pour la prudence ; il voulut répondre, mais s'étouffa avec sa salive, et il lui fallut un moment avant de pouvoir articuler d'une voix éraillée :

— Vous protégez vos sources, moi, je protège les miennes.

L'effet de sa réplique s'en trouvait un peu gâché.

— Rassurez-vous, monsieur Lupien, fit la rédactrice en chef d'une voix légèrement traînante et fort agréable, nous n'avons pas l'intention de divulguer vos sources, *Le Devoir* ne l'a jamais fait, mais nous devons quand même les connaître, voyez-vous, c'est une règle du métier : il faut savoir de quoi on parle, n'est-ce pas, surtout lorsqu'il s'agit d'un sujet d'une telle gravité.

— Réalisez-vous l'impact que risquent d'avoir ces révélations si jamais nous les rendons publiques ? ajouta son collègue en posant familièrement sa main sur le bras de Jérôme.

— Absolument, monsieur, répliqua Jérôme qui prenait de l'assurance, sinon je ne me serais pas présenté au *Devoir*, voyez-vous.

Il y eut un moment de silence. Bernard Descôteaux s'éclaircit la gorge :

— Quelqu'un prendrait un café ?

— Bonne idée, approuva le directeur de l'information avec un sourire plein de conviction.

Jérôme l'imita ; il commençait à se sentir important.

— Je passe mon tour, fit la rédactrice en chef, j'en serais à mon quatrième cet après-midi, c'est un peu trop.

Et pendant que Descôteaux demandait les cafés au téléphone, elle se pencha vers Jérôme et s'informa à voix basse de ses antécédents, hochant doucement la tête avec force sourires. Un jeune homme apparut bientôt avec un plateau qu'il déposa sur le bureau du directeur. Jérôme versa de la crème dans son café, hésita une seconde devant le sucre qu'il n'utilisait que pour le café bas de gamme et, après avoir reniflé discrètement, en versa une cuillerée dans sa tasse.

Il sentait tous les regards posés sur lui.

— Mes sources, déclara-t-il alors d'un ton légèrement faraud, c'est moi-même.

Et avec une franchise qui frôlait parfois le sans-gêne, il raconta toute son histoire sans qu'on l'interrompe une seule fois.

Au bout de 20 minutes, il s'arrêta, son escarcelle vidée, et demanda un verre d'eau, car il avait le gosier sec comme de l'ardoise.

— Cela confirme certains renseignements que nous possédions déjà, observa la directrice en chef avec un sourire satisfait.

◆ ◆ ◆

Le lendemain, au petit matin, un tremblement de terre de magnitude 6, 7 ou 8 (selon les observateurs) secouait le Québec. *Le Devoir* affichait à la une :

LABRÈCHE : L'ANGLICISATION DU QUÉBEC PROGRAMMÉE

En page trois le chroniqueur Michel David réagissait sur le ton pince-sans-rire et mordant qui faisait sa marque. Son texte débutait ainsi :

IN VINO VERITAS

> L'alcool fait dire ou faire bien des sottises et il ne faut pas nécessairement croire tout ce qu'un buveur éméché pourrait nous raconter. Mais il n'en demeure pas moins vrai qu'il fait lever les inhibitions et que, sous son influence, bien des personnes laissent échapper des propos qu'elles se garderaient de tenir à jeun. *In vino veritas*, disaient les Romains. C'est l'adage que doit méditer tristement aujourd'hui le premier ministre Labrèche, empêtré dans une des situations les plus embarrassantes de sa carrière et qui, semble-t-il, n'a pas fini d'empirer. [...]

À 6 h 30, son chauffeur déposait la ministre Juneau devant l'édifice Price à Québec où se trouve la résidence officielle du premier ministre. Vingt minutes plus tard, elle en ressortait, le col de son manteau relevé jusqu'aux oreilles, les traits décomposés, et s'engouffrait dans la limousine qui repartait en vitesse. À 8 h, un conseil de guerre se réunissait dans une salle adjacente au bureau du premier ministre ; la rencontre, orageuse, dura une quarantaine de minutes, à la suite desquelles on émit un communiqué laconique annonçant une réaction officielle du gouvernement au moment approprié.

La manchette du *Devoir* stupéfia Jérôme. Il s'attendait à ce que la corruption prenne la vedette, car on touchait là à des choses concrètes et qui tombaient tout de suite sous le sens. Sa vengeance allait-elle donc lui échapper? Sicotte, sa femme et tous les participants d'un système de magouille qui vampirisait le Québec sans vergogne pouvaient-ils espérer s'en tirer?

À 8 h 15, il avait Bernard Descôteaux au bout du fil.

— C'est que vous nous avez fourni là beaucoup de matière, monsieur Lupien, lui expliqua fort aimablement le directeur. Lisez-nous demain et les jours suivants, vous verrez… Nous avons choisi de divulguer les faits par leur ordre d'importance – et celui de l'avenir du français nous apparaît primordial. Ne craignez rien, mon cher Jérôme, nous ne cacherons pas une *seule* parcelle des informations que vous nous avez si courageusement confiées. De toute façon, vous avez sûrement des copies de votre DVD : libre à vous d'en faire l'usage que vous voulez.

— Et alors, tu vois, j'avais bien raison ! s'exclama Charlie au téléphone quand Jérôme lui rapporta sa conversation avec le directeur. Moi, je courrais tout de suite montrer ce DVD à quelqu'un de l'équipe d'*Enquête*. Il n'y a qu'eux, je te dis, pour en tirer tout le jus.

Ce que fit aussitôt Jérôme. L'affaire alla rondement. La manchette du *Devoir* facilitait diablement les choses : 32 minutes plus tard, il faisait visionner son disque au reporter Alain Gravel. Tout se passa dans l'ambiance recueillie que fait naître le spectacle des crapules en action.

— J'ai vu bien des saloperies dans ma carrière, murmura Gravel à la fin du visionnement, mais jamais rien comme ça.

Il avait l'air un peu sonné.

— L'UPAC doit sûrement essayer de remonter jusqu'à vous, mon ami. À votre place, j'irais les trouver. Ils apprécieront. Merci pour votre confiance. Je convoque tout de suite mon équipe.

Sans même prendre une bouchée (il est facile de jeûner quand on a l'appétit coupé), Jérôme se présentait vers 13 h, rue Fullum, aux bureaux de l'Unité permanente anti-corruption qui occupait un étage de l'édifice où loge Télé-Québec. Il fut reçu par le sergent-détective Nicolas Leblanc qui l'écouta avec la plus grande attention ; c'était un homme de taille moyenne, presque frêle, avec un air à la fois finaud et bon enfant qui portait ses interlocuteurs à ne plus savoir sur quel pied danser. Après le visionnement du DVD, Leblanc se comporta avec son visiteur comme le père de l'enfant prodigue accueillant son fils repenti.

— On était déjà sur des pistes, lui apprit-il. Un grand merci, tout de même, mon ami : vous nous simplifiez la tâche.

Le lendemain, *Le Devoir* poursuivait son tir meurtrier :

RÉVÉLATIONS ACCABLANTES SUR UNE ÉQUIPE CORROMPUE

Québec demeurait toujours silencieux. Un vieux routier du journalisme compara d'un ton narquois le mutisme du gouvernement à celui qui avait affecté le premier ministre Maurice Duplessis lorsque avait éclaté en 1958 le fameux scandale du gaz naturel, révélé lui aussi par *Le Devoir* : pendant plusieurs semaines, le vieux lion, retiré dans sa tanière et léchant ses plaies, avait suspendu sa conférence de presse hebdomadaire, du jamais-vu. « Souhaitons que nous n'ayons pas à languir aussi longtemps », avait conclu le journaliste.

Le matin du premier scoop, le téléphone de Jérôme fut saisi d'une si violente crise de sonneries que celui-ci demanda l'hospitalité à son ami Charlie, le temps que les choses se calment. Normande Juneau, Séverin Sicotte et quelques-uns de leurs « associés » essayaient désespérément de lui parler ; finalement, Sicotte envoya Olivier Fradette – revenu en toute hâte de Cuba – faire le guet avenue Decelles. Malheureusement, il se pointa une demi-heure après que son ancien collègue eut quitté l'appartement.

Finalement, le 17 décembre, le premier ministre Labrèche convoqua une conférence de presse pour « répondre aux calomnies dont lui, trois de ses ministres et des membres de son personnel politique avaient été l'objet ». Comme à son habitude, il s'y montra élégant, froid et maître de lui-même, allant jusqu'à se permettre de l'ironie. « Des propos à bâtons rompus tenus pendant une réunion intime où on avait abusé de la dive bouteille – et j'en prends personnellement le blâme – ne peuvent quand même pas être assimilés à une position officielle de mon gouvernement. Seuls les opportunistes et les amateurs de calomnies oseront soutenir ça.» Et il y alla ensuite d'une profession d'amour pour «notre langue nationale, ce précieux patrimoine collectif» dont il avait toujours considéré la défense et la promotion comme un «devoir sacré», selon l'expression un peu usée de son prédécesseur.

Des journalistes souriaient.

Cependant, malgré tous ses efforts, les plaques tectoniques continuaient de bouger. Le 19 décembre, la ministre Normande Juneau, en fine tacticienne, démissionna pour protester contre «la trahison culturelle» du gouvernement et déclara qu'elle siégerait désormais comme indépendante; elle se mettait à l'entière disposition de la justice pour l'aider à faire la lumière sur cette histoire, se disant avoir été forcée de participer à un système de financement qu'elle avait toujours réprouvé. Argument qui ne trompait personne, mais qui, espérait-elle, la mettrait en meilleure position pour se défendre.

Le jour même, trois autres députés l'imitaient. Le gouvernement Labrèche devenait minoritaire. Un vote de censure le fit tomber et on annonça des élections.

Ce même jour, à l'aube, l'UPAC faisait 18 perquisitions à Montréal et à Québec, dont trois au Parlement qui eurent pour effet d'arrêter des déchiqueteuses fonctionnant à plein régime.

Séverin Sicotte et Francine Desjarlais furent appréhendés à leur domicile et leur passeport confisqué; ils allaient s'envoler pour Freetown, capitale du Sierra Leone, pays renommé pour ses ananas, ses mines d'or et la mansuétude de ses percepteurs d'impôts.

Freddy Pettoza fut mis en état d'arrestation à son bureau du boulevard Crémazie où, sa femme de ménage étant malade, il procédait à un vigoureux élagage de vieilles paperasses. Il se mit à rugir, mais une extinction de voix se fit bientôt craindre et, soudain radouci, il se contenta de réclamer la présence de son avocat.

Deux de ces perquisitions eurent des conséquences malheureuses.

Joseph-Aimé Joyal, le vénérable maître à penser de Séverin Sicotte, tiré brusquement du sommeil, devint tout à coup confus, puis s'écroula par terre devant les deux policiers venus le trouver pour une causette matinale. Quand il revint à lui, son visage avait pris une expression hagarde et joyeuse, et il se mit à répéter sans arrêt et sur tous les tons le mot « gamelle », à quoi se résuma par la suite tout son discours, au grand ennui de son entourage. On consulta un neurologue, un psychologue, puis un psychiatre, sans résultat. Le psychologue, homme imaginatif et consciencieux, demanda si le vieil homme avait déjà fait son service militaire, la gamelle, comme chacun sait, faisant partie de l'équipement du soldat.

— Non, répondit sa sœur.

Elle réfléchit un instant, puis :

— Mais dans sa jeunesse, si je me rappelle bien, il a été scout… Durant leurs excursions, ils utilisent des gamelles, non ?

— Alors, conjectura le psychologue d'un air savant, il s'agit peut-être chez lui d'une violente aspiration vers la pureté de l'enfance.

Sa conjecture n'éblouit personne.

L'autre perquisition tourna à la tragédie. Roland Dozois, dit le Trépané, assis sur le bord de son lit, le pyjama à demi déboutonné et la cigarette au bec, engueulait violemment un policier qui avait eu le culot de venir le réveiller (« C't'une violation de domicile, ça, mon tit gars ! Une violation que tu vas payer cher en tabarnac ! »), tandis que sa femme sanglotait dans la salle de bains. Soudain, sous l'effet du courroux, il tomba raide mort. Le Trépané devint le Trépassé, emportant avec lui tous ses secrets.

Le premier ministre Labrèche ne put échapper, bien sûr, aux tracas d'un procès, dont l'issue se ferait attendre durant des années. Mais son élévation dans l'échelle sociale et l'éminence des avocats qui le défendaient lui assureraient sans doute l'impunité ou son équivalent.

Un mois plus tard, les électeurs portaient au pouvoir la chef de l'opposition, Aline Letarte, première femme dans l'histoire du Québec à détenir de telles fonctions. De grandes réjouissances eurent lieu un peu partout.

Le jour où avait éclaté le scandale, Jérôme s'était dépêché de téléphoner à Eugénie et leur conversation avait duré trois heures et demie ; Charlie voulut la faire inscrire dans le *Livre Guinness des records*, mais on l'assura que l'amour pouvait rendre encore plus bavard. Du reste, l'amour, ce soir-là, produisit des effets bien plus délectables lorsqu'il se présenta chez son ancienne amoureuse, qui redevint tout aussitôt sa nouvelle.

Jérôme se sentait quand même un peu frustré de n'obtenir aucune reconnaissance publique pour le déclenchement d'événements aussi gigantesques. Qui pouvait se vanter, en effet, d'avoir fait tomber à lui seul un gouvernement ? Sans compter que les plus pourris étaient les plus coriaces.

On se perdait en conjectures sur le responsable de la fuite qui avait coûté le pouvoir, selon certains commentateurs «à de vaillants serviteurs de la nation ». Quelques noms se mirent à circuler, mais les preuves refusaient d'apparaître. Le célèbre animateur d'une radio-poubelle de Québec, très fort en gueule, défia l'individu, homme ou femme, de venir le rencontrer en studio, le traitant d'*étron gauchiste*, d'*enculé syndical*, de *rat de dépotoir*, d'*enfant de tuyau d'égout*, de *séparatiste névrosé*, et autres douceurs du genre. Jérôme préféra garder l'anonymat.

Il avait enfin reconquis une grande partie de son estime. Après une année aussi houleuse et variée, il lui fallut tout de même quelque temps pour regagner la confiance d'Eugénie, si tant est qu'elle pût redevenir entière. Quatre mois plus tard, elle tombait enceinte et Jérôme, déjà soumis à un vigoureux entraînement à la paternité par Andrée-Anne, devint également le papa d'un petit garçon qu'on nomma Jacob.

◆ ◆ ◆

Ce fut vers cette époque que *Le Devoir* l'engagea comme journaliste, métier dans lequel il se lança avec passion. Un jour, il arriva face à face avec Normande Juneau au palais de justice de Montréal ; elle feignit de ne pas le connaître et poursuivit son chemin.

Jean-Philippe Labrèche, quant à lui, finit par s'établir aux Bermudes dont le climat lui convenait tout à fait et où il avait eu la précaution de déposer certaines sommes à l'abri des ponctions fiscales ; son fils aîné y possédait une boîte de nuit huppée et profita grandement de ses conseils avisés. Tout le monde croyait que le premier ministre déchu avait abandonné la carrière. On se trompait. Il suivait avec attention l'actualité politique au Québec. De temps à autre, une nouvelle bévue de son adversaire lui amenait un grand sourire.

— Cette brave Aline prépare mon retour, murmurait-il en se frottant doucement les mains. Comme c'est gentil.

Et il prenait un cognac à sa santé.

Un soir que Jérôme, penché au-dessus d'une table à langer, s'occupait, les narines pincées, de changer la couche de son garçon, Eugénie apparut dans la pièce, un téléphone à la main. Félix, qu'il n'avait pas vu depuis une éternité, était au bout du fil pour lui annoncer qu'il venait d'être accepté à la Faculté de droit de l'Université de Montréal.

— Comment vont tes chers parents ? lui demanda Jérôme.

— Aucune idée, répondit-il d'un ton détaché.

Ils causèrent un peu. il était de fort bonne humeur et les deux copains ravis de se retrouver.

— On casse la croûte ensemble la semaine prochaine ? proposa Jérôme.

— Ouais, bonne idée.

Il y avait comme un sourire dans sa voix. Ils allaient poursuivre leur conversation, mais les hurlements du petit Jacob les obligèrent à y mettre fin.

◆ ◆ ◆

Ce soir-là, quelques minutes après le coucher du soleil, une lune rousse s'éleva lentement dans le ciel chargé de nuages, qui bientôt la masquèrent. Mais on la vit réapparaître tout à coup dans une échancrure, brillant d'une lueur si bizarre et qui donnait à son visage une expression si sournoise et maléfique que des passants levèrent la tête et l'observèrent en silence, envahis par un sourd malaise.

Longueuil, le 6 avril 2016

REMERCIEMENTS

Je tiens à remercier pour leur aide généreuse et leurs précieux conseils Marie-Noëlle Gagnon, Diane Martin, Isabelle Pauzé, Éric St-Pierre, Sara Tétreault, Anouk Noël, Jean Dorion, Viviane et l'infatigable Michel Gay. Je remercie également, pour leur patience, mes éditeurs Caroline Fortin et Jacques Fortin.